The Fiftieth Gate

ליקוטי תפילות

Likutey Tefilot

The Fiftieth Gate

ליקוטי תפילות
Likutey Tefilot

Reb Noson's Prayers

Volume 6
Part Two: Prayers 5-29

Translated by Yaacov David Shulman

BRESLOV RESEARCH INSTITUTE
Jerusalem / New York

Copyright © 2016 Breslov Research Institute

ISBN 978-1-928822-58-5

No part of this publication may be translated, reproduced, stored in any retrieval system or transmitted, in any form or by any means, electronic, mechanical, photocopying, recording or otherwise, without prior permission in writing from the publishers.

First edition

For further information:

Breslov Research Institute
POB 5370
Jerusalem, Israel

or:

Breslov Research Institute
POB 587
Monsey, NY 10952-0587
USA

Breslov Research Institute
POB 11
Lakewood, NJ 08701
USA

Printed in Israel

This book is dedicated
in memory of

הא׳ מרת **רבקה** ב״ר **חיים** ע״ה
Ruby Frank

Lizzy and Tzuriel Ross

"The light that emanates
from its windows draws us.
Its beauty, once discovered,
is impossible to resist."

Reb Noson once said:
Now that the *Likutey Tefilot* has
been published, people will have
to give an accounting for each day
they failed to recite these prayers.

(*Kokhavey Or*)

Sima Vardiya Driscoll

Contents

A Basic Guide

What is *Likutey Tefilot*?

Likutey Tefilot is a collection of personal prayers composed by Reb Noson of Breslov (1780-1844), the leading disciple of the outstanding Chassidic luminary, Rebbe Nachman of Breslov (1772-1810). The Hebrew original of *Likutey Tefilot* consists of two parts containing 152 and 58 prayers respectively—a total of 210 prayers. This work is a free translation of Part Two of *Likutey Tefilot* (Prayers 5-29).

For complete details about *Likutey Tefilot* and Reb Noson, see "The Power of Prayer: A General Introduction to *The Fiftieth Gate*" by Avraham Greenbaum, in *The Fiftieth Gate*, Vol. 1.

Personal Prayer

Rebbe Nachman taught that besides reciting the mandatory daily prayer services contained in the *siddur*, we should supplement them with our own individual prayers. In *Likutey Tefilot*, Reb Noson made his personal prayers available to us to use at our discretion in our own sessions of private prayer. *Likutey Tefilot* is not a book to read through for information. The prayers were written to be *said* rather than *read*. This is an inspirational text for use when we wish to reach out to God and express our personal needs and spiritual yearnings—whether at home, in the synagogue, in the office, in a quiet park or out in the countryside.

How to Find What You Want in This Book

Each of Reb Noson's prayers in *Likutey Tefilot* is based on one of Rebbe Nachman's lessons in *Likutey Moharan*.

The prayer is a request for God's help in achieving the spiritual ideals explained in Rebbe Nachman's lesson. It is not necessary to study the relevant lesson before reciting the prayer. Nevertheless, it is helpful to realize that the structure of each prayer and the way its themes are developed are governed by Rebbe Nachman's treatment in the corresponding lesson.

• Index of Topics (pp. *xi-xiii*)

This is an aliuhphabetical listing of all the main 0 topics covered in the prayers in this volume. Consult this index to find the prayers dealing with the themes you want to pray about. If you cannot find a listing for a given topic, can you think of a synonymous term or related idea that is included?

• Contents of the Prayers

Each prayer is headed by a list of its main topics. Note: Topics are not necessarily listed in the order they appear in the prayer, nor does the list indicate which are the central themes of the prayer and which are subsidiary topics.

• Synopses of the Lessons in *Likutey Moharan*

At the start of each prayer appears a synopsis of the corresponding lesson in *Likutey Moharan*. This is not intended to be an abstract of the lesson as such, but rather a guide to the way the main concepts found in Reb Noson's prayer relate to one another; how key ideas may be understood; and how these concepts are explained and developed in Rebbe Nachman's original lesson. Readers who seek the connection between the concepts of the prayers may refer to the English translation of the *Likutey Moharan*, published by the Breslov Research Institute, which contains full explanatory notes.

• Section Headings

These have been introduced in the longer prayers to indicate a transition in the development of the prayer, or the introduction of a fresh topic.

Numbering of Prayers

Many of the prayers in Part Two of *Likutey Tefilot* correspond to the lessons in Part Two of the *Likutey Moharan*. We have indicated in parentheses those cases where the lesson number in *Likutey Moharan* II differs from the prayer number.

About this Translation

This is a free rendition of *Likutey Tefilot*, aimed at conveying the content and spirit of the original in readable, idiomatic English, so that English-speaking readers may recite the prayers meaningfully. This does not purport to be a definitive scholarly translation. The facing Hebrew text has been provided for the benefit of those who wish to say all or part of the prayers in the original, but readers should not expect to find a direct English equivalent for every single Hebrew word and phrase.

Tefilot ve-Tachanunim

Selections from the work of Rabbi Nachman Goldstein, best known as the Rav of Tcherin, a disciple of Reb Noson, also appear in this collection. In his *Tefilot ve-Tachanunim* (*Prayers and Supplications*), Rabbi Goldstein wrote prayers for certain passages of

Rebbe Nachman's lessons upon which Reb Noson did not write a prayer, and inserted them at the appropriate places in the *Likutey Tefilot*. These selections have been inserted directly into the prayers.

How to Say the Prayers

You are free to choose sections of a prayer according to your personal needs and preferences, time constraints, etc. Nevertheless, each of Reb Noson's prayers is an organic whole and there is a benefit in reciting it in its entirety. It is perfectly in order to improvise and add your own personal prayers and requests at any point during your recital of these prayers.

Brokenheartedness versus Depression

Reb Noson gives profoundly honest expression to the awe of a mortal creature approaching the Infinite Creator, his sense of his own smallness, and his shame at his shortcomings, failures and transgressions. Rebbe Nachman taught that true brokenheartedness leads to ultimate joy. For some people, however, dwelling on such feelings can be counterproductive, engendering negativity and depression. If this happens, Reb Noson would have been the first to say: Turn to something more positive!

Contents of the Prayers

Index of Topics

(Numbers refer to the prayers)

The following index will enable the reader to match Reb Noson's prayers in Part Two of *Likutey Tefilot* with their corresponding lessons in *Likutey Moharan* II.

ליקוטי תפילות

Likutey Tefilot

Part Two
Prayers 5-29

5

Faith is the Foundation Stone of the Torah / One Draws Up Counsel with the Aid of Tzaddikim to Attain Faith / A Wholehearted Person Receives What He Needs in Order to be Healed / Ultimately, Everyone Will Recognize God's Greatness / A Jew Must be Rescued from the Egotism of False Leaders / One Prevents Nocturnal Emissions By Being Joyful / When a Person Rectifies Judgment, He Rectifies Sexuality / A Person Should Not Go Beyond His Limits / Sanctifying the Power of Imagination / Proper Eating Brings Faith and Holiness into the World / A Person Should Draw the Joy of Nisan onto the Entire Year / On the Days of Repentance, a Person Seeks Everything He has Lost / A Person Must be Willing to Appear Mad to Serve God / The Lungs are Holy at Their Source

Faith is the foundation stone of the entire Torah and the basis of all worlds. If a person suffers a lack of faith, that damages everything in his life. Such damage can be repaired only by his restored faith.

To attain faith, a person must draw counsel from

the depths of darkness, to which end he requires the assistance of a holy man of understanding. A person should strive to be among the students of such a Tzaddik, in whose company he should strive to gather and rectify all of the elements of faith.

In general, a person must seek the holy words of the true Tzaddikim who revive all souls, from the greatest to the smallest. These Tzaddikim have composed many holy books filled with counsel and inspiration on how to serve God.

*

God can cause plants to grow and to be picked at the proper time so that they will have the power to heal Jews' diseases. When a person possesses a simple wholeheartedness, he receives exactly what he needs in order to be healed.

*

Some gentiles become converts in potential, others in actuality. Ultimately, all people will know of God and will yearn for true faith. Everyone will come to serve God and recognize the power of His sovereignty. Many gentiles will become Jews for the sake of God's great Name.

However, pollution taints converts, and that causes blemishes. The righteous converts must purify themselves of that pollution, even as Jews ask God to rescue them from those blemishes.

*

Each Jew must strive to be rescued from the sword of egotism of the false leaders of the generation, who rule over the impoverished nation by usurping rabbinical authority.

*

A person must nullify his bad desires—particularly the lust for sexual wrongdoing. He must pray that he will never experience a nocturnal emission. Because such an emission comes as a result of depression and bitterness, he must strive to strengthen himself with joy.

When judges and rabbis are corrupt and pervert justice, holy types of love fall and inject sexual impropriety into the world. This results in the uncleanness of nocturnal emissions. When a person recites the description of the binding of the Chariot before going to sleep,[1] he can attain a rectification of judgment.

One must strive to nullify the lust for sexual impropriety and, more generally, rectify the "seals of purity" in the merit and power of Moses, the Seven Shepherds,[2] and all true Tzaddikim. That is related to

---

1 The binding of the Chariot refers to the "Chariot of God" which is surrounded by four angels—Michael, Gabriel, Uriel and Raphael—and upon which "rests" the *Shekhinah*, the Divine Presence of God. It is customary to recite the binding of the Chariot during the Bedtime Shema.

2 The Seven Shepherds are Abraham, Isaac, Jacob, Moses, Aaron, Joseph and David.

attaining the holiness of tefilin, which constitute the seal of truth.

As a person waters his heart with holiness, he extinguishes the heat of the heart that burns for evil lusts—particularly the lust for sexual wrongdoing.

Beyond that, he should not accustom himself to indulge in sexual desire even when it is permitted, and he should sanctify himself when engaging in marital relations. He must guard the moisture and fluids in his body, not expending them through this desire, so that they can rise to strengthen and renew his mind.

*

Even in holiness, a person should not seek that which is beyond him. Instead, he should gaze only at what he is permitted to. He should draw onto himself the holy constriction appropriate for his mind, so that it will not be destroyed by going beyond its limits.

*

One should avoid evil musings and worthless dreams, which come about by means of a demon.

By sanctifying his power of imagination, he rises from the animal realm to the human realm. By incorporating the power of his imagination into the power of his holy awareness, then, when his mind is quiescent during sleep, the power of his imagination and the residue of the consciousness of holiness will be on the level of an angel.

He should strive to draw the image of God onto himself, until he attains dreams by means of an angel, dreams that are good and straight, holy and pure. In such a dream, he sees the light of the face of the true Tzaddikim and he hears them speak words of God without any admixture of falsehood.

Then, when he awakens, he should strive to remember everything that he saw and heard in his dream.

*

When a person eats in holiness and purity, solely for the sake of maintaining his soul as well as his body, new comprehensions are drawn onto him, until he has the power to draw up the deep water of good counsel from which holy faith grows. In addition, he strengthens the angels, which bring him abundance and good income. Such angels do not allow the Side of Evil to siphon off energy from the abundant flow that is drawn onto it. The Side of Evil can take, at most, a minimal amount to provide it with a constricted life force.

*

A person should draw the holiness and joy of the month of Nisan onto himself. He should then strive to draw that onto the entire year. This strengthens the holy angels, bringing them laughter, might and gladness.

The mitzvot and good deeds that a person engages

in throughout the year are, as it were, delicacies that God tastes on Rosh HaShanah.

On that day, a person should strive to hear the shofar from a worthy shofar-blower.

In the merit of the *tekiah*, he should draw onto himself holy wisdom, understanding and knowledge.

In the merit of the *teruah*, he should draw onto himself the holiness of the true shepherd of Israel and the holiness of the covenant.

And in the merit of the *shevarim*, he should attain true dreams that come by means of the holy angel and attain the rectification of judgment.

During the Ten Days of Repentance, a person should continue to rectify all of the blemishes that he caused throughout the previous year—particularly those of the covenant. He must ask God to help him find everything that he lost throughout his life and help him purify and sanctify himself.

On Sukkot, he should strive in the merit of the mitzvah of sukkah to rectify and strengthen the holy angel and attain a dream by means of an angel, and to eat pure, unadulterated foods.

In the merit of the holiness of Shemini Atzeret, he should strive to rectify the judgment of holiness, and in this way be rescued from the blemish of the covenant.

*

For the sake of God, a person should be willing to engage in behavior that appears mad to others. He should cast himself into all kinds of trash for the sake of God's commandments.

*

A person should draw upon himself the holiness of the lungs from their supernal root, so that they will not suffer from any blemish, whether physical or spiritual.

"מִמַּעֲמַקִּים קְרָאתִיךָ יְיָ, אֲדֹנָי שִׁמְעָה בְקוֹלִי, תִּהְיֶינָה אָזְנֶיךָ קַשֻּׁבוֹת לְקוֹל תַּחֲנוּנָי". יָחִיד וּמְיֻחָד, אֲדוֹן כֹּל, לְעֵלָּא מִן כֹּלָּא וְלֵית לְעֵלָּא מִנָּךְ, מַלְכִּי וֵאלֹהָי אֵלֶיךָ אֶתְפַּלָּל.

אֵלֶיךָ אֲשַׁוֵּעַ, אֵלֶיךָ אֶזְעַק, אֵלֶיךָ אֶתְחַנֵּן, לְפָנֶיךָ אֶשְׁתַּטֵּחַ, לְפָנֶיךָ "אֶשְׁתַּחֲוֶה וְאֶכְרָעָה אֶבְרְכָה לִפְנֵי יְיָ עוֹשִׂי".

אֵלֶיךָ שִׁטַּחְתִּי אֶת כַּפַּי, "פֵּרַשְׂתִּי יָדַי כָּל הַיּוֹם, נַפְשִׁי כְּאֶרֶץ עֲיֵפָה לְךָ סֶלָה".

לִבִּי יִצְעַק אֶל יְיָ, מֵעוּמְקָא דְּלִבָּא אֲנִי קוֹרֵא אֵלֶיךָ, מֵעִמְקֵי עֲמָקִים אֲנִי מְצַפְצֵף לְרַחֲמֶיךָ וַחֲנִינוּתֶיךָ הָאֲמִתִּיּוֹת, "כְּאַיָּל תַּעֲרֹג עַל אֲפִיקֵי מָיִם כֵּן נַפְשִׁי תַעֲרֹג אֵלֶיךָ אֱלֹהִים".

כְּיוֹנִים הוֹמוֹת "מְתוֹפְפוֹת עַל לִבְבֵהֶן", כֵּן יֶהֱמֶה לְבָבִי לַהֲמוֹן רַחֲמֶיךָ וַחֲסָדֶיךָ.

"כַּאֲשֶׁר יֶהְגֶּה הָאַרְיֵה וְהַכְּפִיר עַל טַרְפּוֹ אֲשֶׁר יִקָּרֵא עָלָיו

The Waters of Counsel That Heal Blemished Faith

"**F**rom the depths have I called to You, HaShem. HaShem, hear my voice. May Your ears be attentive to my outcry, my entreaty." Unique and Singular Master of all, You are higher than everything. None is higher than You. "My King and my God, I will pray to You."

I cry out to you, I plead with You, I prostrate myself before You. "I will prostrate myself and bow down. I will bend my knee before HaShem Who made me."

"I stretch my hands out to You. My soul turns to You like a weary land."

My heart cries out to HaShem. From the depths of my heart I call to You, from the deepest depths I beg for Your true compassion and graciousness. "Like a deer yearning along the channels of water, so does my soul yearn for You, God."

Like doves moaning, "beating their breasts," so does my heart moan for Your vast compassion and kindness.

"As a lion or young lion growls over his prey, though a band of shepherds gathers against

מְלֹא רוֹעִים מִקּוֹלָם לֹא יֵחָת וּמֵהֲמוֹנָם לֹא יַעֲנֶה".

כֵּן אֶשְׁאַג וְאֶזְעַק וְאֶצְעַק וַאֲשַׁוַּע וְאֶנְהֹם וְאֶעֱרֹג וַאֲצַפְצֵף וַאֲקַוֶּה וַאֲיַחֵל וַאֲצַפֶּה וַאֲחַכֶּה לְרַחֲמֶיךָ וִישׁוּעָתֶךָ. לֹא אַחֲרִישׁ וְלֹא אֶשְׁקֹט מִלִּקְרֹא תָּמִיד אֵלֶיךָ, יְיָ אֱלֹהַי וֵאלֹהֵי אֲבוֹתַי.

כִּי הֱצִיקַתְנִי רוּחִי וַעְצֹר בְּמִלִּין לֹא אוּכָל, "קָרָאתִי שִׁמְךָ יְיָ מִבּוֹר תַּחְתִּיּוֹת. קוֹלִי שָׁמָעְתָּ, אַל תַּעְלֵם אָזְנְךָ לְרַוְחָתִי לְשַׁוְעָתִי, שְׁמַע יְיָ קוֹלִי אֶקְרָא, וְחָנֵּנִי וַעֲנֵנִי". וְעָזְרֵנוּ וְהוֹשִׁיעֵנוּ וְזַכֵּנוּ לֶאֱמוּנָה שְׁלֵמָה בֶּאֱמֶת.

הַצִּילֵנוּ נָא, אָבִינוּ שֶׁבַּשָּׁמַיִם, מִפְּגַם אֱמוּנָה. שָׁמְרֵנוּ בְּרַחֲמֶיךָ הָרַבִּים וְהַצִּילֵנוּ מִמַּכּוֹת הַמֻּפְלָאוֹת הַבָּאִים חַס וְשָׁלוֹם עַל פְּגַם הָאֱמוּנָה.

שֶׁאֵין מוֹעִיל לָהֶם שׁוּם דָּבָר, לֹא רְפוּאוֹת וְלֹא תְּפִלָּה וְלֹא זְכוּת אָבוֹת. וַאֲפִלּוּ כָּל הַקּוֹלוֹת שֶׁל אָח וַאֲבוֹי וּגְנִיחוֹת וַאֲנָחוֹת גַּם כֵּן אֵין מוֹעִיל לָהֶם.

כִּי הַכֹּל נִפְגָּם וְנִתְקַלְקֵל עַל־יְדֵי פְּגַם הָאֱמוּנָה הַקְּדוֹשָׁה, אֲשֶׁר הִיא יְסוֹד כָּל הַתּוֹרָה כֻּלָּהּ וִיסוֹד כָּל הָעוֹלָמוֹת כֻּלָּם עִם כָּל אֲשֶׁר בָּהֶם, שֶׁהַכֹּל תְּלוּיִים וְעוֹמְדִים וּמִתְקַיְּמִים רַק עַל הָאֱמוּנָה הַקְּדוֹשָׁה.

him, he does not fear their voice and he is not subdued by their stirring."

So shall I roar, cry out, moan, yearn, call, hope and wait for Your compassion and salvation. I will not be silent, but I will always call out to You, HaShem my God and God of my fathers.

For my spirit is oppressed, and I cannot hold back my words. "I called out Your Name, HaShem, from the lowest pit." "You have heard my voice; do not hide Your ear from my sighing and my cry." "HaShem, hear my voice when I call; be gracious to me and answer me." Help me and save me so that I will truly attain full faith.

My Father in Heaven, please rescue me from blemishes to my faith. In Your vast compassion, guard me and rescue me from the terrible blows that come in consequence of damaged faith, Heaven forbid.

Nothing helps repair that—not remedies or prayer or the merit of the forefathers, or even sighs, groans and moans.

Everything is damaged and spoiled by a blemish in holy faith, which is the foundation of the entire Torah and the basis of all worlds, with all that is in them. All of those worlds are dependent and based on holy faith.

אָנָּא נוֹרָא קָדוֹשׁ, מָלֵא רַחֲמִים רַבִּים, זַכֵּנוּ לִצְעֹק אֵלֶיךָ בֶּאֱמֶת מֵעֹמֶק הַלֵּב מֵעִמְקֵי עֲמָקִים, כַּאֲשֶׁר אֲנַחְנוּ צְרִיכִים לִקְרֹא אֵלֶיךָ עַתָּה, כַּאֲשֶׁר נִגְלֶה לְפָנֶיךָ אֲדוֹן כֹּל, אֶת כָּל נִגְעֵי לְבָבֵנוּ שֶׁל כָּל אֶחָד וְאֶחָד בִּפְרָטִיּוּת.

עָזְרֵנוּ לִצְעֹק אֵלֶיךָ מִן הַלֵּב בְּקוֹל עָמֹק בֶּאֱמֶת בְּקוֹל דְּמָמָה דַקָּה, בְּאֹפֶן שֶׁנִּזְכֶּה לְעוֹרֵר עָלֵינוּ פִּלְאֵי רַחֲמֶיךָ וַחֲסָדֶיךָ וַחֲנִינוֹתֶיךָ וִישׁוּעוֹתֶיךָ וְהַצָּלוֹתֶיךָ הַנִּפְלָאוֹת וְהַנּוֹרָאוֹת מְאֹד.

עַד שֶׁנִּזְכֶּה לְעוֹרֵר וּלְגַלּוֹת עֵצוֹת אֲמִתִּיּוֹת, עֵצוֹת עֲמוּקוֹת, מִתּוֹךְ עֹמֶק הַחֹשֶׁךְ אֲפֵלָה הַזֹּאת שֶׁנִּלְכַּדְנוּ בּוֹ מְאֹד בַּעֲווֹנוֹתֵינוּ הָרַבִּים.

כִּי אַתָּה עוֹשֶׂה נִפְלָאוֹת גְּדוֹלוֹת לְבַדֶּךָ, עוֹשֶׂה גְדוֹלוֹת עַד אֵין חֵקֶר נִסִּים וְנִפְלָאוֹת עַד אֵין מִסְפָּר, וְאַתָּה גוֹלֶה "עֲמֻקוֹת מִנִּי חֹשֶׁךְ" וּמוֹצִיא "לָאוֹר צַלְמָוֶת".

הוֹצִיאֵנוּ מֵאֲפֵלָה לְאוֹרָה. עֲשֵׂה עִמָּנוּ פְּלָאוֹת, וְתַשְׁפִּיעַ עָלֵינוּ וּתְגַלֶּה לָנוּ עֵצוֹת מֵרָחוֹק, בְּאֹפֶן שֶׁנִּזְכֶּה לְגַדֵּל הָאֱמוּנָה הַקְּדוֹשָׁה עַל־יְדֵי־זֶה.

וְרַחֵם עָלֵינוּ בְּרַחֲמֶיךָ הָרַבִּים, וְחָנֵּנוּ מֵאִתְּךָ חָכְמָה בִּינָה וָדַעַת דִּקְדֻשָּׁה, בְּאֹפֶן שֶׁנִּזְכֶּה לַחְתֹּר וּלְגַלּוֹת הַמַּיִם שֶׁמֵּהֶם

Please, awesome, holy God, filled with vast compassion, help me cry out to You from the depths of my heart, from the deepest depths, as I need to call to You now, when all of the pain of each and every person's heart is revealed to You, Master of all.

Help me cry out to You from the heart with a truly profound voice, "with a still, small voice," so that I will draw onto myself the wonders of Your awesome compassion, kindness, graciousness, salvation and rescue.

May I arouse and reveal true, deep counsel out of the depth of this darkness in which I am trapped because of my many sins.

"You do great things beyond comprehension and wonders without number." You reveal "depths from the darkness" and illumine the shadow of death.

Bring me out from dimness to light. Perform wonders for me. Pour forth and reveal counsel from afar so that I will raise my holy faith.

In Your vast compassion, have compassion on me. Graciously grant me holy wisdom, understanding and knowledge, so that I will dig down and reveal the waters—the "deep waters,

גְּדֵלָה הָאֱמוּנָה הַקְּדוֹשָׁה שֶׁהֵם "מַיִם עֲמֻקִּים עֵצָה בְלֶב אִישׁ".

שֶׁנִּזְכֶּה כֻלָּנוּ אֲנַחְנוּ וְכָל עַמְּךָ בֵּית יִשְׂרָאֵל לְגַלּוֹת וּלְהָאִיר עֵצוֹת עֲמֻקּוֹת מִתּוֹךְ עֹמֶק הַחֹשֶׁךְ.

וּתְתַקְּנֵנוּ בְּעֵצָה טוֹבָה מִלְּפָנֶיךָ, וְתַשְׁפִּיעַ בְּרַחֲמֶיךָ עֵצוֹת טוֹבוֹת בָּעוֹלָם.

וְתַצִּיל אוֹתִי וְאֶת כָּל עַמְּךָ יִשְׂרָאֵל מִסְּפֵקוֹת וּבִלְבּוּלִים, שֶׁלֹּא יִפְּלוּ עָלֵינוּ סְפֵקוֹת בְּשׁוּם דָּבָר שֶׁבָּעוֹלָם, רַק תָּמִיד נִזְכֶּה בִּמְהֵירוּת וּבְנָקֵל לְעֵצוֹת שְׁלֵמוֹת, עֵצוֹת אֲמִתִּיּוֹת, כִּרְצוֹנְךָ הַטּוֹב, בְּגַשְׁמִיּוּת וְרוּחָנִיּוּת, בְּגוּף וָנֶפֶשׁ וּמָמוֹן.

בְּאֹפֶן שֶׁנִּזְכֶּה לְהַצְלִיחַ הַצְלָחָה הָאֲמִתִּיִּית וְהַנִּצְחִיִּית, בָּזֶה הָעוֹלָם הָעוֹבֵר, לֵילֵךְ בִּדְרָכֶיךָ הַטּוֹבִים, וּלְהִתְקָרֵב אֵלֶיךָ בֶּאֱמֶת וּבְלֵב שָׁלֵם, וְנִזְכֶּה לְקַיֵּם עֲצוֹתֶיךָ הָאֲמִתִּיּוֹת וְהַנְּכוֹנוֹת, "בַּעֲצָתְךָ תַנְחֵנִי וְאַחַר כָּבוֹד תִּקָּחֵנִי".

וּתְרַחֵם עָלֵינוּ אָבִינוּ אָב הָרַחֲמָן, וְתִשְׁלַח לָנוּ אִישׁ תְּבוּנוֹת

counsel in the heart of man"—from which holy faith grows.

May I and Your entire nation, the House of Israel, reveal and illumine deep counsel from the depths of the darkness.

Rectify me with good counsel before You. In Your compassion, pour good counsel into the world.

Rescue me and Your entire nation, the Jewish people, from doubt and confusion, so that nothing in the world will cause us to experience any doubts. Rather, may we always quickly and easily attain true, complete counsel in accordance with Your good will, regarding material and spiritual matters, and regarding body, soul and money.

In this transient world, may we succeed with true and eternal success to go on Your good paths, to come close to You with a full heart, and to obey Your true and proper counsel. "Guide me in Your counsel and afterward receive me with glory."

Seeking a Man of Understanding

Compassionate Father, have compassion on us. Send us a man of understanding, with a holy

שֶׁיֵּשׁ לוֹ נְשָׁמָה קְדוֹשָׁה, שֶׁיִּהְיֶה לוֹ כֹּחַ לִדְלוֹת וְלִשְׁאֹב לָנוּ עֵצוֹת קְדוֹשׁוֹת עֵצוֹת עֲמוּקוֹת, כְּמוֹ שֶׁכָּתוּב: "מַיִם עֲמֻקִּים עֵצָה בְלֶב אִישׁ וְאִישׁ תְּבוּנָה יִדְלֶנָּה".

וְתַעֲזֹר לָנוּ בִּזְכוּת וְכֹחַ הַצַּדִּיקִים הָאֲמִתִּיִּים, שֶׁנִּזְכֶּה לְהַמְשִׁיךְ הַמְשָׁכַת רוּחָנִיּוּת אֱלֹהוּת לְתוֹךְ צִמְצוּמִים.

וְתַעַזְרֵנוּ בְּרַחֲמֶיךָ שֶׁנִּזְכֶּה עַל־יְדֵי מַעֲשֵׂינוּ הַטּוֹבִים לְצַמְצֵם וְלִבְרֹא צִמְצוּמִים וְגוּפִים קְדוֹשִׁים, שֶׁיִּהְיוּ כֵּלִים מְכֻשָּׁרִים לְקַבֵּל לְתוֹכָם הַמְשָׁכַת רוּחָנִיּוּת אֱלֹהוּת בִּקְדֻשָּׁה גְדוֹלָה כִּרְצוֹנְךָ הַטּוֹב.

וְנִזְכֶּה לִבְרֹא בְּכָל עֵת עוֹלָמוֹת וּבְרִיּוֹת חֲדָשׁוֹת קְדוֹשׁוֹת וּטְהוֹרוֹת, וּלְהַמְשִׁיךְ תָּמִיד רוּחָנִיּוּת אֱלֹהוּת לְתוֹךְ צִמְצוּמִים קְדוֹשִׁים.

וְאַתָּה בְּרַחֲמֶיךָ תַּשְׁפִּיעַ מָזוֹן וּפַרְנָסָה לְכָל הַנִּבְרָאִים וְהַנּוֹצָרִים וְהַנַּעֲשִׂים, כִּי אַתָּה זָן וּמְפַרְנֵס בְּרַחֲמֶיךָ וַחֲסָדֶיךָ הָרַבִּים מִקַּרְנֵי רְאֵמִים וְעַד בֵּיצֵי כִנִּים.

וּלְכָל הַנִּבְרָאִים שֶׁבָּעוֹלָם אַתָּה נוֹתֵן פַּרְנָסָה תָמִיד בְּטוּבְךָ הַגָּדוֹל, כְּמוֹ שֶׁכָּתוּב: "נוֹתֵן לֶחֶם לְכָל בָּשָׂר, כִּי לְעוֹלָם חַסְדּוֹ".

soul, who will have the power to draw forth holy, deep counsel for us, as in the verse, "Counsel in the heart of man is deep water, and a man of understanding will draw it up."

In the merit and power of the true Tzaddikim, help us draw Godly spirituality into areas of constriction.

Holy Areas of Constriction and Sustenance

In Your compassion, help us so that our good deeds will create such areas of constriction and holy bodies that will be fit vessels to receive Godly spirituality with great holiness, in accordance with Your good will.

At every moment, may we create new, holy and pure worlds and entities, and always draw Godly spirituality into these holy constrictions.

In Your compassion, send sustenance and income to all created, formed and made beings, which You sustain and support in Your great compassion and kindness, "from the horns of the aurochs to the eggs of lice."

In Your great goodness, You give all created beings in the world constant sustenance, as it is written, "He gives bread to all flesh, for His kindness is forever."

עָזְרֵנוּ וְהוֹשִׁיעֵנוּ בְּרַחֲמֶיךָ הָרַבִּים, וְתֵן לָנוּ פַּרְנָסוֹתֵינוּ מֵאִתְּךָ קֹדֶם שֶׁנִּצְטָרֵךְ לָהֶם בְּהַרְחָבָה גְדוֹלָה, בְּהֶתֵּר וְלֹא בְּאִסּוּר, בְּכָבוֹד וְלֹא בְּבִזּוּי, בְּנַחַת וְלֹא בְּצַעַר.

וְאַל תַּצְרִיכֵנוּ לֹא לִידֵי מַתְּנַת בָּשָׂר וָדָם וְלֹא לִידֵי הַלְוָאָתָם. וְתַצִּילֵנוּ מֵחוֹבוֹת וְהַלְוָאוֹת לְעוֹלָם. וּתְזַכֵּנוּ מְהֵרָה לְסַלֵּק וּלְשַׁלֵּם כָּל הַהַלְוָאוֹת וְהַחוֹבוֹת שֶׁאָנוּ חַיָּבִים מִכְּבָר.

כִּי אַתָּה יוֹדֵעַ אָבִינוּ שֶׁבַּשָּׁמַיִם, כִּי קָשֶׁה וְכָבֵד עָלֵינוּ מְאֹד לִשָּׂא עָלֵינוּ עוֹל הַחוֹבוֹת אֲשֶׁר הִשְׂתָּרְגוּ עָלוּ עַל צַוָּארֵינוּ הִכְשִׁילוּ כֹּחֵנוּ, וְהֵם מְבַלְבְּלִים אוֹתָנוּ הַרְבֵּה מִמְּעַט הָעֲבוֹדָה שֶׁאָנוּ חֲפֵצִים לְהַתְחִיל לַעֲבֹד אוֹתְךָ בֶּאֱמֶת.

אָנָּא יְיָ, פַּרְנְסֵנוּ וְכַלְכְּלֵנוּ בְּרַחֲמֶיךָ הָרַבִּים וּבַחֲסָדֶיךָ הַגְּדוֹלִים, כִּי אֵין אָנוּ יוֹדְעִים שׁוּם דֶּרֶךְ וְעֵצָה אֵיךְ לְהַמְשִׁיךְ פַּרְנָסָה, כִּי אִם עָלֶיךָ לְבַד אָנוּ נִשְׁעָנִים, עָלֶיךָ הִשְׁלַכְנוּ אֶת יְהָבֵנוּ וְאַתָּה תְכַלְכְּלֵנוּ.

אָבִינוּ שֶׁבַּשָּׁמַיִם, הָאֱלֹהִים הָרוֹעֶה אוֹתָנוּ מֵעוֹדֵנוּ, תֵּן לָנוּ פַּרְנְסוֹתֵינוּ וְכָל מַחְסוֹרֵינוּ בְּשֶׁפַע גָּדוֹל קֹדֶם שֶׁנִּצְטָרֵךְ לָהֶם

In Your vast compassion, help us and save us. Even before we need it, give us our income with great breadth, in a way that is allowed and not forbidden, with honor and not with disgrace, with ease and not with suffering.

Do not make us dependent on gifts or loans from flesh and blood. Rescue us forever from debts and loans. Help us quickly repay all of our loans and debts.

Our Father in Heaven, You know that it is very difficult for us to bear the yoke of the debts that hang around our necks, causing us to stumble and distracting us from the modest amount of Divine service that we wish to begin to engage in.

HaShem, in Your vast compassion and great kindness, please give us income and support us, because we do not know any way or stratagem to draw down income. We rely on You alone. We have cast our burden upon You so that You may support us.

Our Father in Heaven, God Who has shepherded us since we came into being, give us our income and fulfill our needs with great abundance, in great holiness and purity, before we require anything, in accordance with Your good

בִּקְדֻשָּׁה וּבְטָהֳרָה גְדוֹלָה כִּרְצוֹנְךָ הַטּוֹב, בְּלִי שׁוּם טִרְדּוֹת וּבִלְבּוּלִים כְּלָל, בְּאֹפֶן שֶׁנִּזְכֶּה לָשׁוּב בִּתְשׁוּבָה שְׁלֵמָה לְפָנֶיךָ וְלִהְיוֹת כִּרְצוֹנְךָ הַטּוֹב תָּמִיד.

וּתְזַכֵּנוּ לֶאֱכֹל בִּקְדֻשָּׁה וּבְטָהֳרָה גְדוֹלָה, וְנֹאכַל לְבַד לְקִיּוּם גּוּפֵנוּ וּנְמַעֵט תַּאֲוַת טִבְעֵנוּ.

וְנִזְכֶּה לְהִסְתַּפֵּק בִּמְעַט אֲכִילָה, וְנִהְיֶה נִכְלָלִים בִּכְלָל הַצַּדִּיקִים הָאוֹכְלִים לְשֹׂבַע נַפְשָׁם הַקְּדוֹשָׁה לְבַד, כְּמוֹ שֶׁכָּתוּב: "צַדִּיק אֹכֵל לְשֹׂבַע נַפְשׁוֹ".

וְתַעַזְרֵנוּ שֶׁתִּהְיֶה אֲכִילָתֵנוּ בִּקְדֻשָּׁה גְדוֹלָה כָּל כָּךְ, עַד שֶׁנִּזְכֶּה לְהַשְׂבִּיעַ בְּצַחְצָחוֹת נַפְשֵׁנוּ לְהִתְעַנֵּג עַל יְיָ, לִשְׂבֹּעַ וּלְהִתְעַנֵּג בְּאוֹרוֹת הַצַּחְצָחוֹת הָעֶלְיוֹנוֹת, וְנִזְכֶּה "לַחֲזוֹת בְּנֹעַם יְיָ וּלְבַקֵּר בְּהֵיכָלוֹ".

וִיקֻיַּם בָּנוּ מִקְרָא שֶׁכָּתוּב: "וְנָחֲךָ יְיָ תָּמִיד וְהִשְׂבִּיעַ בְּצַחְצָחוֹת נַפְשֶׁךָ", עַד שֶׁנִּזְכֶּה לְצַחְצֵחַ נַפְשֵׁנוּ וְרוּחֵנוּ וְנִשְׁמוֹתֵינוּ תָּמִיד בְּשֹׂבַע הַצַּחְצָחוֹת הָעֶלְיוֹנוֹת.

וְעַל יְדֵי זֶה יִמְשַׁךְ עָלֵינוּ תָּמִיד תְּבוּנוֹת וְהַשָּׂגוֹת חֲדָשׁוֹת, עַד אֲשֶׁר יִהְיֶה לָנוּ כֹּחַ לַחְתֹּר וְלִשְׁאֹב וְלִדְלוֹת מַיִם עֲמֻקִּים

will, without any trouble or confusion, so that we will return to You completely and always live in accordance with Your good will.

Eating in a Holy Manner

May we eat in great holiness and purity. May we eat solely for the sake of maintaining our body as we minimize the lusts of our nature.

May we be satisfied with eating little. May we be among the Tzaddikim who eat solely to satiate their holy souls, as in the verse, "The righteous man eats to satisfy his soul."

Help our eating be so holy that we will satiate our souls with shining lights to take pleasure in HaShem, to be sated and take pleasure in the shining, supernal lights and "gaze upon the pleasantness of HaShem and visit in His palace."

May the verse be realized in us, "HaShem will guide you always and satisfy your soul in drought" [in which the Hebrew word for "drought" can also be read as "shining lights"], until we can always illumine our soul with a satiety of these supernal, shining lights.

As a result, may new comprehensions and insights always be drawn onto us, until we have the power to dig up and draw forth the

שֶׁמֵּהֶם גְּדֵלָה הָאֱמוּנָה הַקְּדוֹשָׁה, שֶׁהֵם עֵצוֹת טוֹבוֹת וּשְׁלֵמוֹת.

וְנִזְכֶּה לְגַלּוֹת וּלְהָאִיר עָלֵינוּ וְעַל כָּל יִשְׂרָאֵל עֵצוֹת טוֹבוֹת, עֵצוֹת עֲמוּקוֹת עֵצוֹת נִפְלָאוֹת, פִּלְאֵי פְּלָאוֹת הַנִּמְשָׁכִין מֵעִמְקֵי עֲמָקִים, עֵצוֹת שְׁלֵמוֹת וּנְכוֹנוֹת אֲמִתִּיּוֹת יְשָׁרוֹת וּבְרוּרוֹת, עֵצוֹת קְדוֹשׁוֹת שֶׁאִי אֶפְשָׁר לַהֲפִירָן וּלְסָתְרָן בְּשׁוּם אֹפֶן בָּעוֹלָם, בְּאֹפֶן שֶׁנִּזְכֶּה לְעוֹרֵר וּלְגַדֵּל עַל יָדָם הָאֱמוּנָה הַקְּדוֹשָׁה.

רִבּוֹנוֹ שֶׁל עוֹלָם מָלֵא רַחֲמִים, "גְּדֹל הָעֵצָה וְרַב הָעֲלִילִיָּה, פֶּלֶא יוֹעֵץ אֵל גִּבּוֹר, אֲבִי עַד שַׂר שָׁלוֹם, נוֹרָא תְהִלּוֹת עֹשֵׂה פֶלֶא".

אֲשֶׁר אַתָּה עוֹשֶׂה נִפְלָאוֹת בְּכָל עֵת, וּכְבָר עָשִׂיתָ עִם יִשְׂרָאֵל נִסִּים וְנִפְלָאוֹת גְּדוֹלוֹת וְנוֹרָאוֹת בְּכָל דּוֹר וָדוֹר.

רַחֵם עָלֵינוּ עַתָּה בַּדּוֹר הַזֶּה בְּצוֹק הָעִתִּים הַלָּלוּ, אֲשֶׁר הָאֱמוּנָה הַקְּדוֹשָׁה נִפְגְּמָה מְאֹד בַּעֲווֹנוֹתֵינוּ הָרַבִּים, וְרַבִּים מִבְּנֵי עַמְּךָ נִכְשְׁלוּ, כַּאֲשֶׁר אַתָּה יָדַעְתָּ.

עֲשֵׂה עִמָּנוּ נִפְלָאוֹת, וְזַכֵּנוּ לְעֵצוֹת טוֹבוֹת אֲמִתִּיּוֹת, בְּאֹפֶן

deep waters of good and complete counsel from which holy faith grows.

May we discover and shine onto ourselves and onto the entire Jewish people good, deep and wondrous counsel that is a wonder of wonders drawn from the depths of the depths, counsel that is whole and proper, true, straight and clear—holy counsel that cannot be frustrated in any way. And with this, may we arouse and foster holy faith.

Master of the world, filled with compassion, You are "great in counsel and mighty in deed," "wondrous Advisor, mighty God, everlasting Father forever," "awesome in praises, performing wonders."

You perform wonders at every moment. You have performed great and wondrous miracles and wonders for the Jewish people in every generation.

Have compassion on us now, in this generation, in these difficult times when, due to our many sins, holy faith has been deeply blemished and many of the children of Your nation have stumbled, as You know.

Do wonders on our behalf. Bring us to good, true counsel, so that we will truly

שֶׁנִּזְכֶּה עַל־יְדֵי־זֶה לֶאֱמוּנָה שְׁלֵמָה בֶּאֱמֶת וּלְתַקֵּן כָּל פְּגָמֵי הָאֱמוּנָה.

וְנִזְכֶּה לְחַפֵּשׂ אֶת עַצְמֵנוּ תָּמִיד בְּכָל עֵת, אֵיךְ אָנוּ אוֹחֲזִים בָּאֱמוּנָה הַקְּדוֹשָׁה, וּלְהִתְחַזֵּק בֶּאֱמוּנָה יְתֵרָה בְּכָל עֵת, בְּתָם לֵבָב בֶּאֱמֶת כִּרְצוֹנְךָ הַטּוֹב.

וְתַעֲשֶׂה עִמָּנוּ פֶּלֶא לְחַיִּים, וְתוֹצִיאֵנוּ מֵאֲפֵלָה לְאוֹרָה מֵחֹשֶׁךְ לְאוֹר גָּדוֹל, "כִּי אַתָּה תָּאִיר נֵרִי, יְיָ אֱלֹהַי יַגִּיהַּ חָשְׁכִּי", כִּי "גַּם חֹשֶׁךְ לֹא יַחְשִׁיךְ מִמֶּךָּ וְלַיְלָה כַּיּוֹם יָאִיר כַּחֲשֵׁיכָה כָּאוֹרָה".

וְנִזְכֶּה לְהוֹדוֹת לְךָ תָּמִיד עַל נִפְלְאוֹתֶיךָ וְטוֹבוֹתֶיךָ שֶׁעָשִׂיתָ עִמָּנוּ מֵעוֹלָם, וַאֲשֶׁר אַתָּה עוֹשֶׂה עִמָּנוּ בְּכָל עֵת נִפְלָאוֹת גְּדוֹלוֹת וְנוֹרָאוֹת.

"רַבּוֹת עָשִׂיתָ אַתָּה יְיָ אֱלֹהַי, נִפְלְאֹתֶיךָ וּמַחְשְׁבֹתֶיךָ אֵלֵינוּ, אֵין עֲרֹךְ אֵלֶיךָ אַגִּידָה וַאֲדַבֵּרָה עָצְמוּ מִסַּפֵּר".

וִיקֻיַּם מִקְרָא שֶׁכָּתוּב: "יְיָ אֱלֹהַי אַתָּה אֲרוֹמִמְךָ, אוֹדֶה שִׁמְךָ

attain complete faith and rectify all blemishes to faith.

May we examine ourselves at every moment to see the condition of our holy faith, and encourage ourselves with added faith at every moment, with a true wholeness of heart, in accordance with Your good will.

Perform life-giving wonders on our behalf. Bring us forth from dimness to light, from darkness to brightness, "for You light my lamp; HaShem my God lightens up my darkness," because "even darkness will not obscure anything before You, and night will shine like day; as darkness, so is the light."

May we always thank You for the wonders and favors that You have performed with us from the beginning, and for the great and awesome wonders that You perform with us at every moment.

"HaShem my God, You have done much, wonders and thoughts for our sake. No one compares with You. I would tell and speak them, but they are too many to recount."

May the verse be realized, "HaShem, You are my God; I will exalt You. I will give thanks

כִּי עָשִׂיתָ פֶּלֶא, עֵצוֹת מֵרָחוֹק אֱמוּנָה אֹמֶן".

וְנֶאֱמַר: "אוֹדֶה יְיָ בְּכָל לִבִּי אֲסַפְּרָה כָּל נִפְלְאוֹתֶיךָ, אוֹדְךָ עַל כִּי נוֹרָאוֹת נִפְלֵיתִי נִפְלָאִים מַעֲשֶׂיךָ וְנַפְשִׁי יֹדַעַת מְאֹד".

וְנִזְכֶּה לְהַעֲלוֹת הָאֱמוּנָה הַנְּפוּלָה, וּלְתַקֵּן כָּל פְּגָמֵי הָאֱמוּנָה וְתִתְגַּדֵּל וְתִתְחַזֵּק הָאֱמוּנָה הַקְּדוֹשָׁה בְּכָל עֹז וְתַעֲצוּמוֹת.

וְנִזְכֶּה כֻּלָּנוּ לְהַאֲמִין בְּךָ וּבְצַדִּיקֶיךָ הָאֲמִתִּיִּים בֶּאֱמוּנָה חֲזָקָה וּנְכוֹנָה, בֶּאֱמוּנָה שְׁלֵמָה וּקְדוֹשָׁה זַכָּה וּנְכוֹנָה צַחָה וִישָׁרָה וּבְרוּרָה, בְּלִי שׁוּם בִּלְבּוּלִים וּבְלִי שׁוּם הִרְהוּרִים וּמַחֲשָׁבוֹת זָרוֹת כְּלָל.

וְנִזְכֶּה לְהַמְשִׁיךְ רְפוּאָה שְׁלֵמָה לְכָל חוֹלֵי עַמְּךָ בֵּית יִשְׂרָאֵל, (וּבִפְרָט לפלוני בן פלונית), אֵל נָא רְפָא נָא לוֹ רְפוּאַת הַנֶּפֶשׁ וּרְפוּאַת הַגּוּף, וְהַעֲלֵה אֲרוּכָה וּמַרְפֵּא לְכָל תַּחֲלוּאֵינוּ וּלְכָל מַכְאוֹבֵינוּ וּלְכָל מַכּוֹתֵינוּ.

to Your Name because You have sent wonders, counsel from the earliest times; Your faithfulness is well-established."

And a verse states, "I will thank HaShem with all my heart; I will tell all of Your wonders." "I will thank You, because I have been formed awesomely. Wondrous are Your deeds, which my soul knows well."

Being Healed

May we raise fallen faith and rectify all of its blemishes so that it will be expanded and strengthened.

May we all believe in You and in Your true Tzaddikim with faith that is strong and proper, whole and holy, pure, straight and clear—without any confusion, and without any foreign musings or thoughts.

May we draw complete healing onto all of the sick of Your nation, the House of Israel (and, in particular, onto [Hebrew name], the son/ daughter of [mother's Hebrew name]). God, please heal this person's spirit and body. Heal all of our illnesses, all of our pains, and all of our wounds.

וּתְבַטֵּל וְתָסִיר כָּל הַמַּכּוֹת הַמֻּפְלָאוֹת וָחֳלָיִם רָעִים וְנֶאֱמָנִים מֵעָלֵינוּ וּמֵעַל כָּל עַמְּךָ בֵּית יִשְׂרָאֵל לְעוֹלָם.

וְתִשְׁלַח רְפוּאָה שְׁלֵמָה מִן הַשָּׁמַיִם לְכָל אוֹתָן הַנְּפָשׁוֹת מֵעַמְּךָ בֵּית יִשְׂרָאֵל אֲשֶׁר כְּבָר הִפְלֵאתָ אֶת מַכּוֹתָם, וּבָאוּ עֲלֵיהֶם הַמַּכּוֹת הַמֻּפְלָאוֹת שֶׁאֵין מוֹעִיל לָהֶם שׁוּם רְפוּאָה בָּעוֹלָם, וְלֹא תְּפִלָּה וּזְכוּת אָבוֹת, וְלֹא שׁוּם קוֹל צְעָקָה וַאֲנָחָה, אֲשֶׁר כָּל זֶה נִמְשָׁךְ מִפְּגַם הָאֱמוּנָה.

אָנָּא יְיָ, רַחֵם עֲלֵיהֶם וְעָלֵינוּ לְמַעַנְךָ, לְמַעַנְךָ לְבַד עֲשֵׂה וְלֹא לָנוּ. כִּי אַתָּה לְבַד יוֹדֵעַ גֹּדֶל הָרַחֲמָנוּת אֲשֶׁר עֲלֵיהֶם וְעָלֵינוּ.

וַעֲשֵׂה כְּגֹדֶל נִפְלְאוֹתֶיךָ הַנּוֹרָאוֹת, וְתִשְׁלַח לָהֶם וְלָנוּ רְפוּאָה שְׁלֵמָה מִן הַשָּׁמַיִם, וְתָסִיר מַחֲלָה מִקִּרְבֵּנוּ, כִּי אֵל מֶלֶךְ רוֹפֵא נֶאֱמָן וְרַחֲמָן אָתָּה, כִּי אֵין כֹּחֵנוּ אֶלָּא בַּפֶּה לְבַד.

רוֹפֵא חוֹלִים, רוֹפֵא חִנָּם, רְפָאֵנוּ יְיָ וְנֵרָפֵא הוֹשִׁיעֵנוּ וְנִוָּשֵׁעָה כִּי תְהִלָּתֵנוּ אָתָּה, וְתִתֵּן הַמָּטָר בְּעִתּוֹ, לְחַיִּים וְלִבְרָכָה וְלְשֹׂבַע. וּתְגַדֵּל בְּרַחֲמֶיךָ צְמָחִים וַעֲשָׂבִים שֶׁיִּהְיֶה לָהֶם כֹּחַ

Nullify and remove all of the terrible wounds and all of the evil, clinging illnesses that affect us and Your entire nation, the House of Israel.

Send complete healing from Heaven to all those of Your nation, the House of Israel, who have suffered overwhelming blows, overwhelming wounds for which no remedy in the world helps, or any prayer or merit of the forefathers, or any crying out or groaning, due to the fact that their faith is blemished.

Please, HaShem, have compassion on them and on us for Your sake. Act for Your sake alone and not for ours, because You alone know how wretched we are.

Act in accordance with the greatness of Your awesome wonders. Send them complete healing from Heaven. Remove illness from our midst. For You are the faithful and compassionate God, King and Healer. Our ability rests only in the prayers of our mouth.

You are the Healer of the sick Who needs no reason to heal. Heal us, HaShem, and we will be healed. Save us and we will be saved, for You are our praise. Cause the rain to fall in its time for life, blessing and satiety. In Your compassion, cause the plants and herbs to grow so that they

לְרַפְּאוֹת תַּחֲלוּאֵי עַמְּךָ בֵּית יִשְׂרָאֵל.

וְתַשְׁפִּיעַ בְּרַחֲמֶיךָ, וְתַמְשִׁיךְ הַסֵּדֶר הַנָּכוֹן וְהָאֱמֶת שֶׁל כָּל הַזְּרָעִים וְהַצְּמָחִים שֶׁבָּעוֹלָם כְּפִי סֵדֶר הַזְּמַן וְהַמָּקוֹם הָרָאוּי לָהֶם. וְלֹא נִתְלֹשׁ שׁוּם פְּרִי וְעֵשֶׂב שֶׁלֹּא בִּזְמַנּוֹ.

וּתְסַבֵּב בְּרַחֲמֶיךָ סִבּוֹת לְטוֹבָה, בְּאֹפֶן שֶׁיִּזְכֶּה כָּל אֶחָד לֶאֱכֹל וְלִשְׁתּוֹת מַה שֶּׁהוּא צָרִיךְ לִרְפוּאָתוֹ בֶּאֱמֶת. וִיקַבְּלוּ לְפִי תֻמָּם כָּל מַה שֶּׁצְּרִיכִים לִרְפוּאָתָם בֶּאֱמֶת.

וְתִתֶּן לָנוּ וּלְכָל יִשְׂרָאֵל אֶת אָכְלָם בְּעִתּוֹ בְּמוֹעֲדוֹ וּבִזְמַנּוֹ, בְּאֹפֶן שֶׁיִּהְיֶה מְלֻבָּשׁ בָּהֶם כֹּחַ כָּל הָרְפוּאוֹת שֶׁאָנוּ צְרִיכִין כָּל אֶחָד וְאֶחָד בְּגַשְׁמִיּוּת וּבְרוּחָנִיּוּת בְּגוּף וָנֶפֶשׁ.

כִּי אֵין רוֹפֵא בָּעוֹלָם שֶׁיֵּדַע לְכַוֵּן כָּל זֹאת כִּי אִם אַתָּה לְבַד. כִּי אַתָּה עִלַּת כָּל הָעִלּוֹת וְסִבַּת כָּל הַסִּבּוֹת, וְיוֹדֵעַ כָּל הַתַּעֲלוּמוֹת.

וִיקֻיַּם מִקְרָא שֶׁכָּתוּב: "אָז יִבָּקַע כַּשַּׁחַר אוֹרֶךָ, וַאֲרֻכָתְךָ מְהֵרָה תִצְמָח".

וְתִזְכֹּר בְּרִית אֲבוֹתֵינוּ אַבְרָהָם יִצְחָק וְיַעֲקֹב, וּבִזְכוּת

will have the power to heal the diseases of Your nation, the House of Israel.

In Your compassion, assure the correct, proper order of all of the seeds and plants in the world in accordance with the time and place fit for them. May no fruit or herb be plucked prematurely.

In Your compassion, bring about circumstances for the good so that everyone will eat and drink exactly what he needs for his true healing. May everyone possess a simple wholeheartedness and thus receive exactly what he needs in order to be healed.

Give me and the entire Jewish people our food in its season and its time, so that it will contain the power of all of the remedies that each person needs, materially and spiritually, in body and soul.

No doctor in the world knows how to attain this. Only You do, because You are the Cause of all causes and You know all hidden things.

May the verse be realized, "Then your light will break forth like the dawn, and your healing will quickly blossom."

Remember the covenant of our forefathers, Abraham, Isaac and Jacob. In the merit of

אֲבוֹתֵינוּ וּבִזְכוּת כָּל הַצַּדִּיקִים הָאֲמִתִּיִּים תַּעֲשֶׂה עִמָּנוּ פִּלְאֵי פְּלָאוֹת, "הַפְלֵא חֲסָדֶיךָ מוֹשִׁיעַ חוֹסִים מִמִּתְקוֹמְמִים בִּימִינֶךָ.

נוֹרָאוֹת בְּצֶדֶק תַּעֲנֵנוּ אֱלֹהֵי יִשְׁעֵנוּ, מִבְטָח כָּל קַצְוֵי אֶרֶץ וְיָם רְחֹקִים".

וִיקֻיַּם בָּנוּ מְהֵרָה מִקְרָא שֶׁכָּתוּב: "וַיֹּאמֶר הִנֵּה אָנֹכִי כּוֹרֵת בְּרִית, נֶגֶד כָּל עַמְּךָ אֶעֱשֶׂה נִפְלָאוֹת, אֲשֶׁר לֹא נִבְרְאוּ בְכָל הָאָרֶץ וּבְכָל הַגּוֹיִם, וְרָאָה כָל הָעָם אֲשֶׁר אַתָּה בְקִרְבּוֹ אֶת מַעֲשֵׂה יְיָ כִּי נוֹרָא הוּא, אֲשֶׁר אֲנִי עֹשֶׂה עִמָּךְ".

וְנֶאֱמַר: "(וְהָיָה) כִּי יִפָּלֵא בְּעֵינֵי [שְׁאֵרִית] הָעָם הַזֶּה גַּם בְּעֵינַי יִפָּלֵא". וְנֶאֱמַר: "מֵאֵת יְיָ הָיְתָה זֹּאת הִיא נִפְלָאת בְּעֵינֵינוּ". וְנֶאֱמַר: "כִּי גָדוֹל אַתָּה וְעֹשֵׂה נִפְלָאוֹת אַתָּה אֱלֹהִים לְבַדֶּךָ". וְנֶאֱמַר: "לְעֹשֵׂה נִפְלָאוֹת גְּדוֹלוֹת לְבַדּוֹ, כִּי לְעוֹלָם חַסְדּוֹ".

וְתַעַזְרֵנוּ וּתְזַכֵּנוּ וְתִתֵּן לָנוּ כֹּחַ לְחַזֵּק וּלְגַדֵּל אֶת הָאֱמוּנָה הַקְּדוֹשָׁה בְּכָל עֹז וְתַעֲצֻמוֹת עַד אֲשֶׁר יִפְּלוּ וְיִתְבַּטְּלוּ כָּל

our forefathers and the merit of all of the true Tzaddikim, show us incredible wonders. "With Your right hand, bring about Your kind, saving acts that distinguish those who take refuge [in You] from those who rise up [against them]."

"With awesome deeds, in [Your] charity answer us, God of our salvation, Stronghold of all the ends of the earth and the distant seas."

May the verse be quickly realized in us, "Behold, I am making a covenant before all of your people. I will perform wonders that have never been brought into existence in the entire world or among any nation. Then all of the people among whom you live will see the awesomeness of God's deeds that I am doing with you."

"Just as it will be wondrous in the eyes of the remnant of this nation, so shall it be wondrous in My own eyes." "This has come from HaShem—it is wondrous in our eyes." "Great are You, doing wonders, You, God, alone." "He alone does great wonders; His kindness is eternal."

Increasing the Faith of Jews and Non-Jews

Help us and give us the strength to fortify and increase our holy faith with all our might, until all of the false faiths in the world will fall.

הָאֱמוּנוֹת כּוֹזְבִיּוֹת שֶׁבָּעוֹלָם, כֻּלָּם יִכְרְעוּ וְיִפֹּלוּ וְלִכְבוֹד שִׁמְךָ יְקָר יִתֵּנוּ.

"וְתַעֲבִיר גִּלּוּלִים מִן הָאָרֶץ, וְהָאֱלִילִים כָּרוֹת יִכָּרֵתוּן לְתַקֵּן עוֹלָם בְּמַלְכוּת שַׁדַּי, וְכָל בְּנֵי בָשָׂר יִקְרְאוּ בִשְׁמֶךָ לְהַפְנוֹת אֵלֶיךָ כָּל רִשְׁעֵי אָרֶץ".

וְיִתּוֹסְפוּ גֵּרִים רַבִּים בְּכָל עֵת, גֵּרֵי צֶדֶק, עַל בְּנֵי יִשְׂרָאֵל עַמֶּךָ, וְרַבִּים מֵעַמֵּי הָאָרֶץ יִהְיוּ מִתְיַהֲדִים וּמִתְגַּיְּרִים לְשִׁמְךָ הַגָּדוֹל בֶּאֱמֶת. וְיֶאֱתָיוּ כֹל לְעָבְדֶךָ וְיַכִּירוּ כֹּחַ מַלְכוּתֶךָ.

וְיִהְיוּ נַעֲשִׂים גֵּרִים בְּכֹחַ וּבְפֹעַל. וְגַם אוֹתָם שֶׁלֹּא יִזְכּוּ לְהִתְגַּיֵּר, יַכִּירוּ וְיֵדְעוּ בְּכָל מָקוֹם שֶׁהֵם אֶת יְקָר תִּפְאֶרֶת גְּדֻלָּתֶךָ וּמַלְכוּתֶךָ.

וְיֵדְעוּ כָּל בָּאֵי עוֹלָם שֶׁיֵּשׁ יָחִיד קַדְמוֹן יִתְבָּרַךְ וְיִתְעַלֶּה שְׁמוֹ לְעוֹלְמֵי עַד וּלְנֵצַח נְצָחִים. וְיִשְׁתּוֹקְקוּ כֻּלָּם לֶאֱמוּנָתְךָ הָאֲמִתִּיִּית.

"וְיֵדַע כָּל פָּעוּל כִּי אַתָּה פְּעַלְתּוֹ, וְיָבִין כָּל יְצוּר כִּי אַתָּה יְצַרְתּוֹ, וְיֹאמַר כֹּל אֲשֶׁר נְשָׁמָה בְּאַפּוֹ יְיָ אֱלֹהֵי יִשְׂרָאֵל מֶלֶךְ, וּמַלְכוּתוֹ בַּכֹּל מָשָׁלָה".

And when they are subdued and fall, that will give honor to the glory of Your Name.

"Remove the idols from the earth. May the idols be cut away so that the world will be rectified under the sovereignty of the Almighty. May all people call upon Your Name, and in so doing, turn all the wicked of the earth to You."

May many righteous converts constantly join the children of Israel, Your nation, so that many gentiles will become Jewish, converting for the sake of Your great Name. May everyone come to serve You and recognize the power of Your sovereignty.

May people become converts—some in potential and some in actuality. May even those who do not convert recognize the precious beauty of Your greatness and sovereignty.

May all people know that there is a Unique, Primal Being, may be He blessed and may His Name be elevated forever and ever. May they all yearn for Your true faith.

"May every created being know that You created him, and may every formed being understand that You formed him, and may all that has breath in its nostrils say, 'HaShem, God of Israel, is King and His sovereignty rules over all.'"

וְתַעַזְרֵנוּ וְתִשְׁמְרֵנוּ וְתַצִּילֵנוּ בְּרַחֲמֶיךָ הָרַבִּים וּבַחֲסָדֶיךָ הָעֲצוּמִים מִפְּגַם אֲחִיזַת הַזֻּהֲמָה הַנֶּאֱחָז בְּהַגֵּרִים שֶׁמִּתְגַּיְּרִין, וְלֹא יַזִּיקוּ הַגֵּרִים לְיִשְׂרָאֵל עַמְּךָ כְּלָל.

וְתַעֲזוֹר לְכָל גֵּרֵי הַצֶּדֶק שֶׁיִּזְדַּכְּכוּ מְהֵרָה מִטֻּמְאָתָם וְזֻהֲמָתָם, וְתַצִּיל וְתִשְׁמֹר אוֹתָנוּ וְאֶת כָּל עַמְּךָ יִשְׂרָאֵל שֶׁלֹּא יִתְאַחֵז וְלֹא יִתְדַּבֵּק בָּנוּ שׁוּם שֶׁמֶץ מִזֻּהֲמָתָם וּמִטֻּמְאָתָם שֶׁיֵּשׁ לָהֶם מִכְּבָר מִזֻּהֲמַת הָעַכּוּ"ם שֶׁהָיוּ בֵּינֵיהֶם מִקֹּדֶם.

וּתְרַחֵם עָלֵינוּ, וְתִשְׁמְרֵנוּ וְתַצִּילֵנוּ תָּמִיד מִגֵּאוּת וְגַבְהוּת וּמֵרָמוּת רוּחָא, וּתְזַכֵּנוּ לַעֲנָוָה אֲמִתִּיִּית בֶּאֱמֶת לַאֲמִתּוֹ.

חוּס וַחֲמֹל וְרַחֵם עָלַי כִּי לְפָנֶיךָ נִגְלוּ כָּל תַּעֲלוּמוֹת לֵב, וְאַתָּה יוֹדֵעַ שֶׁאֵינִי יוֹדֵעַ שׁוּם דֶּרֶךְ מִדַּרְכֵי הָעֲנָוָה הָאֲמִתִּיּוֹת.

הַצִּילֵנִי נָא בְּרַחֲמֶיךָ הָרַבִּים מִכָּל מִינֵי גֵאוּת וּפְנִיּוֹת וְגַסּוּת הָרוּחַ אֲשֶׁר הֵם תּוֹעֲבַת לִבְּךָ כְּמוֹ שֶׁכָּתוּב: "תּוֹעֲבַת יְיָ כָּל גְּבַהּ לֵב".

In Your vast compassion and intense kindness, help us and guard us. Rescue us from the blemish caused by the pollution that taints converts, so that they will not harm Your nation, the Jewish people, at all.

Help all of the righteous converts quickly purify themselves from their uncleanness and pollution. Rescue and guard me and Your entire nation, the Jewish people, so that no trace of the pollution or impurity that they had absorbed from the gentiles among whom they previously lived will cling to us.

Attaining Humility

Have compassion on us. Always guard us and rescue us from egotism and pride. Help us attain true humility.

Have pity, mercy and compassion on us. All of the hidden things of the heart are revealed before You. You are aware that we do not know any of the true ways of humility.

In Your vast compassion, please rescue us from all egotism, ulterior motives and coarseness, which Your heart abhors. As the verse states, "Everyone with a haughty heart is abhorrent to HaShem."

זַכֵּנִי לְהַרְגִּישׁ שִׁפְלוּתִי בֶּאֱמֶת לַאֲמִתּוֹ, וְאֶהְיֶה שָׁפָל בְּעֵינַי לְמַטָּה יוֹתֵר מִמַּדְרֵגָתִי הַפְּחוּתָה וְהַשְּׁפָלָה מְאֹד, עַד שֶׁאֶזְכֶּה לַעֲנָוָה אֲמִתִּיִּית כִּרְצוֹנְךָ הַטּוֹב בֶּאֱמֶת.

וּבְכֵן תְּרַחֵם עָלֵינוּ אָבִינוּ אָב הָרַחֲמָן גִּבּוֹר וְרַב לְהוֹשִׁיעַ, מָגֵן עֶזְרֵנוּ וַאֲשֶׁר חֶרֶב גַּאֲוָתֵנוּ. וְתִשְׁמְרֵנוּ וְתַצִּילֵנוּ מֵחֶרֶב הַגַּאֲוָה שֶׁל מַנְהִיגֵי הַדּוֹר שֶׁל שֶׁקֶר, שֶׁנּוֹטְלִין גְּדֻלָּה לְעַצְמָן מֵאֲלֵיהֶם.

כִּי לֹא נִתַּן לָהֶם הַגְּדֻלָּה מִן הַשָּׁמַיִם כְּלָל, רַק מִתְגָּאִים עַל הַדּוֹר בְּחִנָּם, וּמוֹשְׁלִים עַל עַם דַּל, וּמִתְנַהֲגִים בְּרַבָּנוּת וְהִתְנַשְּׂאוּת וּמִתְגַּבְּרִין עַל עַמְּךָ יִשְׂרָאֵל מְאֹד, וְהֵן מַזִּיקֵי עָלְמָא, כַּאֲשֶׁר נִגְלֶה לְפָנֶיךָ יוֹדֵעַ תַּעֲלוּמוֹת.

רִבּוֹנוֹ שֶׁל עוֹלָם, אַתָּה יָדַעְתָּ אֶת לְבַב כָּל בְּנֵי הָאָדָם, מַה נֹּאמַר וּמַה נְּסַפֵּר לְפָנֶיךָ הֲלֹא כָּל הַנִּסְתָּרוֹת וְהַנִּגְלוֹת אַתָּה יוֹדֵעַ.

Help us truly sense our lowliness. May we be much more lowly in our eyes than our actual degraded, base state warrants, until we attain true humility, in accordance with Your good will.

Overcoming False Leaders

Compassionate Father, have compassion on us. You are mighty and great to save. You are a shield that helps us. You are the sword of our pride. Guard us and rescue us from the sword of egotism of the false leaders of the generation, who seize greatness for themselves.

Their greatness was not given to them from Heaven at all. Rather, they seize control of the generation for no good reason. They rule over the impoverished nation by usurping rabbinical authority and they overwhelm Your nation, the Jewish people. They are the harmful forces of the world, as is revealed before You Who know hidden things.

Master of the world, You know the hearts of all people. What will we say? What will we tell You? You know everything, hidden and revealed.

"מַצִּיל עָנִי מֵחָזָק מִמֶּנּוּ וְעָנִי וְאֶבְיוֹן מִגּוֹזְלוֹ", הַצִּילֵנוּ מֵהֶם שָׁמְרֵנוּ מֵהֶם.

הָגֵן בַּעֲדֵנוּ בִּזְכוּת וְכֹחַ הַצַּדִּיקִים הָאֲמִתִּיִּים מַנְהִיגֵי אֱמֶת אֲשֶׁר אָנוּ חוֹסִים בָּהֶם, וְשָׁמְרֵנוּ וְהַצִּילֵנוּ מִכָּל מַזִּיקֵי עָלְמָא שֶׁהֵם הַמַּנְהִיגִים שֶׁל שֶׁקֶר, שֶׁלֹּא יִהְיֶה לָהֶם שׁוּם כֹּחַ לְהַזִּיק לָנוּ חַס וְשָׁלוֹם, בְּשׁוּם דָּבָר שֶׁבָּעוֹלָם, לֹא בְּגַשְׁמִיּוּת וְלֹא בְרוּחָנִיּוּת, וְלֹא תַעֲשֶׂינָה יְדֵיהֶם תּוּשִׁיָּה.

כִּי אֵין לָנוּ עַל מִי לְהִשָּׁעֵן, כִּי אִם עַל אָבִינוּ שֶׁבַּשָּׁמַיִם.

וְתַכְנִיעַ וְתַעֲקֹר וּתְבַטֵּל אֶת כָּל מֶמְשַׁלְתָּם וְהִתְנַשְּׂאוּתָם שֶׁל כָּל הַמַּנְהִיגִים שֶׁל שֶׁקֶר, וְתִטֹּל חֶרֶב הַגַּאֲוָה מִיָּדָם "וּזְרוֹעַ רָמָה תִּשָּׁבֵר".

וּתְבַטֵּל הַשֶּׁקֶר מִן הָעוֹלָם, וּתְגַלֶּה הָאֱמֶת בָּעוֹלָם. וִיקֻיַּם מִקְרָא שֶׁכָּתוּב: "מִשֹּׁד עֲנִיִּים מֵאַנְקַת אֶבְיוֹנִים, עַתָּה אָקוּם יֹאמַר יְיָ, אָשִׁית בְּיֵשַׁע יָפִיחַ לוֹ".

וּתְבַטֵּל מִדַּת הַגַּאֲוָה דְּסִטְרָא אַחֲרָא מֵעָלֵינוּ וּמֵעַל כָּל עַמְּךָ בֵּית יִשְׂרָאֵל מֵעַתָּה וְעַד עוֹלָם.

"You rescue the poor person from the one stronger than he, the impoverished and the pauper from the person who robs him." Rescue us from them. Guard us from them.

Protect us in the merit and power of the true Tzaddikim, true leaders in whom we take refuge. Guard us and rescue us from all destructive forces, the false leaders, so they will have no power to harm us, Heaven forbid, in any way whatsoever—neither in the material realm nor in the spiritual realm. May their hands not act with cunning.

We have no one on whom to rely except our Father in Heaven.

Subdue, uproot and nullify all of the power and authority of all of the false leaders. Remove the sword of pride from their hand, "and shatter the raised arm."

Eradicate falsehood from the world and reveal the truth. May the verse be realized, "Because of the plunder of the poor, because of the outcry of the needy, now I will rise, says HaShem. I will grant them salvation."

Eradicate the trait of egotism from the Side of Evil that is within me and within Your entire nation, the House of Israel, from now and forever.

וּבְכֵן יְהִי רָצוֹן מִלְּפָנֶיךָ יְיָ אֱלֹהֵינוּ וֵאלֹהֵי אֲבוֹתֵינוּ, מָלֵא רַחֲמִים, קָדוֹשׁ וְנוֹרָא, קָדוֹשׁ עַל כָּל הַקְּדֻשּׁוֹת, שֶׁתַּשְׁפִּיעַ עָלֵינוּ קְדֻשָּׁתְךָ הָעֶלְיוֹנָה.

וְתַעַזְרֵנוּ לְהַכְנִיעַ וּלְשַׁבֵּר וְלָכֹף אֶת יִצְרֵנוּ הָרָע לְהִשְׁתַּעְבֵּד לָךְ. וְנִזְכֶּה לִכְפּוֹת וּלְשַׁבֵּר אֶת תַּאֲוֹתֵינוּ הָרָעוֹת וּלְבַטֵּל תַּאֲוַת נִאוּף מֵאִתָּנוּ לְגַמְרֵי.

וְתִתֶּן לָנוּ מָגִנֵּי אֶרֶץ צַדִּיקִים אֲמִתִּיִּים שֶׁיִּהְיוּ מְגִנִּים עָלֵינוּ, וִיבַטְּלוּ מֵאִתָּנוּ תַּאֲוָה הָרָעָה הַזֹּאת, עַד שֶׁנִּזְכֶּה לְהַכְנִיעַ וּלְשַׁבֵּר וּלְבַטֵּל הַחוֹתָם דִּקְלִפָּה, וּלְתַקֵּן הַחוֹתָם דִּקְדֻשָּׁה.

וְתַצִּיל אוֹתָנוּ תָּמִיד מִמִּקְרֵה לָיְלָה. וְתַעֲזֹר וְתוֹשִׁיעַ וְתָגֵן עָלֵינוּ, שֶׁנִּזְכֶּה לְהִתְקַדֵּשׁ בְּזִוּוּגֵינוּ בִּקְדֻשָּׁה גְדוֹלָה, וְלֹא נִהְיֶה רְגִילִים חָלִילָה בְּתַאֲוָה זֹאת אֲפִלּוּ בְּהֶתֵּר, רַק לְהִתְרַחֵק מִתַּאֲוָה זֹאת בְּכָל מִינֵי הַרְחָקוֹת.

וּתְרַחֵם עַל פְּלֵטָתֵנוּ שֶׁנִּזְכֶּה מֵעַתָּה לִשְׁמֹר מְעַט לֵחוּת וְשַׁמְנוּנִית שֶׁבְּגוּפֵנוּ, לְבִלִי לְהוֹצִיאוֹ לַחוּץ חַס וְשָׁלוֹם עַל

HaShem our God and God of our fathers, You are filled with compassion. You are holy and awesome, holy beyond all holiness. Pour Your supernal holiness onto us.

Rectifying the Covenant

Help us subdue, break and overcome our evil inclination so that it will be subjugated to You. May we overcome and break our bad desires and nullify the lust for sexual wrongdoing entirely.

Send us "protectors of the land," true Tzaddikim who will protect us and eradicate this evil desire, until we subdue, break and nullify the seal of the "husk" and rectify the seal of holiness.

Rescue us from ever experiencing a nocturnal emission. Help, save and shield us so that when we engage in marital relations, we will sanctify ourselves greatly. May we not accustom ourselves to indulge this desire even when it is permitted, Heaven forbid, but distance ourselves from it in all sorts of ways.

Have compassion on our remnant so that from now on we will guard the moisture and oils in our body at least somewhat, not expending

יְדֵי תַאֲוָה זֹאת, רַק נִזְכֶּה לִשְׁמֹר מְאֹד לֵחוּתֵינוּ וְשַׁמְנוּנִיּוּתֵינוּ לְהַעֲלוֹתָם אֶל הַמֹּחַ בִּקְדֻשָּׁה וּבְטָהֳרָה גְּדוֹלָה.

וְנִזְכֶּה לְבָרֵר וּלְהַעֲלוֹת כָּל הַלֵּחוּת וְהַשַּׁמְנוּנִית מִפְּגַם "הֶחְתִּים בִּבְשָׂרוֹ" לְתִקּוּן הַחוֹתָם דִּקְדֻשָּׁה שֶׁהוּא תִּקּוּן הַמֹּחִין.

וְיִתְחַזֵּק וְיִתְחַדֵּשׁ מֹחִי וְדַעְתִּי בִּקְדֻשָּׁה וּבְטָהֳרָה גְּדוֹלָה בְּחָכְמָה בִּתְבוּנָה וּבְדַעַת, וְיִתְנוֹצְצוּ הַמֹּחִין שֶׁלִּי בְּחָכְמָה וַהֲבָנָה יְתֵרָה בְּכָל פַּעַם בִּקְדֻשָּׁה גְּדוֹלָה.

וּתְזַכֵּנוּ לִקְדֻשַּׁת הַתְּפִלִּין בֶּאֱמֶת שֶׁהֵם חוֹתָם הַקְּדֻשָּׁה, כְּמוֹ שֶׁכָּתוּב: "שִׂימֵנִי כַחוֹתָם עַל לִבֶּךָ כַּחוֹתָם עַל זְרוֹעֶךָ.

אָבִינוּ מֶלֶךְ אֵל חַי וְקַיָּם, אֵל חַי חֶלְקֵנוּ צוּרֵנוּ, צַוֵּה לְהַצִּיל יְדִידוּת שְׁאֵרֵינוּ מִשַּׁחַת לְמַעַן בְּרִיתְךָ אֲשֶׁר שַׂמְתָּ בִּבְשָׂרֵנוּ".

כִּי אַתָּה בְּרַחֲמֶיךָ חָתַמְתָּ אוֹתָנוּ בְּחוֹתָם אוֹת בְּרִית קֹדֶשׁ. רַחֵם עָלֵינוּ בְּרַחֲמֶיךָ הַגְּדוֹלִים וְהַנּוֹרָאִים, וְעָזְרֵנוּ וְהוֹשִׁיעֵנוּ וְשָׁמְרֵנוּ מֵעַתָּה, שֶׁנִּזְכֶּה מֵעַתָּה לִשְׁמֹר אֶת הַחוֹתָם הַקָּדוֹשׁ הַזֶּה.

it, Heaven forbid, through this desire. May we carefully guard our moisture and oils in order to raise them to the brain in great holiness and purity.

May we purify and elevate all of the moisture and oils from the blemish of "his flesh was sealed" to the rectification of the holy seal, which is the rectification of the brain.

May our mind be strengthened and renewed in great holiness and purity, with wisdom, understanding and knowledge. May our mind always shine with added wisdom and understanding, in great holiness.

Grant us the true holiness of tefilin, which are the seal of truth. As the verse states [referring to tefilin], "Place me as a seal upon your heart, like a seal upon your arm."

Our Father, King, "Living God, our Portion, our Rock, command the rescue of the beloved soul from destruction for the sake of Your covenant that You placed in our flesh."

In Your compassion, You imprinted us with the seal of the sign of the holy covenant. In Your great and awesome compassion, have compassion on us, help us, save us and guard us from now on so that we will guard this holy seal.

הַצִּילֵנוּ נָא מֵחוֹתָם דְּסִטְרָא אַחֲרָא, כִּי אַתָּה "כֹּל תּוּכָל וְלֹא יִבָּצֵר מִמְּךָ מְזִמָּה, כִּי גָדוֹל אַתָּה וְעוֹשֵׂה נִפְלָאוֹת אַתָּה אֱלֹהִים לְבַדֶּךָ". וּמִי יֹאמַר לְךָ מַה תַּעֲשֶׂה.

חוּס וַחֲמֹל וְרַחֵם נָא עָלֵינוּ לְמַעַן שְׁמֶךָ, וְתֵן לָנוּ כֹּחַ הַמָּגִינֵי אֶרֶץ שֶׁנִּזְכֶּה לְבָרֵר וּלְהַעֲלוֹת מֵחוֹתָם דִּקְלִפָּה לְחוֹתָם דִּקְדֻשָּׁה. כָּאָמוּר "גַּאֲוָה אֲפִיקֵי מָגִנִּים סָגוּר חוֹתָם צָר".

וְזַכֵּנוּ לְקַיֵּם מִצְוַת תְּפִלִּין כָּרָאוּי בְּכָל פְּרָטֶיהָ וְדִקְדּוּקֶיהָ וְכַוָּנוֹתֶיהָ וְתַרְיַ"ג מִצְוֹת הַתְּלוּיִּים בָּהּ, וּבְלֵב טוֹב וּבְשִׂמְחָה גְדוֹלָה, כָּרָאוּי לִשְׂמֹחַ וְלָגִיל וְלָשׂוּשׂ מְאֹד כְּשֶׁאָנוּ זוֹכִים לְהִתְעַטֵּר בַּעֲטֶרֶת תִּפְאֶרֶת הַתְּפִלִּין הַקְּדוֹשִׁים וְהַנּוֹרָאִים מְאֹד שֶׁהֵם כִּתְרֵי דְמַלְכָּא.

וּבִזְכוּת קְדֻשַּׁת הַשִּׁבְעָה רָאשִׁים שֶׁל הַתְּרֵין "שִׁינִין" הַקְּדוֹשִׁים שֶׁבַּתְּפִלִּין, שֶׁהֵם "שִׁין" שֶׁל שְׁלֹשָׁה רָאשִׁים וְ"שִׁין" שֶׁל אַרְבַּע רָאשִׁים, נִזְכֶּה לְהַמְשִׁיךְ עָלֵינוּ קְדֻשַּׁת מֹשֶׁה מָשִׁיחַ שֶׁהוּא רוֹעֶה יִשְׂרָאֵל הָאֲמִתִּי שֶׁכָּלוּל מִכָּל הַשִּׁבְעָה רוֹעִים.

וּבִזְכוּתָם וְכֹחָם שֶׁל מֹשֶׁה רַבֵּנוּ עָלָיו הַשָּׁלוֹם וְשֶׁל כָּל הַשִּׁבְעָה רוֹעִים, וּבִזְכוּת כָּל הַצַּדִּיקִים הָאֲמִתִּיִּים, נִזְכֶּה

Please rescue us from the seal of the Side of Evil. "You can do everything; no purpose can be withheld from You." "God, You are great and do wonders." Who will tell You what to do?

Please have pity, mercy and compassion on us for the sake of Your Name. Give us the power of the "protectors of the land" so that we will purify and elevate ourselves from the seal of the "husk" to the seal of holiness. As the verse states, "There is pride in his strong shields, closed with a narrow seal."

Help us fulfill the mitzvah of tefilin properly, with all of its details, particulars, intentions and the 613 commandments that are dependent on it, with a good heart and great joy, a joy that is fitting for a person who is crowned with the beauty of the holy and awesome tefilin, the crown of the King.

In the merit of the holiness of the seven tips of the two holy letters *shin* on the sides of the head-tefilin, one *shin* with three tips and the other with four, may we draw onto ourselves the holiness of Moses-Mashiach, who is the true shepherd of Israel, composed of all Seven Shepherds.

In the merit and power of Moses and of all of the Seven Shepherds, and in the merit of all

לְשַׁבֵּר וּלְבַטֵּל תַּאֲוַת נִאוּף מֵאִתָּנוּ, וּלְשַׁבֵּר הַחוֹתָם דִּקְלִפָּה, וּלְתַקֵּן בְּכָל מִינֵי תִקּוּנִים הַחוֹתָם דִּקְדֻשָּׁה.

חָתְמֵנוּ לְחַיִּים אֲמִתִּיִּים, מֶלֶךְ חָפֵץ בַּחַיִּים, לְמַעַנְךָ אֱלֹהִים חַיִּים.

גּוֹאֵל מִמָּוֶת וּפוֹדֶה מִשַּׁחַת, הַצִּילֵנוּ מִבְּאֵר שַׁחַת. הַצִּילֵנוּ נָא בְּרַחֲמֶיךָ הָרַבִּים מִן הַשְּׁאוֹל תַּחְתִּיּוֹת.

פְּדֵה אוֹתָנוּ מֵעַזּוּת הַתַּאֲווֹת רָעוֹת, וּבִפְרָט מֵעַזּוּת הָרָע שֶׁל תַּאֲוַת נִאוּף. פְּדֵה עַמְּךָ מֵעַזִּים, צֹאנְךָ מִיַּד גּוֹזְזִים, עֲשֵׂה עִמָּנוּ פֶּלֶא לְחַיִּים.

רִבּוֹנוֹ שֶׁל עוֹלָם רִבּוֹנוֹ שֶׁל עוֹלָם, אַתָּה לְבַד יוֹדֵעַ מִי וָמִי עוֹמְדִים עָלֵינוּ בְּכָל עֵת, אֲשֶׁר רוֹצִים לְהִתְגַּבֵּר חַס וְשָׁלוֹם לִסְגֹּר וְלַחְתּוֹם אוֹתָנוּ חַס וְשָׁלוֹם בְּכַמָּה וְכַמָּה חוֹתָמוֹת דְּסִטְרָא אַחֲרָא, חוֹתָם עַל חוֹתָם.

"גָּדַר בַּעֲדִי וְלֹא אֵצֵא הִכְבִּיד נְחָשְׁתִּי".

אֲבָל אַתָּה יְיָ אֱלֹהִים אֱמֶת, וְחוֹתָמְךָ אֱמֶת, בְּךָ לְבַד בָּטָחְנוּ וְעַל חַסְדְּךָ הַגָּדוֹל בֶּאֱמֶת נִשְׁעָנְנוּ, בְּיָדְךָ נַפְקִיד רוּחֵנוּ.

of the true Tzaddikim, may we break and nullify the lust for sexual wrongdoing and break the seal of the "husk," and in every sort of way rectify the seal of holiness.

You are the King Who desires life. Seal us for a true life for Your sake, God of life.

You redeem us from death and destruction. Rescue us from the well of destruction. In Your mighty compassion, please rescue us from the lowest Sheol.

Redeem us from insolent, evil lusts—in particular, from the insolent, evil lust for sexual wrongdoing. Rescue Your nation from insolent people, Your sheep from the hand of shearers. Perform wonders that will bring us life.

Master of the world, Master of the world, You alone know who stands against us at every moment, who wants to overcome us, Heaven forbid, and close and seal us into a number of seals of the Side of Evil, seal upon seal, Heaven forbid.

"He fenced me in so that I cannot get out, He weighed down my chains."

HaShem, You are the God of truth, and Your seal is truth. We trust in You alone. We rely on Your great kindness. We place our spirit in Your

פְּדֵה אוֹתָנוּ יְיָ אֵל אֱמֶת.

"בַּאֲמִתְּךָ הַצְמִיתֵם". שַׁבֵּר תְּשַׁבֵּר כָּל חוֹתְמֵיהֶם אֲשֶׁר חָתְמוּ עָלֵינוּ, הוֹצִיאֵנוּ נָא מֵחוֹתָם דִּקְלִפָּה, הַעֲלֵנוּ מְהֵרָה וְקַדְּשֵׁנוּ וְטַהֲרֵנוּ מִכָּל הַטֻּמְאוֹת וּמִכָּל הַזֻּהֲמוֹת. זַכֵּנוּ לְשַׁבֵּר תַּאֲוַת נִאוּף לְגַמְרֵי בֶּאֱמֶת.

חָתְמֵנוּ נָא בְּחוֹתָם דִּקְדֻשָּׁה, חוֹתָם עַל חוֹתָם, לְבַל יִגְּעוּ בָנוּ זָרִים מֵעַתָּה וְעַד עוֹלָם.

וַחֲתֹם לְחַיִּים טוֹבִים כָּל בְּנֵי בְרִיתֶךָ, בִּזְכוּת הַצַּדִּיקִים הָאֲמִתִּיִּים אֲשֶׁר הֵם חוֹתָמְךָ אֲשֶׁר בָּהֶם בָּרָאתָ וְחָתַמְתָּ עוֹלָמְךָ מֵרֹאשׁ וְעַד סוֹף, בִּזְכוּתָם וְכֹחָם תַּמְשִׁיךְ עָלֵינוּ כֹּחַ הַמָּגִינֵי אֶרֶץ.

עַד שֶׁנִּזְכֶּה עַל יָדָם לְהַעֲלוֹת וּלְבָרֵר מֵ"הֶחָתִים בְּשָׂרוֹ" לְחוֹתָם הַקְּדֻשָּׁה. וְיִתְנוֹצְצוּ הַמֹּחִין שֶׁלָּנוּ בִּקְדֻשָּׁה וּבְטָהֳרָה גְדוֹלָה בְּשֵׂכֶל זַךְ וָצַח. וִיהְיֶה שִׂכְלֵנוּ וּמֹחֵנוּ "הוֹלֵךְ וָאוֹר עַד נְכוֹן הַיּוֹם".

וּתְרַחֵם עָלֵינוּ וְתַעַזְרֵנוּ לְצַמְצֵם אֶת מֹחֵנוּ וְשִׂכְלֵנוּ

hand. Rescue us, HaShem, God of truth.

"In Your truth, cut them off." You will surely break all of the seals that they have placed on us. Please take us out of the seal of the "husk." Raise us quickly, sanctify us and purify us of all impurity and contamination. Help us break the lust for sexual misbehavior truly and entirely.

Please seal us with the seal of holiness, seal upon seal, so that strangers will never lay their hands upon us.

Place the seal for a good life on all of Your Jewish children in the merit of the true Tzaddikim, who are Your seal, with whom You created and placed a seal upon Your world from beginning to end. In their merit and power, draw the power of the "protectors of the land" onto us.

Through them, may we raise and purify ourselves from "his flesh was sealed" to the seal of holiness. May our mind shine with great holiness and purity, with clear and pure mindfulness. May our mindfulness "grow ever brighter until the day is complete."

Not Going Beyond the Proper Border

Have compassion on us. Help us constrict our mindfulness with holiness. May we guard

בְצִמְצוּם דִקְדֻשָּׁה, וְנִשְׁמֹר אֶת מֹחֵנוּ מְאֹד לְבַל יֵצֵא חוּץ מִן הַגְּבוּל חַס וְשָׁלוֹם.

וַאֲפִלּוּ בִּקְדֻשָּׁה, לֹא יַהֲרֹס מֹחֵנוּ לָצֵאת חוּץ מֵהַגְּבוּל שֶׁיֵּשׁ לָנוּ, וּבַמֻּפְלָא מֵאִתָּנוּ לֹא נִדְרֹשׁ, וּבַמְּכֻסֶּה מִמֶּנּוּ לֹא נַחְקֹר.

רַק בַּמֶּה שֶּׁהֻרְשֵׁינוּ, נִתְבּוֹנֵן בְּשֵׂכֶל אֲמִתִּי בְּשֵׂכֶל חָרִיף וּמָהִיר, בְּשֵׂכֶל זַךְ וָצַח, בְּשֵׂכֶל נָכוֹן וֶאֱמֶת, וְיַצִּיב וְקַיָּם וְיָשָׁר וְנֶאֱמָן כִּרְצוֹנְךָ הַטּוֹב.

וְתַעֲזֹר לָנוּ וּלְכָל עַמְּךָ יִשְׂרָאֵל, וְתַמְשִׁיךְ עַל כָּל אֶחָד וְאֶחָד קְדֻשַּׁת הַצִּמְצוּם הַשַּׁיָּךְ לְשִׂכְלוֹ, לְבַל יַהֲרֹס מֹחוֹ לָצֵאת מִן הַגְּבוּל שֶׁיֵּשׁ לוֹ.

כִּי אַתָּה אֵל־שַׁדַּי שֶׁיֵּשׁ דַּי בֶּאֱלֹהוּתְךָ לְכָל בְּרִיָּה, שֶׁכָּל בְּרִיָּה וּבְרִיָּה מֵרֹאשׁ וְעַד סוֹף יֵשׁ לוֹ דַּי וּגְבוּל וְצִמְצוּם בֶּאֱלֹהוּתְךָ, שֶׁאָסוּר לוֹ לָצֵאת בְּשִׂכְלוֹ חוּץ מֵהַגְּבוּל שֶׁיֵּשׁ לוֹ.

אֵל שַׁדַּי תֵּן לָנוּ רַחֲמִים.

וְתַשְׁפִּיעַ עָלֵינוּ קְדֻשַּׁת הַתְּפִלִּין מִשָּׁרְשָׁם, שֶׁהֵם הִתְנוֹצְצוּת הַמֹּחִין הַקְּדוֹשִׁים עִם הַצִּמְצוּם הַקָּדוֹשׁ שֶׁל כָּל הַמֹּחִין לְכָל אֶחָד וְאֶחָד כְּפִי עֶרְכּוֹ וּמַדְרֵגָתוֹ.

our mind carefully so that it will not extend beyond its border, Heaven forbid.

Even in holiness, may our mind not cause damage by going beyond its border. May we not seek that which is beyond us, or investigate that which is concealed from us.

May we gaze only at what we are permitted to, with true, sharp, quick, pure mindfulness, a mindfulness that is proper, true, firm and established, straight and faithful, in accordance with Your good will.

Help each and every Jew draw onto himself the holy constriction appropriate for his mindfulness, so that his mind will not cause damage by going beyond its border.

Almighty God, Your Divinity suffices for every creature. Every creature, from the highest to the lowest, is limited in what it can take from Your Godliness, with a border around its mind beyond which it may not venture.

Almighty God, be compassionate to us.

Pour onto us the holiness of tefilin from the root of their being. Tefilin combine the shining of holy mindfulness with the holy constriction of the mind of each and every individual on his level.

וּבְכֵן תְּרַחֵם עָלֵינוּ סוֹמֵךְ נוֹפְלִים, מְחַיֶּה מֵתִים בְּרַחֲמִים רַבִּים, וְתַשְׁפִּיעַ עָלֵינוּ דִּבּוּרִים קְדוֹשִׁים וּטְהוֹרִים מִצַּדִּיקִים אֲמִתִּיִּים, הַמְּשִׁיבִין אֶת הַנֶּפֶשׁ מִגָּדוֹל וְעַד קָטָן, וְתָשִׁיב וּתְחַיֶּה וְתַבְרִיא וּתְחַזֵּק אֶת נַפְשׁוֹתֵינוּ הַחֲלוּשׁוֹת מְאֹד מְאֹד, הַיְגֵעוֹת מְאֹד, הַנִּדְכָּאוֹת מְאֹד.

וּבִכְלָלָם תְּרַחֵם וְתָחוּס וְתַחְמֹל עָלַי, וְתָשִׁיב וּתְחַזֵּק וּתְאַמֵּץ אֶת נַפְשִׁי הַמָּרָה מְאֹד, כִּי נַפְשִׁי מָרָה לִי, אַל תִּתֵּן אֶת עַבְדְּךָ לִפְנֵי בַּת בְּלִיָּעַל. וְאַתָּה יְיָ אֶת עַבְדְּךָ יָדַעְתָּ.

"אָנָּה יְיָ כִּי אֲנִי עַבְדֶּךָ, אֲנִי עַבְדְּךָ בֶּן אֲמָתֶךָ פִּתַּחְתָּ לְמוֹסֵרָי".

עָזְרֵנוּ הוֹשִׁיעֵנוּ הַחֲיֵינוּ נָא, הָשֵׁב אֶת נַפְשׁוֹתֵינוּ הָאֻמְלָלוֹת מְאֹד בְּכָל מִינֵי מַטְעַמִּים הַמְּשִׁיבִים אֶת הַנֶּפֶשׁ בְּשִׂבְעָה מְשִׁיבֵי טַעַם. "סַמְּכוּנִי בָּאֲשִׁישׁוֹת רַפְּדוּנִי בַּתַּפּוּחִים, כִּי חוֹלַת אַהֲבָה אָנִי".

וְתַשְׁפִּיעַ עָלֵינוּ "אִמְרוֹת יְיָ אֲמָרוֹת טְהוֹרוֹת", שֶׁיּוּכְלוּ לְהַחֲיוֹת אֶת כָּל הַנְּפָשׁוֹת הַנְּפוּלוֹת מֵעַמְּךָ יִשְׂרָאֵל, שֶׁנָּפְלוּ

Rising from the Lowest Places

"You support the fallen, You revive the dead with vast compassion." Have compassion on us. Pour onto us the holy, pure words of the true Tzaddikim who revive souls, from the greatest to the smallest. Restore, revive, heal and strengthen our terribly weak and depressed spirits.

Among these souls, have compassion, pity and mercy on me. Restore, strengthen and encourage my bitter soul. For my soul is bitter to me. HaShem, You Who have known Your servant, do not deliver Your servant to the "unscrupulous woman."

"Please, HaShem, I am Your servant, Your servant, the son of Your maidservant. You have loosened my bands."

Please help us. Save us. Revive us. Restore our feeble soul with every type of delicacy that restores the soul with "seven types of advice." "Sustain me with flagons of wine, spread my bed with apples, for I am lovesick."

Pour onto us "the words of HaShem [that] are pure words," which are able to revive all of the fallen souls of Your nation, the Jewish people,

לְמָקוֹם שֶׁנָּפְלוּ בְּכַמָּה מִינֵי נְפִילוֹת, נְפִילָה אַחַר נְפִילָה.

סְעוֹד וּסְמוֹךְ אוֹתָם, וַהֲקִימֵם תְּקוּמָה אַחַר תְּקוּמָה. "עָזוֹב תַּעֲזֹב וְהָקֵם תָּקִים".

חַזֵּק יָדַיִם רָפוֹת וּבִרְכַּיִם כּוֹשְׁלוֹת תְּאַמֵּץ. אַמֵּץ וְחַזֵּק רִפְיוֹן יָדָם, הֲשִׁיבֵם בְּכָל מִינֵי מַטְעַמִּים הַמְּשִׁיבִין אֶת הַנֶּפֶשׁ.

"כּוֹשֵׁל יְקִימוּן מִלֶּיךָ וּבִרְכַּיִם כּוֹרְעוֹת תְּאַמֵּץ".

וִיקֻיַּם מִקְרָא שֶׁכָּתוּב: "כִּי שֶׁבַע יִפּוֹל צַדִּיק וָקָם. יְיָ מֵמִית וּמְחַיֶּה מוֹרִיד שְׁאוֹל וַיָּעַל. מְקִימִי מֵעָפָר דָּל מֵאַשְׁפּוֹת יָרִים אֶבְיוֹן".

הַעֲלֵנוּ מְהֵרָה מִכָּל הַמְּקוֹמוֹת הַמְּגֻנִּים שֶׁנָּפַלְנוּ לְשָׁם בַּדּוֹרוֹת הַלָּלוּ. "אֲנִי אָמַרְתִּי יְיָ חָנֵּנִי רְפָאָה נַפְשִׁי כִּי חָטָאתִי לָךְ". יְיָ יִשְׁמְרֵנוּ וִיצִילֵנוּ וְאַל תִּתְּנֵנוּ בְּנֶפֶשׁ אוֹיְבֵינוּ.

יְיָ יִסְעָדֵנוּ עַל עֶרֶשׂ דְּוָי, כָּל מִשְׁכָּבֵנוּ נֶהְפַּךְ בְּחָלְיֵנוּ, כִּי אֵין

that fell to where they have fallen, in different ways, fall after fall.

Sustain and support them. Elevate them step by step. Assist them and raise them up.

Strengthen weak hands and support stumbling knees. Strengthen the weakness of their hands. Restore them with every type of delicacy that restores the soul.

"Your words raise the person who stumbles, and You make buckling knees firm."

May the verses be realized, "Seven times the righteous man falls and rises." "HaShem kills and gives life, He brings down to Sheol and raises up." "He raises the poor man from the dust, He lifts the impoverished man from the ash heap."

Raise us quickly from all of the disgraceful places into which we have fallen in these generations. "I said, 'HaShem, be gracious to me, heal my soul, for I sinned against You.'" May HaShem guard us and rescue us, and not deliver us into the hands of our enemies.

HaShem, sustain us on our sickbeds after You have erased our restfulness when we are ill. It

חוֹלֶה וְכוֹאֵב וּמֻכֶּה בָּעוֹלָם שֶׁנִּמְשִׁיל וְנִדְמֶה בוֹ מַכּוֹת נַפְשֵׁנוּ וְחָלְשׁוֹתֵנוּ הָעֲצוּמוֹת מְאֹד בָּעִתִּים הַלָּלוּ.

מִכַּף רֶגֶל וְעַד רֹאשׁ אֵין בָּנוּ מְתֹם. "פֶּצַע וְחַבּוּרָה וּמַכָּה טְרִיָּה".

כִּי זוֹרוּ וְחֻבָּשׁוּ וְרֻכְּכוּ בַּשָּׁמֶן, בְּכַמָּה וְכַמָּה רְפוּאוֹת וְסַמָּנִים יְקָרִים מִפָּז וּפְנִינִים אֲשֶׁר רִפְּאוּ אוֹתָנוּ בָּהֶם הַצַּדִּיקִים הָאֲמִתִּיִּים שֶׁהָיוּ בַּדּוֹרוֹת שֶׁלְּפָנֵינוּ.

אֲשֶׁר חִבְּרוּ סְפָרִים קְדוֹשִׁים הַרְבֵּה, אֲשֶׁר כָּל דִּבְרֵיהֶם מְחַיִּין אֶת הַנֶּפֶשׁ, וְהֵם מְלֵאִים עֵצוֹת נִפְלָאוֹת וְנוֹרָאוֹת וְהִתְעוֹרְרוּת גָּדוֹל לַעֲבוֹדָתְךָ בֶּאֱמֶת, וְעִם כָּל זֶה רְפוּאוֹת תְּעָלָה אֵין לָנוּ.

"הַצֳּרִי אֵין בְּגִלְעָד, אִם רֹפֵא אֵין שָׁם, כִּי מַדּוּעַ לֹא עָלְתָה אֲרֻכַת בַּת עַמִּי. הֲמָאוֹס מָאַסְתָּ אֶת יְהוּדָה, אִם בְּצִיּוֹן גָּעֲלָה נַפְשֶׁךָ, מַדּוּעַ הִכִּיתָנוּ וְאֵין לָנוּ מַרְפֵּא. קַוֵּה לְשָׁלוֹם וְאֵין טוֹב, וּלְעֵת מַרְפֵּא וְהִנֵּה בְעָתָה".

הַחוֹמֵל עַל דַּל חֲמֹל עַל דַּלּוּתֵנוּ. וּרְאֵה שִׁפְלוּתֵנוּ וְאֹרֶךְ

is impossible to imagine anyone as sick, in pain and stricken as we, who suffer such blows to our soul in these times.

From the sole of our feet to our head, there is nothing whole in us. We are filled with wounds, contusions and lacerated sores.

These wounds have been sprinkled, bandaged and softened with oil, with remedies and drugs more expensive than gold and pearls—with which the true Tzaddikim of previous generations healed us.

These Tzaddikim composed many holy books, all of whose words revive the soul—books filled with wondrous and awesome counsel and great inspiration on how to truly serve You. Yet despite that, we are not healed.

"Is there no balm in Gilead? Is there no physician there? Why then has the health of the daughter of my people not been restored?" "Have You indeed rejected Judah? Has Your soul despised Zion? Why have You struck us, and we have no remedy? We hope for peace but there is no good, and for a time of healing, but behold, there is fright."

You Who have mercy on the poor, have mercy on our poverty. See our lowliness and the length

גָּלוּתֵנוּ. "הֲשִׁיבֵנִי וְאָשׁוּבָה כִּי אַתָּה [יְיָ] אֱלֹהָי" הַחֲיֵינִי וְקַיְּמֵנִי בִקְדֻשָּׁתְךָ הָעֶלְיוֹנָה הֲשִׁיבֵנִי נָא הַחֲיֵינִי נָא בְּתוֹרָתְךָ וּבְמִצְוֹתֶיךָ הַקְּדוֹשׁוֹת.

"נַפְשִׁי יְשׁוֹבֵב יַנְחֵנִי בְמַעְגְּלֵי צֶדֶק לְמַעַן שְׁמוֹ. גַּם כִּי אֵלֵךְ בְּגֵיא צַלְמָוֶת לֹא אִירָא רָע כִּי אַתָּה עִמָּדִי, שִׁבְטְךָ וּמִשְׁעַנְתֶּךָ הֵמָּה יְנַחֲמֻנִי".

רִבּוֹנוֹ שֶׁל עוֹלָם רִבּוֹנוֹ דְעָלְמָא כֻּלָּא. אַתָּה יָדַעְתָּ אֶת מְרִירוּת נַפְשֵׁנוּ אֲשֶׁר הוּא מַר מִמָּוֶת מַמָּשׁ, אֲשֶׁר "כָּשַׁל כֹּחַ הַסַּבָּל", וּמִי יוּכַל לִסְבֹּל מְרִירוּת כָּזֶה. אוֹי לָנוּ עַל שִׁבְרֵנוּ.

הוֹרֵנוּ דֶּרֶךְ עֵץ הַחַיִּים לְהַמְתִּיק מְרִירוּת הַמַּיִם הַזֵּדוֹנִים אֲשֶׁר גָּבְרוּ וְעָצְמוּ מְאֹד בְּאַחֲרִית הַיָּמִים הָאֵלֶּה. זַכֵּנוּ עָזְרֵנוּ לְגָרְשָׁם וּלְסַלְּקָם מֵעָלֵינוּ וּמֵעַל גְּבוּלֵנוּ מֵעַתָּה וְעַד עוֹלָם.

קַדְּשֵׁנוּ בְּמִצְוֹתֶיךָ וְתֵן חֶלְקֵנוּ בְּתוֹרָתֶךָ, "תּוֹרַת יְיָ תְּמִימָה מְשִׁיבַת נָפֶשׁ", מִדַּרְכֵי מִיתָה לְדַרְכֵי חַיִּים. "הֲלֹא אַתָּה

of our exile. "Bring me back and I will return, because You are [HaShem] my God." In Your supernal holiness, revive us and raise us. Please restore us. Please revive us with Your Torah and with Your holy mitzvot.

"He restores my soul. He guides me in the paths of justice for the sake of His Name. Even when I walk in the valley of the shadow of death, I will not fear evil, because You are with me. Your rod and staff comfort me."

Master of the world, Master of the entire world, You know the bitterness of our soul, which is literally more bitter than death. "The strength of the porter has collapsed," and who can bear that bitterness? Woe to us, because we are shattered.

Teach us the way of the Tree of Life, which will sweeten the bitterness of the stormy waters that have grown so strong during this time, at the end of days. Help us expel them and remove them from our midst now and forever.

Sanctify us with Your mitzvot and give us our portion in Your Torah. "The Torah of HaShem is perfect, it restores the soul," taking it from the way of death to the way of life. "Will You not

תָּשׁוּב תְּחַיֵּינוּ וְעַמְּךָ יִשְׂמְחוּ בָךְ".

וּבְוַדַּאי תִּגְמֹר הַכֹּל כִּרְצוֹנְךָ כַּאֲשֶׁר גִּלִּיתָ אָזְנֵינוּ, כִּי נֶאֱמָן אַתָּה יְיָ אֱלֹהֵינוּ וְנֶאֱמָנִים דְּבָרֶיךָ וְדָבָר אֶחָד מִדְּבָרֶיךָ אָחוֹר לֹא יָשׁוּב רֵיקָם.

"הָאֵל תָּמִים דַּרְכּוֹ אִמְרַת יְיָ צְרוּפָה מָגֵן הוּא לְכֹל הַחוֹסִים בּוֹ. אִמְרוֹת יְיָ אֲמָרוֹת טְהֹרוֹת כֶּסֶף צָרוּף בַּעֲלִיל לָאָרֶץ מְזֻקָּק שִׁבְעָתָיִם. אַתָּה יְיָ תִּשְׁמְרֵם תִּצְּרֶנּוּ מִן הַדּוֹר זוּ לְעוֹלָם".

עָזְרֵנוּ כִּי עָלֶיךָ נִשְׁעַנְנוּ. "יְיָ אֱלֹהִים צְבָאוֹת הֲשִׁיבֵנוּ הָאֵר פָּנֶיךָ וְנִוָּשֵׁעָה".

וּבְכֵן יְהִי רָצוֹן מִלְּפָנֶיךָ יְיָ אֱלֹהֵינוּ וֵאלֹהֵי אֲבוֹתֵינוּ, שֶׁתְּרַחֵם עָלֵינוּ בְּרַחֲמֶיךָ הָרַבִּים וּתְזַכֵּנוּ לַחֲלוֹמוֹת קְדוֹשִׁים, לַחֲלוֹם עַל יְדֵי מַלְאָךְ הַקָּדוֹשׁ, לַחֲלוֹמוֹת צוֹדְקִים וַאֲמִתִּיִּים.

וְאַל יְבַהֲלוּנִי רַעְיוֹנַי וַחֲלוֹמוֹת רָעִים וְהִרְהוּרִים רָעִים,

return and revive us, so that Your nation will rejoice in You?"

Certainly You will bring everything to an end that is in accordance with Your will, as You have told us. For You are faithful, HaShem our God, and Your words are faithful. Not a single one of Your words will return empty.

"The way of God is perfect, the word of HaShem is refined, He is a shield to all who take refuge in Him." "The words of HaShem are pure words, silver, refined from a cauldron onto the ground, filtered seven times. You, HaShem, guard [good people], You protect [a good person] from [an evil] generation forever."

Help us, for we rely on You. "HaShem, God of Hosts, bring us back; illumine Your face, and we will be saved."

Holy Dreams

May it be Your will, HaShem our God and God of our fathers, that in Your vast compassion, You have compassion on us. Help us have holy dreams, dreams by means of the holy angel, dreams that are justified and true.

Do not confound me with bad ideas, bad dreams or evil musings. Rescue me from

וְתַצִּילֵנִי מֵחֲלוֹמוֹת שֶׁל שָׁוְא וָהֶבֶל, מֵחֲלוֹם עַל־יְדֵי שֵׁד חַס וְשָׁלוֹם.

וְתַעֲלֵנִי מִבְּהֵמָה לְאָדָם. וּתְזַכֵּנִי לְקַדֵּשׁ וּלְטַהֵר הַכֹּחַ הַמְדַמֶּה שֶׁלִּי, וְיִהְיֶה נִכְלָל הַכֹּחַ הַמְדַמֶּה בְּכֹחַ הַשֵּׂכֶל דִּקְדֻשָּׁה, עַד שֶׁגַּם בְּעֵת הִסְתַּלְּקוּת הַמֹּחִין בִּשְׁעַת הַשֵּׁנָה, יִהְיֶה הַכֹּחַ הַמְדַמֶּה וְהָרְשִׁימוֹת שֶׁל הַמֹּחִין בִּקְדֻשָּׁה גְּדוֹלָה בִּבְחִינוֹת מַלְאָךְ.

וְתַמְשִׁיךְ עָלַי צֶלֶם אֱלֹהִים עַד שֶׁאֶזְכֶּה לַחֲלוֹם עַל־יְדֵי מַלְאָךְ, לַחֲלוֹמוֹת מְיֻשָּׁבִים, לַחֲלוֹמוֹת טוֹבִים וִישָׁרִים בִּקְדֻשָּׁה וּבְטָהֳרָה גְּדוֹלָה כִּרְצוֹנְךָ הַטּוֹב.

וְתַצִּילֵנִי מֵחֲלוֹמוֹת שֶׁל שְׁטוּת וְטִפְּשׁוּת וַהֲבָלִים וּשְׁקָרִים. וְתַהֲפֹךְ כָּל חֲלוֹמוֹתַי עָלַי וְעַל כָּל יִשְׂרָאֵל לְטוֹבָה.

וּתְזַכֵּנִי שֶׁתִּהְיֶה מַחֲשַׁבְתִּי וְדַעְתִּי וְרַעְיוֹנַי אֲחוּזִים וּדְבוּקִים וּקְשׁוּרִים בְּךָ תָּמִיד, וּבְתוֹרָתְךָ הַקְּדוֹשָׁה, וּבְצַדִּיקֶיךָ הָאֲמִתִּיִּים.

עַד שֶׁאֶזְכֶּה לִרְאוֹת בַּחֲלוֹם אוֹר פְּנֵי הַצַּדִּיקִים הָאֲמִתִּיִּים, וְלִשְׁמֹעַ מֵהֶם דִּבְרֵי אֱלֹהִים חַיִּים, דְּבָרִים אֲמִתִּיִּים וּקְדוֹשִׁים

worthless and meaningless dreams, dreams that come about by means of a demon, Heaven forbid.

Raise me from the animal realm to the human realm. Help me sanctify and purify my power of imagination. May my power of imagination be incorporated into the power of my holy intellect, so that when my mind is quiescent during sleep, the power of my imagination and the residue of the consciousness of holiness will be great, on the level of an angel.

Draw the image of God onto me until I attain dreams by means of an angel, dreams that are well-established, dreams that are good and straight, holy and pure, and in accordance with Your good will.

Rescue me from dreams of foolishness, nonsense, vanity and falsehood. Transform all of my dreams regarding myself and all of the Jewish people for the good.

May my thoughts, mind and ideas always grasp, cling and bond to You, to Your holy Torah and to Your true Tzaddikim.

In a dream, may I see the light of the face of the true Tzaddikim and hear them speak words of the Living God—true and holy words without

בְּלִי שׁוּם תַּעֲרֹבֶת פְּסֹלֶת כְּלָל, בְּלִי שׁוּם תַּעֲרֹבֶת שְׁקָרִים וַהֲבָלִים הַנִּמְשָׁכִים מִמָּקוֹם אַחֵר חַס וְשָׁלוֹם.

וְאֶזְכֶּה לִזְכֹּר תָּמִיד הֵיטֵב בְּהָקִיצִי אֶת כָּל הַדְּבָרִים הַקְּדוֹשִׁים הָאֲמִתִּיִּים שֶׁתְּזַכֵּנִי לִרְאוֹת וְלִשְׁמֹעַ בַּחֲלוֹם. וּתְחַזְּקֵנִי בְּיִרְאָתְךָ וּבַעֲבוֹדָתְךָ הַקְּדוֹשָׁה תָּמִיד וְיִהְיוּ כָּל חֲלוֹמוֹתַי מְיֻשָּׁבִים עָלַי לְטוֹבָה.

וּבְכֵן תְּזַכֵּנוּ בְּרַחֲמֶיךָ הָרַבִּים, וְתַעַזְרֵנוּ וְתוֹשִׁיעֵנוּ שֶׁיִּהְיוּ כָּל הַמַּאֲכָלִים וּמַשְׁקָאוֹת שֶׁלָּנוּ מַאֲכָלִים מְבֹרָרִים צַחִים וְזַכִּים בְּלִי שׁוּם סִיג וּפְסֹלֶת כְּלָל. וְלֹא יִתְעָרֵב בַּאֲכִילָתֵנוּ שׁוּם תַּעֲרוֹבוֹת מֵאֲחִיזַת הַשֵּׁדִים כְּלָל. וְתִתֵּן לָנוּ כֹּחַ וָעֹז וְתַעֲצוּמוֹת לְחַזֵּק אֶת הַמַּלְאָךְ.

וְתַעֲזֹר לָנוּ שֶׁנִּזְכֶּה לִהְיוֹת בְּשִׂמְחָה תָּמִיד, וְנִתְגַּבֵּר וְנִתְאַמֵּץ בְּכָל עֹז וְכֹחַ וּגְבוּרָה לִהְיוֹת אַךְ שָׂמֵחַ תָּמִיד.

וְתִהְיֶה אֲכִילָתֵנוּ בְּשִׂמְחָה גְדוֹלָה וּבִקְדֻשָּׁה וּבְטָהֳרָה גְדוֹלָה, וִיקֻיַּם בָּנוּ מִקְרָא שֶׁכָּתוּב: "לֵךְ אֱכֹל בְּשִׂמְחָה לַחְמֶךָ וּשְׁתֵה בְלֶב טוֹב יֵינֶךָ. כִּי כְבָר רָצָה הָאֱלֹהִים אֶת מַעֲשֶׂיךָ".

עַד שֶׁנִּזְכֶּה עַל יְדֵי הַשִּׂמְחָה וְהַחֶדְוָה לְחַזֵּק אֶת הַמַּלְאָךְ, וְיִתְחַזְּקוּ הַמַּלְאָכִים הַקְּדוֹשִׁים בְּכֹחַ גָּדוֹל עַל יְדֵי תֹקֶף שִׂמְחָתֵנוּ.

any admixture of nonsense, or any admixture of lies and vanities that are drawn from a detrimental place, Heaven forbid.

When I am awake, may I always remember clearly all of the holy, true matters that You help me see and hear in a dream. Give me the strength to always fear You and serve You in a holy way. May all of my dreams be for the good.

Holy Eating and Drinking

In Your vast compassion, help me and save me so that all of my food and drink will be pure, without any dross at all. May no trace of the admixture of demons be found in my food. Give me the power and might to strengthen the angel.

Help me always be joyous. May I have the power and might to be only joyful always.

May I eat in great joy, holiness and purity. May the verse be realized in me, "Go eat your bread in joy and drink your wine with a good heart, for God has approved of your deeds."

By means of joy and gladness, may I strengthen the angel. May the holy angels be strengthened by means of the might of my joy.

וְיַמְשִׁיכוּ לָנוּ שֶׁפַע טוֹבָה וּפַרְנָסָה טוֹבָה, מַאֲכָל וּמַשְׁקֶה מְבֹרָרִים בְּלִי שׁוּם אֲחִיזַת הַסִטְרָא אַחֲרָא כְּלָל.

וְלֹא יִתְּנוּ לְהַסִטְרָא אַחֲרָא וְהַשֵּׁדִים לִינֹק מֵהַשֶּׁפַע הַנִּמְשֶׁכֶת לָנוּ כְּלָל, וְלֹא תִתְעַכֵּב הַשֶּׁפַע אֶצְלָם כְּלָל רַק דֶּרֶךְ מַעֲבָר לְבַד. וְלֹא יִינְקוּ מֵהַשֶּׁפַע רַק כְּדֵי חַיּוּתָם בְּצִמְצוּם גָּדוֹל.

וְתַמְשִׁיךְ בְּרַחֲמֶיךָ כָּל הַשֶּׁפַע לְעַמְּךָ יִשְׂרָאֵל הַקָּדוֹשׁ, וְלֹא יִשְׁלְטוּ בָּהּ יְדֵי זָרִים. וְנִזְכֶּה לִהְיוֹת בְּשִׂמְחָה תָּמִיד, וּבְשִׂמְחָתֵנוּ לֹא יִתְעָרֵב זָר.

וְתַעַזְרֵנוּ בְּכָל עֵת לְהִתְחַזֵּק תָּמִיד בְּשִׂמְחָה וְחֶדְוָה גְדוֹלָה, עַד שֶׁנִּזְכֶּה עַל יְדֵי הַשִּׂמְחָה לְהִנָּצֵל מִטֻּמְאַת קֶרִי חַס וְשָׁלוֹם הַבָּאָה עַל יְדֵי עַצְבוּת וּמָרָה שְׁחוֹרָה חַס וְשָׁלוֹם.

אָנָּא יְיָ מָלֵא רַחֲמִים חוֹשֵׁב מַחֲשָׁבוֹת לְבַל יִדַּח מִמֶּנּוּ נִדָּח. הַצִּילֵנוּ נָא מִטֻּמְאָה הָרָעָה הַזֹּאת. שָׁמְרֵנוּ נָא וְהַצֵּל נַפְשֵׁנוּ מִמִּקְרֵה לָיְלָה.

May they draw onto me abundance and good income, food and drink that are purified without any trace of the Side of Evil at all.

May they not allow the Side of Evil and demons to siphon off any energy from the abundant flow that is drawn onto me. May the Side of Evil and the demons only serve as a conduit, and only draw a minimal amount of that flow, to provide them with a very constricted life force.

Attaining Joy and Holiness

In Your compassion, draw all abundance to Your holy nation, the Jewish people. May the hands of foreigners not rule over us. May we always be joyful. May no stranger participate in our joy.

Help us strengthen ourselves at every moment with great joy and gladness, until we are rescued from the uncleanness of a seminal emission, Heaven forbid, which comes because of depression and bitterness, Heaven forbid.

HaShem, You are filled with compassion. You think thoughts so that no one will remain driven away from You. Please rescue us from this grievous uncleanness. Please guard us and rescue our soul from a nocturnal emission.

זַכֵּנוּ לְקַדֵּשׁ אֶת מַחֲשַׁבְתֵּנוּ וְתַמְשִׁיךְ עָלֵינוּ קְדֻשַּׁת הַמֹּחִין עַל יְדֵי הַמָּגִנֵּי אֶרֶץ, עַד שֶׁנִּזְכֶּה לְשַׁבֵּר תַּאֲוַת נִאוּף לְגַמְרֵי.

וְנִזְכֶּה לְהִכָּלֵל בִּקְדֻשַּׁת מֹשֶׁה רַבֵּנוּ וּבִקְדֻשַּׁת כָּל הַשִּׁבְעָה רֹעִים דִּקְדֻשָּׁה, וּבִקְדֻשַּׁת כָּל הַצַּדִּיקִים הָאֲמִתִּיִּים.

וְיַמְשְׁכוּ עָלֵינוּ קְדֻשַּׁת הַמֹּחִין וְהַתְּפִלִּין הַקְּדוֹשִׁים מִשָּׁרְשָׁם הָעֶלְיוֹן.

וּתְזַכֵּנוּ לִהְיוֹת בְּשִׂמְחָה תָּמִיד. וּלְחַזֵּק אֶת כֹּחַ הַמַּלְאָכִים הַקְּדוֹשִׁים עַל יְדֵי עֹז שִׂמְחָתֵנוּ.

וְתַמְשִׁיךְ לָנוּ פַּרְנָסָה טוֹבָה מִן הַשָּׁמַיִם בְּהַרְחָבָה גְּדוֹלָה, וְיִהְיוּ כָּל אֲכִילוֹתֵנוּ וּשְׁתִיָּתֵנוּ מְבֹרָרִים וּמְזֻכָּכִים בְּלִי שׁוּם אֲחִיזַת תַּעֲרֹבֶת כֹּחַ הַשֵּׁדִים וְהַסִּטְרָא אַחֲרָא כְּלָל.

וְלֹא יִהְיֶה לָהֶם שׁוּם כֹּחַ לְחַמֵּם אֶת הָאָדָם חַס וְשָׁלוֹם בַּחֲמִימוּת אֵשׁ הַתַּאֲוָה הַזֹּאת. וְתַצִּיל אוֹתָנוּ וְאֶת כָּל עַמְּךָ יִשְׂרָאֵל תָּמִיד מִמִּקְרֵה לָיְלָה.

אָנָּא יְיָ, מַה נֹּאמַר וּמַה נְּדַבֵּר וּמַה חַיָּלִים נִגְבַּר. מַה נֹּאמַר

Help us sanctify our thoughts and draw holy consciousness onto ourselves by means of the "protectors of the land," until we completely break the lust for sexual wrongdoing.

May we be absorbed into the holiness of Moses, of all of the holy Seven Shepherds of holiness, and of all of the true Tzaddikim.

May holy consciousness and the holiness of the tefilin be drawn onto us from the supernal root of consciousness and tefilin.

Help us always feel joy. May we always strengthen the holy angels with the power of our joy.

Pour down onto us from Heaven a good income with great abundance. May all of our eating and drinking be purified, without any trace of the admixture of the power of demons and the Side of Evil.

May these forces have no power to heat anyone with the fire of lust, Heaven forbid. Rescue us and Your entire nation, the Jewish people, from ever experiencing a nocturnal emission.

Yearning to Return to God

Please, HaShem, what can we say? How will we speak? What troops will we muster to

לְפָנֶיךָ יוֹשֵׁב מָרוֹם וּמַה נְּסַפֵּר לְפָנֶיךָ שׁוֹכֵן שְׁחָקִים הֲלֹא כָּל הַנִּסְתָּרוֹת וְהַנִּגְלוֹת אַתָּה יוֹדֵעַ.

מַלְכִּי וֵאלֹהָי אֵלֶיךָ אֶתְפַּלָּל. אֵלֶיךָ אֶשְׁתַּטֵּחַ. "אֵלֶיךָ נָשָׂאתִי אֶת עֵינַי הַיֹּשְׁבִי בַּשָּׁמָיִם".

כִּי אֵין לִי שׁוּם כֵּלִים וְדִבּוּרִים וּמַחֲשָׁבוֹת וּלְמַעְלָה מִן הַמַּחֲשָׁבָה לְהַלְבִּישׁ בּוֹ סִפּוּר צָרוֹת נַפְשִׁי הַמְרֻבִּים וְהָעֲצוּמִים מְאֹד מְאֹד.

רַק כְּבַהֲמוֹת שָׂדַי אֶעֱרֹג אֵלֶיךָ. "כְּסוּס עָגוּר כֵּן אֲצַפְצֵף, אֶהְגֶּה כַּיּוֹנָה, דַּלּוּ עֵינַי לַמָּרוֹם, יְיָ עָשְׁקָה לִי עָרְבֵנִי. אֶדַּדֶּה כָל שְׁנוֹתַי עַל מַר נַפְשִׁי".

הֲרֵי אֲנִי לְפָנֶיךָ כְּמוֹ שֶׁאֲנִי, וְאֵין לִי שׁוּם תִּקְוָה כִּי אִם עַל תְּפִלָּה וְתַחֲנוּנִים שֶׁתְּחָנֵּנִי מֵאִתְּךָ לְהִתְפַּלֵּל וּלְהִתְחַנֵּן לְפָנֶיךָ, עַד שֶׁאֶזְכֶּה לִישׁוּעָה שְׁלֵמָה לָשׁוּב אֵלֶיךָ בֶּאֱמֶת וְלָצֵאת מֵאֲפֵלָה לְאוֹרָה, מִיָּגוֹן לְשִׂמְחָה וּמֵחשֶׁךְ לְאוֹר גָּדוֹל, וְלִהְיוֹת כִּרְצוֹנְךָ בֶּאֱמֶת.

יְהִי רָצוֹן מִלְּפָנֶיךָ יְיָ אֱלֹהֵינוּ וֵאלֹהֵי אֲבוֹתֵינוּ, מָלֵא רַחֲמִים,

support our words? What shall we say before You Who dwell in the heights? What shall we relate before You Who reside in the Heavens? You know all things, hidden and revealed.

"My King and my God, I will pray to You." I prostrate myself before You. "I have raised my eyes to You Who dwell in Heaven."

I have no instruments—words, thoughts or that which is beyond thoughts—in which to clothe the narrative of the many and intense troubles of my soul.

I yearn for You like an animal of the field. "Like a crane and a swallow, I chatter, I have moaned like a dove. My eyes are raised to the heights. HaShem, rescue me, pledge Yourself to me...I will cause my sleep to flee because of the bitterness of my soul."

I stand before You as I am. My only hope is the prayers and pleas that You graciously allow me to pray and plead before You, until I attain complete salvation and return to You in truth—emerging from dimness to light, from grief to joy, from darkness to a great light, so that I will truly be in accordance with Your will.

HaShem my God and God of my fathers, You are full of compassion, salvation and

מָלֵא יְשׁוּעוֹת וְהַצָּלוֹת, מָלֵא חֶמְלָה וַחֲנִינָה. מָלֵא טוֹב, "טוֹב יְיָ לַכֹּל וְרַחֲמָיו עַל כָּל מַעֲשָׂיו", שֶׁתִּהְיֶה בְּעֶזְרִי מֵעַתָּה וְתִשְׁמְרֵנִי וְתַצִּילֵנִי שֶׁלֹּא אֶחֱטָא עוֹד.

הַצִּילֵנִי מֵעַתָּה מִמִּקְרֶה לַיְלָה, וְלֹא אֶהַרְהֵר בַּיּוֹם וְלֹא אָבֹא לִידֵי טֻמְאָה בַּלַּיְלָה, "גַּם מִזֵּדִים חֲשֹׂךְ עַבְדֶּךָ אַל יִמְשְׁלוּ בִי, אָז אֵיתָם וְנִקֵּיתִי מִפֶּשַׁע רָב". זַכֵּנִי בְּרַחֲמֶיךָ לִהְיוֹת בְּשִׂמְחָה תָּמִיד.

לחודש ניסן

וְתַעַזְרֵנוּ לְהַמְשִׁיךְ קְדֻשַּׁת חֹדֶשׁ נִיסָן, רֹאשׁ חֳדָשִׁים, עָלֵינוּ וְעַל כָּל יִשְׂרָאֵל.

וּכְשֵׁם שֶׁהוֹצֵאתָ בּוֹ אֶת עַמְּךָ יִשְׂרָאֵל מִגָּלוּת מִצְרַיִם, עֶרְוַת הָאָרֶץ, שֶׁהוּא פְּגַם הַבְּרִית, כֵּן בְּרַחֲמֶיךָ הָרַבִּים תּוֹשִׁיעֵנוּ וְתִגְאָלֵנוּ בְּכָל דּוֹר וָדוֹר, בְּכָל שָׁנָה וְשָׁנָה, לְכָל נֶפֶשׁ וָנֶפֶשׁ, מֵעַמְּךָ יִשְׂרָאֵל.

שֶׁתַּצִּילֵנוּ כֻּלָּנוּ בְּכֹחַ קְדֻשַּׁת הַחֹדֶשׁ הַזֶּה רֹאשׁ חֳדָשִׁים רִאשׁוֹן

rescue, mercy and graciousness, and goodness. "HaShem is good to all, and His compassion rests upon all of His works." Help me from now on. Guard me and rescue me so that I will no longer sin.

Rescue me from ever experiencing a nocturnal emission. May I not fantasize by day, which leads to uncleanness at night. "Keep Your servant clear of willful sins. May they not rule over me. Then I will be whole and cleared from great iniquity." In Your compassion, help me always be joyful.

For the Month of Nisan
The Holiness of the Month of Nisan

Help me draw the holiness of the month of Nisan, the head of the months, onto myself and onto the entire Jewish people.

Just as in Nisan You took Your nation, the Jewish people, out of the exile of Egypt—the "nakedness of the land," which is the blemish of the covenant—so too, in Your vast compassion, save me and redeem every Jewish soul in every generation, every year.

Rescue all of us in the power of the holiness of this month, the head of the months, the first

הוּא לָנוּ לְחָדְשֵׁי הַשָּׁנָה, שֶׁהוּא חֹדֶשׁ נִיסָן הַקָּדוֹשׁ, גְּאֻלַּת וִישׁוּעַת יִשְׂרָאֵל.

שֶׁנִּזְכֶּה כֻּלָּנוּ עַל יְדֵי זֶה לִגְאֻלַּת הַנֶּפֶשׁ בֶּאֱמֶת, שֶׁתִּגְאָלֵנוּ וְתִפְדֶּה נַפְשֵׁנוּ מְהֵרָה מִבְּאֵר שַׁחַת מִטִּיט הַיָּוֵן, וְתוֹצִיאֵנוּ מִמְּצוּלוֹת יָם.

וְתַצִּיל נַפְשׁוֹתֵינוּ הָאֻמְלָלוֹת מְאֹד מִפְּגַם מִקְרֵה לַיְלָה חַס וְשָׁלוֹם וְלֹא נִכָּשֵׁל בֶּעָוֹן זֶה לְעוֹלָם, אֲנַחְנוּ וְצֶאֱצָאֵינוּ וְצֶאֱצָאֵי עַמְּךָ בֵּית יִשְׂרָאֵל מֵעַתָּה וְעַד עוֹלָם, לֹא בְּשׁוֹגֵג וְלֹא בְּמֵזִיד לֹא בְּאֹנֶס וְלֹא בְּרָצוֹן.

אָבִינוּ מַלְכֵּנוּ חֲמֹל עָלֵינוּ, אָבִינוּ מַלְכֵּנוּ חוּס וְרַחֵם עָלֵינוּ, אָבִינוּ מַלְכֵּנוּ חֲמֹל עַל עוֹלָלֵנוּ וְטַפֵּנוּ. וְתַעַזְרֵנוּ לְהַמְשִׁיךְ קְדֻשַּׁת וְשִׂמְחַת נִיסָן עַל כָּל הַשָּׁנָה כֻּלָּהּ.

וְנִזְכֶּה לִהְיוֹת בְּשִׂמְחָה תָמִיד, וּלְהָבִיא תָּמִיד שְׂחוֹק וְשִׂמְחָה וָעֹז וְחֶדְוָה בְּכָל הַמַּלְאָכִים הַקְּדוֹשִׁים. וְיִהְיֶה הוֹד וְהָדָר לְפָנֵיהֶם עֹז וְחֶדְוָה בִּמְקוֹמָם בְּכָל הַשָּׁנָה כֻּלָּהּ כְּמוֹ בְּחֹדֶשׁ נִיסָן.

וְנִזְכֶּה תָמִיד לִתֵּן חִזּוּק וָתֹקֶף לְהַמַּלְאָכִים הַקְּדוֹשִׁים עַל־יְדֵי שִׂמְחָתֵנוּ. וְיִתְחַזְּקוּ הַמַּלְאָכִים הַקְּדוֹשִׁים תָּמִיד בְּכָל עֹז וְתַעֲצוּמוֹת.

month of the year, the holy month of Nisan, the redemption and salvation of Israel.

By means of this, may we all truly attain the redemption of the soul. Redeem us and our souls quickly from the well of destruction, from the deep mire. Bring us out of the depths of the sea.

Rescue my poor soul from the blemish of a nocturnal emission, Heaven forbid. May I never stumble in this sin—I and my offspring and the offspring of Your nation, the House of Israel—from now and forever, neither unintentionally nor intentionally, neither under duress nor willingly.

Our Father, our King, have mercy on us. Our Father, our King, have pity and compassion on our children and infants. Help us draw the holiness and joy of Nisan onto the entire year.

May we always be joyful, and always bring laughter and joy, might and gladness to all of the holy angels. May they have beauty and splendor, might and gladness in their place throughout the entire year, as in the month of Nisan.

May our joy always strengthen the holy angels. May the holy angels always gain might and intensity.

וִיבַטְּלוּ כֹּחַ הַשֵּׁדִים וְהַקְּלִפּוֹת, וְלֹא יִתְּנוּ לָהֶם שׁוּם יְנִיקָה מֵהַשֶּׁפַע הַקְּדוֹשָׁה הַיּוֹרֶדֶת לָנוּ.

עַד שֶׁנִּזְכֶּה לְמַאֲכָלִים וּמַשְׁקָאוֹת מְבֹרָרִים, וּלְהִנָּצֵל עַל־יְדֵי־זֶה מִטֻּמְאַת מִקְרֵה לַיְלָה חַס וְשָׁלוֹם, וְלִהְיוֹת קְדוֹשִׁים וּטְהוֹרִים תָּמִיד.

וְתוֹרֵינוּ וְתַדְרִיכֵנוּ בַּאֲמִתְּךָ וּתְלַמְּדֵנוּ הָאֱמֶת לַאֲמִתּוֹ כִּרְצוֹנְךָ הַטּוֹב בֶּאֱמֶת, אֵיךְ לְהִתְנַהֵג בְּעִנְיַן הַתַּעֲנִיתִים.

רַחֵם עָלַי לְמַעַן שְׁמֶךָ, רַחֵם עָלַי לְמַעַן חֲסָדֶיךָ הָרַבִּים וְהָעֲצוּמִים, רַחֵם עָלַי לְמַעַנְךָ לְבַד, כִּי יֵשׁ לְךָ רַחֲמִים רַבִּים מְאֹד מְאֹד שֶׁהֵם מַסְפִּיקִים לְרַחֵם גַּם עָלַי.

עֶלְיוֹנִים וְתַחְתּוֹנִים אַתָּה נוֹשֵׂא בְּרַחֲמֶיךָ, וּכְבָר הִשְׁפַּעְתָּ רַחֲמִים רַבִּים בָּעוֹלָם, וּכְבָר עָזַרְתָּ בָּעוֹלָם כַּמָּה וְכַמָּה צַדִּיקִים וַחֲסִידִים וִירֵאִים וּתְמִימִים וּכְשֵׁרִים וּבַעֲלֵי תְשׁוּבָה הַרְבֵּה

May the power of the demons and the "husks" be eradicated. May they not draw any energy from the holy flow of abundance that descends to us.

May our food and drink be purified. As a result, may we be rescued from the uncleanness of a nocturnal emission, Heaven forbid. May we always be holy and pure.

In Your truth, teach us and guide us. In accordance with Your truly good will, teach us the ultimate truth of how to fast.

Emerging from Dimness to Light

Have compassion on us for the sake of Your Name. Have compassion on us for the sake of Your vast and mighty kindness. Have compassion on us for Your sake alone. For You have vast and endless compassion that suffices to apply to us as well.

In Your compassion, You support supernal and lower beings. You have caused Your vast compassion to flow into the world. In Your world, You have helped many Tzaddikim, pious people, God-fearing people, wholehearted people, and those who are worthy and repentant. "I want to

שֶׁהָיוּ בָּעוֹלָם עַד הֵנָּה, "אֶסְפְּרֵם מֵחוֹל יִרְבּוּן".

אֲשֶׁר עֲזַרְתָּם בְּרַחֲמֶיךָ, לְשַׁבֵּר וּלְבַטֵּל הַבְלֵי הָעוֹלָם הַזֶּה, וְלָצֵאת מֵאֲפֵלָה לְאוֹרָה. וּגְאַלְתָּם וּפְדִיתָם בְּרַחֲמֶיךָ וּבִזְרוֹעַ עֻזְּךָ מִגָּלוּת הַנֶּפֶשׁ עַד שֶׁזָּכוּ לְמַה שֶּׁזָּכוּ.

כִּי לוּלֵא רַחֲמֶיךָ וַחֲסָדֶיךָ לֹא הָיָה לָהֶם כֹּחַ לַעֲמֹד כְּנֶגֶד מְצוּלַת יָם שֶׁל הַבְלֵי עוֹלָם הַזֶּה, כְּמוֹ שֶׁאָמְרוּ רַבּוֹתֵינוּ זִכְרוֹנָם לִבְרָכָה: 'בְּכָל יוֹם יִצְרוֹ שֶׁל אָדָם מִתְגַּבֵּר עָלָיו, וְאִלְמָלֵא הַקָּדוֹשׁ־בָּרוּךְ־הוּא עוֹזְרוֹ הָיָה נוֹפֵל בְּיָדוֹ'.

זַכֵּה אוֹתִי גַּם כֵּן בְּרַחֲמֶיךָ הָרַבִּים לָשׁוּב אֵלֶיךָ בֶּאֱמֶת.

וְאִם בַּעֲווֹנוֹתַי הָרַבִּים אֲנִי מִתְרַפֶּה בִּמְלֶאכֶת שָׁמַיִם מְאֹד, וְאֵינִי מִתְגַּבֵּר בַּעֲבוֹדַת יְיָ כְּלָל, אֲשֶׁר מֵעוֹלָם לֹא זָכָה אָדָם כָּמוֹנִי לִתְשׁוּבָה שְׁלֵמָה בֶּאֱמֶת.

הֲלֹא אַתָּה עוֹשֶׂה חֲדָשׁוֹת בְּכָל עֵת, וְאַתָּה מְחַדֵּשׁ בְּכָל יוֹם וּבְכָל עֵת וּבְכָל שָׁעָה נִפְלָאוֹת גְּדוֹלוֹת עַד אֵין חֵקֶר, וְאַתָּה מְרַחֵם בְּכָל עֵת עַל יִשְׂרָאֵל בְּרַחֲמִים וַחֲסָדִים חֲדָשִׁים.

count them, but they are more numerous than the sand."

In Your compassion, You have helped these people break and nullify the vanities of this world and emerge from dimness to light. In Your compassion and with Your mighty arm, You redeemed them from the exile of the soul, until they attained what they attained.

If not for Your compassion and kindness, they would not have the power to withstand the deep sea of the vanities of this world. As our sages have said, "Every day a person's evil inclination overwhelms him, and if not for the fact that the Holy One, blessed be He, helps him, he would fall into its hand."

You Who are deeply compassionate, help me truly return to You.

Because of my many sins, I was slack in the work of Heaven, and I did not serve You adequately. Never has a person of my quality succeeded in attaining complete repentance.

Still, every day, at every moment, You create great wonders without number. At every moment, You generate new compassion and kindness for the Jewish people.

רַחֵם עָלַי בְּרַחֲמִים נִפְלָאִים, בְּרַחֲמִים חֲדָשִׁים שֶׁלֹּא נִתְגַּלּוּ עֲדַיִן מֵעוֹלָם, בִּזְכוּת הַצַּדִּיקִים הַקְּדוֹשִׁים אֲשֶׁר בָּאָרֶץ הֵמָּה, בְּאֹפֶן שֶׁאֶזְכֶּה מֵעַתָּה לָשׁוּב לְדֶרֶךְ הַחַיִּים בֶּאֱמֶת לַאֲמִתּוֹ.

וְאַל תַּנִּיחֵנִי לִתְעוֹת עוֹד בִּדְרָכִים נְבוֹכִים וּמְבֻלְבָּלִים שֶׁאֵינָם כִּרְצוֹנְךָ, וְלֹא אֵלֵךְ עוֹד חֲשֵׁכִים. אֶבְטַח בְּשֵׁם יְיָ וְאֶשָּׁעֵן בֵּאלֹהָי.

אַל תַּתְעֵנִי יְיָ מִדְּרָכֶיךָ אַל תַּקְשִׁיחַ לִבִּי מִיִּרְאָתֶךָ, כִּי מִמְּךָ הַכֹּל וְאַתָּה "כֹּל תּוּכָל וְלֹא יִבָּצֵר מִמְּךָ מְזִמָּה".

קַדֵּשׁ וְטַהֵר אֶת מַחְשְׁבוֹתַי בְּרַחֲמֶיךָ הָרַבִּים, זַכֵּנִי לְדֶרֶךְ הָאֱמֶת לַאֲמִתּוֹ, תֶּן לִי תִּקְוָה וְלֹא אוֹבַד עוֹד כְּלָל, עָזְרֵנִי לִהְיוֹת כִּרְצוֹנְךָ בֶּאֱמֶת, וְאֶזְכֶּה לְתַקֵּן אֶת כָּל אֲשֶׁר שִׁחַתְּתִּי.

וּתְזַכֵּנִי שֶׁתִּהְיֶה אֲכִילָתִי תָּמִיד בְּשִׂמְחָה, בִּקְדֻשָּׁה וּבְטָהֳרָה גְּדוֹלָה, וְאֶזְכֶּה לִהְיוֹת בְּשִׂמְחָה תָּמִיד.

וּבְכֵן תְּרַחֵם עָלֵינוּ מָלֵא רַחֲמִים, וְתַצִּילֵנוּ וְתִשְׁמְרֵנוּ אוֹתָנוּ

In the merit of the holy Tzaddikim of past generations, show me a wondrous, new compassion that was never before revealed, so that from now on I will return to the true way of life.

Do not allow me to err any further in tangled and confused ways that are not in accordance with Your will. May I no longer go in the dark. May I trust in the Name of HaShem, and rely on my God.

HaShem, do not allow me to stray from Your ways. Do not harden my heart, which would keep me from fearing You, because everything comes from You. "You can do everything; no purpose can be withheld from You."

In Your vast compassion, sanctify and purge my thoughts. Guide me to the way of ultimate truth. Give me hope, and I will no longer be lost. Help me truly live in accordance with Your will, so that I will rectify everything that I destroyed.

May my eating always be joyful, with great holiness and purity. May I always be joyous.

Overcoming Unworthy Leaders

You Who are filled with compassion, have compassion on me. Rescue me and guard me

וְאֶת כָּל עַמְּךָ יִשְׂרָאֵל מֵרַבָּנִים וְדַיָּנִים שֶׁאֵינָם כְּשֵׁרִים וַהֲגוּנִים בְּמַעֲשֵׂיהֶם.

כִּי אַתָּה יוֹדֵעַ אֶת כָּל מַה שֶּׁהֵם גּוֹרְמִים לָנוּ בַּעֲווֹנוֹתֵינוּ הָרַבִּים, וְאֵין מִי שֶׁיַּעֲמֹד בַּעֲדֵנוּ, כִּי אֵין בָּנוּ כֹּחַ וּגְבוּרָה לְהַכְנִיעָם וּלְהַשְׁפִּילָם.

אָנָּא יְיָ בְּרַחֲמֶיךָ הָרַבִּים, הַמֶּלֶךְ הַמִּשְׁפָּט, זַכֵּנוּ לְמִשְׁפָּט דִּקְדֻשָּׁה, וְהַצִּילֵנוּ מִדַּיָּנִים וְרַבָּנִים שֶׁאֵינָם הֲגוּנִים הַמְקַלְקְלִים אֶת הַמִּשְׁפָּט וּפוֹגְמִים בַּמֶּרְכָּבָה הָעֶלְיוֹנָה בְּכִסְאוֹת לְמִשְׁפָּט אֲשֶׁר שָׁם הָאַהֲבָה הַקְּדוֹשָׁה שׁוֹרָה.

וְעַל יְדֵי זֶה נוֹפְלִים אַהֲבוֹת נְפוּלִין מִשָּׁם וּמַכְנִיסִים תַּאֲוַת נִאוּף בָּעוֹלָם, וּמְבִיאִין חַס וְשָׁלוֹם טֻמְאַת מִקְרֵה לַיְלָה עַל יְדֵי עִוּוּת דִּינָם.

אָנָּא רַחוּם צַדִּיק, יְיָ אוֹהֵב מִשְׁפָּט, אוֹהֵב עַמּוֹ יִשְׂרָאֵל.

אַתָּה יוֹדֵעַ מַה שֶּׁיֵּשׁ לָנוּ מֵעַצְמֵנוּ מַה שֶּׁתַּאֲווֹת גּוּפֵנוּ רוֹדְפִים אַחֲרֵינוּ בְּכָל עֵת עַד אֲשֶׁר נִכְשַׁלְנוּ וְאֵין עוֹזֵר, אַף גַּם זֹאת גּוֹרְמִים לָנוּ מַה שֶּׁגּוֹרְמִים, הַפְּגָמִים הַנִּמְשָׁכִין מִכְּלָלִיּוּת הָעוֹלָם.

and Your entire nation, the Jewish people, from unworthy rabbis and judges whose deeds are improper.

You know all that they have caused us, because of our many sins. There is no one to stand up on our behalf, and we lack the power to overcome and subdue them.

Please, HaShem, King of judgment, in Your vast compassion, grant us holy judgment. Rescue us from unworthy judges and rabbis who corrupt judgment and damage the supernal Chariot, the thrones of judgment, where holy love rests.

Because of these corrupt judges and rabbis, holy types of love fall from there and inject the lust for sexual impropriety into the world. As a result of the perversion of judgment of those judges and rabbis, the uncleanness of nocturnal emission comes about, Heaven forbid.

Merciful, Righteous One, HaShem, You love judgment. You love Your nation, the Jewish people.

You know what is inside of us, how the lusts of our body pursue us at every moment, until we stumble and there is no one to help. In addition, the blemishes drawn from the totality of the world also cause us harm.

רִבּוֹנוֹ שֶׁל עוֹלָם, עָלֶיךָ הִשְׁלַכְנוּ אֶת יְהָבֵינוּ, הַצִּילֵנוּ שָׁמְרֵנוּ בְּרַחֲמֶיךָ שֶׁלֹּא יַזִּיק לָנוּ כְּלָל עִוּוּת מִשְׁפָּטָם.

וְתַצִּילֵנוּ מֵאַהֲבוֹת הַנְּפוּלִין, וְנִזְכֶּה לְהַעֲלוֹת וּלְבָרֵר אֶת כָּל הָאַהֲבוֹת לְהַעֲלוֹתָם וּלְהַחֲזִירָם אֶל שָׁרְשָׁם שֶׁבִּקְדֻשָּׁה בֶּאֱמֶת.

וְתַעַזְרֵנוּ וּתְזַכֵּנוּ לְתַקֵּן אֶת הַמִּשְׁפָּט בִּקְדֻשָּׁה וּבְטָהֳרָה גְדוֹלָה, בְּתַכְלִית הַתִּקּוּן בִּשְׁלֵמוּת.

וְתִהְיֶה עִמָּנוּ תָּמִיד, וְתִשְׁמְרֵנוּ וְתַעַזְרֵנוּ וְתוֹשִׁיעֵנוּ שֶׁלֹּא נִפְגֹּם אֶת הַתְּפִלִּין וְהַמֹּחִין שֶׁלָּנוּ. וְלֹא יַעֲלֶה אֶל הַמֹּחַ לֵחוֹת וְשַׁמְנוּנִיּוֹת רָעוֹת שֶׁהֵם בְּחִינַת טִפַּת עֵשָׂו וְיִשְׁמָעֵאל.

רִבּוֹנוֹ שֶׁל עוֹלָם, אַתָּה יוֹדֵעַ שֶׁאֵין בִּי דַּעַת אֵיךְ לְהִתְפַּלֵּל עַל זֶה. רַק עָלֶיךָ לְבַד אֲנִי מַשְׁלִיךְ יְהָבִי, "שָׁפְטֵנִי [אֱלֹהִים] (יְיָ) וְרִיבָה רִיבִי מִגּוֹי לֹא חָסִיד, מֵאִישׁ מִרְמָה וְעַוְלָה תְּפַלְּטֵנִי.

שָׁפְטֵנִי כְצִדְקְךָ יְיָ אֱלֹהָי וְאַל יִשְׂמְחוּ לִי. צֶדֶק וּמִשְׁפָּט מְכוֹן כִּסְאֶךָ חֶסֶד וֶאֱמֶת יְקַדְּמוּ פָנֶיךָ. מִלְּפָנֶיךָ מִשְׁפָּטִי יֵצֵא עֵינֶיךָ תֶּחֱזֶינָה מֵישָׁרִים".

Master of the world, we cast our burden upon You. In Your compassion, rescue us and guard us so that no perversion of judgment will harm us at all.

Rescue us from fallen loves. May we raise and purify all such fallen types of love and truly return them to their holy root.

Help us rectify judgment in great holiness and purity, with the ultimate, complete rectification.

Be with us always. Guard us, help us and save us so that we do not blemish our tefilin and our mind. May no evil moisture or oils, which correspond to the drop of Esau and Ishmael, rise to the brain.

Master of the world, You are aware that I do not know how to pray for this. I cast my burden upon You alone. "Avenge me, God, and battle on my behalf against an impious nation; rescue me from a man of falsehood and injustice."

"Judge me in accordance with Your righteousness, HaShem my God, and may others not rejoice over me." "Righteousness and judgment are the foundation of Your throne; kindness and truth come before Your countenance." "May our judgment go forth before You; may Your eyes see [our] upright acts."

מָלֵא רַחֲמִים, רַחֵם עָלֵינוּ לְמַעַן שִׁמְךָ לְבַד, אַף עַל פִּי שֶׁעָשִׂינוּ מַה שֶּׁעָשִׂינוּ, עַד אֲשֶׁר אֵין לָנוּ חַס וְשָׁלוֹם שׁוּם מֵלִיץ יֹשֶׁר.

אַתָּה יְיָ לְבַד תָּגֵן בַּעֲדֵנוּ, וְתִשְׁמְרֵנוּ וְתַצִּילֵנוּ מִכָּל מַה שֶּׁאָנוּ צְרִיכִים לְהִנָּצֵל בְּגַשְׁמִיּוּת וּבְרוּחָנִיּוּת. וְתַצִּילֵנוּ מִשְּׁגָגוֹת וּמֵזִידִין וּמְרָדִים, בְּאֹפֶן שֶׁנִּזְכֶּה לְתִקּוּן הַבְּרִית בֶּאֱמֶת.

"בְּאֵין מֵלִיץ יֹשֶׁר מוּל מַגִּיד פֶּשַׁע, תַּגִּיד לְיַעֲקֹב דְּבַר חֹק וּמִשְׁפָּט, וְצַדְּקֵנוּ בַּמִּשְׁפָּט הַמֶּלֶךְ הַמִּשְׁפָּט, הָאוֹחֵז בְּיַד מִדַּת מִשְׁפָּט".

עָזְרֵנוּ בְּרַחֲמֶיךָ הָרַבִּים, שֶׁנִּזְכֶּה לְקַשֵּׁר אֶת הַמֶּרְכָּבָה הַקְּדוֹשָׁה, וְיִתְקַשְּׁרוּ יַחַד כָּל מַלְאֲכֵי הַמֶּרְכָּבָה הַקְּדוֹשָׁה, שֶׁהֵם מִיכָאֵל מִיָּמִין, וּמִשְּׂמֹאל גַּבְרִיאֵל, וּמִלְּפָנִים אוּרִיאֵל, וּמֵאָחוֹר רְפָאֵל, שֶׁסִּימָנָם אַרְגָּמָ"ן.

אֲשֶׁר שָׁם הָאַהֲבָה הַקְּדוֹשָׁה שׁוֹרָה, כְּמוֹ שֶׁכָּתוּב: "אַפִּרְיוֹן עָשָׂה לוֹ הַמֶּלֶךְ שְׁלֹמֹה מֵעֲצֵי הַלְּבָנוֹן. עַמּוּדָיו עָשָׂה כֶסֶף

You Who are filled with compassion, have compassion on us for the sake of Your Name alone, even though we have done so much wrong that we have no righteous advocate, Heaven forbid.

HaShem, You alone protect us and guard us. You alone rescue us from all that we need to be rescued from, in the material and spiritual realms. You rescue us from unintentional and intentional wrongdoing and from rebelling, so that we may truly attain the rectification of the covenant.

"In the absence of a strong advocate to oppose the prosecutor, speak to Jacob with law and judgment, and judge in our favor, King of judgment, Who grasps in His hand the trait of judgment."

In Your vast compassion, help us bind together the holy Chariot so that all of its angels will be bound together: Michael on the right, Gabriel on the left, Uriel in front and Raphael behind, who are altogether referred to by the acronym *ARGaMan* (purple).

There holy love rests. As the verse states, "King Solomon made himself a palanquin of the trees of Lebanon. He made its pillars of

רְפִידָתוֹ זָהָב מֶרְכָּבוֹ אַרְגָּמָן תּוֹכוֹ רָצוּף אַהֲבָה מִבְּנוֹת יְרוּשָׁלָיִם".

וּתְזַכֵּנוּ לוֹמַר תָּמִיד קֹדֶם הַשֵּׁנָה בְּכַוָּנָה גְדוֹלָה קִשּׁוּר הַמֶּרְכָּבָה, שֶׁהוּא: 'בְּשֵׁם יְיָ אֱלֹהֵי יִשְׂרָאֵל מִימִינִי מִיכָאֵל וּמִשְּׂמֹאלִי גַּבְרִיאֵל וּמִלְּפָנַי אוּרִיאֵל וּמֵאֲחוֹרַי רְפָאֵל וְעַל רֹאשִׁי שְׁכִינַת אֵל'.

וְתַעַזְרֵנוּ בְּכֹחֲךָ הַגָּדוֹל לְקַשֵּׁר אֶת הַמֶּרְכָּבָה הַקְּדוֹשָׁה, עַד שֶׁנִּזְכֶּה לְתִקּוּן הַמִּשְׁפָּט, וְיִתְתַּקְּנוּ "כִסְאוֹת לְמִשְׁפָּט כִּסְאוֹת לְבֵית דָּוִד".

וְנִזְכֶּה לְתַקֵּן בִּשְׁלֵמוּת פְּגַם הָאַהֲבוֹת הַנְּפוּלִין, וְלֹא יִהְיֶה לָנוּ שׁוּם תַּאֲוָה רָעָה הַנִּמְשֶׁכֶת מֵהָאַהֲבוֹת הַנְּפוּלִין.

וּתְזַכֵּנוּ לְאַהֲבָה דִּקְדֻשָּׁה, לְקַבֵּל עָלֵינוּ תָּמִיד עֹל מַלְכוּת שָׁמַיִם בְּאַהֲבָה רַבָּה וְעַזָּה, וּבְשִׂמְחָה וְחֶדְוָה גְדוֹלָה.

וְתִשְׁמְרֵנוּ וְתַצִּילֵנוּ תָמִיד מִמִּקְרֵה לַיְלָה, וּתְזַכֵּנוּ מְהֵרָה לְתִקּוּן הַבְּרִית בִּשְׁלֵמוּת בֶּאֱמֶת כִּרְצוֹנְךָ הַטּוֹב.

silver, its couch of gold, its curtain of purple, its interior inlaid with love, from the daughters of Jerusalem."

Before we go to sleep, help us always recite with great feeling the description of the binding together of the Chariot: "In the Name of HaShem, God of Israel: On my right is Michael, and on my left is Gabriel, and before me is Uriel, and behind me is Raphael, and over my head is the Presence of God."

In Your great power, help us bind together the holy Chariot, until we attain rectifications of judgment. May the "thrones for judgment, thrones for the house of David" be rectified.

May we completely rectify the blemish of the fallen loves, so that we will not experience any evil lust drawn from those fallen loves.

Help us attain holy love, so that we will always accept upon ourselves the yoke of the Kingdom of Heaven with a great and powerful love, with great joy and gladness.

Guard us and rescue us always from experiencing a nocturnal emission. Help us quickly attain a true and complete rectification of the covenant, in accordance with Your good will.

לראש השנה, יום כיפור וסוכות

וְזַכֵּנוּ בְּרַחֲמֶיךָ הָרַבִּים, לִשְׁמֹעַ קוֹל שׁוֹפָר בְּרֹאשׁ הַשָּׁנָה מִתּוֹקֵעַ הָגוּן וְכָשֵׁר.

וְנִזְכֶּה לְקַיֵּם מִצְוַת שְׁמִיעַת קוֹל שׁוֹפָר בְּרֹאשׁ־הַשָּׁנָה בִּשְׁלֵמוּת בִּקְדֻשָּׁה וּבְטָהֳרָה גְדוֹלָה, בְּחֶדְוָה וּבְשִׂמְחָה רַבָּה וַעֲצוּמָה, בְּאֵימָה בְּיִרְאָה וּבְאַהֲבָה גְדוֹלָה.

וְתַעַזְרֵנוּ שֶׁנִּזְכֶּה לְתַקֵּן כָּל הַתִּקּוּנִים הַקְּדוֹשִׁים שֶׁצְּרִיכִין לְתַקֵּן עַל יְדֵי קוֹל הַתְּקִיעָה וְהַשְּׁבָרִים וְהַתְּרוּעָה.

וּבִזְכוּת הַתְּקִיעָה הַקְּדוֹשָׁה נִזְכֶּה לְהַמְשִׁיךְ עָלֵינוּ קְדֻשַּׁת הַחָכְמָה וְהַתְּבוּנָה וְהַדַּעַת, וְנִזְכֶּה לְצַחְצֵחַ נִשְׁמוֹתֵינוּ בְּשֶׁבַע הַצַּחְצָחוֹת הָעֶלְיוֹנוֹת הַקְּדוֹשׁוֹת.

וּבִזְכוּת הַתְּרוּעָה הַקְּדוֹשָׁה תְּזַכֵּנוּ לְהַמְשִׁיךְ עָלֵינוּ קְדֻשַּׁת "מֹשֶׁה הָיָה רוֹעֶה", שֶׁהוּא הָרוֹעֶה יִשְׂרָאֵל הָאֲמִתִּי, וְנִזְכֶּה בִּזְכוּתוֹ וְכֹחוֹ וּקְדֻשָּׁתוֹ לִקְדֻשַּׁת הַבְּרִית בֶּאֱמֶת.

וּבִזְכוּת הַשְּׁבָרִים הַקָּדוֹשׁ נִזְכֶּה לַחֲלוֹמוֹת צוֹדְקִים וַאֲמִתִּיִּים לַחֲלוֹם עַל יְדֵי מַלְאָךְ הַקָּדוֹשׁ, וְתִשְׁמְרֵנוּ וְתַצִּילֵנוּ עַל יְדֵי

For Rosh HaShanah, Yom Kippur and Sukkot

Hearing the Voice of the Shofar

In Your vast compassion, help us hear the voice of the shofar on Rosh HaShanah from a worthy shofar-blower.

May we fulfill the mitzvah of hearing the sound of the shofar on Rosh HaShanah perfectly, with great holiness and purity, with intense gladness and joy, fear and love.

Help us bring about all of the holy rectifications that need to be realized by means of the sounds of the shofar: the *tekiah*, *shevarim* and *teruah*.

In the merit of the holy *tekiah*, may we draw onto ourselves the holiness of wisdom, understanding and knowledge. May we scrub our soul so that it is entirely bright, supernal and holy.

In the merit of the holy *teruah*, may we draw onto ourselves the holiness of "Moses [the] shepherd," the true shepherd of Israel. In his merit, power and holiness, may we truly attain the holiness of the covenant.

In the merit of the holy *shevarim*, may we attain correct and true dreams that come by means of the holy angel. In this way, guard us

זֶה מִפְּגַם הַבְּרִית וּמִמִּקְרֶה לַיְלָה בְּכָל הַבְּחִינוֹת, וְנִזְכֶּה עַל יְדֵי זֶה לְתִקּוּן הַמִּשְׁפָּט.

וְתַעַזְרֵנוּ וְתוֹשִׁיעֵנוּ לְהַשְׁקוֹת אֶת הַלֵּב בִּקְדֻשָּׁה גְדוֹלָה, וּלְכַבּוֹת חִמּוּם הַלֵּב הַבּוֹעֵר אֶל הַתַּאֲווֹת רָעוֹת וּבִפְרָט לְתַאֲוַת נִאוּף.

וְתַמְשִׁיךְ עָלֵינוּ מֵימֵי הַחֶסֶד וְהָרַחֲמִים, מֵימֵי הַדַּעַת וְהַתְּבוּנָה, וְתִשְׁאַב לָנוּ "מַיִם בְּשָׂשׂוֹן מִמַּעַיְנֵי הַיְשׁוּעָה", וּתְשַׁבֵּר וְתַשְׁקֶה וּתְכַבֶּה צִמָּאוֹן וַחֲמִימוּת הַלֵּב דְּסִטְרָא אַחֲרָא, וְנִזְכֶּה לְתִקּוּן הַמִּשְׁפָּט.

וִיקֻיַּם מִקְרָא שֶׁכָּתוּב: "וְיִגַּל כַּמַּיִם מִשְׁפָּט וּצְדָקָה כְּנַחַל אֵיתָן".

וּבְכֵן תַּעַזְרֵנוּ וּתְזַכֵּנוּ לְקַדֻּשַּׁת רֹאשׁ הַשָּׁנָה וְיוֹם הַכִּפּוּרִים וְסֻכּוֹת וּשְׁמִינִי עֲצֶרֶת.

שֶׁנִּזְכֶּה לְקַבֵּל הַיָּמִים הַנּוֹרָאִים הַקְּדוֹשִׁים וְהַטְּהוֹרִים הָאֵלּוּ, בִּקְדֻשָּׁה נוֹרָאָה, בִּקְדֻשָּׁה גְדוֹלָה מְאֹד, בְּשִׂמְחָה וּבְחֶדְוָה רַבָּה וַעֲצוּמָה מְאֹד מְאֹד.

וְתַעַזְרֵנוּ לְקַיֵּם כָּל הַמִּצְוֹת הַקְּדוֹשׁוֹת הַנּוֹהֲגוֹת בַּיָּמִים הַנּוֹרָאִים הַקְּדוֹשִׁים הַלָּלוּ, בְּשִׂמְחָה גְדוֹלָה וּבְיִרְאָה וּבְאַהֲבָה

and rescue us from the blemish of the covenant and from a nocturnal emission on all levels. As a result, may we attain the rectification of judgment.

Help us water our hearts with great holiness, and extinguish the heat of the heart that burns for evil lusts—in particular, the lust for sexual wrongdoing.

Draw onto us the waters of kindness and compassion, the waters of knowledge and understanding. Draw onto us "water with joy from the wellsprings of salvation." Pour water to extinguish the thirst and heat of the heart of the Side of Evil. May we attain a rectification of judgment.

May the verse be realized, "Justice will be revealed like water, and righteousness like a mighty river."

Help us attain the holiness of Rosh HaShanah, Yom Kippur, Sukkot and Shemini Atzeret.

May we celebrate these awesome, holy and pure days with awesome, great holiness, with intense joy and gladness.

Help us keep the holy mitzvot that apply on these awesome, holy days, with great joy, fear and

וּבְלֵב טוֹב וּבְכַוָּנָה עֲצוּמָה וּבִשְׁלֵמוּת גָּדוֹל, עִם כָּל פְּרָטֵיהֶם וְדִקְדּוּקֵיהֶם וְכַוָּנוֹתֵיהֶם וְתַרְיַ"ג מִצְווֹת הַתְּלוּיִים בָּהֶם.

בְּאֹפֶן שֶׁנִּזְכֶּה לְתַקֵּן כָּל הַתִּקּוּנִים הַקְּדוֹשִׁים שֶׁצְּרִיכִין לְתַקֵּן בַּיָּמִים הַקְּדוֹשִׁים הַלָּלוּ.

וְתַעַזְרֵנוּ בְּרַחֲמֶיךָ וַחֲסָדֶיךָ הָרַבִּים, שֶׁנִּזְכֶּה לְקַבֵּל רֹאשׁ הַשָּׁנָה הַקָּדוֹשׁ וְהַנּוֹרָא מְאֹד בִּקְדֻשָּׁה וּבְטָהֳרָה גְּדוֹלָה.

וּבִזְכוּת קְדֻשַּׁת רֹאשׁ הַשָּׁנָה נִזְכֶּה לֶאֱמוּנָה שְׁלֵמָה בֶּאֱמֶת. וְתַעַזְרֵנוּ וְתוֹשִׁיעֵנוּ שֶׁיִּתְקַבְּצוּ יַחַד כָּל חֶלְקֵי נִיצוֹצוֹת הָאֱמוּנָה הַקְּדוֹשָׁה, עַל־יְדֵי קִבּוּץ הַקָּדוֹשׁ שֶׁל עַמְּךָ יִשְׂרָאֵל הַמִּתְקַבְּצִין בְּכָל הַקְּהִלּוֹת הַקְּדוֹשׁוֹת יַחַד בִּימֵי רֹאשׁ הַשָּׁנָה הַקְּדוֹשִׁים.

וִיקֻיַּם מִקְרָא שֶׁכָּתוּב: "וְיוֹדוּ שָׁמַיִם פִּלְאֲךָ יְיָ, אַף אֱמוּנָתְךָ בִּקְהַל קְדוֹשִׁים", וְנִזְכֶּה עַל יְדֵי זֶה לְתִקּוּן הַמֹּחִין הַקְּדוֹשִׁים.

וְתַעַזְרֵנוּ וּתְזַכֵּנוּ שֶׁיֻּמְשַׁךְ עָלֵינוּ קְדֻשָּׁה גְּדוֹלָה בְּכָל הַחֲמִשָּׁה חוּשִׁים הַנִּמְשָׁכִים מִמֹּחֵנוּ, שֶׁהֵם חוּשׁ הָרְאוּת, וְחוּשׁ הַשֵּׁמַע, וְחוּשׁ הָרֵיחַ, וְחוּשׁ הַטַּעַם, וְחוּשׁ הַמִּשּׁוּשׁ, שֶׁיֻּמְשַׁךְ

love, with a good heart, mighty intent and great perfection, with all of their details, particulars, intentions and the 613 commandments that are dependent on them.

Thus, may we bring about all of the holy rectifications that need to be realized on these holy days.

In Your vast compassion and kindness, help us celebrate the holy and awesome Rosh HaShanah with great holiness and purity.

In the merit of the holiness of Rosh HaShanah, may we truly attain complete faith. Help us and save us so that all of the sparks of holy faith will gather together as a result of the holy gathering of Your nation, the Jewish people, in all of the holy congregations on the holy days of Rosh HaShanah.

May the verse be realized, "The heavens will praise Your wonders, HaShem, Your faithfulness amid the holy congregation." By means of this, may we attain a rectification of holy consciousness.

Help us so that great holiness will be drawn onto us in all of the five senses that are drawn from the brain—the senses of sight, hearing, smell, taste and touch. May great holiness be

קְדֻשָּׁה גְדוֹלָה עַל כָּל הַחֲמִשָּׁה חוּשִׁים שֶׁבַּמֹּחַ מִשָּׁרְשָׁם הָעֶלְיוֹן שֶׁבַּקְּדֻשָּׁה.

וְתַמְשִׁיךְ עָלֵינוּ הַשְׁגָּחָתְךָ הַשְּׁלֵמָה מֵרֹאשׁ הַשָּׁנָה עַל כָּל הַשָּׁנָה כֻּלָּהּ, וְתַשְׁגִּיחַ עָלֵינוּ בְּעֵין חֶמְלָתְךָ תָּמִיד, כְּמוֹ שֶׁכָּתוּב: "תָּמִיד עֵינֵי יְיָ אֱלֹהֶיךָ בָּהּ, מֵרֵשִׁית הַשָּׁנָה וְעַד אַחֲרִית שָׁנָה".

וְתִשְׁמַע קוֹל תְּפִלּוֹתֵינוּ וּתְחִנּוֹתֵינוּ וְזַעֲקוֹתֵנוּ וְשַׁוְעוֹתֵנוּ וְאַנְחוֹתֵינוּ וְקוֹל תְּרוּעַת עַמְּךָ יִשְׂרָאֵל בְּרַחֲמִים.

וְתַמְשִׁיךְ עָלֵינוּ יִרְאָתְךָ הַגְּדוֹלָה וְתָרִיחַ אוֹתָנוּ בְּיִרְאַת יְיָ, וִיקֻיַּם בָּנוּ מִקְרָא שֶׁכָּתוּב: "וַהֲרִיחוֹ בְּיִרְאַת יְיָ".

וְתִתֵּן פַּחְדְּךָ, יְיָ אֱלֹהֵינוּ, עַל כָּל מַעֲשֶׂיךָ, וְאֵימָתְךָ עַל כָּל מַה שֶּׁבָּרָאתָ, וְיִירָאוּךָ כָּל הַמַּעֲשִׂים, וְיִשְׁתַּחֲווּ לְפָנֶיךָ כָּל הַבְּרוּאִים, וְיֵעָשׂוּ כֻלָּם אֲגֻדָּה אַחַת לַעֲשׂוֹת רְצוֹנְךָ בְּלֵבָב שָׁלֵם.

וְנִזְכֶּה לְהַרְבּוֹת בְּמִצְווֹת וּבְמַעֲשִׂים טוֹבִים בְּכָל הַשָּׁנָה עַד שֶׁנִּזְכֶּה שֶׁתִּטְעַם בְּרֹאשׁ הַשָּׁנָה טַעַם מִצְוֹתֵינוּ וּמַעֲשֵׂינוּ הַטּוֹבִים.

drawn down from the supernal root of the five senses to the senses as they are in the brain.

Draw Your complete providence onto us from the beginning of the year to the entire year. Always supervise us with Your eye of mercy, as in the verse, "The eyes of HaShem your God are always on it, from the beginning of the year until the end of the year."

In Your compassion, hear the voice of our prayers, pleading, outcries, groans and sighs, and the shofar-blowing of Your nation, the Jewish people.

Draw Your great fear onto us and enliven us with the fear of HaShem. May the verse be realized for us, "He will be enlivened by the fear of HaShem."

"HaShem our God, place Your fear upon all of Your creatures, and Your awe upon all that You created. May all creatures fear You and all created beings prostrate themselves before You. May they all form one group to do Your will with all their heart."

May we increase mitzvot and good deeds the entire year, until on Rosh HaShanah, You taste our mitzvot and good deeds.

וּתְזַכֵּנוּ בְּרַחֲמֶיךָ לְתַקֵּן וְלַעֲשׂוֹת לְךָ מַטְעַמִּים טוֹבִים כַּאֲשֶׁר אָהַבְתָּ 'מִפִּקּוּדִין דַּעֲשֵׂה', וְתִהְיֶה יָדְךָ פְּשׁוּטָה לְקַבֵּל שָׁבִים וְתַחֲזִירֵנוּ וּתְקַבְּלֵנוּ בִּתְשׁוּבָה שְׁלֵמָה לְפָנֶיךָ.

לעשרת ימי תשובה

וּתְרַחֵם עָלֵינוּ וְתַעַזְרֵנוּ וְתוֹשִׁיעֵנוּ שֶׁנִּזְכֶּה לָשׁוּב בְּיוֹתֵר בִּתְשׁוּבָה שְׁלֵמָה בֶּאֱמֶת בַּעֲשֶׂרֶת יְמֵי תְשׁוּבָה. וְנִזְכֶּה לְתַקֵּן בַּעֲשֶׂרֶת יְמֵי תְשׁוּבָה כָּל הַפְּגָמִים שֶׁפָּגַמְנוּ בְּכָל הַשָּׁנָה כֻּלָּהּ וּבִפְרָט פְּגַם הַבְּרִית.

אָנָּא רַחוּם בְּרַחֲמֶיךָ הָרַבִּים, זַכֵּנוּ לְהִתְקַדֵּשׁ בִּקְדֻשָּׁה גְדוֹלָה וְנוֹרָאָה בְּיוֹתֵר בַּעֲשֶׂרֶת יְמֵי תְשׁוּבָה, אֲשֶׁר בָּהֶם אַתָּה נִמְצָא לְכָל דּוֹרְשֶׁיךָ בֶּאֱמֶת, כְּמוֹ שֶׁכָּתוּב: "דִּרְשׁוּ יְיָ בְּהִמָּצְאוֹ קְרָאוּהוּ בִּהְיוֹתוֹ קָרוֹב".

כִּי אַתָּה בְּרַחֲמֶיךָ וּבְחֶמְלָתְךָ הַגְּדוֹלָה נָתַתָּ לָנוּ מַתָּנָה טוֹבָה הַזֹּאת אֵלּוּ עֲשֶׂרֶת יְמֵי תְשׁוּבָה הַקְּדוֹשִׁים, כִּי יָדַעְתָּ כִּי בָשָׂר

In Your compassion, help us rectify the positive commandments and make them into tasty delicacies that You love. Stretch out Your hand to receive those who return to You. Bring us back and accept us in complete repentance before You.

For the Ten Days of Repentance

The Gift of Repentance

Have compassion on us. Help us and save us so that we will return to You in true, complete repentance, especially on the Ten Days of Repentance. On the Ten Days of Repentance, may we rectify all of the blemishes that we brought about throughout the entire year—in particular, the blemish of the covenant.

Compassionate One, in Your vast compassion, please sanctify us with especially great and awesome sanctity on the Ten Days of Repentance, during which You are available to all who truly seek You. As the verse states, "Seek HaShem when He is to be found; call to Him when He is near."

In Your great compassion and mercy, You gave us this good gift, these holy Ten Days of Repentance. You know that we are flesh and

וָדָם אֲנַחְנוּ וּמֵחֹמֶר קֹרַצְנוּ, וְאֵין "צַדִּיק בָּאָרֶץ אֲשֶׁר יַעֲשֶׂה טוֹב וְלֹא יֶחֱטָא".

עַל כֵּן הִקְדַּמְתָּ תְּרוּפָה וּצְרִי לְמַכּוֹתֵינוּ, וּמֵרֵאשִׁית כָּזֹאת הוֹדַעְתָּ וּמִלְּפָנִים אוֹתָהּ גִּלִּיתָ. וְנָתַתָּ לָנוּ בְּרַחֲמֶיךָ הָרַבִּים וַחֲסָדֶיךָ הָעֲצוּמִים בִּתְחִלַּת הַשָּׁנָה, עֲשָׂרָה יָמִים הַקְּדוֹשִׁים הַלָּלוּ מֵרֹאשׁ הַשָּׁנָה עַד יוֹם הַכִּפּוּרִים שֶׁהֵם עֲשֶׂרֶת יְמֵי תְּשׁוּבָה.

אֲשֶׁר בָּהֶם יִהְיֶה לָנוּ כֹּחַ בְּיוֹתֵר לָשׁוּב בִּתְשׁוּבָה שְׁלֵמָה לְפָנֶיךָ, וּלְתַקֵּן כָּל הַפְּגָמִים וְכָל הַחֲטָאִים וְהָעֲווֹנוֹת וְהַפְּשָׁעִים שֶׁל כָּל הַשָּׁנָה כֻּלָּהּ.

עַל כֵּן זַכֵּנוּ נָא חָנֵּנוּ נָא, לְבַל נְאַבֵּד חַס וְשָׁלוֹם מַתָּנָה טוֹבָה הַזֹּאת.

כִּי בַּעֲווֹנוֹתֵינוּ הָרַבִּים מִתְגַּבֵּר עָלֵינוּ הַבַּעַל דָּבָר גַּם בַּעֲשֶׂרֶת יְמֵי תְשׁוּבָה, עַד אֲשֶׁר חָלְפוּ וְעָבְרוּ אֶצְלֵנוּ כַּמָּה שָׁנִים בְּלִי תְשׁוּבָה שְׁלֵמָה אֲפִלּוּ בַּעֲשֶׂרֶת יְמֵי תְשׁוּבָה.

אַף גַּם בַּעֲווֹנוֹתֵינוּ הָרַבִּים כַּמָּה וְכַמָּה פְּגָמִים פָּגַמְנוּ לְפָנֶיךָ בַּעֲשֶׂרֶת יְמֵי תְשׁוּבָה בְּעַצְמָן, וּבְכָל הַיָּמִים הַקְּדוֹשִׁים,

blood, and molded from clay, and that "there is no righteous man in the earth who does good and does not transgress."

Therefore, You brought healing and balm prior to our wounds. From the beginning You informed us of this, and from the start You revealed this. In Your vast compassion and mighty kindness, at the beginning of the year, You give us these ten holy days, the Ten Days of Repentance, from Rosh HaShanah to Yom Kippur.

On these days, we have special power to return to You with complete repentance and to rectify all of our blemishes, transgressions, sins and iniquities from the entire year.

Therefore, please help us. Please be gracious to us so that we will not lose this good gift, Heaven forbid.

Because of our many sins, the Side of Evil overcomes us even on the Ten Days of Repentance. As a result, a number of years have passed by without our attaining complete repentance, even on the Ten Days of Repentance.

For our many sins, we have brought about a number of blemishes before You on the Ten Days of Repentance themselves, and on all of the holy

בְּרֹאשׁ הַשָּׁנָה וּבְיוֹם הַכִּפּוּרִים וּבְסֻכּוֹת וּבִשְׁמִינִי עֲצֶרֶת וּבְשִׂמְחַת תּוֹרָה.

כִּי גַם יָמִים הַקְּדוֹשִׁים הַלָּלוּ לֹא זָכִינוּ עֲדַיִן לְשָׁמְרָם כָּרָאוּי בְּלִי פְּגָם, וּפָגַמְנוּ גַּם בָּהֶם הַרְבֵּה מְאֹד בְּמַחֲשָׁבָה דִּבּוּר וּמַעֲשֶׂה, בְּשׁוֹגֵג וּבְמֵזִיד, בְּאֹנֶס וּבְרָצוֹן.

וְעַתָּה מַה יֵּשׁ לִי עוֹד צְדָקָה וְלִזְעוֹק עוֹד אֶל הַמֶּלֶךְ, "גָּדוֹל עֲוֹנִי מִנְּשׂוֹא, עָצְמוּ חֲטָאַי מִסַּפֵּר", לוּלֵא רַחֲמֶיךָ וַחֲסָדֶיךָ "אָז אָבַדְתִּי בְעָנְיִי".

מָלֵא רַחֲמִים רַבִּים, זַכֵּנִי מֵעַתָּה לַחֲזֹר וּלְבַקֵּשׁ וְלִמְצֹא אֶת כָּל הָאֲבֵדוֹת שֶׁאִבַּדְתִּי מִיּוֹם הֱיוֹתִי עַל הָאֲדָמָה עַד הַיּוֹם הַזֶּה.

זַכֵּנִי עָזְרֵנִי מֵעַתָּה לְהִטָּהֵר וּלְהִתְקַדֵּשׁ בִּקְדֻשָּׁה גְדוֹלָה בְּכָל הַשָּׁנָה כֻּלָּהּ, וּבְיוֹתֵר בַּיָּמִים הַנּוֹרָאִים הַקְּדוֹשִׁים הָאֵלּוּ מֵרֹאשׁ הַשָּׁנָה עַד שִׂמְחַת תּוֹרָה.

וּתְזַכֵּנוּ לִתְשׁוּבָה שְׁלֵמָה בֶּאֱמֶת בַּעֲשֶׂרֶת יְמֵי תְשׁוּבָה לְתַקֵּן אֶת כָּל אֲשֶׁר שִׁחַתִּי, וְנִזְכֶּה אָז לְתַקֵּן פְּגַם הַבְּרִית בִּשְׁלֵמוּת בֶּאֱמֶת, לְתַקֵּן תִּקּוּן הַחוֹתָם דִּקְדֻשָּׁה.

days: on Rosh HaShanah, Yom Kippur, Sukkot, Shemini Atzeret and Simchat Torah.

We did not guard these holy days properly, without blemish. We blemished them a very great deal in thought, speech and deed—unintentionally and intentionally, under duress and willingly.

And now all that we can hope for is the King's charity when we cry out to Him, "My sin is too great to bear." Our transgressions are too many to count. If not for Your compassion and kindness, "I would have perished in my affliction."

You Who are filled with vast compassion, help us from now on to return, and to seek and find everything that we lost from the day that we came to be upon the earth until this day.

Help us from now on to be purified and sanctified with great holiness during the entire year—especially on these holy days of awe, from Rosh HaShanah to Simchat Torah.

Bring us to true, complete repentance during the Ten Days of Repentance to rectify all that we destroyed. May we then truly and completely rectify the blemish of the covenant in order to rectify the seal of holiness.

עַד שֶׁנִּזְכֶּה בַּיּוֹם הַקָּדוֹשׁ בְּיוֹם צוֹם הַכִּפּוּרִים יוֹם גָּדוֹל וְנוֹרָא, שַׁבַּת שַׁבָּתוֹן יוֹם מְחִילַת חֵטְא וּסְלִיחַת עָוֹן וְכַפָּרַת פֶּשַׁע, לִגְמֹר בּוֹ גְּמַר תִּקּוּן הַחוֹתָם דִּקְדֻשָּׁה בִּשְׁלֵמוּת.

וְתַעַזְרֵנוּ וּתְזַכֵּנוּ לְקַבֵּל יוֹם צוֹם הַכִּפּוּרִים הַקָּדוֹשׁ וְהַנּוֹרָא מְאֹד בִּקְדֻשָּׁה וּבְטָהֳרָה גְדוֹלָה וּבִשְׁלֵמוּת גָּדוֹל.

וְנִזְכֶּה לָשׁוּב אָז בִּתְשׁוּבָה שְׁלֵמָה וְלִבְכּוֹת מִתּוֹךְ שִׂמְחָה וְחֶדְוָה בְּשִׁמְךָ הַגָּדוֹל.

וּלְהִתְוַדּוֹת לְפָנֶיךָ בְּכָל מִינֵי וִדּוּיִים וּלְפָרֵט כָּל חַטֹּאתֵינוּ וַעֲווֹנוֹתֵינוּ וּפְשָׁעֵינוּ לְפָנֶיךָ, וּלְהִתְחָרֵט עֲלֵיהֶם בַּחֲרָטָה גְדוֹלָה מֵעוּמְקָא דְלִבָּא בֶּאֱמֶת גָּמוּר.

וְלַעֲזֹב אוֹתָם עֲזִיבָה גְמוּרָה, וּלְקַבֵּל עָלֵינוּ בֶּאֱמֶת וּבְלֵב שָׁלֵם שֶׁלֹּא לַעֲשׂוֹתָם עוֹד בְּשׁוּם אֹפֶן, וְלֹא נָשׁוּב עוֹד לְכִסְלָה אִם אָוֶן פָּעַלְנוּ לֹא נוֹסִיף.

וְאַתָּה בְּרַחֲמֶיךָ הָרַבִּים תִּמְחֹל וְתִסְלַח וּתְכַפֵּר לָנוּ עַל כָּל חַטֹּאתֵינוּ וַעֲווֹנוֹתֵינוּ וּפְשָׁעֵינוּ שֶׁחָטָאנוּ וְשֶׁעָוִינוּ וְשֶׁפָּשַׁעְנוּ לְפָנֶיךָ.

May we at last attain on the holy day of fasting, on Yom Kippur—which is a great and awesome day, the Shabbat of Shabbats—forgiveness of our transgression, forgiveness of sin and atonement of iniquity, to complete the rectification of the seal of holiness.

Weeping Out of Joy on Yom Kippur

Help us celebrate the fast of the holy and awesome Yom Kippur in complete holiness and purity.

May we then repent completely and weep out of joy and gladness in Your great Name.

May we confess before You with every sort of confession, and detail all of our transgressions, sins and iniquities to You, and regret them greatly from the depth of our heart, with absolute truth.

May we abandon them absolutely, and resolve in truth and with a full heart never to commit them again under any circumstances, and never return to any foolishness. If we have acted foolishly, may we not continue do so.

In Your great compassion, forgive us. Grant atonement for all of our transgressions, sins and iniquities that we have committed before You.

וּתְתַקֵּן בְּרַחֲמֶיךָ כָּל הַחוֹתָמוֹת דִּקְדֻשָּׁה, וְתָשִׂים אוֹתָנוּ עַמְּךָ בֵּית יִשְׂרָאֵל "כַּחוֹתָם עַל לִבֶּךָ, כַּחוֹתָם עַל זְרוֹעֶךָ".

וְתַחְתְּמֵנוּ לְחַיִּים טוֹבִים אֲרוּכִים וּלְשָׁלוֹם. לְחַיִּים אֲמִתִּיִּים, חַיִּים שֶׁנִּזְכֶּה לַעֲשׂוֹת בָּהֶם רְצוֹנְךָ בֶּאֱמֶת, וְתַחְתְּמֵנוּ בְּסִפְרָן שֶׁל צַדִּיקִים אֲמִתִּיִּים.

וּתְזַכֵּנוּ לְקַבֵּל חַג הַסֻּכּוֹת הַקָּדוֹשׁ בִּקְדֻשָּׁה וּבְטָהֳרָה גְדוֹלָה, וּבְשִׂמְחָה וְחֶדְוָה רַבָּה וַעֲצוּמָה לְשִׁמְךָ הַגָּדוֹל וְהַקָּדוֹשׁ, נָגִילָה וְנִשְׂמְחָה בִּישׁוּעָתֶךָ בְּכָל עֹז וְתַעֲצוּמוֹת.

וְנִזְכֶּה לִהְיוֹת אַךְ שָׂמֵחַ בִּימֵי הַסֻּכּוֹת הַקְּדוֹשִׁים זְמַן שִׂמְחָתֵנוּ, לָגִיל וְלָשׂוּשׂ וְלִשְׂמֹחַ בְּכָל עֹז בְּגִילָה רִנָּה דִּיצָה וְחֶדְוָה.

וּתְזַכֵּנוּ לְקַיֵּם מִצְוַת סֻכָּה וְאַרְבַּע מִינִים שֶׁבַּלּוּלָב בִּשְׁלֵמוּת בְּשִׂמְחָה גְדוֹלָה, עִם כָּל פְּרָטֶיהֶם וְדִקְדּוּקֵיהֶם וְכַוָּנוֹתֵיהֶם וְתַרְיַ"ג מִצְוֹת הַתְּלוּיִים בָּהֶם.

וּבִזְכוּת מִצְוַת סֻכָּה הַקְּדוֹשָׁה נִזְכֶּה לְתַקֵּן וּלְחַזֵּק אֶת הַמַּלְאָךְ הַקָּדוֹשׁ, וְנִזְכֶּה לַחֲלוֹם עַל יְדֵי מַלְאָךְ, וּלְמַאֲכָלִים בְּרוּרִים וְזַכִּים בְּלִי שׁוּם תַּעֲרֹבֶת סִיג וּפְסֹלֶת כְּלָל, וְלֹא יַזִּיקוּ לָנוּ

In Your compassion, rectify all of the seals of holiness. Place us, Your nation, the House of Israel, "like a seal upon your heart, like the seal upon your arm."

Seal us for a good, long life and peace, for true life, a life in which we will truly do Your will. Seal us in the book of true Tzaddikim.

The Rectifications of Sukkot

Help us celebrate the holy festival of Sukkot with great holiness and purity, and with intense joy and gladness in Your great and holy Name. May we be happy and rejoice in Your salvation.

May we be only joyous on the holy days of Sukkot, the season of our joy, to celebrate and rejoice with all our might.

Help us fulfill the mitzvah of sukkah and the Four Species with great joy, with all of its details, particulars, intentions and the 613 commandments that are dependent on it.

In the merit of the holy mitzvah of sukkah, may we rectify and strengthen the holy angel, and attain a dream by means of an angel, and pure foods without any admixture of dross whatsoever. May food not harm us at all. And

הַמַּאֲכָלִים כְּלָל, וְיִהְיוּ כָּל חֲלוֹמוֹתֵינוּ מְיֻשָּׁבִים עָלֵינוּ לְטוֹבָה.

וּבִזְכוּת קְדֻשַּׁת שְׁמִינִי עֲצֶרֶת הַקָּדוֹשׁ, תְּזַכֵּנוּ לְתִקּוּן הַמִּשְׁפָּט דִּקְדֻשָּׁה, וְעַל יְדֵי זֶה תַּצִּילֵנוּ תָּמִיד מִפְּגַם הַבְּרִית וּמִמִּקְרֵה לַיְלָה חַס וְשָׁלוֹם, וְתִהְיֶה הַטִּפָּה הַקְּדוֹשָׁה נִקְלֶטֶת וְנֶעֱצֶרֶת בִּקְדֻשָּׁה גְדוֹלָה כִּרְצוֹנְךָ הַטּוֹב, וְלֹא תְהֵא נִשְׁחֶתֶת חַס וְשָׁלוֹם לְעוֹלָם.

וְתִשְׁמְרֵנוּ וְתַצִּילֵנוּ מֵרַבָּנִים וְדַיָּנִים שֶׁאֵינָם הֲגוּנִים, וּתְבַטֵּל כֹּחָם וּמֶמְשַׁלְתָּם מִן הָעוֹלָם.

חוּסָה עָלֵינוּ כְּרֹב רַחֲמֶיךָ, וְזַכֵּנוּ שֶׁיִּהְיֶה לָנוּ וּלְכָל יִשְׂרָאֵל רַבָּנִים וְדַיָּנִים כְּשֵׁרִים שֶׁיַּעֲמִידוּ הַדָּת עַל תִּלּוֹ, וְיָדוּנוּ דִּין אֱמֶת לַאֲמִתּוֹ, בְּאֹפֶן שֶׁנִּזְכֶּה לְתִקּוּן הַמִּשְׁפָּט בֶּאֱמֶת, וְנִזְכֶּה לְתִקּוּן הַבְּרִית בִּשְׁלֵמוּת בְּכָל הַבְּחִינוֹת בֶּאֱמֶת כִּרְצוֹנְךָ הַטּוֹב.

רַחֵם עָלֵינוּ לְמַעַן שְׁמֶךָ, וּמַלֵּא כָּל מִשְׁאֲלוֹתֵינוּ לְטוֹבָה, אִם כְּבָנִים אִם כַּעֲבָדִים.

may all of our dreams be established for us for the good.

In the merit of the holiness of Shemini Atzeret, rectify the judgment of holiness. In this way, rescue us always from the blemish of the covenant and from a nocturnal emission, Heaven forbid. May the holy drop be received and held in great holiness, in accordance with Your good will. May it never be destroyed, Heaven forbid.

Students of the True Tzaddikim

Guard us and rescue us from unfit rabbis and judges. Nullify their power and governance in the world.

In Your vast compassion, have pity on us. May we and the entire Jewish people merit worthy rabbis and judges who will establish our religion properly, who will judge us with an ultimately true judgment, so that we will truly attain the rectification of judgment and we will truly rectify the covenant completely on all levels, in accordance with Your good will.

Have compassion on us for the sake of Your Name. Fulfill all of our requests for the good—whether You treat us as sons or as servants.

"אִם כְּבָנִים רַחֲמֵנוּ כְּרַחֵם אָב עַל בָּנִים, וְאִם כַּעֲבָדִים עֵינֵינוּ לְךָ תְלוּיוֹת, עַד שֶׁתְּחָנֵּנוּ וְתוֹצִיא כָאוֹר מִשְׁפָּטֵנוּ אָיֹם קָדוֹשׁ".

וּבְכֵן תְּזַכֵּנוּ בְּרַחֲמֶיךָ הָרַבִּים, וְתִתֶּן לָנוּ רַבִּי וּמַנְהִיג אֲמִתִּי, וְתַעַזְרֵנוּ בְּרַחֲמֶיךָ הָרַבִּים שֶׁאֶזְכֶּה לְהִתְקָרֵב לְצַדִּיקִים אֲמִתִּיִּים שֶׁיֵּשׁ לָהֶם יְשִׁיבָה הֲגוּנָה שֶׁל תַּלְמִידִים כְּשֵׁרִים וַהֲגוּנִים כִּרְצוֹנְךָ הַטּוֹב.

וְאֶזְכֶּה גַּם אָנֹכִי לְהִכָּלֵל בְּהַיְשִׁיבוֹת הַקְּדוֹשׁוֹת שֶׁל הַצַּדִּיקִים הָאֲמִתִּיִּים בֵּין הַתַּלְמִידִים הַהֲגוּנִים שֶׁלָּהֶם.

וּתְזַכֵּנוּ עַל יְדֵי קִבּוּץ הַיְשִׁיבוֹת הַקְּדוֹשׁוֹת שֶׁל הַצַּדִּיקִים הָאֲמִתִּיִּים לְקַבֵּץ וּלְתַקֵּן כָּל חֶלְקֵי הָאֱמוּנָה הַקְּדוֹשָׁה, וְנִזְכֶּה לֶאֱמוּנָה שְׁלֵמָה בֶּאֱמֶת.

וִיקֻיַּם בָּנוּ מִקְרָא שֶׁכָּתוּב: "כֹּה אָמַר יְיָ זָכַרְתִּי לָךְ חֶסֶד נְעוּרַיִךְ, אַהֲבַת כְּלוּלֹתָיִךְ, לֶכְתֵּךְ אַחֲרַי בַּמִּדְבָּר, בְּאֶרֶץ לֹא זְרוּעָה".

וּתְזַכֵּנוּ שֶׁיִּתְתַּקֵּן מֹחֵנוּ וְשִׂכְלֵנוּ עַל יְדֵי הַצַּדִּיקִים הָאֲמִתִּיִּים, שֶׁיָּאִירוּ בָנוּ קְדֻשַּׁת מֹחָם הַקָּדוֹשׁ וִילַמְּדוּ אוֹתָנוּ דַּעַת וּתְבוּנָה וִילַמְּדוּנוּ בְּאוֹרַח מִשְׁפָּט, וְאָרְחוֹת חֲסָדֶיךָ יְגַלּוּ לָנוּ,

"If as sons, have compassion on us as a father upon sons, and if as servants, our eyes are turned to You, until You will be gracious and bring our judgment to light, You who are awesome and holy."

In Your great compassion, give us a true rabbi and leader. In Your vast compassion, help us come close to true Tzaddikim who have a worthy yeshivah with worthy students, in accordance with Your good will.

May I also be included in the holy yeshivot of true Tzaddikim, among their worthy students.

Through the holy yeshivot of the true Tzaddikim, may we gather and rectify all of the elements of holy faith. May we truly attain complete faith.

May the verse be realized in us, "Thus said HaShem, 'I have recalled the kindness of your youth, the love of your nuptials, how you followed Me in the desert, in an unsown land.'"

May our minds be rectified by the true Tzaddikim, who will shine the holiness of their holy consciousness into us. They will teach us knowledge and understanding, and the way of judgment; they will reveal to us the ways of Your

וִיחַזְּקוּנוּ בַּעֲבוֹדָתֶךָ וִיאַמְּצוּנוּ וִיטַהֲרוּ לְבָבֵנוּ לְעָבְדְּךָ בֶּאֱמֶת, וְיִשַּׂמְּחוּ נַפְשׁוֹתֵינוּ הָאֻמְלָלוֹת מְאֹד.

כִּי אֵין לָנוּ עַל מִי לִסְמֹךְ כִּי אִם עַל הַצַּדִּיקִים הָאֲמִתִּיִּים, וַאֲלֵיהֶם אָנוּ מְקַשְּׁרִים אֶת כָּל תְּפִלּוֹתֵנוּ וַעֲבוֹדָתֵנוּ.

אָנָּא יְיָ, עֲשֵׂה לְמַעַן הַצַּדִּיקִים הָאֲמִתִּיִּים, וְזַכֵּנִי לֶאֱמוּנָה שְׁלֵמָה בֶּאֱמֶת בִּתְמִימוּת וּבִפְשִׁיטוּת בְּלִי שׁוּם עֲקְמִימִיּוּת כְּלָל, וְלֹא תִדְחֶה אוֹתִי חַס וְשָׁלוֹם מֵהָאֱמוּנָה לְעוֹלָם, אֲפִלּוּ כְּרֶגַע קַלָּה.

רַק אֶזְכֶּה לִהְיוֹת חָזָק וְאַמִּיץ בֶּאֱמוּנָתְךָ הַקְּדוֹשָׁה בֶּאֱמֶת תָּמִיד, בֵּין בְּחַיַּי בֵּין בְּעֵת יְצִיאַת נִשְׁמָתִי בֵּין לְאַחַר מִיתָה.

בְּכָל מָקוֹם שֶׁאֶהְיֶה שָׁם, כִּרְצוֹנְךָ וּכְמִשְׁפָּטֶיךָ הַטּוֹבִים וְהַיְשָׁרִים, שָׁם תִּהְיֶה הָאֱמוּנָה הַקְּדוֹשָׁה עִמִּי תָּמִיד לְשָׁמְרֵנִי נֶצַח, לְמַעַן לֹא אֵבוֹשׁ וְלֹא אֶכָּלֵם וְלֹא אֶכָּשֵׁל לְעוֹלָם.

"גַּם כִּי אֵלֵךְ בְּגֵיא צַלְמָוֶת לֹא אִירָא רָע כִּי אַתָּה עִמָּדִי, שִׁבְטְךָ וּמִשְׁעַנְתֶּךָ הֵמָּה יְנַחֲמוּנִי".

עָזְרֵנִי עָזְרֵנִי, זַכֵּנִי בְּמַתְּנַת חִנָּם לֶאֱמוּנָתְךָ הַקְּדוֹשָׁה, חֲמֹל

kindness, strengthen us in Your service, purify our hearts to truly serve You and gladden our feeble souls.

We have no one on whom to rely except the true Tzaddikim. We connect all of our prayers and our service to them.

HaShem, please act for the sake of the true Tzaddikim. Give us true, complete and simple faith without any crookedness at all. Never drive us away from faith, Heaven forbid, even for a moment.

Guarded by Faith

May I always be strong and firm in Your holy faith: during my lifetime, at the end of my life when my soul leaves my body, and after my death.

Wherever I am, may I be in accordance with Your will and good, straight judgments. May holy faith always guard me, so that I will never be ashamed and never stumble.

"Even when I walk in the valley of the shadow of death, I will not fear evil, because You are with me. Your rod and staff comfort me."

Help me. Help me. Send me the unearned gift

עָלַי בַּחֶמְלָתְךָ הַגְּדוֹלָה וְאַל תַּעֲשֶׂה עִמִּי כַּחֲטָאַי וְלֹא כַעֲווֹנוֹתַי תִּגְמֹל עָלַי.

רַק תַּחְמֹל וּתְרַחֵם עָלַי וְעַל כָּל יִשְׂרָאֵל עַמֶּךָ בִּזְכוּת וְכֹחַ הַצַּדִּיקִים הָאֲמִתִּיִּים, וְתִשְׁמְרֵנִי וְתַצִּילֵנִי מִכָּל מִינֵי כְּפִירוּת שֶׁבַּלֵּב, וּמִכָּל מִינֵי עַקְמִימִיּוּת שֶׁבַּלֵּב, וּמִכָּל מִינֵי קֻשְׁיוֹת וַחֲקִירוֹת שֶׁלֹּא יַעֲלוּ עַל לִבִּי וְדַעְתִּי כְּלָל.

רַק נִזְכֶּה לִהְיוֹת חֲזָקִים בֶּאֱמוּנָתְךָ הַקְּדוֹשָׁה תָּמִיד כְּיָתֵד חָזָק בַּל נִמּוֹט לְעוֹלָם.

וְתַמְשִׁיךְ וְתַשְׁפִּיעַ אֱמוּנָה בָּעוֹלָם, וְתִתְרַבֶּה וְתִתְגַּדֵּל וְתִתְחַזֵּק וְתַעֲלֶה וְתָקוּם הָאֱמוּנָה הַקְּדוֹשָׁה עַל עָמְדָהּ וּמְכוֹנָהּ, עַד אֲשֶׁר יִפְּלוּ וְיִתְבַּטְּלוּ כָּל הָאֱמוּנוֹת כּוֹזְבִיּוֹת וְכָל הַכְּפִירוֹת מִן הָעוֹלָם.

כֻּלָּם יִכְרְעוּ וְיִפֹּלוּ. וְתַעַקְרֵם וּתְשַׁבְּרֵם וּתְכַלֵּם וְתַכְנִיעֵם וְתַשְׁפִּילֵם וּתְבַטְּלֵם בְּבִטּוּל גָּמוּר מֵעַתָּה וְעַד עוֹלָם.

וְתִגַּלֶּה הָאֱמֶת בָּעוֹלָם, וְכָל בָּאֵי עוֹלָם יָשׁוּבוּ לֶאֱמוּנָתְךָ הַקְּדוֹשָׁה, וְיִתּוֹסְפוּ גֵּרֵי צֶדֶק רַבִּים עַל עַמְּךָ יִשְׂרָאֵל.

of holy faith. In Your great mercy, have mercy on me. Do not treat me in accordance with my transgressions. Do not repay me in accordance with my sins.

Have mercy and compassion on me and on Your entire nation, the Jewish people, in the merit and power of the true Tzaddikim. Guard us and rescue us from every type of heresy and perverseness of the heart, and from every type of question or challenge that should never arise in our heart or mind.

May we always be strong in Your holy faith, like a peg that cannot be moved.

Draw down faith and pour it into the world. May holy faith increase and grow stronger, and rise and stand in its place, until all false faiths and heresies fall and are eradicated from the world.

May they all be subdued and fall. Uproot them, break them, eliminate them, subdue them, cast them down and nullify them absolutely, from now and forever.

Reveal the truth in the world. May everyone in the world return to Your holy faith. May many righteous converts be added to Your nation, the Jewish people.

וְתִתֶּן לָנוּ כֹּחַ לְבָרֵר וּלְתַקֵּן פְּגַם הַגַּאֲוָה הַנִּמְשֶׁכֶת עַל יְדֵי הַגֵּרִים חַס וְשָׁלוֹם, לְשַׁבֵּר וּלְבַטֵּל כָּל הַפְּגָמִים שֶׁהֵם מַכְנִיסִין בְּיִשְׂרָאֵל, וּלְבָרֵר וּלְהַעֲלוֹת הַכֹּל אֶל הַקְּדֻשָּׁה.

וְתַעַזְרֵנוּ לְנַעֵר וּלְהַשְׁלִיךְ מֵאִתָּנוּ כָּל מִינֵי גֵאוּת וְגַבְהוּת שֶׁבָּעוֹלָם, מִכָּל מַה שֶּׁהַפֶּה יָכוֹל לְדַבֵּר וְהַלֵּב לַחְשֹׁב.

וּתְזַכֵּנוּ לַעֲנָוָה אֲמִתִּיִּית וּלְהַעֲלוֹת כָּל הַגַּאֲוָה אֵלֶיךָ, כִּי לְךָ לְבַד הַגַּאֲוָה וְהַגְּדֻלָּה וְהַמֶּמְשָׁלָה, כָּאָמוּר: "יְיָ מָלָךְ גֵּאוּת לָבֵשׁ, לָבֵשׁ יְיָ עֹז הִתְאַזָּר אַף תִּכּוֹן תֵּבֵל בַּל תִּמּוֹט".

וְנִזְכֶּה לְתַקֵּן תִּקּוּן הַבְּרִית בִּשְׁלֵמוּת, וּלְקַדֵּשׁ אֶת מֹחֵנוּ וְשִׂכְלֵנוּ בְּתַכְלִית הַקְּדֻשָּׁה בִּשְׁלֵמוּת.

וּתְזַכֵּנוּ לְשֵׁנָה דִּקְדֻשָּׁה לְשֵׁנָה טוֹבָה וּמְתוּקָה, וְתָאִיר עֵינֵינוּ פֶּן נִישַׁן הַמָּוֶת.

וְנִזְכֶּה לִישַׁן מִתּוֹךְ דִּבְרֵי תוֹרָה תָּמִיד, שֵׁנָה שֶׁל חַיִּים, שֵׁנָה טוֹבָה עֲרֵבָה וּמְתוּקָה, וִיקֻיַּם בָּנוּ מִקְרָא שֶׁכָּתוּב: "מְתוּקָה

Overcoming Egotism

Give us the power to clarify and rectify the blemish of pride that is drawn down, Heaven forbid, as a result of non-Jews becoming converts. May we break and nullify all of the blemishes that they bring into the Jewish people, and clarify and raise everything to holiness.

Help us cast off pride and egotism, every type of which the mouth can speak and the heart think.

Help us attain true humility and raise all pride to You. You alone should possess pride, greatness and governance. As the verse states, "HaShem has ruled, He has garbed himself with pride, HaShem has garbed Himself, HaShem has garbed Himself with might; the world is established so that it will not totter."

Holy Sleep

May we completely rectify the covenant and truly sanctify our minds and intellects with ultimate holiness.

May we sleep a holy sleep, a good and sweet sleep. Illumine our eyes lest we dream death.

May we always fall asleep in the midst of words of Torah—a sleep of life that is good, pleasant and sweet. May the verse be realized

שְׁנַת הָעוֹבֵד אִם מְעַט וְאִם הַרְבֵּה יֹאכֵל", בְּטוֹב אָלִין אָקִיץ בְּרַחֲמִים.

וּבְכֵן תְּרַחֵם עָלֵינוּ אָבִינוּ אָב הָרַחֲמָן, שֶׁנִּזְכֶּה לַעֲבֹד אוֹתְךָ תָּמִיד בֶּאֱמֶת בִּתְמִימוּת וּבִפְשִׁיטוּת בְּלִי שׁוּם חָכְמוֹת כְּלָל.

וְתַעַזְרֵנוּ וְתוֹשִׁיעֵנוּ שֶׁנִּזְכֶּה לְסַלֵּק וּלְהַשְׁלִיךְ מֵאִתָּנוּ כָּל הַחָכְמוֹת בִּשְׁבִיל עֲבוֹדָתְךָ הַקְּדוֹשָׁה, הֵן חָכְמוֹת הָעוֹלָם שֶׁהֵם בֶּאֱמֶת שְׁטוּת וָהֶבֶל, וַאֲפִלּוּ חָכְמוֹת גְּמוּרוֹת, כֻּלָּם נִזְכֶּה לְסַלֵּק מֵעָלֵינוּ בִּשְׁבִיל עֲבוֹדָתְךָ הָאֲמִתִּיִּית.

וּנְסַלֵּק וְנַשְׁלִיךְ כָּל שִׂכְלֵנוּ וְכָל חָכְמוֹתֵינוּ מֵאִתָּנוּ, וְנַעֲבֹד אוֹתְךָ תָּמִיד בֶּאֱמֶת בִּתְמִימוּת וּבִפְשִׁיטוּת גָּמוּר בְּלִי שׁוּם חָכְמוֹת כְּלָל.

עַד שֶׁנַּעֲשֶׂה אֲפִלּוּ דְּבָרִים הַנִּרְאִין בְּעֵינֵי הָעוֹלָם כְּשִׁגָּעוֹן בִּשְׁבִיל אַהֲבָתְךָ כְּדֵי לַעֲשׂוֹת נַחַת רוּחַ לְפָנֶיךָ. וְנִזְכֶּה לְקַיֵּם מִקְרָא שֶׁכָּתוּב: "בְּאַהֲבָתָהּ תִּשְׁגֶּה תָמִיד".

in us, "Sweet is the sleep of the worker, whether he eats a little or a great deal." May we go to sleep with goodness and awaken with compassion.

Serving God with Simplicity

Have compassion on us, Father of compassion, so that we will always truly serve You with wholeness and simplicity, without any cleverness at all.

Help us and save us so that we will cast away all cleverness for the sake of Your holy service—both worldly wisdoms, which are truly foolishness and vanity, and holy wisdoms as well. May we cast them all away from ourselves in order to truly serve You.

May we cast away our entire intellect and all wisdoms. May we always truly serve You in wholeness and absolute simplicity, without any cleverness at all.

Mad with Devotion to God

For the sake of Your love, in order to give You pleasure, may we even engage in behavior that appears mad in the eyes of others. May we fulfill the verse, "You will always be intoxicated with her love."

וְנִזְכֶּה לְהַשְׁלִיךְ עַצְמֵנוּ בְּכָל מִינֵי רֶפֶשׁ וָטִיט בִּשְׁבִיל מִצְוֹתֶיךָ הַקְּדוֹשִׁים, וַאֲפִלּוּ בִּשְׁבִיל דָּבָר קַל שֶׁהוּא רְצוֹנְךָ בֶּאֱמֶת, נִזְכֶּה לְהַשְׁלִיךְ עַצְמֵנוּ וּלְהִתְגַּלְגֵּל בְּכָל מִינֵי רֶפֶשׁ וָטִיט, כְּדֵי לַעֲשׂוֹת נַחַת רוּחַ לְפָנֶיךָ בֶּאֱמֶת.

וְתַעַזְרֵנוּ וְתוֹשִׁיעֵנוּ שֶׁנִּזְכֶּה לְקַיֵּם בְּחַיֵּינוּ כָּל הַתַּרְיַ"ג מִצְוֹת בֶּאֱמֶת עִם כָּל פְּרָטֵיהֶם וְדִקְדּוּקֵיהֶם וְכַוָּנוֹתֵיהֶם וְעִם כָּל הַמִּצְוֹת דְּרַבָּנָן וְכָל עַנְפֵיהֶם הַיּוֹצְאִים מֵהֶם.

וְכָל דָּבָר וְדָבָר שֶׁהוּא רְצוֹנְךָ נִזְכֶּה לְקַיְּמוֹ בֶּאֱמֶת בְּכֹחַ גָּדוֹל וּבִמְסִירוּת נֶפֶשׁ בֶּאֱמֶת, וּלְהִתְגַּלְגֵּל בְּכָל מִינֵי רֶפֶשׁ וָטִיט בִּשְׁבִיל כָּל דָּבָר שֶׁהוּא רְצוֹנְךָ בֶּאֱמֶת, כְּדֵי לַעֲשׂוֹת נַחַת רוּחַ לְפָנֶיךָ.

וּתְזַכֵּנוּ וְתַעַזְרֵנוּ אוֹתָנוּ וְאֶת כָּל עַמְּךָ יִשְׂרָאֵל, שֶׁנִּזְכֶּה לִהְיוֹת בְּמַדְרֵגַת בָּנִים אֶצְלְךָ וְלֹא בְּמַדְרֵגַת עֲבָדִים, כְּמוֹ שֶׁכָּתוּב: "בָּנִים אַתֶּם לַייָ אֱלֹהֵיכֶם".

עַד אֲשֶׁר תִּתֵּן לָנוּ רְשׁוּת לְחַפֵּשׂ בְּגִנְזַיָּא דְמַלְכָּא, כְּבֵן הַמְחַפֵּשׂ בְּגִנְזֵי אָבִיו, וְתַחְמֹל עָלֵינוּ "כַּאֲשֶׁר יַחְמֹל אִישׁ עַל בְּנוֹ הָעֹבֵד אוֹתוֹ".

May we cast ourselves into all kinds of trash and mud for the sake of Your holy mitzvot. Even for the sake of something slight, if it is truly Your will, may we cast ourselves down and roll in all sorts of trash and mud in order to truly please You.

Help us and save us so that throughout our lives we will keep all 613 commandments, with all of their details, particulars and intentions, with all of their related rabbinic commandments and with all of the branches that extend from them.

May we truly do everything that is Your will with great energy and genuine self-sacrifice, and roll in all sorts of trash and mud for the sake of anything that is truly Your will, in order to please You.

Attaining All Rectifications

Help me and Your entire nation, the Jewish people, to merit being on the level of sons to You and not on the level of servants, as in the verse, "You are sons to HaShem your God."

Give us permission to seek in the treasure house of the King, like a son who goes through his father's treasure house. Have mercy on us "as a man has mercy on his son who serves him."

וְנִזְכֶּה לָשׁוּב וְלִרְאוֹת וּלְהַשִּׂיג "בֵּין צַדִּיק לְרָשָׁע בֵּין עֹבֵד אֱלֹהִים לַאֲשֶׁר לֹא עֲבָדוֹ".

וִיקֻיַּם מִקְרָא שֶׁכָּתוּב: "וְחָמַלְתִּי עֲלֵיהֶם כַּאֲשֶׁר יַחְמֹל אִישׁ עַל בְּנוֹ הָעֹבֵד אוֹתוֹ, וְשַׁבְתֶּם וּרְאִיתֶם בֵּין צַדִּיק לְרָשָׁע בֵּין עֹבֵד אֱלֹהִים לַאֲשֶׁר לֹא עֲבָדוֹ".

וְתָבִיא לָנוּ אֶת מְשִׁיחַ צִדְקֵנוּ בִּמְהֵרָה בְיָמֵינוּ וְיָאִיר בָּנוּ אוֹר חָכְמָתוֹ הַקְּדוֹשָׁה, עַד אֲשֶׁר נִזְכֶּה לָדַעַת אֶת דְּרָכֶיךָ, לְהַשִּׂיג הַשָּׂגַת צַדִּיק וְטוֹב לוֹ צַדִּיק וְרַע לוֹ, רָשָׁע וְטוֹב לוֹ רָשָׁע וְרַע לוֹ.

וְנֵדַע וְנָבִין וְנַשִּׂיג אָרְחוֹת מִשְׁפָּטֶיךָ הַקְּדוֹשִׁים "כִּי צַדִּיק אַתָּה יְיָ וְיָשָׁר מִשְׁפָּטֶיךָ".

וְנִזְכֶּה לְתִקּוּן הַמִּשְׁפָּט בִּשְׁלֵמוּת עַל יְדֵי מְשִׁיחַ צִדְקֵנוּ שֶׁיָּבֹא בִּמְהֵרָה בְיָמֵינוּ, כְּמוֹ שֶׁכָּתוּב: "לִשְׁלֹמֹה, אֱלֹהִים

May we distinguish "between the righteous and the wicked, between the person who serves God and one who does not serve Him."

May the verse be realized, "I will have mercy on them as a man has mercy on his son who serves him, and you will return and discern between the righteous and the wicked, between the person who serves God and the one who does not serve Him."

Bring us our righteous Mashiach quickly, in our days. May the light of his holy wisdom illumine us until we know Your ways, until we understand why in some cases the righteous man prospers and in other cases the righteous man suffers, and why in some cases the wicked person prospers and in other cases the wicked person suffers.

May we know, understand and grasp the ways of Your holy judgments, "for You are righteous, HaShem, and Your judgments are straight."

May we attain the entire rectification of judgment through our righteous Mashiach, may he come quickly in our days. As the verse states, "[David's prayer] concerning Solomon: God,

מִשְׁפָּטֶיךָ לְמֶלֶךְ תֵּן וְצִדְקָתְךָ לְבֶן מֶלֶךְ. יָדִין עַמְּךָ בְצֶדֶק וַעֲנִיֶּיךָ בְמִשְׁפָּט. יִשְׁפֹּט עֲנִיֵּי עָם, יוֹשִׁיעַ לִבְנֵי אֶבְיוֹן וִידַכֵּא עוֹשֵׁק".

וּתְזַכֵּנוּ לְהַשִּׂיג סִתְרֵי תוֹרָה, וּלְהַעֲלוֹת וּלְהוֹצִיא הַמִּשְׁפָּט דִּקְדֻשָּׁה מֵעִמְקֵי תְהוֹם תַּחְתִּיּוֹת, תְּהוֹם אֶל תְּהוֹם יִקְרָא אַבֵּעַ מֵימֶיךָ.

וְתָשִׁיב וְתַעֲלֶה הַמִּשְׁפָּט מֵעִמְקֵי תְהוֹמוֹתֶיךָ, וְיָשׁוּב הַמִּשְׁפָּט דִּקְדֻשָּׁה עַל מְכוֹנוֹ. וִיקֻיַּם מִקְרָא שֶׁכָּתוּב: "וְיִגַּל כַּמַּיִם מִשְׁפָּט".

וּתְזַכֵּנוּ שֶׁתִּהְיֶה הָרֵאָה אֶצְלֵנוּ בִּשְׁלֵמוּת תָּמִיד, בְּגַשְׁמִיּוֹת וְרוּחָנִיּוֹת.

וְתִשְׁמְרֵנוּ וְתַצִּילֵנוּ תָמִיד שֶׁלֹּא יִהְיֶה לָנוּ שׁוּם פְּגַם וְחִסָּרוֹן וַחֲשָׁשׁ וּכְאֵב בְּהָרֵאָה לֹא בְּגַשְׁמִיּוּת וְלֹא בְרוּחָנִיּוּת, רַק תִּהְיֶה הָרֵאָה תְּמִימָה וּשְׁלֵמָה בָּנוּ תָמִיד.

עַד שֶׁנִּזְכֶּה לְהַמְשִׁיךְ עָלֵינוּ קְדֻשַּׁת הָרֵאָה הַקְּדוֹשָׁה מִשָּׁרְשָׁהּ הָעֶלְיוֹן לְמַעְלָה, שֶׁהִיא כְּלוּלָה מִכָּל הַתִּקּוּנִים הַקְּדוֹשִׁים הָאֵלֶּה שֶׁהִזְכַּרְנוּ לְפָנֶיךָ.

give Your judgments to King [Solomon], Your righteousness to the son of King [David]. May he judge Your nation with justice and Your poor with judgment." "May he judge the poor of the nation, save the sons of the impoverished and crush the oppressor."

Help us attain the secrets of the Torah, and raise and bring forth the judgment of holiness from the lowest depths. Depth calls to depth: Pour forth your waters.

Raise judgment from Your depths. May the judgment of holiness return to its place. May the verse be realized, "Justice will be revealed like water and righteousness like a mighty river."

May our lungs always be whole—physically and spiritually.

Guard us and rescue us always, so that we suffer no blemish, lack, discomfort or pain in our lungs, neither physical nor spiritual. May our lungs always be perfect and whole.

May we at last draw onto ourselves the holiness of the holy lungs from their supernal root above, which is composed of all of these holy rectifications that we have mentioned before You.

וּבְרַחֲמֶיךָ הָרַבִּים תְּמַלֵּא כָּל חֶפְצֵנוּ לְטוֹבָה, וְתַמְשִׁיךְ וְתָאִיר עָלֵינוּ כָּל הַתִּקּוּנִים הָאֵלֶּה בְּתַכְלִית הַשְּׁלֵמוּת.

שֶׁהֵם תִּקּוּן הָאֱמוּנָה וְתִקּוּן הַבְּרִית וְהַמֹּחִין וּבִטּוּל הַגַּאֲוָה וְתִקּוּן הַחֲלוֹם, וְתִקּוּן הַמַּאֲכָלִים עַל יְדֵי שִׂמְחָה, וְתִקּוּן הַמִּשְׁפָּט, וּשְׁאָר כָּל הַתִּקּוּנִים הַכְּלוּלִים בָּהֶם, בֵּין מַה שֶּׁהִזְכַּרְנוּ לְפָנֶיךָ, בֵּין מַה שֶּׁלֹּא הִזְכַּרְנוּ לְפָנֶיךָ.

בְּכֻלָּם תְּזַכֵּנוּ מְהֵרָה בְּרַחֲמֶיךָ הָרַבִּים, עַד שֶׁנִּזְכֶּה לְעָבְדְךָ בֶּאֱמֶת וּבֶאֱמוּנָה שְׁלֵמָה, וּבְשִׂמְחָה גְדוֹלָה וּבַעֲנָוָה אֲמִתִּיִּית, בֶּאֱמֶת לַאֲמִתּוֹ, כִּרְצוֹנְךָ הַטּוֹב מֵעַתָּה וְעַד עוֹלָם אָמֵן סֶלָה:

In Your vast compassion, fulfill all of our desires for the good. Draw onto us all of these rectifications and illumine us with these in the most complete way.

These are: the rectification of faith, the rectification of the covenant and the mind, the nullification of egotism, the rectification of dreams, the rectification of food by means of joy, the rectification of judgment, and all of the other rectifications that are incorporated into these— those that we have mentioned before You and those that we have not mentioned before You.

With all of these rectifications, aided by Your vast compassion, may we quickly come to serve You in truth and in complete faith, in great joy and true humility, in ultimate truth, in accordance with Your good will from now and forever. Amen, selah.

6

A Good Sweat of Holiness Brings Joy

The spleen is the source of turbid blood, from which depression comes.

A person must strengthen himself to push away depression and bitterness and make himself joyful. When he performs the mitzvot and engages in holy activities until he sweats, this forces out this turbid blood and then he dominates his spleen.

In particular, the joy of the festivals is drawn onto a person by means of a good sweat of holiness.

יְהִי רָצוֹן מִלְּפָנֶיךָ יְיָ אֱלֹהֵינוּ וֵאלֹהֵי אֲבוֹתֵינוּ, שֶׁתְּזַכֵּנִי לִהְיוֹת בְּשִׂמְחָה תָּמִיד.

וְתַעַזְרֵנִי וְתוֹשִׁיעֵנִי שֶׁאֶזְכֶּה לַעֲשׂוֹת כָּל הַמִּצְוֹת וְכָל הַדְּבָרִים שֶׁבִּקְדֻשָּׁה בְּכֹחַ גָּדוֹל, עַד שֶׁאֶזְכֶּה לְהַזִּיעַ בִּשְׁעַת עֲשִׂיַּת הַמִּצְוָה אוֹ הַדָּבָר שֶׁבִּקְדֻשָּׁה.

וְעַל יְדֵי זֶה אֶזְכֶּה שֶׁיֵּצְאוּ מִמֶּנִּי כָּל הַדָּמִים הָעֲכוּרִים וְכָל הָאַרְסִיִּים רָעִים שֶׁיֵּשׁ בָּהֶם, הַכֹּל יֵצֵא לַחוּץ עַל יְדֵי הַזֵּעָה טוֹבָה בִּשְׁעַת עֲשִׂיַּת דְּבָרִים שֶׁבִּקְדֻשָּׁה.

וְעַל יְדֵי זֶה אֶזְכֶּה לְהַכְנִיעַ הַטְּחוֹל שֶׁהוּא עֲכִירַת הַדָּמִים שֶׁמִּשָּׁם נִמְשָׁךְ הָעַצְבוּת חַס וְשָׁלוֹם.

וְאֶזְכֶּה לִהְיוֹת בְּשִׂמְחָה תָּמִיד, וּלְגָרֵשׁ וּלְבַטֵּל הָעַצְבוּת וְהַמָּרָה שְׁחוֹרָה מִמֶּנִּי, שֶׁלֹּא יִהְיֶה לָהֶם שׁוּם שְׁלִיטָה וַאֲחִיזָה בִּי כְּלָל, רַק אֶזְכֶּה לִהְיוֹת אַךְ שָׂמֵחַ תָּמִיד.

וּתְרַחֵם עָלֵינוּ וְעַל כָּל עַמְּךָ יִשְׂרָאֵל וְתִשְׁמְרֵנוּ וְתַצִּילֵנוּ מִכָּל מִינֵי חֳלָאִים וּמַכְאוֹבִים וּמִכָּל מִינֵי חֲלָשׁוֹת.

וְתַחְמֹל עַל כָּל חוֹלֵי עַמְּךָ יִשְׂרָאֵל אֲשֶׁר כְּבָר נָפְלוּ לְמִשְׁכָּב, שֶׁתִּשְׁלַח לָהֶם מְהֵרָה זֵעָה טוֹבָה, וְעַל יְדֵי זֶה יֵצְאוּ מֵהֶם כָּל

Attaining the Joy of the Festivals

May it be Your will, HaShem our God and God of our fathers, that You make me joyful always.

Help me perform all of the mitzvot and engage in all holy matters with great power, until I sweat when I perform the mitzvah or the holy matter.

As a result, may all of the turbid blood with all of the evil poisons in it emerge from me. May it all go out by means of a good sweat as I engage in these holy matters.

As a result, may I dominate the spleen, which constitutes the turbidity of the blood from which depression comes, Heaven forbid.

May I always be joyful. May I drive out and destroy depression and bitterness, so that they will have no control over me and no hold on me whatsoever. May I only be joyful always.

Have compassion on me and on Your entire nation, the Jewish people. Guard us and rescue us from every type of illness, pain or weakness.

Have mercy on all of the sick of Your nation, the Jewish people, who are already bedridden, by quickly sending them a good sweat. May all

הָאַרְסִיִּים רָעִים שֶׁל הַדָּמִים הָעֲכוּרִים, וְעַל יְדֵי זֶה תִּרְפָּאֵם רְפוּאָה שְׁלֵמָה בְּרַחֲמֶיךָ.

וְתִשְׁלַח עֲלֵיהֶם וְעָלֵינוּ שִׂמְחָה גְדוֹלָה בֶּאֱמֶת.

וְנִזְכֶּה שֶׁיִּהְיֶה נִמְשָׁךְ עָלֵינוּ תָמִיד הַשִּׂמְחָה שֶׁל יוֹם טוֹב עַל יְדֵי זֵעָה טוֹבָה דִקְדֻשָּׁה, שֶׁנִּזְכֶּה לְהַכְנִיס כָּל כֹּחוֹתֵינוּ בִּשְׁעַת עֲשִׂיַּת כָּל מִצְוָה וּמִצְוָה וְכָל דָּבָר שֶׁהוּא רְצוֹנֶךָ, עַד שֶׁנִּזְכֶּה לְהַזִּיעַ זֵעָה טוֹבָה.

וְעַל יְדֵי זֶה נִזְכֶּה תָמִיד לְשִׂמְחָה שֶׁל יוֹם טוֹב, לָגִיל וְלִשְׂמֹחַ בְּךָ תָמִיד בְּכָל יוֹם וָיוֹם, עַל אֲשֶׁר זִכִּיתָנוּ בְּרַחֲמֶיךָ הָרַבִּים, וּבָחַרְתָּ בָּנוּ מִכָּל הָעַמִּים וְרוֹמַמְתָּנוּ מִכָּל הַלְּשׁוֹנוֹת וְקִדַּשְׁתָּנוּ בְּמִצְוֹתֶיךָ וְקֵרַבְתָּנוּ מַלְכֵּנוּ לַעֲבוֹדָתֶךָ וְשִׁמְךָ הַגָּדוֹל וְהַקָּדוֹשׁ עָלֵינוּ קָרָאתָ.

רִבּוֹנוֹ שֶׁל עוֹלָם אַתָּה יוֹדֵעַ כַּמָּה וְכַמָּה מַזִּיק לָנוּ הָעַצְבוּת חַס וְשָׁלוֹם, אֲבָל מַה נַּעֲשֶׂה וְהָעַצְבוּת וְהַמָּרָה שְׁחוֹרָה מִתְגַּבְּרִים עָלֵינוּ בְּכָל פַּעַם בְּהִתְגַּבְּרוּת גָּדוֹל בְּלִי שִׁעוּר, עַד אֲשֶׁר "כָּשַׁל כֹּחַ הַסַּבָּל" וּמַה נַּעֲשֶׂה וַעֲווֹנוֹתֵינוּ עָשׂוּ.

of the evil poisons of the turbid blood emerge from them, and, as a result, may they be healed completely in Your compassion.

Send them and all of us truly great joy.

May the joy of the festival be drawn onto us by means of the good sweat of holiness. May we utilize all of our abilities when we perform every mitzvah and every action that You wish, until we experience a good sweat.

In this way, may we always attain the joy of the festival. May we rejoice in You always, every day of the year, over the fact that in Your vast compassion, "You chose us from all of the nations, elevated us above all of the tongues, sanctified us with Your commandments, brought us close, our King, to serve You, and called Your great and holy Name upon us."

Pushing Away Depression

Master of the world, You know how terribly depression harms us, Heaven forbid. But what can we do? Depression and bitterness overcome us constantly with tremendous, limitless power, until "the strength of the porter has collapsed." And what shall we do after the effect that our sins have had?

אַךְ כְּבָר הִזְהַרְתָּנוּ שֶׁאַף עַל פִּי כֵן צְרִיכִין לְהִתְחַזֵּק לִהְיוֹת בְּשִׂמְחָה תָּמִיד, וְכָל אָדָם כְּמוֹ שֶׁהוּא צָרִיךְ לְהִתְגַּבֵּר לְהַרְחִיק הָעַצְבוּת וְהַמָּרָה שְׁחוֹרָה, וּלְהַכְרִיחַ עַצְמוֹ בְּכָל הַכֹּחוֹת לִהְיוֹת בְּשִׂמְחָה תָּמִיד.

עַל כֵּן בָּאתִי לְפָנֶיךָ מָלֵא רַחֲמִים שֶׁתָּחוּס וְתַחְמֹל וּתְרַחֵם עָלֵינוּ בְּכָל עֵת, וְתַעַזְרֵנוּ לְשַׂמֵּחַ אֶת נַפְשֵׁנוּ בְּכָל מִינֵי עֵצוֹת וּדְרָכִים, בְּאֹפֶן שֶׁנִּזְכֶּה לְהַרְחִיק הָעַצְבוּת מֵאִתָּנוּ בְּכָל עֵת, וְלִהְיוֹת בְּשִׂמְחָה תָּמִיד.

עַד שֶׁנִּזְכֶּה שֶׁיִּהְיֶה נִמְשָׁךְ עָלֵינוּ בְּכָל יוֹם וָיוֹם הַשִּׂמְחָה שֶׁל יוֹם טוֹב קֹדֶשׁ.

וְנִזְכֶּה לְהִתְבּוֹנֵן וּלְהַאֲמִין בְּמַעֲשֵׂי יְיָ וְנִפְלְאוֹתָיו, אֲשֶׁר הוּא עוֹשֶׂה עִמָּנוּ בְּכָל יוֹם נִפְלָאוֹת וְנִסִּים גְּדוֹלִים וְנוֹרָאִים לְחַזְּקֵנוּ וּלְאָחֲזֵנוּ (וּלְאַמְּצֵנוּ) לְבַל נָמוֹט לְעוֹלָם חַס וְשָׁלוֹם.

כַּאֲשֶׁר כְּבָר גִּלִּיתָ דַּעְתֵּנוּ לִרְאוֹת מְעַט מֵרָחוֹק חֲסָדֶיךָ וְנִפְלְאוֹתֶיךָ וְטוֹבוֹתֶיךָ שֶׁאַתָּה עוֹשֶׂה עִמָּנוּ בְּכָל יוֹם וּבְכָל עֵת וּבְכָל שָׁעָה.

כְּמוֹ שֶׁכָּתוּב: "מֵאֵת יְיָ הָיְתָה זֹּאת הִיא נִפְלָאת בְּעֵינֵינוּ. זֶה

You have urged us to strengthen ourselves so that we will always be joyful. Every person, whatever he is like, must strengthen himself to push away depression and bitterness, and force himself with all his might to be joyful always.

Therefore, I have come to You Who are filled with compassion, to have pity, mercy and compassion on us at all times. Help us gladden our souls with every type of counsel and in every way, so that we will remove depression from ourselves at every moment and always be joyful.

May the joy of the holy festival be drawn onto us every day.

May we study and believe Your deeds and wonders, HaShem. You perform great and awesome wonders and miracles with us every day to strengthen us and grasp us [and encourage us] so that we will never fall, Heaven forbid.

You have already opened our minds to see a little from afar of the kindness, wonders and favors that You perform on our behalf every day, at every moment.

As the verse states, "This has come from HaShem—it is wondrous in our eyes. This is the

הַיּוֹם עָשָׂה יְיָ נָגִילָה וְנִשְׂמְחָה בוֹ.

שַׂמֵּחַ נֶפֶשׁ עַבְדֶּךָ, כִּי אֵלֶיךָ יְיָ נַפְשִׁי אֶשָּׂא".

חַזְקֵנִי וְאַמְּצֵנִי וְעָזְרֵנִי וְהוֹשִׁיעֵנִי בְּדַרְכֵי חֲסָדֶיךָ וְנִפְלְאוֹתֶיךָ הַנּוֹרָאוֹת שֶׁאֶזְכֶּה לִהְיוֹת בְּשִׂמְחָה תָּמִיד בֶּאֱמֶת, אָמֵן כֵּן יְהִי רָצוֹן:

day that HaShem made. We will rejoice and be happy on it."

"Give joy to the soul of Your servant—because, HaShem, I lift my soul to You!"

Strengthen me and encourage me. Help me and save me in the ways of Your kindness and awesome wonders so that I will always be truly joyful. Amen. So may it be Your will.

7

Sin Constitutes a Jew's Greatest Suffering / A Compassionate Torah Leader Guides Those Who are Above and Those Who are Below / Everyone Must Leave Behind a Blessing in This World / A Tzaddik's Insights Transcend Time / A Person's Yom Kippur Determines the Quality of His Chanukah / The Lungs Draw Physical and Spiritual Life

A Torah leader must be compassionate. Moreover, he must know how to implement his compassion properly. For instance, just as a parent must refrain from feeding an infant adult food, so too, a compassionate leader must refrain from granting wicked people inappropriate kindness.

The souls of the Jewish people originate in a sublime source. As such, they are extraordinarily spiritual and refined, and are in essence entirely removed from sin.

A Jew sins only when a spirit of foolishness enters into him. That is the most pitiable state that he can find himself. Compared to that, any other suffering is as nothing.

A Torah leader must have compassion on such a

person and fill him with proper spiritual awareness. In doing so, the leader relieves him of the heavy burden of his sins.

Moses was a uniquely compassionate Torah leader, dedicating himself to helping the Jewish people even at the risk of his own well-being. He opened the light of consciousness for the Jews. In doing so, he worked to create a civilized world, because the essence of a human being is his consciousness. A person who lacks that is uncivilized—in fact, he is not even considered a human being, but an animal in human form.

*

In our world, people can be divided into two groups: those who are above (compared to a "son") and those who are below (compared to a "student"). The Tzaddik must guide both of them.

Those people who are above are on a high spiritual level. The Tzaddik must show them that ultimately, they know nothing of God, and he must challenge them to consider, "Where is the place of His glory?"

Those who are below are on a low spiritual level. The Tzaddik must show them that they can still hope to return to God, because "the whole earth is filled with His glory."

In addition, these two types must be combined. The "son" must partake of something of the "student," and the "student" must partake of something of the "son." This is necessary so that both will possess the fear of God.

If a person on a high level only experiences his distance from God, he might feel too far to fear God. Therefore, he must be given something of the awareness of the person on a low level: that God's glory fills the earth—i.e., that God is close to him.

And if a person on a low level only experiences how the world is filled with God's glory, he might lose all sense of self and thus be unable to fear God. Therefore, he must be given something of the awareness of the person on a high level—a measure of distance from God—so that he will continue to be self-aware and he will be capable of fearing God.

*

Everyone can be a teacher. For instance, when two people discuss religious matters and one inspires the other, he is the teacher to the other. That kind of discussion civilizes the world and fills it with true human beings.

The act of teaching also expands the awareness of the teacher. A concept just beyond a person's comprehension hovers outside his mind. When he acts as a teacher and transfers his wisdom and awareness to someone else, he creates a space in his own mind into which that hovering awareness can enter.

Thus, as soon as a teacher reveals one concept, a new awareness enters his mind. This process can occur repeatedly. This obligates him to be careful about what he reveals, because ultimately, he may be open to receiving an awareness of transcendent concepts beyond time—meaning, concepts that time would not suffice to explain. That is something that would leave him in a state of confusion, and so it is something he must avoid.

As for the sage and rabbi of the generation, the transcendent awareness that hovers around him is on the level of "length of days and years," the World to Come, which is "a day that is entirely long," transcending time. All of the time of this world is nothing compared to even a single moment of the World to Come. There, time is expressed as transcendent states of awareness. Attaining these states constitutes the essential delight of the World to Come: the knowledge of the unknown, the ultimate good hidden from all eyes. When the sage speaks with his students and fills them with his awareness, these transcendent states of awareness enter into him.

There are states of transcendent awareness that cannot be put into words. These are called "hands" because, like gesturing hands, they can communicate only hints. They bring these hints down to a level where God's sovereign providence is revealed.

Along with the influx of hints comes an influx of abundance, including monetary wealth.

Having income is related to eating, since the

principal purpose of work is to obtain food. When the levels of "son" and "student" combine, when a spiritually powerful person eats, he can experience an illumination of God's will so that he will yearn for God without even knowing what he wants.

The Temple (which combined the dynamics of the "son" and the "student") also brought down monetary blessing. Thus, it contained a huge basin called the "Sea of Solomon," which is associated with the revelation of God's sovereign providence.

In the days that the Temple existed, we were free of the burden of sin. The daily morning offering atoned for sins of the previous night, and the daily afternoon offering atoned for the sins of the previous day. But now that the Temple has been destroyed, we cannot adequately cleanse ourselves of our sins.

In the days of Moses, the sin of the spies[3] foreshadowed the destruction of the Temple. In that instance, Moses begged God to "please forgive the sin of this nation." God acceded to his request, and that constituted the eventual re-inauguration of the Temple—as commemorated by Chanukah.

Similarly, when an individual is successful in his request for forgiveness (on Yom Kippur), that leads to a spiritually successful Chanukah, which corresponds to the re-inauguration of the Temple.

---

3   See Numbers 13:1-14:39.

It is good for a person's soul to rise and cling to its place in the upper worlds. That is what happens when a person dies. But that does not constitute his ultimate perfection. The soul attains perfection only when it exists both above and below.

In order to achieve that, a person must leave behind a blessing in this world. He does this in the form of sharing his awareness with a son or a student, who remains here below even as this person's soul rises upward. In that sense, the person still exists in this world.

All of the above concepts apply to the well-being of the lungs. When the lungs are in proper balance, they are composed of these levels of "son" and "student."

"רַחֲמֶיךָ רַבִּים יְהֹוָה כְּמִשְׁפָּטֶיךָ חַיֵּנִי. רַחוּם וְחַנּוּן יְהֹוָה אֶרֶךְ אַפַּיִם וְרַב חָסֶד. חַנּוּן וְרַחוּם יְהֹוָה אֶרֶךְ אַפַּיִם וּגְדָל חָסֶד, טוֹב יְהֹוָה לַכֹּל וְרַחֲמָיו עַל כָּל מַעֲשָׂיו. כְּרַחֵם אָב עַל בָּנִים כֵּן תְּרַחֵם עָלֵינוּ.

אַל תִּזְכֹּר לָנוּ עֲווֹנוֹת רִאשׁוֹנִים, מַהֵר יְקַדְּמוּנוּ רַחֲמֶיךָ כִּי דַלּוֹנוּ מְאֹד.

יְהֹוָה יְהֹוָה אֵל רַחוּם וְחַנּוּן, אֶרֶךְ אַפַּיִם וְרַב חֶסֶד וֶאֱמֶת".

אָבִינוּ אָב הָרַחֲמָן הַמְרַחֵם רַחֶם נָא עָלֵינוּ בְּרַחֲמֶיךָ הָרַבִּים בְּרַחֲמֶיךָ הַגְּדוֹלִים בְּרַחֲמֶיךָ הָאֲמִתִּיִּים. חוּסָה עָלֵינוּ כְּרֹב רַחֲמֶיךָ כְּגֹדֶל חֲסָדֶיךָ, הֲמוֹן מֵעֶיךָ וְרַחֲמֶיךָ אַל יִתְאַפְּקוּ עָלֵינוּ.

יְעוֹרְרוּ רַחֲמֶיךָ וַחֲנִינוּתֶיךָ עַל בָּנֶיךָ, וּרְאֵה עָנְיֵנוּ וַעֲמָלֵנוּ, וַחֲמֹל עָלֵינוּ לְמַעַנְךָ מָלֵא רַחֲמִים רַבִּים תָּמִיד. וְתֵן לָנוּ מַנְהִיג אֲמִתִּי שֶׁיִּהְיֶה רַחֲמָן בֶּאֱמֶת, וְקַיֵּם לָנוּ מִקְרָא שֶׁכָּתוּב: "כִּי מְרַחֲמָם יְנַהֲגֵם".

Send Us a Compassionate Leader

"**Y**our compassion is abundant, HaShem. Give me life in accordance with Your ways." "HaShem is compassionate and gracious, long-suffering and extremely kind." "HaShem is good to everyone; His compassion rests on all of His creatures." "In the same way that a father has compassion on [his] children, be compassionate to us."

"Do not bear in mind our initial transgressions. Send us Your compassion quickly, because we are so impoverished."

"HaShem, HaShem, God Who is compassionate and gracious, You are long-suffering, very kind, and true."

Our compassionate Father, show us Your vast, great and true compassion. Shelter us in Your great compassion and kindness. Do not refuse us Your abundant empathy.

Arouse Your compassion and graciousness for us, Your children. Look at our poverty and our exertions. Have mercy on us for Your sake, You Who are always filled with vast compassion. Send us a truly compassionate leader so that the verse will be fulfilled, "He who has compassion on [the Jews] will guide them."

רִבּוֹנוֹ שֶׁל עוֹלָם, "רֹעֵה יִשְׂרָאֵל הַאֲזִינָה נוֹהֵג כַּצֹּאן יוֹסֵף, יוֹשֵׁב הַכְּרוּבִים הוֹפִיעָה".

אַתָּה עָשִׂיתָ עִמָּנוּ חֲסָדִים רַבִּים וַעֲצוּמִים בְּכָל דּוֹר וָדוֹר, וְנָתַתָּ לְיִשְׂרָאֵל בְּכָל דּוֹר וָדוֹר מַנְהִיגִים אֲמִתִּיִּים אֲשֶׁר הוֹרוּ אֶת יִשְׂרָאֵל אֶת הַדֶּרֶךְ אֲשֶׁר יֵלְכוּ בָהּ וְאֶת הַמַּעֲשֶׂה אֲשֶׁר יַעֲשׂוּ.

חוּסָה עָלֵינוּ גַּם עַתָּה בַּדּוֹר הַזֶּה וּשְׁלַח לָנוּ רוֹעֶה נֶאֱמָן מַנְהִיג אֱמֶת רַחֲמָן אֲמִתִּי, אֲשֶׁר יוּכַל לִנְהֹג אוֹתָנוּ בְּרַחֲמִים וּבְחֶמְלָה כְּמוֹ מֹשֶׁה רַבֵּנוּ עָלָיו הַשָּׁלוֹם, שֶׁיְּרַחֵם עָלֵינוּ בְּרַחֲמָנוּת הָאֲמִתִּי לְהוֹצִיא אוֹתָנוּ מֵעֲווֹנוֹת.

אֲשֶׁר זֶהוּ עִקָּר הָרַחֲמָנוּת עַל עַמְּךָ יִשְׂרָאֵל, כִּי זֶהוּ עִקָּר הָרַחֲמָנוּת הַגָּדוֹל מִכָּל מִינֵי רַחֲמָנוּת לְהוֹצִיא יִשְׂרָאֵל מֵעֲווֹנוֹת.

For the Seventh of Adar, the Hilula[4] of Moses

Master of the world, "Shepherd of Israel, listen! You Who guide Joseph like sheep, You Who dwell between the cherubs, appear!"

You have performed vast, mighty acts of kindness for us in every generation. You have given the Jewish people in every generation true leaders, who taught us the way upon which we should walk and the actions we should perform.

Protect us now, as well, in this generation. Send us a faithful shepherd, a true leader, a truly compassionate person who will be able to guide us with compassion and mercy like Moses, a leader who will have true compassion on us and free us of our sins.

Extricate Us from Our Sins

This is the core of compassion for Your nation, the Jewish people. The greatest compassion, greater than any other, is to extricate the Jewish people from their sins.

---

4   A *hilula* is the anniversary of the date of death of a great Tzaddik or Chassidic leader. Unlike a *yahrtzeit*, which is marked by a solemn commemoration of the life of the deceased, a *hilula* is marked by joy and feasting, in recognition of the Tzaddik's ongoing spiritual contribution to the world.

כִּי אַתָּה יוֹדֵעַ גֹּדֶל קְדֻשַּׁת נַפְשֵׁנוּ בְּשָׁרְשֵׁנוּ, אֲשֶׁר כָּל נַפְשׁוֹתֵינוּ חֲצוּבוֹת וְנִמְשָׁכוֹת מִמָּקוֹם גָּבֹהַּ וְעֶלְיוֹן וְדַק וְקָדוֹשׁ מְאֹד מְאֹד.

וְאָנוּ רְחוֹקִים לְגַמְרֵי מֵעָוֹן, וְאֵין שׁוּם עָוֹן וּפְגָם שַׁיָּךְ לָנוּ כְּלָל, לְגֹדֶל דַּקּוּתֵנוּ וְרוּחֲנִיּוּתֵנוּ בְּשָׁרְשֵׁנוּ.

עַד אֲשֶׁר אִי אֶפְשָׁר לָנוּ לִשָּׂא עָלֵינוּ עַל עָוֹן אֶחָד, מִכָּל שֶׁכֵּן עַל עֲווֹנוֹת וַחֲטָאִים וּפְשָׁעִים רַבִּים וַעֲצוּמִים וּפְגָמִים גְּדוֹלִים וְנוֹרָאִים אֲשֶׁר נִלְכַּדְנוּ בָּהֶם.

רִבּוֹנוֹ שֶׁל עוֹלָם מָלֵא רַחֲמִים, אַתָּה לְבַד יוֹדֵעַ גֹּדֶל הָרַחֲמָנוּת אֲשֶׁר עָלֵינוּ בָּעֵת הַזֹּאת בִּכְלָלִיּוּת וּבִפְרָטִיּוּת עַל כָּל אֶחָד וְאֶחָד מִיִּשְׂרָאֵל, כִּי רַע וָמַר כִּי נָגַע עַד הַנֶּפֶשׁ, "כִּי עֲווֹנוֹתַי עָבְרוּ רֹאשִׁי, כְּמַשָּׂא כָבֵד יִכְבְּדוּ מִמֶּנִּי".

"הַבֵּט מִשָּׁמַיִם וּרְאֵה" הֲיֵשׁ מַכְאוֹב כְּמַכְאוֹבֵי הֶעָוֹן לְנֶפֶשׁ יִשְׂרָאֵל הַקְּדוֹשָׁה וְהַטְּהוֹרָה וְהַנּוֹרָאָה דַּקָּה וְרוּחָנִיִּית מְאֹד מְאֹד.

You know how holy the root of our soul is—how every individual soul is hewn and drawn down from an extremely high, elevated, refined and holy place.

We are completely removed from sin. No sin or blemish has anything to do with who we really are, because at our root, we are so refined and spiritual.

Therefore, we cannot bear the burden of even a single sin that we commit, and certainly not the burden of many sins, transgressions and offenses. These are harrowing. They cause us to suffer enormous, terrible blemishes, and we cannot bear it.

Master of the world, You Who are filled with compassion, You alone know how abject we are, collectively and individually. Our condition is evil and bitter because it affects the soul itself. "My sins have risen above my head. Like a heavy load, they have grown too burdensome for me."

"Look down from Heaven and see." Is there any pain comparable to that suffered by a Jew's incredibly holy, pure, awesome, refined and spiritual soul when he sins?

וְאַתָּה יוֹדֵעַ שֶׁכָּל הַיִּסּוּרִים שֶׁבָּעוֹלָם, אֵינָם נֶחְשָׁבִים לְיִסּוּרִים כְּלָל, כְּנֶגֶד יִסּוּרֵי הַנֶּפֶשׁ מִיִּשְׂרָאֵל כְּשֶׁנּוֹפֶלֶת בְּאֵיזֶה עָוֹן וּפְגָם חַס וְשָׁלוֹם, מִכָּל שֶׁכֵּן וְכָל שֶׁכֵּן בַּעֲווֹנוֹת רַבִּים חַס וְשָׁלוֹם.

אוֹי לָנוּ מְאֹד, "אוֹי נָא לָנוּ כִּי חָטָאנוּ".

כִּי מִי יוּכַל לִסְבֹּל כֹּבֶד מַשָּׂאוֹת כָּאֵלֶּה, וְאֵיכָכָה תַּעֲצֹר כֹּחַ נֶפֶשׁ דַּק וְרוּחָנִי כָּזֶה, זַכָּה וְצַחָה קְדוֹשָׁה וּטְהוֹרָה, מְגֻדֶּלֶת בְּהֵיכַל הַמֶּלֶךְ לִפְנַי וְלִפְנִים, "בַּת מֶלֶךְ פְּנִימָה", שֶׁתִּשָּׂא עָלֶיהָ גַּשְׁמִיּוּת כָּזֶה, עֲכִירוּת כָּזֶה, לִכְלוּךְ וְטִנּוּף וְזֻהֲמָה שֶׁל עָוֹן אֶחָד.

"אֵיכָה יוּעַם זָהָב, יִשְׁנֶא הַכֶּתֶם הַטּוֹב. תִּשְׁתַּפֵּכְנָה אַבְנֵי קֹדֶשׁ, בְּרֹאשׁ כָּל חוּצוֹת".

לֹא יָדַעְתִּי נַפְשִׁי, אֵיךְ אֲנִי יָכוֹל לִחְיוֹת אֲפִלּוּ יוֹם אֶחָד, כִּי נִלְאֵתִי נְשֹׂא עֹל מַדְהֵבָה שֶׁל עֲוֹנוֹת וּפְשָׁעִים וּפְגָמִים רַבִּים וַעֲצוּמִים כָּאֵלֶּה.

מַה נִּתְאוֹנֵן וּמַה נֹּאמַר "מַה נְּדַבֵּר וּמַה נִּצְטַדָּק, הָאֱלֹהִים

You know that all of the sufferings of this world are like nothing compared to the suffering that a Jewish soul experiences when a person commits sins and it is blemished, Heaven forbid—and certainly when a person commits many sins, Heaven forbid.

Then a person is wretched. "Woe to us, for we have transgressed!"

Who can bear the weight of such a burden? How can a person's refined and spiritual soul, a soul that is pure, fresh, holy and clean, a soul that was raised in the inner chamber of the King's palace, a soul that is "the daughter of the king within," gather its strength to bear the coarseness, murkiness, corruption, filth and pollution caused by even a single sin?

"How the gold, the fine gold jewelry, has grown dim! The holy stones have been spilled out at the head of every street."

I am deeply distraught! How can I continue living for even a single day more? The oppressive yoke of my many harrowing sins, offenses and blemishes has worn me out.

How can we complain about our circumstances? What can we say? "What will we say and how can we justify ourselves? God has

מָצָא אֶת עֲוֹן עֲבָדֶיךָ", הִנְנוּ בְּיָדְךָ כַּחֹמֶר בְּיַד הַיּוֹצֵר.

חוּסָה עָלֵינוּ רַחֵם עָלֵינוּ חֲמֹל עָלֵינוּ, כְּרֹב רַחֲמֶיךָ כְּעֹצֶם חֶמְלָתֶךָ כְּגֹדֶל חַסְדֶּךָ, וּשְׁלַח לָנוּ מְהֵרָה מַנְהִיג אֲמִתִּי שֶׁיִּהְיֶה רַחֲמָן גָּדוֹל בֶּאֱמֶת.

וְיֵדַע אֵיךְ לְהִתְנַהֵג עִם הָרַחֲמָנוּת, אֵיךְ לְרַחֵם עַל כָּל אֶחָד וְאֶחָד, וְיַכְנִיס בָּנוּ הַדַּעַת הַקָּדוֹשׁ, וְיוֹרֶה אוֹתָנוּ דֶּרֶךְ וְעֵצָה שְׁלֵמָה, וְיוֹצִיאֵנוּ בְּכֹחוֹ הַגָּדוֹל מִכָּל הַחֲטָאִים וַעֲווֹנוֹת וּפְשָׁעִים.

וִיגָרֵשׁ וִיבַטֵּל מֵאִתָּנוּ אֶת כָּל הָרוּחַ שְׁטוּת שֶׁנִּדְבַּק וְנֶאֱחַז בָּנוּ, וְלֹא נָשׁוּב עוֹד לְכִסְלָה. וְלֹא נֶחֱטָא עוֹד, וְלֹא נַעֲשֶׂה עוֹד הָרַע בְּעֵינֶיךָ, אִם אָוֶן פָּעַלְנוּ לֹא נוֹסִיף.

"שָׁמְרָה נַפְשִׁי וְהַצִּילֵנִי, אַל אֵבוֹשׁ כִּי חָסִיתִי בָךְ".

כִּי אַתָּה לְבַד יוֹדֵעַ גֹּדֶל הָרַחֲמָנוּת שֶׁיֵּשׁ עַל הָאָדָם בָּעוֹלָם הַזֶּה, אֲשֶׁר אָנוּ הוֹלְכִים בָּעוֹלָם הַזֶּה נָע וָנָד מְבֻלְבָּל וּמְטֹרָף.

discovered your servant's sin." I am in Your hand like clay in the hand of the potter.

An Appeal to the Tzaddikim

Have pity on us. Have compassion on us. In Your vast compassion, deep kindness and great lovingkindness, be kind to us. Quickly send us a truly compassionate leader.

Send us a leader who will know how to treat every individual compassionately, who will fill all of us with holy knowledge, who will teach us the perfect way with his counsel, and who will extricate us from all transgressions, sins and offenses with his great power.

Expel and eradicate the spirit of foolishness that clings to us. May we never again return to that foolishness. May we never again transgress or do anything that You consider wrong. Although we have sinned, we hope never again to do so.

"Guard my soul and rescue me. May I never be ashamed, because I have taken refuge in You."

You alone know how much compassion a person needs in this world, a world in which he wanders about in confusion and distress.

"כִּי כָל יָמֵינוּ פָּנוּ בְעֶבְרָתֶךָ כִּלִּינוּ שָׁנֵינוּ כְמוֹ הֶגֶה", וּכְבָר חָלְפוּ וְעָבְרוּ עָלֵינוּ יָמִים וְשָׁנִים הַרְבֵּה, וַעֲדַיִן לֹא שַׁבְנוּ מִטָּעוּתֵנוּ.

רִבּוֹנוֹ שֶׁל עוֹלָם אֲדוֹן הָרַחֲמִים וְהַסְּלִיחוֹת, עוֹרְרָה נָא בְּרַחֲמֶיךָ וַחֲסָדֶיךָ אֶת הַמַּנְהִיג הָרִאשׁוֹן הָאֲמִתִּי שֶׁהוּא מֹשֶׁה רַבֵּנוּ עָלָיו הַשָּׁלוֹם, עִם כָּל הַצַּדִּיקִים הָאֲמִתִּיִּים הַכְּלוּלִים בּוֹ.

שֶׁיַּעַמְדוּ בְּעֶזְרָתֵנוּ וְיִגְמְרוּ מְהֵרָה מַה שֶּׁהִתְחִילוּ לְקָרְבֵנוּ אֵלֶיךָ אָבִינוּ שֶׁבַּשָּׁמַיִם, וּלְהַחֲזִירֵנוּ בִּתְשׁוּבָה שְׁלֵמָה לְפָנֶיךָ.

וְעַתָּה אָרִים קוֹלִי וְאֶקְרָא אֲלֵיהֶם בְּקוֹל מַר, וְאַעַן וְאֹמַר, צַדִּיקֵי יְסוֹדֵי עוֹלָם, אַבִּירֵי הָרוֹעִים, מַנְהִיגֵי יִשְׂרָאֵל הָאֲמִתִּיִּים, אֲשֶׁר הָיוּ בְּכָל דּוֹר וָדוֹר.

קוּמוּ נָא עִמְדוּ נָא, עוֹרְרוּ נָא, הִתְיַצְּבוּ נָא, חַלּוּ נָא פְּנֵי אֵל בְּמֵיטַב הִגָּיוֹן.

עִמְדוּ נָא בְּעֶזְרָתֵנוּ בְּעֵת צָרָה הַזֹּאת בְּעוּקְבָא דִמְשִׁיחָא, אוּלַי יָחוּס עַם עָנִי וְאֶבְיוֹן אוּלַי יְרַחֵם.

"All of our days have passed away in Your anger. Our years have worn away like a breath." Although days and years have come and gone, we still have not repented of our errors.

Master of the world, Lord of compassion and forgiveness, in Your compassion and kindness, arouse the first true leader, Moses, together with all of the true Tzaddikim who are incorporated into him.

May they stand up to help us and swiftly complete what they began: to bring us close to You, our Father in Heaven, to return us to You in perfect repentance.

Now I will call out to them in a bitter voice. I will speak up and say, "Tzaddikim, foundations of the world, mighty shepherds, true leaders of Israel, you exist in every generation.

"Please arise and stand! Please awaken and stand firm! Please petition God with the most eloquent expressions!

"Please stand to help us during this difficult time preceding the coming of the Mashiach. Perhaps He will take pity on an impoverished and beggared nation. Perhaps He will have compassion on us!

כִּי הֲלֹא אַתֶּם בְּעַצְמְכֶם הוֹדַעְתֶּם לָנוּ שֶׁאֵין שְׁלֵמוּת לְהַנְּשָׁמָה כְּשֶׁמִּסְתַּלֶּקֶת לְמַעְלָה, שֶׁתִּהְיֶה רַק לְמַעְלָה וְלֹא לְמַטָּה, אֲפִלּוּ אִם נִסְתַּלְּקָה לְמָקוֹם שֶׁנִּסְתַּלְּקָה.

רַק עִקַּר שְׁלֵמוּת הַנְּשָׁמָה הוּא כְּשֶׁהִיא לְמַעְלָה לְמַעְלָה שֶׁתִּהְיֶה לְמַטָּה לְמַטָּה גַּם כֵּן, וְתָאִיר בִּבְנֵי עוֹלָם הַזֶּה הַשָּׁפָל, לְרַחֵם עֲלֵיהֶם לְהוֹצִיאָם מֵעֲווֹנוֹת, וּלְהָאִיר בָּהֶם הַדַּעַת הַקָּדוֹשׁ, לְהוֹדִיעָם כִּי יְהֹוָה הוּא הָאֱלֹהִים, לָדַעַת כִּי יֵשׁ אֱלֹהִים שַׁלִּיט בָּאָרֶץ.

כִּי אַתֶּם יְדַעְתֶּם כִּי עִקַּר תַּעֲנוּגָיו וְשַׁעֲשׁוּעָיו שֶׁל הַשֵּׁם יִתְבָּרַךְ הוּא רַק כְּשֶׁעוֹלָה לְמַעְלָה הָעֲבוֹדָה שֶׁל עוֹלָם הַשָּׁפָל הַזֶּה.

כִּי יֵשׁ לְהַשֵּׁם יִתְבָּרַךְ מַלְאָכִים וּשְׂרָפִים וְאוֹפַנִּים וְחַיּוֹת הַקֹּדֶשׁ וְעוֹלָמוֹת הַרְבֵּה שֶׁעוֹבְדִים אוֹתוֹ תָּמִיד, וְעוֹשִׂים בְּאֵימָה וּבְיִרְאָה רְצוֹן קוֹנָם.

וְאַף עַל פִּי כֵן עִקַּר תַּעֲנוּגָיו וְשַׁעֲשׁוּעָיו יִתְבָּרַךְ כְּשֶׁעוֹלָה לְמַעְלָה הָעֲבוֹדָה שֶׁל עוֹלָם הַשָּׁפָל הַזֶּה, כָּאָמוּר: וְאָבִיתָ תְּהִלָּה מִגּוּשֵׁי עָפָר, מִקְּרוּצֵי חֹמֶר, מִגְּלוּמֵי גוּשׁ, מֵחַסְרֵי דֵעָה, מְרֵיקֵי שֵׂכֶל, וְהִיא תְהִלָּתֶךָ.

"You yourselves have told us that when the soul rises upward, so that it is only above and not below, it does not gain wholeness, no matter how high it has risen.

"The soul becomes complete only when it is both above and below. It must shine down on the people in this low world. It must have compassion on them. It must free them of their sins and illuminate them with holy awareness so that they will know that HaShem is God—that there is a God Who rules over this world.

"You know that HaShem's essential pleasure and delight exist only when a person serves Him in this low world, and that service of Him rises up.

"For HaShem has angels and *seraphim*, *ophanim* and holy *chayot*, and many worlds that serve Him always, fulfilling the will of their Maker in dread and fear.

"Nevertheless, He takes the greatest pleasure and delight when the worship of people from this low world rises above. As the verse states, 'You have desired the praise of clumps of earth, of those scratched from the clay, of unfinished forms, of those who lack knowledge, of those empty of intelligence—and that is Your praise!'

וְעַתָּה עַתָּה, אֲדוֹנֵינוּ מוֹרֵינוּ וְרַבּוֹתֵינוּ, אֲבוֹתֵינוּ הוֹדֵינוּ זִיוֵינוּ וְתִפְאַרְתֵּנוּ, עֲטֶרֶת רֹאשֵׁנוּ, אָן פְּנִיתֶם אָן פְּנִיתֶם.

עַל מִי עֲזַבְתֶּם אוֹתָנוּ, עַל מִי נְטַשְׁתֶּם מְעַט הַצֹּאן הַזֶּה, בֵּין דֻּבִּים וַאֲרָיוֹת וְחַיּוֹת רָעוֹת רַבִּים מְאֹד.

וְהֵיכָן הִיא הַהַשְׁאָרָה שֶׁהִשְׁאַרְתֶּם אַחֲרֵיכֶם לְהַנְהִיג אֶת יִשְׂרָאֵל בִּמְקוֹמְכֶם, כְּמוֹ שֶׁאַתֶּם רוֹצִים בֶּאֱמֶת.

כִּי נִשְׁאַרְנוּ כַּתֹּרֶן בְּרֹאשׁ הָהָר וְכַנֵּס עַל הַגִּבְעָה. וְלָמָּה "תִהְיֶה עֲדַת יְהוָה כַּצֹּאן אֲשֶׁר אֵין לָהֶם רוֹעֶה.

הַמַּזְכִּירִים אֶת יְהוָה, אַל דֳּמִי לָכֶם". אַל תֶּחֱרִישׁוּ וְאַל תִּשְׁקֹטוּ, עַד אֲשֶׁר יִשְׁלַח לָנוּ מוֹשִׁיעַ וָרָב וּמַנְהִיג אֲמִתִּי, לְהַצִּילֵנוּ מֵעֲווֹנוֹת וּמֵחֲטָאִים, וּמִכָּל מִינֵי פְּגָמִים שֶׁבָּעוֹלָם, וִיקָרְבוּנוּ אֵלָיו יִתְבָּרַךְ וְלַעֲבוֹדָתוֹ חִישׁ קַל מְהֵרָה.

וְכַאֲשֶׁר הַחִלֹּתֶם חַסְדְּכֶם עִמָּנוּ כֵּן תִּגְמְרוּ בַּעֲדֵנוּ, וּמַה שֶּׁהָיָה הוּא שֶׁיִּהְיֶה, שֶׁנִּזְכֶּה גַּם בַּדּוֹר הַזֶּה לְמַנְהִיג אֲמִתִּי שֶׁיִּהְיֶה

"But now, our masters, our teachers and rabbis, our fathers, our glory, our radiance and beauty, the crown of our heads—where have you turned to? Where have you gone?

"To whom have you abandoned us? To whom have you forsaken us, a small flock of sheep? To hordes of bears, lions and evil beasts.

"Where is the remnant of leaders that you left behind to take your place guiding the Jewish people, as you truly desire?

"We have been left 'like a beacon at the top of the mountain and like a flag upon the hill.' And why 'should the congregation of HaShem be like sheep that have no shepherd'?

"'You who remind HaShem [of our merits], do not be silent.' Do not be still and do not remain quiet, until God will send us a true savior, rabbi and leader who will quickly, swiftly and speedily save us from our sins and transgressions and from every sort of blemish, and draw us close to Him.

"Just as you Tzaddikim began by treating us with lovingkindness, so bring that to its completion. And then that which was, will be: in our own generation we, too, will have a true leader on the level of Moses, because the spirit

בִּבְחִינַת מֹשֶׁה, כִּי אִתְפַּשְּׁטוּתָא דְמֹשֶׁה בְּכָל דָּרָא וְדָרָא, וּכְבָר הִבְטַחְתָּנוּ שֶׁלֹּא תַעַזְבוּ אוֹתָנוּ לְעוֹלָם.

רִבּוֹנוֹ שֶׁל עוֹלָם, בַּעַל הָרַחֲמִים בַּעַל הָרָצוֹן בַּעַל הַטּוֹב וְהַחֶסֶד בַּעַל הַחֶמְלָה וְהַחֲנִינָה, רַחֵם עָלֵינוּ בְּרַחֲמֶיךָ הָרַבִּים.

וְזַכֵּנוּ נָא בְּכֹחַ וּזְכוּת חֲסִידֶיךָ וְצַדִּיקֶיךָ עוֹשֵׂי רְצוֹנֶךָ יְרֵאֶיךָ וּתְמִימֶיךָ אֲשֶׁר הֵם הָאוֹצָר שֶׁל יִרְאַת שָׁמַיִם שֶׁלְּךָ וְתַמְשִׁיךְ עָלֵינוּ מֵאוֹצָרָם הַטּוֹב יִרְאָה וָפַחַד וְאֵימָה מִשִּׁמְךָ הַגָּדוֹל וְהַקָּדוֹשׁ. שֶׁנִּזְכֶּה שֶׁיִּהְיֶה לָנוּ יִרְאַת שָׁמַיִם בֶּאֱמֶת, וְתִהְיֶה יִרְאָתְךָ עַל פָּנֵינוּ לְבִלְתִּי נֶחֱטָא עוֹד לְעוֹלָם. וְתַמְשִׁיךְ עָלֵינוּ יִרְאָתְךָ הַקְּדוֹשָׁה תָּמִיד, יִרְאָה תַּתָּאָה וְיִרְאָה עִלָּאָה, יִרְאַת הָעֹנֶשׁ וְיִרְאַת הָרוֹמְמוּת.

וְנִזְכֶּה מֵעַתָּה לְעָבְדְךָ בֶּאֱמֶת בְּאֵימָה וּבְיִרְאָה וּבְאַהֲבָה, וְלֹא נָסוּר מֵרְצוֹנְךָ יָמִין וּשְׂמֹאל, עַד שֶׁנִּזְכֶּה עַל יְדֵי הַיִּרְאָה שְׁלֵמָה לְהַעֲמִיד בָּנִים וְתַלְמִידִים הֲגוּנִים בָּעוֹלָם.

שֶׁיִּזְכֶּה כָּל אֶחָד וְאֶחָד, אֲנִי וְכָל עַמְּךָ בֵּית יִשְׂרָאֵל, לְהַכְנִיס הַדַּעַת דִּקְדֻשָּׁה בְּבָנֵינוּ וְיוֹצְאֵי חֲלָצֵינוּ וּבְתַלְמִידִים הֲגוּנִים, כְּמוֹ שֶׁכָּתוּב: "וְהוֹדַעְתָּם לְבָנֶיךָ וְלִבְנֵי בָנֶיךָ".

of Moses exists in every generation, and we have been assured that you Tzaddikim will never abandon us."

Fear of God and Holy Awareness

Master of the world, Master of compassion, Master of good will, Master of goodness and lovingkindness, Master of mercy and graciousness, have compassion on us!

Help us attain the true fear of Heaven, a fear that will rest upon us and prevent us from committing any further sins. May we always experience that holy fear of You: lower fear, which is the fear of punishment, and higher fear, which is a feeling of awe before Your exalted Being.

From now on may we truly serve You with dread, fear and love. May we never turn aside from Your will, neither right nor left. And as a result of our attaining perfected fear, may we have worthy children and students.

May we all—I and every member of Your nation, the House of Israel—give our children, grandchildren and worthy students holy awareness. As the verse states, "You shall make [the laws] known to your children and to your children's children."

וְכָל דִּבּוּרֵנוּ וְעִסְקֵנוּ בְּזֶה הָעוֹלָם יִהְיֶה רַק בְּתוֹרָתְךָ וַעֲבוֹדָתְךָ, שֶׁנִּזְכֶּה תָּמִיד שֶׁכָּל אֶחָד וְאֶחָד יַעֲסֹק וִידַבֵּר עִם חֲבֵרוֹ בְּיִרְאַת שָׁמַיִם בְּכָל יוֹם וָיוֹם.

וִיקַבְּלוּ דִּין מִן דִּין תּוֹרָה וְדַעַת אֱלֹהִים וְיִרְאַת שָׁמַיִם, וִיעוֹרֵר וִיזָרֵז וִיחַזֵּק כָּל אֶחָד וְאֶחָד אֶת חֲבֵרוֹ בַּעֲבוֹדַת הַשֵּׁם יִתְבָּרַךְ.

כִּי כְּבָר גִּלִּיתָ לָנוּ עַל יְדֵי חֲכָמֶיךָ הָאֲמִתִּיִּים, שֶׁזֶּה עִקַּר הַהַשְׁאָרָה וְהַחֲלִיפוֹת שֶׁנִּשְׁאָר מִן הָאָדָם אַחַר מִיתָתוֹ בָּעוֹלָם הַזֶּה.

כִּי אֵין נִשְׁאָר מִן הָאָדָם כְּלוּם בָּעוֹלָם הַזֶּה אַחַר פְּטִירָתוֹ כִּי אִם דַּעְתּוֹ וְדִבּוּרָיו הַקְּדוֹשִׁים שֶׁזָּכָה לְהָאִיר בַּחֲבֵרָיו וּבָנָיו.

וְהִזְהַרְתָּ אוֹתָנוּ שֶׁכָּל אָדָם צָרִיךְ לַעֲסֹק בָּזֶה, אֲפִלּוּ הַפָּחוּת שֶׁבַּפְּחוּתִים, כִּי כָּל אֶחָד וְאֶחָד מִיִּשְׂרָאֵל יֵשׁ לוֹ דַעַת וְדִבּוּרִים קְדוֹשִׁים מַה שֶּׁאֵין בַּחֲבֵרוֹ.

וְצָרִיךְ לְהָאִיר דַּעְתּוֹ בַּחֲבֵרוֹ וּבְבָנָיו וּבְכָל הָעֲנָפִים הַשַּׁיָּכִים

In this world, may all of our speech be nothing other than learning Your Torah, and all of our activities nothing other than serving You. May we foster the fear of Heaven and discuss it with others every day.

May we receive words of Torah, knowledge of God and fear of Heaven from each other. May we all awaken, inspire and encourage each other to serve HaShem.

Through Your true sages, You revealed to us that this awareness is what remains of a person after he dies.

We Wish to Illuminate Others

All that remains of a person in this world after he passes away is his awareness and the holy words with which he illuminated his friends and children.

You have taught us that such words must be shared by every person—even the least of the least, because every Jew possesses some awareness and holy words that no one else does.

Each person must shine his awareness onto his friends, children and all of the branches of his soul. In this way, we civilize the world, so

לְנִשְׁמָתוֹ, כִּי זֶה עִקַּר יִשּׁוּב הָעוֹלָם, כְּשֶׁהָעוֹלָם יוֹדְעִין מֵהַשֵּׁם יִתְבָּרַךְ וְתוֹרָתוֹ הַקְּדוֹשָׁה.

עַל־כֵּן בָּאנוּ לְפָנֶיךָ יְהֹוָה אֱלֹהֵינוּ וֵאלֹהֵי אֲבוֹתֵינוּ, אֱלֹהֵי הָרִאשׁוֹנִים וְהָאַחֲרוֹנִים. מָגֵן וּמוֹשִׁיעַ לָנוּ בְּכָל דּוֹר וָדוֹר.

שֶׁתְּרַחֵם עָלֵינוּ בְּרַחֲמֶיךָ הָרַבִּים, וְתַעֲזֹר לָנוּ וּתְזַכֵּנוּ שֶׁיִּהְיֶה נִשְׁאָר זִכְרֵנוּ לְדוֹרֵי דוֹרוֹת, וְלֹא יִפָּסֵק חֶבֶל הַקֹּדֶשׁ שֶׁל יִשְׂרָאֵל לְעוֹלָם.

שֶׁתַּשְׁפִּיעַ עָלֵינוּ יִרְאַת שָׁמַיִם בֶּאֱמֶת, בְּאֹפֶן שֶׁנִּזְכֶּה שֶׁיִּהְיוּ דְבָרֵינוּ נִשְׁמָעִים תָּמִיד לַעֲבוֹדָתְךָ וּלְיִרְאָתֶךָ.

וְנִזְכֶּה בְּכָל יוֹם תָּמִיד לְדַבֵּר עִם חֲבֵרֵינוּ וּבָנֵינוּ בְּיִרְאַת שָׁמַיִם, וְיִתְקַיְּמוּ דְבָרֵינוּ וְדַעְתֵּנוּ אֶצְלָם, וְלֹא יַעַבְרוּ דְּבָרֵינוּ מִלִּבָּם חַס וְשָׁלוֹם.

רַק יִכָּנְסוּ דְבָרֵינוּ הָאֲמִתִּיִּים בְּלִבָּם, וְיִשְׁמְעוּ וְיִתְקַיְּמוּ אֶצְלָם לָעַד כְּיָתֵד חָזָק בַּל יִמּוֹט, וְיָשׁוּבוּ אֵלֶיךָ בֶּאֱמֶת.

בְּאֹפֶן שֶׁנִּזְכֶּה כֻּלָּנוּ לְהָאִיר בְּהָעֲנָפִים הַיּוֹצְאִים מֵאִתָּנוּ, לְהַשְׁאִיר בָּנִים וְתַלְמִידִים הֲגוּנִים הַרְבֵּה בָּעוֹלָם.

עַד שֶׁבָּנֵינוּ וְתַלְמִידֵינוּ יִזְכּוּ לְהוֹלִיד עוֹד בָּנִים וְתַלְמִידִים

that everyone will know about You, HaShem and Your holy Torah.

Therefore, we have come to You, HaShem our God and God of our fathers, You Who are God from beginning to end, our shield and savior in every generation.

In Your vast compassion, save us. Help us pass on a legacy for generations. May the holy cord of Israel never be cut off.

Pour onto us the true fear of Heaven so that others will always heed our words about the importance of serving You and fearing You.

May we speak with our friends and children every day about the fear of Heaven. May they accept our words and awareness so that our words will never leave their hearts.

May our words of truth enter their hearts. May they hear these words until they are established for them forever, like a firm tent peg, so that they will truly return to You.

May we all illuminate our souls' branches, so that we will leave behind a legacy of many worthy children and students.

May these children and students produce many other children and students, onto whom

רַבִּים, לְהָאִיר בָּהֶם הַדַּעַת הַקָּדוֹשׁ שֶׁשָּׁמַעְנוּ וְקִבַּלְנוּ מִפִּי רַבּוֹתֵינוּ וַחֲכָמֵינוּ זִכְרוֹנָם לִבְרָכָה.

וְכֵן מִדּוֹר לְדוֹר לְעוֹלָם, "דּוֹר לְדוֹר יְשַׁבַּח מַעֲשֶׂיךָ וּגְבוּרוֹתֶיךָ יַגִּידוּ". וִיקֻיַּם בָּנוּ מְהֵרָה מִקְרָא שֶׁכָּתוּב: "וַאֲנִי זֹאת בְּרִיתִי אוֹתָם אָמַר יְהוָה, רוּחִי אֲשֶׁר עָלֶיךָ וּדְבָרַי אֲשֶׁר שַׂמְתִּי בְּפִיךָ, לֹא יָמוּשׁוּ מִפִּיךָ וּמִפִּי זַרְעֲךָ וּמִפִּי זֶרַע זַרְעֲךָ, אָמַר יְהוָה מֵעַתָּה וְעַד עוֹלָם".

וּבְכֵן יְהִי רָצוֹן מִלְּפָנֶיךָ יְהוָה אֱלֹהֵינוּ וֵאלֹהֵי אֲבוֹתֵינוּ שֶׁנִּזְכֶּה לְהַשִּׂיג אוֹרוֹת הַמַּקִּיפִין, שֶׁנִּזְכֶּה לְהָבִין וּלְהַשְׂכִּיל וּלְהַכְנִיס בְּתוֹךְ פְּנִימִיּוּת שִׂכְלֵנוּ כָּל הַדַּעַת וְהַשֵּׂכֶל שֶׁלֹּא הָיִינוּ יְכוֹלִין לְהָבִין עַד הֵנָּה.

וְנִזְכֶּה לַעֲלוֹת בְּכָל עֵת מִדַּרְגָּא לְדַרְגָּא וּמִמַּעֲלָה לְמַעֲלָה בִּקְדֻשָּׁה וּבְטָהֳרָה גְדוֹלָה.

וּלְהָאִיר בְּכָל פַּעַם הַשֵּׂכֶל וְהַדַּעַת דִּקְדֻשָּׁה בְּבָנִים וְתַלְמִידִים

they will shine the holy awareness that we learned and received from the mouths of our rabbis and sages.

And so may matters continue from generation to generation, forever: "Generation to generation will praise Your deeds and relate Your acts of might." May the verse quickly be realized in us, "As for Me, this is My covenant with them, says HaShem: My spirit that rests upon you, and My words that I have placed in your mouth, will not leave your mouth and the mouths of your children and the mouths of your children's children, says HaShem, from now and forever."

Attaining the Encompassing Lights

May it be Your will, HaShem our God and God of our fathers, that we will attain the encompassing lights—that we will understand, comprehend and draw into the core of our minds all of the awareness and clarity that we could not grasp previously.

May we rise at every moment in great holiness and purity from level to level, from step to step.

May we constantly illuminate the holy intellect and awareness of our worthy children

הֲגוּנִים, וּלְהַשִּׂיג בְּכָל עֵת מַקִּיפִין חֲדָשִׁים וּלְהַכְנִיס אוֹרוֹת הַמַּקִּיפִים לְתוֹךְ פְּנִימִיּוּת הַשֵּׂכֶל.

אָבִינוּ אָב הָרַחֲמָן, הַמְרַחֵם רַחֵם נָא עָלֵינוּ, וְתֵן בְּלִבֵּנוּ בִּינָה לְהָבִין וּלְהַשְׂכִּיל לִשְׁמֹעַ לִלְמֹד וּלְלַמֵּד לִשְׁמֹר וְלַעֲשׂוֹת וּלְקַיֵּם אֶת כָּל דִּבְרֵי תוֹרָתֶךָ בְּאַהֲבָה.

עַד שֶׁנִּזְכֶּה לְהַשִּׂיג אוֹרוֹת הַמַּקִּיפִין הָעֶלְיוֹנִים, שֶׁהֵם עִקַּר שַׁעֲשׁוּעַ וְתַעֲנוּג עוֹלָם הַבָּא, שֶׁהֵם אֲרִיכַת הַיָּמִים וְהַשָּׁנִים, חַיִּים טוֹבִים וַאֲרוּכִים בֶּאֱמֶת, שֶׁהֵם הַמַּקִּיפִים שֶׁלְּמַעְלָה מֵהַזְּמַן, שֶׁהֵם רַב טוּב הַצָּפוּן וְגָנוּז לִירֵאֶיךָ.

אֲשֶׁר כָּל הַזְּמַן שֶׁל כָּל הָעוֹלָם הַזֶּה מַה שֶּׁהָיָה וּמַה שֶּׁיִּהְיֶה אֵינוֹ עוֹלֶה כְּלָל כְּנֶגֶד יוֹם אֶחָד, וַאֲפִלּוּ כְּנֶגֶד שָׁעָה אַחַת שֶׁל הָעוֹלָם הַבָּא, שֶׁהוּא לְמַעְלָה מֵהַזְּמַן, שֶׁהוּא יוֹם שֶׁכֻּלּוֹ אָרֹךְ וְטוֹב, אַשְׁרֵי מִי שֶׁיִּזְכֶּה לָזֶה.

וְתוֹרֵנִי וּתְלַמְּדֵנִי תָמִיד לְצַמְצֵם אֶת שִׂכְלִי, שֶׁלֹּא אַתְחִיל

and students. May we constantly attain new encompassing lights and draw them into the core of our minds.

Our compassionate Father, give our hearts understanding so that we will lovingly understand and comprehend, hear, learn and teach, guard, perform and fulfill all of the words of Your Torah.

May we at last attain the supernal encompassing lights, which are the essence of the delight and pleasure of the World to Come, the length of days and years, a truly good and long life—the encompassing lights that are higher than time, that are the vast goodness hidden away and concealed for those who fear You.

The time span of the entirety of this world— that which was and that which will be—is totally insignificant compared to one day and even one hour of the World to Come, which is higher than time, which is a day that is entirely long and good. Fortunate is the person who attains it!

Boundaries for the Mind

Guide me and teach me always to rein in my mind so that I will not even begin to entertain

לְהִכָּנֵס בַּחֲקִירוֹת וְקֻשְׁיוֹת כְּלָל, וְאֶזְכֶּה לָדַעַת מַה לְּדַבֵּר עִם חֲבֵרַי, וְלָשׂוּם סְיָג לִדְבָרַי לִשְׁתֹּק בְּמָקוֹם שֶׁאֲנִי צָרִיךְ לִשְׁתֹּק.

וְלֹא אֶהֱרֹס אֶת הַגְּבוּל חַס וְשָׁלוֹם, בְּאֹפֶן שֶׁלֹּא אֶכְנוֹס חַס וְשָׁלוֹם בְּקֻשְׁיוֹת וַחֲקִירוֹת שֶׁאָסוּר לִי לַחֲקֹר וּלְהַקְשׁוֹת.

וְתָגֵן עָלַי וְתִשְׁמְרֵנִי וְתַצִּילֵנִי תָּמִיד שֶׁלֹּא יָבוֹאוּ עַל לִבִּי וְדַעְתִּי הַחֲקִירוֹת וְהַקֻּשְׁיוֹת וְהַתֵּרוּצִים שֶׁהֵם לְמַעְלָה מֵהַזְּמַן, אֲשֶׁר אֵין הַזְּמַן מַסְפִּיק לְבָאֵר הַקֻּשְׁיוֹת וְהַתֵּרוּצִים שֶׁיֵּשׁ שָׁם.

רִבּוֹנוֹ שֶׁל עוֹלָם מָלֵא רַחֲמִים, שָׁמְרָה נַפְשִׁי וְהַצִּילֵנִי מִכָּל מִינֵי קֻשְׁיוֹת וַחֲקִירוֹת. זַכֵּנִי לְהַאֲמִין בְּךָ בֶּאֱמוּנָה שְׁלֵמָה לְבַד בְּלִי שׁוּם חֲקִירוֹת וְקֻשְׁיוֹת כְּלָל.

רַחֵק מִדַּעְתִּי וּמִמַּחֲשַׁבְתִּי וּמִלִּבִּי כָּל מִינֵי חֲקִירוֹת וּבִלְבּוּלִים וְכָל מִינֵי קֻשְׁיוֹת וְתֵרוּצִים בִּדְרָכֶיךָ הַקְּדוֹשִׁים.

וְלֹא אַתְחִיל לַחֲקֹר שׁוּם חֲקִירָה כְּלָל בַּחֲקִירוֹת הָאֱלֹהוּת, רַק אֶתְחַזֵּק וְאֶתְאַמֵּץ בֶּאֱמוּנָה שְׁלֵמָה לְבַד בֶּאֱמֶת וּבְתָם לֵבָב.

any inquiries or challenging questions. May I know what to speak about with my friends, and erect a fence around my words so that I will remain quiet whenever it is proper that I do so.

May I not destroy the boundary, Heaven forbid, by posing challenging questions and inquiries that are forbidden to me.

Shield me, guard me and rescue me always so that the inquiries, challenging questions and answers that are higher than time—those that time does not suffice to explain—will not enter my heart or mind.

Master of the world, filled with compassion, guard my soul and rescue me from every sort of challenging question or inquiry. Help me believe in You with complete faith alone, without any inquiries or challenging questions whatsoever.

Remove from my mind, thought and heart every type of inquiry and confusion, and every type of challenging question and answer, regarding Your holy ways.

May I not even begin to engage in any theological inquiries. Instead, may I strengthen and sustain myself with complete faith alone, with truth and with an upright heart.

מָרֵיהּ דְעָלְמָא כֻּלָּא, הַתָּמִים בְּמַעֲשָׂיו, הַתָּם וּמְתֻמָּם עִם תְּמִימִים, זַכֵּנִי לִתְמִימוּת בֶּאֱמֶת, וְאֶזְכֶּה לְקַיֵּם בֶּאֱמֶת מִקְרָא שֶׁכָּתוּב: "תָּמִים תִּהְיֶה עִם יְהֹוָה אֱלֹהֶיךָ".

"אַשְׂכִּילָה בְּדֶרֶךְ תָּמִים, מָתַי תָּבוֹא אֵלָי, אֶתְהַלֵּךְ בְּתָם לְבָבִי בְּקֶרֶב בֵּיתִי. לֵבָב עִקֵּשׁ יָסוּר מִמֶּנִּי רָע לֹא אֵדָע. עֵינַי בְּנֶאֶמְנֵי אֶרֶץ לָשֶׁבֶת עִמָּדִי. הוֹלֵךְ בְּדֶרֶךְ תָּמִים הוּא יְשָׁרְתֵנִי.

וַאֲנִי בְּתֻמִּי אֵלֵךְ פְּדֵנִי וְחָנֵּנִי. תֹּם וָיֹשֶׁר יִצְּרוּנִי כִּי קִוִּיתִיךָ".

וְנֶאֱמַר: "אַשְׁרֵי תְמִימֵי דָרֶךְ הַהוֹלְכִים בְּתוֹרַת יְהֹוָה".

חוּס וַחֲמֹל עָלַי, וְזַכֵּנִי לַעֲבֹד אוֹתְךָ בִּתְמִימוּת גָּדוֹל בֶּאֱמֶת וּבֶאֱמוּנָה שְׁלֵמָה וּבִפְשִׁיטוּת גָּמוּר, עַד שֶׁאֶזְכֶּה לַעֲבֹר וְלַעֲלוֹת עַל כָּל הַחָכְמוֹת שֶׁבָּעוֹלָם.

שֶׁיָּאִיר עָלַי הֶאָרַת הָרָצוֹן הָעֶלְיוֹן וְאֶזְכֶּה לִכְסֹף וּלְהִשְׁתּוֹקֵק וּלְהִתְגַּעְגֵּעַ אֵלֶיךָ בֶּאֱמֶת בְּרָצוֹן מֻפְלָג מְאֹד מְאֹד בְּלִי שִׁעוּר.

Master of the entire world, upright in Your deeds, sincere and dealing sincerely with the sincere, help me attain true uprightness. May I truly embody the verse, "Be wholehearted with HaShem your God."

"I will direct my thoughts to the path of integrity. When will I attain it? I will proceed with the uprightness of my heart within my house...A perverse heart will turn away from me. I will accept no evil...My eyes are upon the faithful of the land so that they will dwell with me. A person who walks on an upright path will serve me."

"I will walk in simplicity. Redeem me and be gracious to me. Sincerity and uprightness will guard me, because I have hoped in You."

"Fortunate are those whose way is perfect, who walk with the Torah of HaShem."

We Strive to Transcend

Shelter me and be kind to me. Help me serve You with true, great simplicity, with complete faith and total integrity, until I go beyond and transcend all wisdoms in the world.

May the light of Your supernal will illumine me. May I truly yearn, long and pine for You with a powerful, infinite will.

וְאֶזְכֶּה לְחַיֵּי עוֹלָם הַבָּא לְיוֹם שֶׁכֻּלּוֹ אָרֹךְ וָטוֹב, וְנִזְכֶּה וְנִחְיֶה וְנִרְאֶה וְנִירַשׁ טוֹבָה וּבְרָכָה לִשְׁנֵי יְמוֹת הַמָּשִׁיחַ וּלְחַיֵּי הָעוֹלָם הַבָּא.

וְאֶזְכֶּה בְּרַחֲמֶיךָ לְהַשִּׂיג וּלְהַרְגִּישׁ חַיֵּי עוֹלָם הַבָּא בָּעוֹלָם הַזֶּה, וְלִרְאוֹת עוֹלָמִי בְּחַיַּי.

שֶׁאֶזְכֶּה לְהַשִּׂיג תְּקוּפוֹת הַיָּמִים וּתְקוּפוֹת הַשָּׁנִים, לְהַשִּׂיג בָּעוֹלָם הַזֶּה הַמַּקִּיפִים שֶׁל עוֹלָם הַבָּא הַנִּקְרָאִים יָמִים, וְהַמַּקִּיפִים הַנִּקְרָאִים שָׁנִים.

וְתַשְׁפִּיעַ עָלֵינוּ שֶׁפַע הַכֶּתֶר עֶלְיוֹן דִּקְדֻשָּׁה, וְשָׁם תְּטַהֲרֵנוּ מִכָּל חַטֹּאתֵינוּ וַעֲווֹנוֹתֵינוּ וּפְשָׁעֵינוּ וְיִתְהַפְּכוּ שָׁם כָּל עֲווֹנוֹתֵינוּ לִזְכֻיּוֹת.

וּבְכֵן תְּרַחֵם עָלֵינוּ אָבִינוּ אָב הָרַחֲמָן, יְהֹוָה אֱלֹהֵי הַשָּׁמַיִם וֵאלֹהֵי הָאָרֶץ, הַכֹּל יָכוֹל וְכוֹלְלָם יַחַד.

וְתָאִיר עָלֵינוּ אוֹר קְדֻשַּׁת הַצַּדִּיקִים הָאֲמִתִּיִּים הַמְּאִירִים בְּכָל הָעוֹלָמוֹת כֻּלָּם, בְּעוֹלָמוֹת עֶלְיוֹנִים וּבַתַּחְתּוֹנִים, בְּדָרֵי מַעְלָה וּבְדָרֵי מַטָּה.

May I attain the life of the World to Come, a day that is entirely long and good. In our lifetime, may we see and inherit the goodness and blessing of the era of the Mashiach and the life of the World to Come.

In Your compassion, help me attain and experience the life of the World to Come in this world. May I see my ultimate world in my present lifetime.

While in this world, may I attain the "seasons of days" and "seasons of years," which are the transcendent energies of the World to Come that are called "days" and "years."

Pour onto us the abundant energies of the supernal crown of holiness. Purify us of all of our transgressions, sins and offenses, until all of our sins are transformed into merits.

Have compassion on us, our compassionate Father, HaShem, all-powerful God Who binds Heaven and earth.

Above and Below

Illuminate us with the light of the holiness of the true Tzaddikim who illuminate all universes: the upper and lower worlds, supernal beings and lower beings.

וְיָאִירוּ וְיוֹדִיעוּ לְדָרֵי מַעְלָה שֶׁעֲדַיִן אֵינָם יוֹדְעִים בִּידִיעָתוֹ יִתְבָּרַךְ כְּלָל.

וִיעוֹרְרוּ וְיָקִיצוּ אֶת כָּל הַדָּרֵי מַטָּה, אֶת כָּל הַשּׁוֹכְנֵי עָפָר הַמֻּנָּחִים בַּדְּיוֹטָא הַתַּחְתּוֹנָה, בִּשְׁפַל הַמַּדְרֵגָה, וְיָאִירוּ בָּהֶם וִיגַלּוּ לָהֶם, כִּי מְלֹא כָל הָאָרֶץ כְּבוֹדוֹ.

וִיעוֹרְרוּ וִיחַזְּקוּ אֶת כָּל הַנְּפָשׁוֹת הַנְּפוּלוֹת שֶׁנָּפְלוּ לְמָקוֹם שֶׁנָּפְלוּ, כָּל אֶחָד וְאֶחָד כְּפִי יְרִידָתוֹ, וִיחַיּוּ וִיעוֹרְרוּ וְיָקִיצוּ אוֹתָם, אֲפִלּוּ הַנְּפָשׁוֹת הַיְרוּדוֹת מְאֹד, שֶׁנָּפְלוּ בַּעֲווֹנוֹת וּבַעֲבֵרוֹת גְּדוֹלוֹת, עַל כֻּלָּם יַגִּיעוּ רַחֲמֵיהֶם.

וִיחַיּוּ וְיָשִׁיבוּ נַפְשׁוֹתָם הַחֲלוּשׁוֹת הַפְּגוּמוֹת מְאֹד, נֶפֶשׁ הַחוֹטֵאת, נֶפֶשׁ הַמָּרָה מְאֹד, יָחוּסוּ עַל דַּל וְאֶבְיוֹן, וְנַפְשׁוֹת אֶבְיוֹנִים יוֹשִׁיעוּ.

וִיעוֹרְרוּ וִיחַזְּקוּ וִיאַמְּצוּ אוֹתָם, שֶׁאַף־עַל־פִּי־כֵן אַל יִתְיָאֲשׁוּ עַצְמָן בְּשׁוּם אֹפֶן בָּעוֹלָם, כִּי מְלֹא כָל הָאָרֶץ כְּבוֹדֶךָ, וּבְכָל מָקוֹם אַתָּה נִמְצָא.

May these Tzaddikim illumine and teach those who dwell above that they still have no knowledge of You at all.

And may they arouse and awaken all those who dwell below, all those who dwell in the dust, who live upon the lowest level, on the lowest step, by illuminating them and revealing to them that the entire earth is filled with Your glory.

May these Tzaddikim awaken and strengthen all of the fallen souls wherever they fell. May these Tzaddikim revive, arouse and awaken those souls—even those who have fallen extremely low into sins and great wrongdoing. May the compassion of these Tzaddikim reach them all.

May these Tzaddikim revive and restore these people's weak, damaged, sinning, embittered souls. May they have "pity on the poor and destitute, and save the souls of the impoverished."

May these Tzaddikim arouse, strengthen and secure them, so that they will never give up in any way, knowing that the entire world is filled with Your glory and that You are everywhere.

וְגַם בְּהַשְּׁאוֹל תַּחְתִּיּוֹת יְכוֹלִין לְהִתְקָרֵב אֵלֶיךָ, כִּי לֵית אֲתַר פָּנוּי מִנָּךְ, וְאֵין שׁוּם יֵאוּשׁ בָּעוֹלָם כְּלָל.

רִבּוֹנוֹ שֶׁל עוֹלָם, מָלֵא רַחֲמִים בְּכָל עֵת וּבְכָל רֶגַע תָּמִיד, רָם וְנִשָּׂא מָרוֹם וְקָדוֹשׁ תִּשְׁכֹּן "וְאֶת דַּכָּא וּשְׁפַל רוּחַ, לְהַחֲיוֹת רוּחַ שְׁפָלִים, וּלְהַחֲיוֹת לֵב נִדְכָּאִים".

אִם עַל הַמֶּלֶךְ טוֹב תִּנָּתֶן לָנוּ נַפְשֵׁנוּ בִּשְׁאֵלָתֵנוּ וְעַמֵּנוּ בְּבַקָּשָׁתֵנוּ.

רַחֲמָן מָלֵא רַחֲמִים, יֵצֵא דְּבַר מַלְכוּת מִלְּפָנֶיךָ וְתַעַן וְתֹאמַר "נְבֵלָתִי יְקוּמוּן הָקִיצוּ וְרַנְּנוּ שֹׁכְנֵי עָפָר".

וּתְגַלֶּה עַל יְדֵי צַדִּיקֶיךָ הָאֲמִתִּיִּים טוּבְךָ וַחֲסָדֶיךָ הָרַבִּים כִּי לֹא תָמְנוּ כִּי לֹא כָלוּ רַחֲמֶיךָ לְעוֹלָם, וַעֲדַיִן אַתָּה עִמָּנוּ תָּמִיד.

כִּי יְהֹוָה אִתָּנוּ וְאֶצְלֵנוּ וְעִמָּנוּ וְקָרוֹב לָנוּ גַּם עַתָּה. "כִּי לֹא יִטֹּשׁ יְהֹוָה אֶת עַמּוֹ בַּעֲבוּר שְׁמוֹ הַגָּדוֹל".

טוֹב וּמֵטִיב, מָלֵא רַחֲמִים, הַחֲיֵינוּ נָא, הֲשִׁיבֵנוּ נָא, "סַמְּכוּנִי

Even in the depths of Sheol, people can come close to You, because no place is empty of You. Thus, there is no despair in the world at all.

Master of the world, You are filled with compassion at every moment. "Elevated and exalted One, dwelling forever, holy is His Name. You dwell with the uplifted and holy, and with the crushed and lowly in spirit, to revive the spirit of the humble and to revive the heart of the crushed."

If it pleases the King, may our soul be given at our request, and our nation as we beseech.

Compassionate One, filled with compassion, send forth Your sovereign command. Declare, "My dead ones shall arise; you who dwell in the dust, awaken and sing!"

May Your goodness and vast lovingkindness, Your compassion that has never ceased and never ended, be revealed through Your true Tzaddikim. You are with us constantly.

You are with us, next to us, near us and close to us even now. "For the sake of His great Name, HaShem will not forsake His nation."

You Who are good and do good, You Who are filled with compassion, revive us and restore

בָּאֲשִׁישׁוֹת רַפְּדוּנִי בַּתַּפּוּחִים, כִּי חוֹלַת אַהֲבָה אָנִי".

עוֹרְרֵנִי נָא, הֲקִיצֵנִי נָא, אַתָּה יְהֹוָה חָנֵּנִי וַהֲקִימֵנִי, הָקֵם "עַל סֶלַע רַגְלַי כּוֹנֵן אֲשׁוּרָי", אַמְּצֵנִי וְחַזְּקֵנִי נָא בְּיִרְאָתֶךָ וּבַעֲבוֹדָתֶךָ, "אַל תִּטְּשֵׁנִי וְאַל תַּעַזְבֵנִי אֱלֹהֵי יִשְׁעִי".

אַמֵּץ וְחַזֵּק רִפְיוֹן יָדַי, בְּאֹפֶן שֶׁאֶזְכֶּה לָשׁוּב אֵלֶיךָ בֶּאֱמֶת חִישׁ קַל מְהֵרָה, וְאֶבְטַח בַּיהֹוָה וְלֹא אֶמְעַד לְעוֹלָם, וְלֹא אֶפֹּל בְּדַעְתִּי מִשּׁוּם דָּבָר שֶׁבָּעוֹלָם.

"הִנֵּה אֵל יְשׁוּעָתִי אֶבְטַח וְלֹא אֶפְחָד, כִּי עָזִּי וְזִמְרָת יָהּ יְהֹוָה, וַיְהִי לִי לִישׁוּעָה". אֶבְטַח בְּשֵׁם יְהֹוָה וְאֶשָּׁעֵן בֵּאלֹהַי, כִּי לֹא תַעֲזֹב אוֹתִי לְעוֹלָם.

וְנִזְכֶּה לְהַשִּׂיג בִּשְׁלֵמוּת הַשָּׂגַת דָּרֵי מַטָּה שֶׁהוּא הַשָּׂגַת "מְלֹא כָל הָאָרֶץ כְּבוֹדוֹ". וְנִזְכֶּה לְהַרְגִּישׁ בְּכָל עֵת וָרֶגַע אֱלֹהוּתְךָ עָלֵינוּ.

us. "Sustain me with flagons of wine, spread my bed with apples, for I am lovesick."

We Wish to Awaken

Please arouse me. Please awaken me. HaShem, be gracious to me and make me steady. "He sets my feet upon the rock; He firmly establishes my steps." Please establish me and strengthen me so that I will fear You and serve You. "Do not forsake me and do not abandon me, God of my salvation."

Steady and strengthen my weak hands so that I will truly return to You, quickly, swiftly and speedily. May I trust in HaShem and never stumble. May nothing in the world discourage me.

"Behold, God is my salvation; I will trust and not be afraid, because God, HaShem, is my strength and song; He has saved me." I will trust in the Name of HaShem and I will rely on my God, because You will never abandon me.

May we fully attain the awareness of those who dwell below: the awareness that "the whole earth is filled with His glory." At every moment, may we feel Your Godliness resting upon us.

וְנֵדַע וְנַאֲמִין בֶּאֱמֶת כִּי מְלֹא כָל הָאָרֶץ כְּבוֹדֶךָ, וְאַתָּה מְמַלֵּא כָל עָלְמִין וְסוֹבֵב כָּל עָלְמִין, וְלֵית אֲתַר פָּנוּי מִנָּךְ.

כְּמוֹ שֶׁכָּתוּב: "אִם יִסָּתֵר אִישׁ בַּמִּסְתָּרִים וַאֲנִי לֹא אֶרְאֶנּוּ נְאֻם יְהֹוָה, הֲלֹא אֶת הַשָּׁמַיִם וְאֶת הָאָרֶץ אֲנִי מָלֵא".

וְנִזְכֶּה לְקַיֵּם בֶּאֱמֶת מִקְרָא שֶׁכָּתוּב: "שִׁוִּיתִי יְהֹוָה לְנֶגְדִּי תָמִיד", וְנֵדַע וְנַכִּיר וְנַרְגִּישׁ בְּכָל עֵת יִרְאָתְךָ וְאֵימָתְךָ עָלֵינוּ.

שֶׁנִּזְכֶּה לָדַעַת בֶּאֱמֶת וּבֶאֱמוּנָה שְׁלֵמָה אֲשֶׁר אַתָּה עוֹמֵד עָלֵינוּ בְּכָל עֵת וָרֶגַע, וּמִפָּנֶיךָ לֹא אֶסָּתֵר. וְתִהְיֶה יִרְאָתְךָ עַל פָּנַי תָּמִיד לְבִלְתִּי אֶחֱטָא.

וְאֶזְכֶּה לְהִתְיָרֵא וְלִפְחֹד תָּמִיד מִפְּנֵי פַּחַד יְהֹוָה וּמֵהֲדַר גְּאוֹנוֹ, וּלְהִתְקָרֵב אֵלֶיךָ וּלְהִתְדַּבֵּק בְּךָ בֶּאֱמֶת בִּדְבֵקוּת גָּדוֹל כִּרְצוֹנְךָ הַטּוֹב.

וּתְזַכֵּנוּ וְתַעַזְרֵנוּ שֶׁיִּהְיֶה נִכְלָל אֶצְלֵנוּ שְׁנֵי הַהַשָּׂגוֹת יַחַד, הַשָּׂגַת דָּרֵי מַטָּה עִם הַשָּׂגַת דָּרֵי מַעְלָה, אֲשֶׁר הֵם שׁוֹאֲלִים "אַיֵּה מְקוֹם כְּבוֹדוֹ".

וְנִזְכֶּה לָדַעַת בֶּאֱמֶת כִּי לֵית מַחֲשָׁבָה תְּפִיסָא בָּךְ כְּלָל,

May we truly know and understand that the entire earth is filled with Your glory, that You fill all worlds and surround all worlds, and that no place is empty of You.

As the verse states, "Will a person hide in concealment so that I will not see him? says HaShem. Do I not fill the heavens and the earth?"

May we truly embody the verse, "I have placed HaShem before me always." May we know, recognize and feel Your fearful Presence and dread upon us at every moment.

May we truly know with complete faith that You stand above us at every moment, that "I cannot hide from before You." May Your fearful Presence be upon my face always, so that I will never commit any transgression.

May I always fear and dread Your awesomeness and Your exalted glory. May I come close to You and truly cling to You, in accordance with Your good will.

Help us blend together the attainments of those who dwell below with the attainments of those who dwell above, who ask, "Where is the place of His glory?"

May we truly know that no thought can grasp You at all, and that the ultimate knowledge is

וְתַכְלִית הַיְדִיעָה אֲשֶׁר לֹא נֵדַע, כִּי לִגְדֻלָּתְךָ אֵין חֵקֶר.

רִבּוֹנוֹ שֶׁל עוֹלָם סָתִים וְגַלְיָא, "הַמַּגְבִּיהִי לָשָׁבֶת, הַמַּשְׁפִּילִי לִרְאוֹת בַּשָּׁמַיִם וּבָאָרֶץ, מְקִימִי מֵעָפָר דָּל מֵאַשְׁפּוֹת יָרִים אֶבְיוֹן".

הָקֵם וְהָרֵם דַּל וְאֶבְיוֹן כָּמוֹנִי, מֵעָפָר וּמֵאַשְׁפּוֹת. כִּי אַתָּה "כֹּל תּוּכָל וְלֹא יִבָּצֵר מִמְּךָ מְזִמָּה".

זַכֵּנוּ שֶׁיִּכְלְלוּ וְיָאִירוּ בָּנוּ יַחַד הַשָּׂגַת הַבֵּן וְהַתַּלְמִיד, שֶׁהוּא הַשָּׂגַת דָּרֵי מַעְלָה וְדָרֵי מַטָּה.

וְיִהְיוּ נִכְלָלִין כָּל הָעוֹלָמוֹת יַחַד, עֶלְיוֹן בְּתַחְתּוֹן וְתַחְתּוֹן בְּעֶלְיוֹן, בְּאֹפֶן שֶׁנִּזְכֶּה לְיִרְאָה שְׁלֵמָה בֶּאֱמֶת, וְלֹא נִתְבַּטֵּל בִּמְצִיאוּת חַס וְשָׁלוֹם.

רַק נִזְכֶּה לְהַרְגִּישׁ מִלּוּי אֱלֹהוּתְךָ בְּכָל הָאָרֶץ בְּהַדְרָגָה וּבְמִדָּה כָּלוּל יַחַד מֵהַשָּׂגַת "מְלֹא כָל הָאָרֶץ כְּבוֹדוֹ וְאַיֵּה

that we do not know, for no one can comprehend Your greatness.

Master of the world, You are hidden and revealed: "He dwells on high, He lowers His eyes to see Heaven and earth, He raises the pauper from the dust, He lifts the needy from the ash heap."

Secure a poor and impoverished person such as myself. Elevate me from the dirt and trash because, "You can do everything; no purpose can be withheld from You."

May the awareness of the "son"—those who dwell above—and the awareness of the "student"—those who dwell below—be integrated and shine together in us.

May all worlds be blended together—the higher with the lower and the lower with the higher—so that we will truly attain complete awe without being nullified, Heaven forbid.

May we experience the fullness of Your Godliness in all the earth in a measured and restrained fashion that blends together the awareness that "the whole earth is filled with His glory" with the awareness that asks, "Where is

מְקוֹם כְּבוֹדוֹ", בְּאֹפֶן שֶׁנִּזְכֶּה לִירְאָה שְׁלֵמָה מִפָּנֶיךָ תָּמִיד כִּרְצוֹנְךָ הַטּוֹב בֶּאֱמֶת.

וּבְכֵן תְּזַכֵּנוּ בְּרַחֲמֶיךָ הָרַבִּים וְתַעַזְרֵנוּ וְתוֹשִׁיעֵנוּ שֶׁנִּזְכֶּה שֶׁיָּאִיר עָלֵינוּ בִּשְׁעַת אֲכִילָתֵנוּ הֶאָרַת הָרָצוֹן הַקָּדוֹשׁ.

וְתִתֶּן לָנוּ כֹּחַ וְעֹז וּגְבוּרָה מֵאִתְּךָ, וְנִזְכֶּה לִהְיוֹת "אַנְשֵׁי חַיִל יִרְאֵי אֱלֹהִים אַנְשֵׁי אֱמֶת שׂוֹנְאֵי בָצַע", כִּי אַתָּה הַנּוֹתֵן כֹּחַ לַעֲשׂוֹת חָיִל, עָזְרֵנוּ וְחַזְּקֵנוּ וְאַמְּצֵנוּ בְּיִרְאָתְךָ הַקְּדוֹשָׁה.

וְזַכֵּנוּ בְּרַחֲמֶיךָ שֶׁנִּהְיֶה גִּבּוֹרִים אַנְשֵׁי חַיִל בֶּאֱמֶת כִּרְצוֹנְךָ הַטּוֹב.

וְתִתֶּן לָנוּ מֶמְשָׁלָה דִּקְדֻשָּׁה כִּי "הָעֹשֶׁר וְהַכָּבוֹד מִלְּפָנֶיךָ וְאַתָּה מוֹשֵׁל בַּכֹּל, וּבְיָדְךָ כֹּחַ וּגְבוּרָה, וּבְיָדְךָ לְגַדֵּל וּלְחַזֵּק לַכֹּל".

זַכֵּנוּ שֶׁיִּהְיֶה לָנוּ חֵלֶק טוֹב בְּהַמַּלְכוּת וְהַמֶּמְשָׁלָה דִּקְדֻשָּׁה, בְּאֹפֶן שֶׁנִּזְכֶּה לְהַמְשִׁיךְ פַּרְנָסָה טוֹבָה בְּהַרְחָבָה גְּדוֹלָה לָנוּ וּלְכָל אַנְשֵׁי בֵּיתֵנוּ וּלְכָל הַתְּלוּיִים בָּנוּ מֵעַמְּךָ בֵּית יִשְׂרָאֵל.

the place of His glory?" In this way, we will truly attain complete fear of You always, in accordance with Your good will.

Similarly, when we eat, aid us, help us and save us in Your vast compassion, so that the illumination of the holy will shines upon us.

May We Gain Holy Strength

Share Your power, might and strength with us. May we become "men of might, fearing God; men of truth, hating dishonest gain." You give people the strength to do great things. Help us, strengthen us and bolster us so that we will experience a holy fear of You.

In Your compassion, help us become truly mighty, strong people, in accordance with Your good will.

Give us holy dominion. "Wealth and honor are before You, and You rule over all. In Your hand are power and might, and You have the power to enhance and strengthen everything."

Give us a good portion of holy sovereignty and governance, so that we will draw down a good, comfortable income for ourselves, for everyone in our family, and for every member of Your nation, the House of Israel, who is dependent on us.

רִבּוֹנוֹ שֶׁל עוֹלָם אַתָּה יוֹדֵעַ עֹצֶם דָּחְקֵנוּ וַעֲמָלֵנוּ וּמִעוּט וְצִמְצוּם הַפַּרְנָסָה שֶׁנִּתְמַעֲטָה מְאֹד פַּרְנָסַת עַמְּךָ בֵּית יִשְׂרָאֵל.

בִּפְרָט פַּרְנָסַת הַכְּשֵׁרִים הַחֲפֵצִים לִכְנֹס בְּדֶרֶךְ הַקֹּדֶשׁ וּלְעָבְדְךָ בֶּאֱמֶת, אֲשֶׁר פַּרְנָסָתָם דְּחוּקָה מְאֹד, וְרַבִּים נִמְנָעִים הַרְבֵּה מֵעֲבוֹדַת הַשֵּׁם יִתְבָּרַךְ מֵחֲמַת עוֹל וְטִרְדַּת הַפַּרְנָסָה.

רַחֵם עָלֵינוּ לְמַעַן שְׁמֶךָ, וְתַשְׁפִּיעַ עָלֵינוּ שֶׁפַע טוֹבָה וּפַרְנָסָה טוֹבָה לָנוּ וּלְכָל עַמְּךָ בֵּית יִשְׂרָאֵל, וּבִפְרָט לְהַחֲפֵצִים לְיִרְאָה אֶת שְׁמֶךָ.

עָזְרֵנוּ וְהוֹשִׁיעֵנוּ שֶׁלֹּא תִּמְנַע וּתְעַכֵּב אוֹתָנוּ הַפַּרְנָסָה מֵעֲבוֹדָתְךָ בֶּאֱמֶת, כִּי לְךָ לְבַד עֵינֵינוּ תְלוּיוֹת. "כֻּלָּם אֵלֶיךָ יְשַׂבֵּרוּן לָתֵת אָכְלָם בְּעִתּוֹ".

כִּי אֵין אִתָּנוּ יוֹדֵעַ עַד מָה שׁוּם סִבָּה וְעֵסֶק בְּדֶרֶךְ הַטֶּבַע אֵיךְ לְהַמְשִׁיךְ פַּרְנָסָה, כִּי אִם עָלֶיךָ לְבַד אָנוּ נִשְׁעָנִים, וְעֵינֵינוּ לְךָ

Drawing Down an Income from HaShem

Master of the world, You know the great pressure that we are under, our toil, and the scarcity and constricted economy that have greatly diminished the income of Your nation, the House of Israel.

This especially affects the income of spiritual people who want to begin walking on the holy path and truly serve You. Their income is so sparse, and they suffer the burden and troubles of earning a living, to the degree that many are unable to serve You.

Have compassion on us for the sake of Your Name. Send a beneficial flow of abundance and good income to us and to Your entire nation, the House of Israel, and in particular to those who fear Your Name.

Help us and save us so that the need to earn a living will not prevent us from truly serving You. Our eyes are raised to You alone. "The eyes of all turn to You, and You give them their food in its time."

No one knows how to draw down income by means of natural cause and effect. Instead, we rely on You alone. Our eyes turn to You hopefully until You will be gracious to us, in

מְיַחֲלוֹת, עַד שֶׁתְּחָנֵּנוּ בְּרַחֲמֶיךָ וּבַחֲסָדֶיךָ הָרַבִּים, וְתִתֶּן לָנוּ פַּרְנָסוֹתֵינוּ בְּעִתּוֹ בְּמוֹעֲדוֹ וּבִזְמַנּוֹ.

וְתַזְמִין לָנוּ כָּל פַּרְנָסוֹתֵינוּ קֹדֶם שֶׁנִּצְטָרֵךְ לָהֶם בְּאֹפֶן שֶׁלֹּא תְּבַלְבֵּל אוֹתָנוּ טִרְדַּת הַפַּרְנָסָה מֵעֲבוֹדָתְךָ כְּלָל.

וּתְעוֹרֵר כֹּחַ מַלְכוּתֶךָ וְתַעֲלֶה וּתְקַבֵּל הַמַּלְכוּת דִּקְדֻשָּׁה שֶׁפַע הַפַּרְנָסָה טוֹבָה לִכְלָלִיּוּת עַמְּךָ בֵּית יִשְׂרָאֵל מֵהַיָּדַיִם שֶׁיֵּשׁ בְּיַם הַחָכְמָה.

וְתַמְשִׁיךְ פַּרְנָסָה טוֹבָה עָלֵינוּ מֵרָצוֹן הָעֶלְיוֹן כְּמוֹ שֶׁכָּתוּב: "עֵינֵי כֹל אֵלֶיךָ יְשַׂבֵּרוּ, וְאַתָּה נוֹתֵן לָהֶם אֶת אָכְלָם בְּעִתּוֹ. פּוֹתֵחַ אֶת יָדֶךָ, וּמַשְׂבִּיעַ לְכָל חַי רָצוֹן".

וְתִתֵּן וּתְחַלֵּק וְתִשְׁחֹק (וְתַסְפִּיק) הַפַּרְנָסָה לְכָל אֶחָד וְאֶחָד כְּפִי מַה שֶּׁצָּרִיךְ בֶּאֱמֶת לַעֲבוֹדַת הַשֵּׁם יִתְבָּרַךְ, בְּאֹפֶן שֶׁנִּזְכֶּה כֻלָּנוּ לְעָבְדְּךָ בֶּאֱמֶת.

וְתַסְפִּיק לָנוּ כָּל צְרָכֵינוּ בְּכָבוֹד וְלֹא בְּבִזּוּי, בְּהֶתֵּר וְלֹא בְּאִסּוּר, בְּנַחַת וְלֹא בְּצַעַר מִתַּחַת יָדְךָ הָרְחָבָה וְהַמְּלֵאָה.

Your vast compassion and lovingkindness, and give us our income regularly in its time, in its season.

Prepare all of our income for us before we need it, so that the burdens of earning a living will not divert us from serving You.

Arouse the power of Your sovereignty. Raise the power of holy sovereignty so that it will receive an abundant flow of good income from "the hands that are in the Sea of Wisdom" on behalf of the entirety of Your nation, the House of Israel.

Draw good income down to us from Your supernal will. As the verse states, "The eyes of all turn to You, and You give them their food in its time. You open Your hand and satisfy the desire of all living beings."

Give, apportion and provide income for each and every individual in accordance with what he truly needs in order to serve You, so that all of us will truly serve You.

Provide us with everything we need in an honorable and not a disgraceful way, in a way that is permissible and not forbidden, with ease and not with suffering, coming from Your broad and full hand.

וְאַל תַּצְרִיכֵנוּ לֹא לִידֵי מַתְּנַת בָּשָׂר וָדָם וְלֹא לִידֵי הַלְוָאָתָם.

וְנִזְכֶּה לְקַבֵּל הַפַּרְנָסָה בִּקְדֻשָּׁה גְּדוֹלָה, וְיָאִיר בְּתוֹכָהּ הֶאָרַת הָרָצוֹן הָעֶלְיוֹן דִּקְדֻשָּׁה.

וְתַעַזְרֵנוּ לְשַׁבֵּר תַּאֲוַת אֲכִילָה לְגַמְרֵי, וּלְקַדֵּשׁ אֶת אֲכִילָתֵנוּ בִּקְדֻשָּׁה גְּדוֹלָה, וְנֹאכַל לִשְׁמְךָ לְבַד, וְנִזְכֶּה לְקַבֵּל וּלְהַמְשִׁיךְ עָלֵינוּ הַיִּרְאָה הַקְּדוֹשָׁה הַנֶּגֶשֶׁת וּבָאָה עַל הָאָדָם בְּעֵת הָאֲכִילָה.

אָבִינוּ מַלְכֵּנוּ, אַדִּירֵנוּ, בּוֹרְאֵנוּ, גּוֹאֲלֵנוּ, יוֹצְרֵנוּ, קְדוֹשֵׁנוּ קְדוֹשׁ יַעֲקֹב, רוֹעֵנוּ רוֹעֵה יִשְׂרָאֵל.

הַמֶּלֶךְ הַטּוֹב וְהַמֵּטִיב לַכֹּל, שַׂבְּעֵנוּ מִטּוּבְךָ הָאֲמִתִּי, שָׁמְרֵנוּ וְהַצִּילֵנוּ לְבַל נַטֶּה דַּעְתֵּנוּ וּלְבָבֵנוּ אַחַר הַטּוֹב הַמְדֻמֶּה.

רַק נִזְכֶּה לְשַׁבֵּר כָּל תַּאֲוֹת הַמְדֻמִּיּוֹת, תַּאֲוֹת הַבַּהֲמִיּוֹת. וְנִזְכֶּה לְדַבֵּק מַחֲשַׁבְתֵּנוּ בַּטּוֹב הָאֲמִתִּי בַּטּוֹב הַנִּצְחִי, לְהִתְעַנֵּג עַל יְהוָה וּלְהַשְׂבִּיעַ בְּצַחְצָחוֹת נַפְשֵׁנוּ.

May we never be dependent on the gifts or loans of flesh and blood.

May we receive income with great holiness, and illuminate it with the light of Your supernal holy will.

Sanctifying Our Eating

Help us completely break the desire for eating. Sanctify our eating so that it will be very holy and we will eat only for the sake of Your Name. May we receive and draw onto ourselves the holy fear that comes to a person and rests upon him when he eats.

You are our Father, our King, our Mighty One, our Creator, our Redeemer, our Maker, our Holy One, the Holy One of Jacob, our Shepherd, the Shepherd of Israel.

You are the King Who is good and does good to all. Satiate us with Your true goodness. Guard us and rescue us so that our mind and heart will never turn to any illusory goodness.

Instead, may we break all illusory desires, which are the animal desires. May we attach our thoughts to the true, eternal good, and take pleasure in You and satiate our souls with purity.

וְתִהְיֶה אֲכִילָתֵנוּ בִּקְדֻשָּׁה גְדוֹלָה וּבְאֵימָה וּבְיִרְאָה גְדוֹלָה. וְתַעַזְרֵנוּ וּתְזַכֵּנוּ שֶׁיִּמְשַׁךְ עָלֵינוּ בִּשְׁעַת אֲכִילָתֵנוּ הֶאָרַת הָרָצוֹן הָעֶלְיוֹן.

שֶׁנִּזְכֶּה לִכְסֹף וְלַחְמֹד וּלְהִשְׁתּוֹקֵק וְלַחְשׁוֹק וּלְהִתְגַּעְגֵּעַ אֵלֶיךָ בֶּאֱמֶת בִּרְצוֹן מֻפְלָג מְאֹד מְאֹד, בְּלִי שִׁעוּר וָעֵרֶךְ בְּתַכְלִית הַבִּטּוּל עַד אֵין סוֹף, עַד שֶׁלֹּא נֵדַע כְּלָל מַה אָנוּ רוֹצִים.

וְיָאִיר עָלֵינוּ הֶאָרַת הָרָצוֹן שֶׁיִּהְיֶה לֶעָתִיד בָּעוֹלָם הַבָּא, כְּמוֹ שֶׁכָּתוּב: "כָּעֵת יֵאָמֵר לְיַעֲקֹב וּלְיִשְׂרָאֵל, מַה פָּעַל אֵל".

וְנֶאֱמַר: "מָה רַב טוּבְךָ אֲשֶׁר צָפַנְתָּ לִּירֵאֶיךָ, פָּעַלְתָּ לַחוֹסִים בָּךְ נֶגֶד בְּנֵי אָדָם", וְנֶאֱמַר: "עַיִן לֹא רָאָתָה אֱלֹהִים זוּלָתְךָ יַעֲשֶׂה לִמְחַכֵּה לוֹ".

לחנוכה ויום כיפור

וְזַכֵּנוּ בְּרַחֲמֶיךָ הָרַבִּים לִקְדֻשַּׁת חֲנֻכָּה, וְתַעַזְרֵנוּ בְּכָל שָׁנָה וְשָׁנָה שֶׁנִּזְכֶּה לִפְעֹל בַּקָּשָׁתֵנוּ וּמִשְׁאֲלוֹתֵנוּ לְטוֹבָה בְּיוֹם הַכִּפּוּרִים הַקָּדוֹשׁ, שֶׁתִּמְחֹל וְתִסְלַח לַעֲוֹנוֹתֵינוּ וְלַעֲוֹנוֹת

May we eat in great holiness, fear and awe. Help us and assist us so that when we eat, the illumination of the supernal will is drawn down onto us.

May we truly yearn, desire, long, hunger and pine for You with an extraordinary desire, without measure or limit but with an ultimate nullification, until we do not know what we want at all.

May the illumination of the will that will exist in the future, in the World to Come, shine upon us. As the verse states, "At that time, it will be said to Jacob and to Israel, 'What has God wrought?'"

"How vast is Your goodness that You have hidden for those who fear You, Your deeds for those who take refuge in You." "No eye but Yours, God, has seen what You do for the person who hopes in You."

For Chanukah and Yom Kippur

The Holiness of Chanukah

In Your vast compassion, help us attain the holiness of Chanukah. And every year, help us realize our request and our petition to attain a good outcome on the holy day of Yom Kippur: that You will forgive and excuse our sins and

עַמְּךָ בֵּית יִשְׂרָאֵל וְתַעֲבִיר אַשְׁמוֹתֵינוּ בְּכָל שָׁנָה וְשָׁנָה.

"סְלַח נָא לַעֲוֹן הָעָם הַזֶּה כְּגֹדֶל חַסְדֶּךָ, וְכַאֲשֶׁר נָשָׂאתָה לָעָם הַזֶּה מִמִּצְרַיִם וְעַד הֵנָּה". וְשָׁם נֶאֱמַר: "וַיֹּאמֶר יְהֹוָה סָלַחְתִּי כִּדְבָרֶךָ".

סְלַח נָא מְחַל נָא כַּפֵּר נָא עַל כָּל חַטֹּאתֵינוּ וַעֲוֹנוֹתֵינוּ וּפְשָׁעֵינוּ שֶׁחָטָאנוּ וְשֶׁעָוִינוּ וְשֶׁפָּשַׁעְנוּ לְפָנֶיךָ מִנְּעוּרֵנוּ עַד הַיּוֹם הַזֶּה.

"חָנֵּנִי אֱלֹהִים כְּחַסְדֶּךָ כְּרֹב רַחֲמֶיךָ מְחֵה פְשָׁעַי. הֶרֶב כַּבְּסֵנִי מֵעֲוֹנִי וּמֵחַטָּאתִי טַהֲרֵנִי. הַסְתֵּר פָּנֶיךָ מֵחֲטָאָי וְכָל עֲוֹנֹתַי מְחֵה".

וְנִזְכֶּה עַל יְדֵי הַמְּחִילָה וְהַסְּלִיחָה שֶׁל יוֹם הַכִּפּוּרִים לְקַבֵּל עַל יְדֵי זֶה קְדֻשַּׁת יְמֵי הַחֲנֻכָּה הַקְּדוֹשִׁים, שֶׁהֵם חֲנֻכַּת הַבַּיִת, וְנִזְכֶּה לְהַמְשִׁיךְ עָלֵינוּ בִּימֵי הַחֲנֻכָּה קְדֻשַּׁת הַבֵּית הַמִּקְדָּשׁ.

וּתְרַחֵם עָלֵינוּ וְתִבְנֶה לָנוּ אֶת בֵּית קָדְשֵׁנוּ וְתִפְאַרְתֵּנוּ בִּמְהֵרָה בְיָמֵינוּ וְשָׁם נַקְרִיב לְפָנֶיךָ אֶת קָרְבְּנוֹת חוֹבוֹתֵינוּ,

the sins of Your nation, the House of Israel, and remove our guilt every year.

"Forgive the sin of this nation in accordance with the greatness of Your kindness, as You brought this nation forth from Egypt and until now." And then, "HaShem said, 'I have forgiven in accordance with Your word.'"

Please excuse, forgive and grant atonement for all of our transgressions, sins and offenses that we committed before You from our youth until this day.

"Be gracious to me, God, in accordance with Your kindness. In Your great compassion, erase my transgressions. Cleanse me thoroughly of my sins and purify me of my transgressions... Hide Your face from my transgression and erase all of my sins."

As a result of the forgiveness and pardon of Yom Kippur, may we attain the sanctity of the holy days of Chanukah, which commemorate the inauguration of the Temple. During the days of Chanukah, may we draw onto ourselves the holiness of the Temple.

Have compassion on us and build for us our holy Temple, which is our beauty, quickly and in our days. There we will bring our obligatory

לְטַהֲרֵנוּ מֵעֲוֹנוֹתֵינוּ וְלִסְלֹחַ חַטֹּאתֵינוּ.

וְנִזְכֶּה לְהַקְרִיב לְפָנֶיךָ בְּכָל יוֹם וָיוֹם קָרְבְּנוֹת הַתָּמִיד בַּבֹּקֶר וּבָעֶרֶב.

וּבִזְכוּת הַתָּמִיד שֶׁל שַׁחַר תִּמְחֹל לָנוּ עַל כָּל הָעֲוֹנוֹת שֶׁל לַיְלָה, וּבִזְכוּת הַתָּמִיד שֶׁל בֵּין הָעַרְבַּיִם תִּמְחֹל לָנוּ עַל כָּל הָעֲווֹנוֹת שֶׁל הַיּוֹם.

כִּי אַתָּה יוֹדֵעַ גֹּדֶל הָרַחֲמָנוּת שֶׁעַל יִשְׂרָאֵל כְּשֶׁהֵם נוֹפְלִים בַּעֲוֹנוֹת חַס וְשָׁלוֹם, אֲשֶׁר אֵין רַחֲמָנוּת בָּעוֹלָם גָּדוֹל מִזֶּה.

כִּי אַתָּה יוֹדֵעַ עֹצֶם קְדֻשָּׁתֵנוּ בְּשָׁרְשֵׁנוּ וְעֹצֶם דַּקּוּתֵנוּ וְרוּחָנִיּוּתֵנוּ שֶׁאָנוּ רְחוֹקִים לְגַמְרֵי מֵעָוֹן, וְאֵין עָוֹן שַׁיָּךְ לָנוּ כְּלָל, וְאֵין אָנוּ יְכוֹלִין לִשָּׂא עָלֵינוּ עֹל מַשָּׂאוּי הָעֲוֹנוֹת אֲפִלּוּ יוֹם אֶחָד.

וְעִקַּר הָרַחֲמָנוּת הַגָּדוֹל מִכָּל מִינֵי רַחֲמָנוּת הוּא לְהוֹצִיא אוֹתָנוּ מֵעֲוֹנוֹת וַחֲטָאִים וּפְגָמִים, אֲשֶׁר רַק זֶה הוּא עִקַּר הָרַחֲמָנוּת הָאֲמִתִּי, וְאֵין שׁוּם רַחֲמָנוּת בָּעוֹלָם נֶחְשָׁב כְּלָל כְּנֶגֶד זֶה הָרַחֲמָנוּת.

עַל כֵּן בְּרַחֲמֶיךָ נָתַתָּ לָנוּ אֶת בֵּית הַמִּקְדָּשׁ לְכַפֵּר עַל כָּל עֲוֹנוֹתֵינוּ.

sacrifices to You, to purify ourselves from our sins and gain forgiveness for our transgressions.

May we offer You the morning and afternoon sacrifices every day.

In the merit of the daily morning offering, You will forgive all of our sins of the previous night. And in the merit of the daily afternoon offering, You will forgive all of our sins of the previous day.

You know how terribly wretched the Jewish people are when they fall victim to committing sins, Heaven forbid. Nothing in the world is more tragic than that.

You know the magnitude of our holiness at our essence, the magnitude of our refinement and spirituality. We are so entirely removed from sin that no sin has any connection to us at all, and we cannot bear the burden of the weight of sins for even a single day.

The essence of the greatest compassion, among all types of compassion, is to deliver a person from sins, transgressions and blemishes. Only that is essential, true compassion. No other compassion compares to that.

Therefore, in Your compassion, You gave us the Temple to atone for all of our sins.

וּמֵעֵת אֲשֶׁר חָרַב בֵּית מִקְדָּשֵׁנוּ, חָשְׁכוּ עֵינֵינוּ, וְאֵין אָנוּ יְכוֹלִים לְנַקּוֹת עַצְמֵנוּ מֵעֲוֹנוֹת, כִּי אֵין מִי שֶׁיְּכַפֵּר בַּעֲדֵנוּ, אֲשֶׁר צָרָה הַזֹּאת גְּדוֹלָה מִכָּל הַצָּרוֹת שֶׁבָּעוֹלָם, כַּאֲשֶׁר נִגְלָה לְפָנֶיךָ אֲדוֹן כֹּל.

וּכְבָר חָלְפוּ וְעָבְרוּ קָרוֹב לְאַלְפַּיִם שָׁנָה מִיּוֹם הַחֻרְבָּן, אֲשֶׁר אָנוּ הוֹלְכִים תּוֹעִים וַחֲשֵׁכִים כִּיתוֹמִים וְאֵין אָב.

אָדוֹן, הָקֵל עָלֵינוּ, וּשְׁלַח יֶשַׁע לְגָאֳלֵנוּ. חוּס וַחֲמֹל וְרַחֵם עָלֵינוּ, וֶאֱמֹר לְצָרוֹתֵינוּ דַּי, וּתְמַהֵר וְתָחִישׁ לְגָאֳלֵנוּ גְּאֻלָּה שְׁלֵמָה בְּגַשְׁמִיּוּת וְרוּחָנִיּוּת בְּגוּף וָנֶפֶשׁ וּמָמוֹן.

וְתִגְאוֹל וְתִפְדֶּה נַפְשֵׁנוּ מִכָּל הַחֲטָאִים וְהָעֲוֹנוֹת וְהַפְּשָׁעִים, וּמִכָּל מִינֵי פְּגָמִים שֶׁבָּעוֹלָם, וּמִכָּל הַתַּאֲוֹת וְהַמִּדּוֹת רָעוֹת.

וְתִבְנֶה לָנוּ אֶת בֵּית מִקְדָּשֵׁנוּ בִּנְיַן עוֹלָם עֲדֵי עַד, וְיָשׁוּבוּ כֹּהֲנִים לַעֲבוֹדָתָם וּלְוִיִּם לְדוּכָנָם וְיִשְׂרָאֵל לְמַעֲמָדָם.

וְתַמְשִׁיךְ וְתָאִיר עָלֵינוּ עַל יְדֵי הַצַּדִּיקִים הָאֲמִתִּיִּים קְדֻשַּׁת

Ever since our Temple was destroyed, we have been unable to cleanse ourselves of sin, because there is nothing to atone on our behalf. That causes a suffering greater than all other suffering in the world, as is clear to You, Master of all.

From the day of that destruction, almost two thousand years have elapsed, during which time we have wandered about lost and in the dark, like orphans without a father.

Our Master, ease our yoke. Send us our salvation. Redeem us. Have pity, mercy and compassion on us. Tell our troubles, "Enough!" Swiftly and speedily redeem us with a complete physical and spiritual redemption—in body, in soul and in our monetary resources.

Redeem and restore our souls from all transgressions, sins and offenses, from every type of blemish, and from all lusts and evil traits.

Build our Temple for us, an eternal structure that will last forever. May the Kohanim return to their service, the Levites to their platform, and Israel to their stations.

And through the true Tzaddikim, draw down and shine onto us the sanctity of the holy awareness that integrates the consciousness

הַדַּעַת הַקָּדוֹשׁ הַכָּלוּל מֵהַשָּׂגַת בֵּן וְתַלְמִיד דִּקְדֻשָּׁה, שֶׁהוּא אַסְפַּקְלַרְיָא הַמְּאִירָה וְאַסְפַּקְלַרְיָא שֶׁאֵינָהּ מְאִירָה. וְנִזְכֶּה לָדַעַת כִּי יְהֹוָה הוּא הָאֱלֹהִים.

וְתַצִּיל אוֹתָנוּ מֵרוּחַ שְׁטוּת וְשִׁגָּעוֹן, וּמִכָּל מִינֵי טֵרוּף הַדַּעַת, וְתִשְׁמְרֵנוּ וְתַצִּילֵנוּ מִכָּל מִינֵי חֲטָאִים וּפְגָמִים שֶׁבָּעוֹלָם.

וְנִזְכֶּה לְיִרְאָה שְׁלֵמָה מִפָּנֶיךָ תָּמִיד, וּלְפַרְנָסָה טוֹבָה מֵאִתְּךָ, וְיָאִיר עָלֵינוּ הֶאָרַת הָרָצוֹן בִּשְׁעַת אֲכִילָתֵנוּ בִּקְדֻשָּׁה גְּדוֹלָה.

רִבּוֹנוֹ שֶׁל עוֹלָם, זַכֵּנוּ לְקַיֵּם מִצְוַת הַדְלָקַת נֵר חֲנֻכָּה בְּשֶׁמֶן, וְעַל יְדֵי זֶה תַּמְשִׁיךְ עָלֵינוּ הֶאָרָה גְּדוֹלָה מֵהַשִּׁין עַיִ"ן נְהוֹרִין שֶׁל אוֹר הַפָּנִים שֶׁהֵם אוֹרוֹת הַמַּקִּיפִים הָעֶלְיוֹנִים שֶׁהֵם בְּחִינַת אוֹר הַפָּנִים, וִיקֻיַּם בָּנוּ מִקְרָא שֶׁכָּתוּב, יָאֵר יְיָ פָּנָיו אֵלֶיךָ וִיחֻנֶּךָּ. וְתַזְמִין לָנוּ פַּרְנָסָתֵנוּ בְּרֶוַח וּבִקְדֻשָּׁה גְּדוֹלָה, בְּאֹפֶן שֶׁבְּתוֹךְ אֲכִילָתֵנוּ וּפַרְנָסָתֵנוּ יִהְיֶה בְּחִינַת הִתְגַּלּוּת אוֹרוֹת הַמַּקִּיפִין שֶׁהֵם בְּחִינַת אוֹר הַפָּנִים, וִיקֻיַּם מִקְרָא שֶׁכָּתוּב, לְהַצְהִיל פָּנִים מִשָּׁמֶן וְלֶחֶם לְבַב אֱנוֹשׁ יִסְעָד.

of the "son"—the shining lens—and the holy "student"—the lens that does not shine. May we come to know that "HaShem is God."

Rescue us from a spirit of foolishness and madness, and from every type of imbalance of the mind. Guard us and rescue us from every type of transgression and blemish in the world.

May we attain complete fear of You always, and a good income that comes from You. And when we eat in great holiness, illuminate us with the light of Your will.

Master of the world, make it possible for us to perform the mitzvah of lighting the Chanukah menorah with oil. When we do so, draw onto us great enlightenment from the 370 illuminations of the "light of the face," which are encompassing, supernal illuminations. May the verse be realized in us, "May HaShem cause His face to shine upon you and be gracious to you." Send us our income with great breadth and holiness, so that the revelation of the encompassing lights, the level of the "light of the face," will exist in the midst of our eating and gaining an income. May the verse be realized, "To make the face shine brighter than from oil, and may bread sustain the heart of man."

וְתִרְפָּאֵנוּ רְפוּאָה שְׁלֵמָה בְּכָל רְמַ"ח אֵבָרֵינוּ וּשְׁסָ"ה גִידֵינוּ, וְתִשְׁמְרֵנוּ וְתַצִּילֵנוּ מִכָּל מִינֵי חוֹלָאַת, וּבִפְרָט מֵחָלְיֵי הָרֵאָה חַס וְשָׁלוֹם.

וְנִזְכֶּה שֶׁתִּהְיֶה הָרֵאָה בִּשְׁלֵמוּת אֶצְלֵנוּ תָּמִיד, בְּגַשְׁמִיּוּת וְרוּחָנִיּוּת, וְתִתְנַהֵג הָרֵאָה בְּמֶזֶג הַשָּׁוֶה תָּמִיד.

וְתַמְשִׁיךְ לָנוּ בְּכָל עֵת וָרֶגַע רוּחַ חַיִּים דִּקְדֻשָּׁה לְתוֹךְ כַּנְפֵי הָרֵאָה, וְיִהְיוּ כַּנְפֵי הָרֵאָה סוֹכְכִים בְּכַנְפֵיהֶם עַל הַלֵּב. וִירַחֲפוּ בְּכַנְפֵיהֶם וְיַמְשִׁיכוּ רוּחַ חַיִּים דִּקְדֻשָּׁה בְּגַשְׁמִיּוּת וְרוּחָנִיּוּת לְתוֹךְ כָּל אֵבָרֵי הַגּוּף וְגִידָיו וְעוֹרְקָיו.

וּתְחַיֵּנוּ בְּאוֹר פָּנֶיךָ, וְתַמְשִׁיךְ וְתָאִיר עָלֵינוּ בְּרַחֲמֶיךָ הָרַבִּים ש"ע [שִׁי"ן עַיִ"ן] נְהוֹרִין שֶׁל הַפָּנִים הָעֶלְיוֹנִים, שֶׁהֵם אוֹרוֹת הַמַּקִּיפִים הַקְּדוֹשִׁים, שֶׁנִּזְכֶּה לְהַשִּׂיגָם חִישׁ קַל מְהֵרָה.

וְתַשְׁפִּיעַ עָלֵינוּ בִּרְצוֹנְךָ הַטּוֹב שֶׁפַע טוֹבָה וּפַרְנָסָה טוֹבָה כִּי בְךָ לְבַד בָּטָחְנוּ.

כִּי אַתָּה "מַצְמִיחַ חָצִיר לַבְּהֵמָה, וְעֵשֶׂב לַעֲבוֹדַת הָאָדָם, לְהוֹצִיא לֶחֶם מִן הָאָרֶץ וְיַיִן יְשַׂמַּח לְבַב אֱנוֹשׁ, לְהַצְהִיל

Health and Life in All of Our Limbs

Heal us completely in all of our 248 limbs and 365 sinews. Guard us and rescue us from every type of illness—in particular, from illnesses of the lungs, Heaven forbid.

May our lungs always be whole, physically and spiritually. May they always function with the proper balance.

At all times and at every moment, draw a spirit of holy life into the lobes of our lungs. May our lungs cover our heart like wings, hovering and drawing down a spirit of holy physical and spiritual life into all of the limbs, sinews and blood vessels of the body.

Give us life in the light of Your face. In Your vast compassion, draw down and shine onto us the 370 illuminations of the supernal countenance, which are the holy encompassing lights. May we attain them soon—swiftly and quickly.

In Your good will, pour onto us a generous flow of abundance and good income. We trust only in You.

You "cause grass to grow for the animals, and vegetation for the work of man to bring forth bread from the earth and wine that rejoices the

פָּנִים מִשָּׁמֶן וְלֶחֶם לְבַב אֱנוֹשׁ יִסְעָד".

וְנֶאֱמַר: "מָה רַבּוּ מַעֲשֶׂיךָ יְהֹוָה כֻּלָּם בְּחָכְמָה עָשִׂיתָ מָלְאָה הָאָרֶץ קִנְיָנֶךָ. זֶה הַיָּם גָּדוֹל וּרְחַב יָדַיִם שָׁם רֶמֶשׂ וְאֵין מִסְפָּר חַיּוֹת קְטַנּוֹת עִם גְּדֹלוֹת. שָׁם אֳנִיּוֹת יְהַלֵּכוּן לִוְיָתָן זֶה יָצַרְתָּ לְשַׂחֶק בּוֹ.

כֻּלָּם אֵלֶיךָ יְשַׂבֵּרוּן לָתֵת אָכְלָם בְּעִתּוֹ. תִּתֵּן לָהֶם יִלְקֹטוּן תִּפְתַּח יָדְךָ יִשְׂבְּעוּן טוֹב".

רִבּוֹנוֹ שֶׁל עוֹלָם, עָזְרֵנוּ שֶׁנִּהְיֶה רְגִילִים לְעַיֵּן וּלְדַבֵּר בְּכָל עֵת מֵהַחִדּוּשֵׁי תוֹרָה אֲמִתִּיִּים שֶׁנִּתְחַדְּשׁוּ עַל יְדֵי חֲכָמֶיךָ הַקְּדוֹשִׁים, וּבְכָל עֵת שֶׁנְּעַיֵּן וּנְדַבֵּר מֵאֵיזֶה חִדּוּשׁ שֶׁחִדֵּשׁ הֶחָכָם הָאֱמֶת, אֲזַי תִּפֹּל עָלֵינוּ יִרְאָה וָפַחַד גָּדוֹל, עַל יְדֵי שֶׁתָּבוֹא הַמַּלְכוּת דִּקְדֻשָּׁה, כִּבְיָכוֹל, שֶׁהוּא מְקוֹר הַיִּרְאָה, לְהַמְשִׁיךְ וּלְקַבֵּל הַפַּרְנָסָה מֵהַיָּם הַחָכְמָה שֶׁנִּתְגַּלָּה עַל יְדֵי זֶה הֶחָכָם הָאֱמֶת. וְעַל יְדֵי כָל זֶה תִּתְעוֹרֵר גַּם כֵּן הַיִּרְאָה

heart of man, to make the face shine brighter than from oil and bread, which sustains the heart of man."

"How abundant are Your works, HaShem! You made all of them with wisdom; the world is filled with Your possessions. This is the great and broad sea; there are the creeping things and innumerable animals, small and large. There the ships proceed. You created the leviathan to play with."

"All of them turn to You with hope, to give them their food in its time. You give it to them, they gather it in; You open Your hand, they are sated with good."

Discussing the Torah Insights of the Sages

Master of the world, help us accustom ourselves at every moment to study and discuss the true Torah insights of Your holy sages. At every moment, may we study and discuss some insight that the true sage created. Then may great fear and awe fall upon us as a result of the arrival of Your holy sovereignty, as it were, which is the source of fear, so that we will draw down and receive income from the Sea of Wisdom that is revealed by this true sage. And as a result of all this, may the God-fearing awareness of that

שֶׁל זֶה הֶחָכָם בְּעַצְמוֹ שֶׁחִדֵּשׁ זֶה הַחִדּוּשׁ, שֶׁעַל יְדֵי זֶה הָיוּ דְּבָרָיו נִשְׁמָעִין וְנִתְקַיְּמוּ לְדוֹרוֹת עוֹלָם. וְעַל יְדֵי כָּל זֶה תִּפֹּל גַּם עָלֵינוּ יִרְאָה וָפַחַד גָּדוֹל מִלְּפָנֶיךָ בְּכָל עֵת שֶׁנְּעַיֵּן וּנְדַבֵּר מֵאֵלּוּ הַחִדּוּשִׁים הַקְּדוֹשִׁים.

מָלֵא רַחֲמִים, רַחֵם עָלֵינוּ בְּרַחֲמֶיךָ הָרַבִּים, בְּרַחֲמֶיךָ הָאֲמִתִּיִּים וּמַלֵּא מִשְׁאֲלוֹתֵינוּ לְטוֹבָה בְּרַחֲמִים. וְתֵן לָנוּ מַנְהִיג רַחֲמָן אֲמִתִּי שֶׁיֵּדַע אֵיךְ לְהִתְנַהֵג עִם הָרַחֲמָנוּת.

שֶׁיְּרַחֵם עָלֵינוּ בְּרַחֲמָנוּת הָאֲמִתִּי, שֶׁיְּמַהֵר וְיָחִישׁ לְהוֹצִיאֵנוּ מִכָּל הָעֲוֹנוֹת וּמִכָּל הַפְּגָמִים שֶׁנִּלְכַּדְנוּ בָּהֶם.

אַף עַל פִּי שֶׁאָנוּ יוֹדְעִים בְּעַצְמֵנוּ שֶׁאָנוּ חַיָּבִים מְאֹד, אֲשֶׁר הִקְשִׁינוּ עָרְפֵּנוּ וְלֹא הִתְגַּבַּרְנוּ לְקַיֵּם דִּבְרֵי תוֹרָתְךָ וּמִצְוֹתֶיךָ בֶּאֱמֶת, עַד שֶׁפָּגַמְנוּ מַה שֶּׁפָּגַמְנוּ וְקִלְקַלְנוּ מַה שֶּׁקִּלְקַלְנוּ.

אַף עַל פִּי כֵן חַסְדּוֹ יִתְגַּבֵּר עָלֵינוּ, וִיעוֹרֵר רַחֲמִים רַבִּים כָּאֵלֶּה שֶׁיּוֹצִיאוּ אוֹתָנוּ, אֶת כָּל אֶחָד וְאֶחָד, מִכָּל הַחֲטָאִים וְהָעֲוֹנוֹת וְהַפְּשָׁעִים.

sage who originated this insight be aroused, due to his words being heard and realized for generations. And in consequence of all this, may great fear and awe of You fall upon us at every moment when we study and discuss these holy insights.

Compassion and Redemption

You Who are filled with vast and true compassion, fulfill our requests for the good. Give us a truly compassionate leader who will know how to act with compassion.

May he have true compassion on us. May he quickly and swiftly extricate us from all of the sins and blemishes in which we have been trapped.

We ourselves know how guilty we are, how we have stiffened our necks and not strengthened ourselves to truly fulfill the words of Your Torah and Your mitzvot, but have caused blemishes and damage.

Despite all this, may Your lovingkindness on our behalf grow stronger and awaken Your vast compassion that will extricate each one of us from all of our transgressions, sins and offenses.

שֶׁנִּהְיֶה מֻבְטָחִים מֵעַתָּה לְהִנָּצֵל מִכָּל רָע וְלֹא נָשׁוּב עוֹד לְכִסְלָה, וְלֹא נַעֲשֶׂה מֵעַתָּה שׁוּם חֵטְא וְעָוֹן כְּלָל, וְלֹא נִפְגֹּם עוֹד שׁוּם פְּגַם כְּלָל, וְלֹא נָסוּר מֵרְצוֹנְךָ בֶּאֱמֶת יָמִין וּשְׂמֹאל.

וְאַתָּה בְּרַחֲמֶיךָ הָרַבִּים תִּמְחֹל וְתִסְלַח וּתְכַפֵּר לָנוּ עַל כָּל מַה שֶּׁחָטָאנוּ עַד הֵנָּה, וִיקֻיַּם מִקְרָא שֶׁכָּתוּב: "יַעֲזֹב רָשָׁע דַּרְכּוֹ, וְאִישׁ אָוֶן מַחְשְׁבֹתָיו, וְיָשֹׁב אֶל יְהוָֹה וִירַחֲמֵהוּ, וְאֶל אֱלֹהֵינוּ כִּי יַרְבֶּה לִסְלוֹחַ".

אָבִינוּ אָב הָרַחֲמָן, רַחֵם עָלֵינוּ וְאַל תַּשְׁחִיתֵנוּ כְּמָה שֶׁכָּתוּב: "כִּי אֵל רַחוּם יְהוָֹה אֱלֹהֶיךָ לֹא יַרְפְּךָ וְלֹא יַשְׁחִיתֶךָ וְלֹא יִשְׁכַּח אֶת בְּרִית אֲבוֹתֶיךָ אֲשֶׁר נִשְׁבַּע לָהֶם".

וְנֶאֱמַר: "וְשָׁב יְהוָֹה אֱלֹהֶיךָ אֶת שְׁבוּתְךָ וְרִחֲמֶךָ וְשָׁב וְקִבֶּצְךָ מִכָּל הָעַמִּים אֲשֶׁר הֱפִיצְךָ יְהוָֹה אֱלֹהֶיךָ שָׁמָּה. אִם יִהְיֶה נִדַּחֲךָ בִּקְצֵה הַשָּׁמַיִם מִשָּׁם יְקַבֶּצְךָ יְהוָֹה אֱלֹהֶיךָ וּמִשָּׁם

Then we will be assured that from now on we will be saved from all evil, and we will no longer return to foolishness and no longer commit any transgression or sin at all. Moreover, we will not cause any more blemishes at all, and we will not turn aside from Your will, neither right nor left.

In Your vast compassion, forgive, excuse and grant atonement for all of the transgressions that we have committed. May the verse be fulfilled, "The wicked person will abandon his way and the man of iniquity his thoughts, and he will return to HaShem, Who will have compassion on him, and to our God, for He will freely pardon."

Our compassionate Father, have compassion on us and do not destroy us. As the verse states, "HaShem your God is a compassionate God. He will not abandon you and will not destroy you, and He will not forget the covenant with your forefathers that He swore to them."

"HaShem your God will bring back your exiles and have compassion on you. He will once again gather you from all of the nations to which HaShem your God scattered you. If your exiles will be at the end of the heavens, from there HaShem your God will gather you, and He

יִקָּחֶךָ. וֶהֱבִיאֲךָ יְהוָה אֱלֹהֶיךָ אֶל הָאָרֶץ אֲשֶׁר יָרְשׁוּ אֲבוֹתֶיךָ וִירִשְׁתָּהּ, וְהֵיטִבְךָ וְהִרְבְּךָ מֵאֲבוֹתֶיךָ".

וְנֶאֱמַר: "יְהוָה חָנֵּנוּ לְךָ קִוִּינוּ, הֱיֵה זְרוֹעָם לַבְּקָרִים אַף יְשׁוּעָתֵנוּ בְּעֵת צָרָה". וְנֶאֱמַר: "וְעֵת צָרָה הִיא לְיַעֲקֹב וּמִמֶּנָּה יִוָּשֵׁעַ".

וְנֶאֱמַר: "בְּכָל צָרָתָם לוֹ צָר, וּמַלְאַךְ פָּנָיו הוֹשִׁיעָם, בְּאַהֲבָתוֹ וּבְחֶמְלָתוֹ הוּא גְאָלָם, וַיְנַטְּלֵם וַיְנַשְּׂאֵם כָּל יְמֵי עוֹלָם".

וְנֶאֱמַר: "מִי אֵל כָּמוֹךָ נוֹשֵׂא עָוֹן וְעוֹבֵר עַל פֶּשַׁע לִשְׁאֵרִית נַחֲלָתוֹ לֹא הֶחֱזִיק לָעַד אַפּוֹ כִּי חָפֵץ חֶסֶד הוּא. יָשׁוּב יְרַחֲמֵנוּ יִכְבּוֹשׁ עֲוֹנוֹתֵינוּ וְתַשְׁלִיךְ בִּמְצוּלוֹת יָם כָּל חַטֹּאתָם, תִּתֵּן אֱמֶת לְיַעֲקֹב חֶסֶד לְאַבְרָהָם אֲשֶׁר נִשְׁבַּעְתָּ לַאֲבוֹתֵינוּ מִימֵי קֶדֶם".

רִבּוֹנוֹ שֶׁל עוֹלָם, מֶלֶךְ רַחֲמָן רַחֵם עָלֵינוּ, טוֹב וּמֵטִיב הַדֹּרֵשׁ

will take you from there." "HaShem your God will bring you to the land that your forefathers inherited, and you will inherit it, and He will do good to you and make you numerous, more than your forefathers."

"HaShem, be gracious to us. We have hoped in You. Be our arm in the mornings, our salvation at a time of trouble." "It is a time of trouble for Jacob, but from it he will be saved."

"In all of their trouble, He was troubled, and the angel of His Presence saved them; with His love and with His kindness, He redeemed them, and He bore them and He carried them all the days of old."

"Who is a God like You, Who forgives sin and passes over the iniquity of the remnant of His inheritance? He does not hold onto His anger forever, for He desires lovingkindness. He will again have compassion. He will hide our sins. You will cast [our] sins into the depths of the sea. You will give truth to Jacob, lovingkindness to Abraham, as You promised our fathers from ancient days."

Master of the world, compassionate King, have compassion on us. You Who are good and do good, respond to us. Return to us in Your

לָנוּ, שׁוּבָה עָלֵינוּ בַּהֲמוֹן רַחֲמֶיךָ בִּגְלַל אָבוֹת שֶׁעָשׂוּ רְצוֹנֶךָ, בְּנֵה בֵיתְךָ כְּבַתְּחִלָּה וְכוֹנֵן מִקְדָּשְׁךָ עַל מְכוֹנוֹ, וְהַרְאֵנוּ בְּבִנְיָנוֹ וְשַׂמְּחֵנוּ בְּתִקּוּנוֹ.

וְהָשֵׁב כֹּהֲנִים לַעֲבוֹדָתָם וּלְוִיִּם בְּדוּכָנָם לְשִׁירָם וּלְזִמְרָם, וְהָשֵׁב יִשְׂרָאֵל לִנְוֵיהֶם. וְשָׁם נַקְרִיב לְפָנֶיךָ אֶת קָרְבְּנוֹת חוֹבוֹתֵינוּ תְּמִידִין כְּסִדְרָן וּמוּסָפִין כְּהִלְכָתָן.

רַחֵם עָלֵינוּ לְמַעַן שְׁמֶךָ, כִּי לֹא עַל צִדְקוֹתֵינוּ אֲנַחְנוּ מַפִּילִים תַּחֲנוּנֵינוּ לְפָנֶיךָ כִּי עַל רַחֲמֶיךָ הָרַבִּים.

כִּי עַל רַחֲמֶיךָ הָרַבִּים אָנוּ בְּטוּחִים, וְעַל חֲסָדֶיךָ אָנוּ נִשְׁעָנִים, וְלִסְלִיחוֹתֶיךָ אָנוּ מְקַוִּים, וְלִישׁוּעָתְךָ אָנוּ מְצַפִּים.

וְקַיֵּם לָנוּ מִקְרָא שֶׁכָּתוּב: "וַיֹּאמֶר, אֲנִי אַעֲבִיר כָּל טוּבִי עַל פָּנֶיךָ, וְקָרָאתִי בְשֵׁם יְהוָֹה לְפָנֶיךָ, וְחַנֹּתִי אֶת אֲשֶׁר אָחֹן, וְרִחַמְתִּי אֶת אֲשֶׁר אֲרַחֵם".

enormous compassion for the sake of our fore-
fathers who did Your will. Build Your Temple as
in the beginning and establish Your Sanctuary
upon its place. Show us its construction and
make us joyful in its repair.

Return the Kohanim to their service and the
Levites to their platform, their song and their
melody. And return the Jewish people to their
dwelling place. There we will bring to You
our obligatory sacrifices, the daily offerings
according to their order and the additional offer-
ings in accordance with their laws.

Have compassion on us for the sake of Your
Name. We do not plead to You on the basis of
our righteousness, but because we rely on Your
great compassion.

We trust in Your vast compassion. We rely on
Your lovingkindness. We hope in Your forgive-
ness, and we look forward to Your salvation.

Fulfill for us the verse, "And He said, 'I will
pass all of My goodness before Your face, and I
will proclaim the name of HaShem before you,
and I will be gracious to whom I will be gracious,
and I will have compassion upon whom I will
have compassion.'"

וְתִמָּלֵא עָלֵינוּ רַחֲמִים כִּי אַתָּה הוּא בַּעַל הָרַחֲמִים, כִּי אֵל רַחוּם שְׁמֶךָ, אֵל חַנּוּן שְׁמֶךָ, בָּנוּ נִקְרָא שְׁמֶךָ, יְהֹוָה עֲשֵׂה לְמַעַן שְׁמֶךָ.

וְתַשְׁפִּיעַ עָלֵינוּ רַחֲמִים רַבִּים רַחֲמִים גְּדוֹלִים, וִיקֻיַּם בָּנוּ מְהֵרָה מִקְרָא שֶׁכָּתוּב: "כִּי מְרַחֲמָם יְנַהֲגֵם וְעַל מַבּוּעֵי מַיִם יְנַהֲלֵם".

וְנֶאֱמַר: "בְּרֶגַע קָטֹן עֲזַבְתִּיךְ, וּבְרַחֲמִים גְּדוֹלִים אֲקַבְּצֵךְ. בְּשֶׁצֶף קֶצֶף הִסְתַּרְתִּי פָנַי רֶגַע מִמֵּךְ, וּבְחֶסֶד עוֹלָם רִחַמְתִּיךְ, אָמַר גּוֹאֲלֵךְ יְהֹוָה".

וְנֶאֱמַר: "כִּי הֶהָרִים יָמוּשׁוּ וְהַגְּבָעוֹת תְּמוּטֶינָה, וְחַסְדִּי מֵאִתֵּךְ לֹא יָמוּשׁ, וּבְרִית שְׁלוֹמִי לֹא תָמוּט, אָמַר מְרַחֲמֵךְ יְהֹוָה".

וְנֶאֱמַר: "הֲבֵן יַקִּיר לִי אֶפְרַיִם, אִם יֶלֶד שַׁעֲשׁוּעִים, כִּי מִדֵּי דַבְּרִי בּוֹ זָכֹר אֶזְכְּרֶנּוּ עוֹד, עַל כֵּן הָמוּ מֵעַי לוֹ רַחֵם אֲרַחֲמֶנּוּ נְאֻם יְהֹוָה".

Be filled with compassion on our behalf, because You are the Master of compassion. Compassionate God is Your Name. Gracious God is Your Name. Your Name is associated with us. HaShem, act for the sake of Your Name!

Pour vast, great compassion onto us. May the verse swiftly be realized in us, "He Who has compassion on them will guide them, and He will guide them along the wellsprings of water."

And the verse states, "For a small moment I have forsaken you, but with great compassion I will gather you. With a little rage I hid My face from you for a moment, but with eternal lovingkindness I will have compassion on you, states your Redeemer, HaShem."

"The mountains will wear away and the hills totter, but My lovingkindness will not wear away from you, and the covenant of My peace will not totter, says HaShem, Who has compassion on you."

"Ephraim is a precious son to Me, a child of delights; every time I speak of him, I recall him more. Therefore, I yearn for him; I will surely have compassion on him, says HaShem."

מְרַחֵם עַל הָאָרֶץ מְרַחֵם עַל הַבְּרִיּוֹת, הָאֵל אָב הָרַחֲמָן, רַחֵם עָלֵינוּ בְּרַחֲמֶיךָ הָאֲמִתִּיִּים בְּרַחֲמֶיךָ הַגְּנוּזִים בְּרַחֲמִים שֶׁיֵּשׁ בָּהֶם כֹּחַ לְרַחֵם גַּם עָלַי לְהַחֲזִירֵנִי בִּתְשׁוּבָה שְׁלֵמָה לְפָנֶיךָ בֶּאֱמֶת לַאֲמִתּוֹ.

"כְּחַסְדְּךָ חַיֵּנִי וְאֶשְׁמְרָה עֵדוּת פִּיךָ, חַסְדְּךָ יְהֹוָה מָלְאָה הָאָרֶץ חֻקֶּיךָ לַמְּדֵנִי".

וְתַשְׁפִּיעַ עָלַי דַּעַת דִּקְדֻשָּׁה, וּתְגָרֵשׁ מִמֶּנִּי הָרוּחַ שְׁטוּת וְשִׁגָּעוֹן וְכָל מִינֵי בִּלְבּוּל הַדַּעַת שֶׁבָּעוֹלָם.

וְאֶזְכֶּה אֲנִי וְזַרְעִי וְכָל הַתְּלוּיִם בִּי וְכָל עַמְּךָ בֵּית יִשְׂרָאֵל לָדַעַת בִּידִיעָה שְׁלֵמָה אֱלֹהוּתְךָ וּמֶמְשַׁלְתְּךָ וְגָדְלְךָ וְתָקְפְּךָ וְתִפְאַרְתְּךָ וּמַלְכוּתְךָ אֲשֶׁר בַּכֹּל מָשָׁלָה.

כָּאָמוּר: "אַתָּה הָרְאֵתָ לָדַעַת כִּי יְהֹוָה הוּא הָאֱלֹהִים אֵין עוֹד מִלְּבַדּוֹ".

רַחוּם וְחַנּוּן רַחֵם עָלַי, כִּי אַתָּה לְבַד יוֹדֵעַ עֹצֶם הָרַחֲמָנוּת

God, compassionate Father, You Who have compassion on the earth, You Who have compassion on people, have compassion on us in Your true, hidden compassion. Your compassion is so powerful that You even have compassion on me to help me return to You in complete repentance, in ultimate truth.

"In accordance with Your kindness, give me life, and I will guard the testimony of Your mouth." "HaShem, Your kindness fills the earth; teach me Your rules."

Pour holy awareness onto me. Expel my spirit of foolishness, madness, and every type of confused consciousness.

May I, my children, all those who depend on me, and Your entire nation, the House of Israel, merit complete knowledge of Your Godliness, Your governance, Your greatness, Your might, Your beauty and Your universal sovereignty.

As the verse states, "You have been shown to know that HaShem is God. There is no other besides Him."

You Who are compassionate and gracious, have compassion on me. You alone know the magnitude of the compassion that I and all of us

אֲשֶׁר עָלַי וְעָלֵינוּ בָּעֵת הַזֹּאת, וְאֵינִי יוֹדֵעַ מַה לַּעֲשׂוֹת, רַק אֲנִי שׁוֹאֵל כְּעָנִי בַּפֶּתַח רַחֲמִים וְחֶמְלָה וַחֲנִינָה, וְהַטּוֹב בְּעֵינֶיךָ עֲשֵׂה עִמִּי.

כִּי כַּפַּי פְּרוּשׂוֹת וּשְׁטוּחוֹת לְרַחֲמֶיךָ לְבַד, לְרַחֲמֶיךָ הָאֲמִתִּיִּים לְרַחֲמֶיךָ הַנִּצְחִיִּים. "חַסְדֵי יְהֹוָה כִּי לֹא תָמְנוּ, כִּי לֹא כָלוּ רַחֲמָיו. טוֹב יְהֹוָה לַכֹּל, וְרַחֲמָיו עַל כָּל מַעֲשָׂיו.

כִּי שָׁחָה לֶעָפָר נַפְשֵׁנוּ, דָּבְקָה לָאָרֶץ בִּטְנֵנוּ. קוּמָה עֶזְרָתָה לָנוּ, וּפְדֵנוּ לְמַעַן חַסְדֶּךָ".

וְקַיֵּם לָנוּ מִקְרָא שֶׁכָּתוּב: "וְאֵרַשְׂתִּיךְ לִי לְעוֹלָם, וְאֵרַשְׂתִּיךְ לִי בְּצֶדֶק וּבְמִשְׁפָּט וּבְחֶסֶד וּבְרַחֲמִים, וְאֵרַשְׂתִּיךְ לִי בֶּאֱמוּנָה וְיָדַעַתְּ אֶת יְהֹוָה.

יִהְיוּ לְרָצוֹן אִמְרֵי פִי וְהֶגְיוֹן לִבִּי לְפָנֶיךָ יְהֹוָה צוּרִי וְגוֹאֲלִי.

בָּרוּךְ יְהֹוָה אֱלֹהִים אֱלֹהֵי יִשְׂרָאֵל עֹשֵׂה נִפְלָאוֹת לְבַדּוֹ. וּבָרוּךְ שֵׁם כְּבוֹדוֹ לְעוֹלָם וְיִמָּלֵא כְבוֹדוֹ אֶת כָּל הָאָרֶץ אָמֵן וְאָמֵן":

require. I do not know what to do. I only beg, like a pauper at the door, for compassion, mercy and graciousness, and for You to treat me in whatever way appears right in Your eyes.

My hands are stretched out to Your compassion alone, to Your true, eternal compassion. "The kindnesses of HaShem have not ended. His compassion has not ceased." "HaShem is good to everyone; His compassion rests upon all of His creatures."

"Our soul is cast down to the dust, our belly clings to the earth. Arise to help us and redeem us for the sake of Your kindness."

For Your sake, fulfill the verse, "I will betroth you to Me forever; I will betroth you to Me with righteousness and with justice, with kindness and with compassion. I will betroth you to Me with faith, and you will know HaShem."

"May the words of my mouth and the meditation of my heart be pleasing before You, HaShem, my Rock and my Redeemer."

"Blessed is HaShem, God, God of Israel, Who alone does wonders. And blessed is the Name of His glory forever, and may His glory fill the entire earth. Amen and amen."

8

Proper Rebuke Elicits a Person's Spiritual Fragrance / Proper Awareness Shields a Person Against Lust / A Spiritually Powerful Person Causes the Side of Evil to Disgorge Holiness / We Must Seek a Teacher Who Possesses Something of the Power of Prophecy / Prophecy Purifies the Imagination, Making Faith Possible

---

Rebuke is a wonderful thing. When a Jew sees that someone else is behaving improperly, he is obligated to correct him.

However, not everyone is capable of delivering rebuke properly. In such cases, the rebuke will not help. To the contrary, it will be harmful. A person's evil deeds and traits exude a foul odor, and improper rebuke intensifies that odor. That weakens the soul of the wrongdoer. Worlds depend on a person's soul. When his soul weakens, those worlds cease to receive their sustenance.

But when a person gives rebuke in a worthy fashion, he grants the soul of the person receiving his rebuke a pleasant fragrance. That fragrance constitutes the soul's food and sustenance. Such a rebuke corresponds to Moses' rebuke of the Jewish people after the sin of the golden calf, which granted them a pleasant fragrance.

The voice of proper rebuke corresponds to the river that emerged from Eden to water the Garden of Eden (Genesis 2:10). This garden is the realm where pleasant fragrances and the fear of God grow.

The voice of proper rebuke corresponds to the melody of messianic times, a fourfold melody that will remake the world. When a person delivers proper rebuke, he draws down threads of kindness. These threads combine to create the seventy-two strings of the musical instrument that will play this fourfold song.

A person attains that voice—the ability to deliver proper rebuke—when he prays for God's compassion. That compassion is associated with an expanded awareness.

Until then, at times the Side of Evil diverts the energy of compassion to itself so that God's compassion to us is diminished. Then, even the little compassion that does remain is degraded and tainted by the dynamic of cruelty.

And when proper awareness is diminished, it leads to lust. Conversely, when a person's awareness is whole, it shields him against lust. (More specifically, there are three areas of awareness, each of which draws down a specific type of compassion and serves as a barrier against lust.)

When compassion and the mind are damaged, and the blemish of lust exists, a person cannot pray and plead for compassion. Then prayer enters into the realm of judgment, where the Side of Evil swallows it.

This situation can be rectified by a spiritually powerful person who is able to pray purposefully on the level of judgment. When he does so, the Side of Evil attempts to swallow his prayer. However, that prayer gets stuck in its throat and the Side of Evil must disgorge it along with all of the holy awareness, compassion and prayer that it had previously swallowed. Moreover, it must even disgorge its own life force.

This is the dynamic that occurs on Rosh HaShanah, the Day of Judgment, when prayer is in the realm of judgment. At that time, we extract life force from the Side of Evil. Then the holy awareness that it had swallowed up is restored to us.

Also, when prayer gets stuck in the throat of the Side of Evil, non-Jews convert to Judaism. They had been part of the Side of Evil, which now disgorges them, and they return to holiness.

The creation of converts increases God's glory, which is the source of prophecy.

When prophecy spreads, the faculty of imagination is purified.

And when the faculty of imagination is purified, true faith is rectified. This is because faith depends on imagination. Faith operates where understanding ceases. One does not know but only imagines—and there one requires faith.

A true leader possesses something of the spirit of prophecy beyond that found in the masses. That is what makes him worthy of being a leader. We must seek such a leader, calling out to God to help us find him.

Because such a leader possesses this spirit of prophecy, the power of imagination of all those who follow him is strengthened. Thus, their holy faith is also strengthened.

Via faith, the world will be renewed in the messianic future. Then the dynamics of lovingkindness will blend together. At that time, when people's awareness will grow, there will be no damage or cruelty, for their expanded awareness will cause compassion to spread.

At that time, the world will not function in accordance with nature, but solely in accordance with wondrous providence.

The entire world will partake of the quality of the Land of Israel. The essence of the holiness of the Land of Israel is that God's providence is always present. In the messianic future, it will be universally clear that God created everything.

At present, there is a melody of nature. In the future, there will be a new song of wonders, of providence, of lovingkindness. And we attain that via prayer.

This corresponds to the lungs. When the lungs are in proper balance, they possess all of these qualities.

לז׳ אדר הלולא דמשה רבינו ע״ה

כַּשּׁוֹפָר אָרִים קוֹלִי וְאֶקְרָא, רִבּוֹנוֹ שֶׁל עוֹלָם, אָדוֹן יָחִיד מוֹשֵׁל בַּכֹּל, חוּס וְחָנֵּנוּ בְּרַחֲמֶיךָ הָרַבִּים וּשְׁלַח לָנוּ מוֹכִיחַ טוֹב וְרָאוּי וְהָגוּן, מוֹכִיחַ אֲמִתִּי, שֶׁיִּהְיֶה רָאוּי לְהוֹכִיחַ אֶת עַמְּךָ יִשְׂרָאֵל בֶּאֱמֶת.

וְשָׁמְרֵנוּ וְהַצִּילֵנוּ בְּרַחֲמֶיךָ הָרַבִּים מִמּוֹכִיחִים שֶׁאֵינָם הֲגוּנִים וּרְאוּיִים לְהוֹכִיחַ אֶת עַמְּךָ יִשְׂרָאֵל.

כִּי אַתָּה יָדַעְתָּ כִּי לַאו כָּל אָדָם רָאוּי לְהוֹכִיחַ, כִּי הַמּוֹכִיחִים שֶׁאֵינָם רְאוּיִים וַהֲגוּנִים יְכוֹלִים חַס וְשָׁלוֹם לְהַחֲלִישׁ אֶת נִשְׁמוֹתֵינוּ עַל יְדֵי תּוֹכַחְתָּם שֶׁאֵינָהּ כַּהֹגֶן.

עַל כֵּן בָּאנוּ לְפָנֶיךָ יְהֹוָה אֱלֹהֵינוּ וֵאלֹהֵי אֲבוֹתֵינוּ, אוֹהֵב עַמּוֹ יִשְׂרָאֵל, רַחֵם עָלֵינוּ לְמַעַן שְׁמֶךָ, וּשְׁלַח לָנוּ מוֹשִׁיעַ וָרַב וּמוֹכִיחַ הָגוּן שֶׁיִּהְיֶה רָאוּי לְהוֹכִיחֵנוּ בְּ״תוֹכַחַת מְגֻלָּה מֵאַהֲבָה מְסֻתָּרֶת״.

״יֶהֶלְמֵנִי צַדִּיק חֶסֶד וְיוֹכִיחֵנִי״ בְּתוֹכַחְתּוֹ הַטּוֹבָה, בְּתוֹכָחָה

For the Seventh of Adar, the Hilula of Moses

A Worthy Mentor Who Can Deliver Admonishment

I will lift my voice like a shofar and call out to You, Master of the world, Lord Who is One, Ruler over all. Have pity and be gracious in Your vast compassion. Send us a good, worthy and excellent guide who is worthy of truly admonishing Your nation, the Jewish people.

In Your vast compassion, guard us and rescue us from mentors who are unworthy and undeserving of admonishing Your nation, the Jewish people.

You know that not everyone is fit to give admonishment. And mentors who are unfit and unworthy can, Heaven forbid, weaken our souls with their improper rebuke.

Therefore, we turn to You, HaShem our God and God of our fathers, You Who love Your nation, the Jewish people. Have compassion on us for the sake of Your Name and send us a worthy savior, rabbi and mentor who will admonish us with "a revealed rebuke out of hidden love."

"May a righteous man strike me with kindness and rebuke me" with his positive admonishment,

שֶׁל מֹשֶׁה רַבֵּנוּ עָלָיו הַשָּׁלוֹם, אֲשֶׁר עַל יְדֵי תּוֹכַחְתּוֹ הַטּוֹבָה יוֹסִיף וְיִתֵּן רֵיחַ טוֹב בְּנִשְׁמוֹתֵינוּ, וִיחַזֵּק וִיאַמֵּץ אֶת נִשְׁמוֹתֵינוּ עַל יְדֵי תּוֹכַחְתּוֹ הַטּוֹבָה.

וְיִתְחַזְּקוּ וְיִתְאַמְּצוּ וְיִתְגַּבְּרוּ נִשְׁמוֹתֵינוּ עַל יָדוֹ בְּכֹחַ גָּדוֹל דִּקְדֻשָּׁה, עַד שֶׁיֻּמְשַׁךְ וְיֻשְׁפַּע שֶׁפַע טוֹבָה וּבְרָכָה לְכָל הָעוֹלָמוֹת הַתְּלוּיִם בְּנִשְׁמוֹתֵינוּ.

בְּאֹפֶן שֶׁנִּזְכֶּה עַל יְדֵי הַמּוֹכִיחַ הָרָאוּי לָשׁוּב בִּתְשׁוּבָה שְׁלֵמָה לְפָנֶיךָ בֶּאֱמֶת מֵאַהֲבָה, עַד שֶׁיִּתְהַפְּכוּ כָּל עֲווֹנוֹתֵינוּ לִזְכֻיּוֹת.

וְתַשְׁפִּיעַ עַל הַמּוֹכִיחַ הָאֲמִתִּי קוֹלוֹ שֶׁל מֹשֶׁה, שֶׁהוּא קוֹל הַשִּׁיר שֶׁיִּתְעַר לֶעָתִיד, שֶׁהוּא שִׁיר פָּשׁוּט כָּפוּל מְשֻׁלָּשׁ מְרֻבָּע, הַכָּלוּל בְּשִׁמְךָ הַגָּדוֹל וְהַקָּדוֹשׁ.

שֶׁהוּא שִׁיר שֶׁל חֶסֶד שֶׁיִּתְנַגֵּן לֶעָתִיד עַל שִׁבְעִים וּשְׁנַיִם נִימִין, בָּעֵת שֶׁיַּגִּיעַ קִבּוּל שְׂכָרָן שֶׁל הַצַּדִּיקִים לֶעָתִיד. אַשְׁרֵי אֹזֶן שֶׁיִּזְכֶּה לִשְׁמֹעַ קוֹל הַשִּׁיר הַזֶּה.

רַחֵם עָלֵינוּ בְּרַחֲמֶיךָ הָרַבִּים, וְתֵן לָנוּ מוֹכִיחַ כָּזֶה שֶׁיּוּכַל לְהוֹכִיחֵנוּ בְּקוֹל הַשִּׁיר הַזֶּה.

with the admonishment of Moses—who, with his beneficial rebuke, enhances our souls with a good fragrance, strengthening and reinforcing our souls.

May such a mentor strengthen, bolster and reinforce our souls with powerful holiness, until a beneficial flow of goodness and blessing will be drawn down and pour onto all of the worlds that depend on our souls.

Under the influence of this worthy mentor, may we truly return to You in complete repentance out of love, until all of our sins are transformed into merits.

Pour onto the true mentor the voice of Moses, the voice of the song that will be sung in the messianic future: the simple, double, triple, quadruple song that is incorporated into Your great and holy Name.

That is the song of lovingkindness that will be played in the future upon the seventy-two strings when the righteous will receive their reward. Fortunate is the ear that will hear the sound of that song.

In Your vast compassion, have compassion on us and send us such a mentor, someone who can admonish us with the sound of this song.

וִיקַיֵּם בְּהַמּוֹכִיחַ הָאֲמִתִּי מִקְרָא שֶׁכָּתוּב: "קְרָא בְגָרוֹן אַל תַּחְשֹׂךְ, כַּשּׁוֹפָר הָרֵם קוֹלֶךָ".

וְנִזְכֶּה שֶׁיְּעוֹרֵר וִיגַלֶּה וְיַמְשִׁיךְ עָלֵינוּ הַקּוֹל הַמַּשְׁקֶה אֶת הַגַּן עֵדֶן, שֶׁהוּא הַנָּהָר הַיּוֹצֵא מֵעֵדֶן לְהַשְׁקוֹת אֶת הַגָּן.

שֶׁהוּא קוֹל הַשִּׁיר הַקָּדוֹשׁ הַזֶּה שֶׁיִּתְעַר לֶעָתִיד בָּעֵת שֶׁתְּחַדֵּשׁ אֶת עוֹלָמְךָ בְּחַסְדְּךָ הַטּוֹב כְּמוֹ שֶׁכָּתוּב: "עוֹלָם חֶסֶד יִבָּנֶה".

אֲשֶׁר עַל יְדֵי הַקּוֹל הַזֶּה גְּדֵלִים כָּל הָרֵיחוֹת טוֹבוֹת וְכָל הַיִּרְאוֹת הַקְּדוֹשׁוֹת.

וְתַמְשִׁיךְ עָלֵינוּ יִרְאָה שְׁלֵמָה יִרְאָה עִלָּאָה יִרְאַת הָרוֹמְמוּת, וְאִירָא וְאֶפְחַד וְאַזְחִיל (וְאוֹחִיל) וְאֶרְעַד מִמְּךָ תָּמִיד.

וְאֶזְכֶּה לְהַרְגִּישׁ יִרְאָתְךָ הַקְּדוֹשָׁה עָלַי תָּמִיד, בְּכָל רְמַ"ח אֵבָרַי וּשְׁסָ"ה גִידַי, וְתִהְיֶה יִרְאָתְךָ עַל פָּנַי לְבִלְתִּי אֶחֱטָא, וּתְזַכֵּנִי לַעֲנָוָה אֲמִתִּיִּית עַד שֶׁאֶזְכֶּה לְהִכָּלֵל בְּךָ בֶּאֱמֶת.

וּבְכֵן תְּרַחֵם עָלַי בְּרַחֲמֶיךָ הָרַבִּים וּבַחֲסָדֶיךָ הַגְּדוֹלִים,

Regarding this true mentor, may the verse be realized, "Call out from the throat, do not restrain yourself. Raise your voice like a shofar."

May he arouse the voice that waters the Garden of Eden, the voice that is the river emerging from Eden to water the garden. May that voice be revealed and drawn down onto us.

That is the voice of holy song that will be awakened in the future when Your good lovingkindness will renew Your world, as in the verse, "The world is built upon lovingkindness."

May this voice cause all of the good fragrances and holy awe to grow.

Draw onto us complete, supernal awe of Your elevated Being. May I experience so much fear of You that I will always grovel and tremble before You.

May I always feel Your holy awesomeness upon me, in all of my 248 limbs and 365 sinews. May Your awesomeness stand before me so that I will not transgress. Help me attain true humility, until I will truly be absorbed into You.

Strengthen Our Soul

In Your vast compassion and great loving-kindness, help me by truly nullifying and

וּתְזַכֵּנִי לְבַטֵּל וּלְשַׁבֵּר תַּאֲוַת אֲכִילָה לְגַמְרֵי בֶּאֱמֶת, וְאֶזְכֶּה לְהַכְנִיעַ מְזוֹנָא דְגוּפָא, וּלְגַבֵּר וּלְחַזֵּק וּלְאַמֵּץ בְּכָל עֹז וְתַעֲצוּמוֹת מְזוֹנָא דְנִשְׁמָתָא.

רִבּוֹנוֹ שֶׁל עוֹלָם אַתָּה יוֹדֵעַ גֹּדֶל חֲלִישׁוּת נִשְׁמוֹתֵינוּ אֲשֶׁר נֶחְלְשׁוּ מְאֹד מְאֹד בַּעֲווֹנוֹתֵינוּ הָרַבִּים וְהָעֲצוּמִים מְאֹד, עַד אֲשֶׁר כָּל מִשְׁכָּבֵנוּ נֶהְפַּךְ בְּחָלְיֵנוּ, אֲשֶׁר אִי אֶפְשָׁר לְהַעֲרִיךְ וּלְסַפֵּר כְּלָל, עַד אֲשֶׁר "כָּשַׁל כֹּחַ הַסַּבָּל".

מָלֵא רַחֲמִים בְּכָל עֵת, חוּסָה עַל נַפְשֵׁנוּ וְרוּחֵנוּ וְנִשְׁמוֹתֵינוּ, וְחַזְּקֵם וְאַמְּצֵם בְּיִרְאָתְךָ הַקְּדוֹשָׁה, וְתַשְׁפִּיעַ עֲלֵיהֶם וְתַשְׁקֵם מִשַּׁקְיָא דְגִנְתָא דְעֵדֶן, וְתַמְשִׁיךְ עֲלֵיהֶם רֵיחַ טוֹב רֵיחַ גַּן עֵדֶן.

עַד אֲשֶׁר כָּל מַעֲשֵׂינוּ הָרָעִים כֻּלָּם יִתְהַפְּכוּ לִזְכֻיּוֹת בְּחַסְדְּךָ הַגָּדוֹל, וְיַעֲלוּ רֵיחַ טוֹב לְפָנֶיךָ, כְּמוֹ שֶׁכָּתוּב: "נִרְדִּי נָתַן רֵיחוֹ" וְאָמְרוּ רַבּוֹתֵינוּ זִכְרוֹנָם לִבְרָכָה, עָזַב לֹא נֶאֱמַר אֶלָּא נָתַן.

breaking my desire to eat. May I subjugate the food that sustains the body and instead strengthen, reinforce and consolidate the sustenance of my soul with complete and intense power.

Master of the world, You know how terribly weak our souls are. They have become terribly weakened because of our many significant sins, so that whatever place we lie down is our sickbed, beyond reckoning and communication, to the point that "the strength of the porter has collapsed."

You Who are filled with compassion at every moment, have pity on all of the parts of our soul—our *nefesh*, *ruach* and *neshamah*. In Your holy awesomeness, strengthen them and reinforce them. Pour onto them the water that waters the Garden of Eden. Draw onto them the good fragrance of the Garden of Eden.

Ultimately, in Your great kindness, may all of our evil deeds be entirely transformed into merits so that they will waft a good fragrance before You. As the verse states, "My nard gave forth its scent"—regarding which our sages said, "The verse does not state *released* but actively *gave*."

וִיקַיֵּם בָּנוּ מִקְרָא שֶׁכָּתוּב: "יִרְוְיֻן מִדֶּשֶׁן בֵּיתֶךָ, וְנַחַל עֲדָנֶיךָ תַשְׁקֵם".

וְתַעַזְרֵנוּ לְהַכְנִיעַ וּלְשַׁבֵּר וּלְבַטֵּל עָקֵב דְּסִטְרָא אַחֲרָא, עָקֵב שֶׁל עֵשָׂו הָרָשָׁע שֶׁהוּא תַּאֲוַת אֲכִילָה וּשְׁתִיָּה מְזוֹנָא דְגוּפָא.

וּלְהַגְבִּיר עָלָיו עָקֵב דִּקְדֻשָּׁה, שֶׁהוּא קְדֻשַּׁת יַעֲקֹב אָבִינוּ עָלָיו הַשָּׁלוֹם, שֶׁהוּא "עֵקֶב עֲנָוָה יִרְאַת יְהֹוָה", שֶׁהוּא מְזוֹנָא דְנִשְׁמָתָא.

וְיִתְגַּבֵּר וְיִתְעַלֶּה וְיִתְחַזֵּק וְיִתְאַמֵּץ הַקּוֹל קוֹל יַעֲקֹב עַל הַיָּדַיִם יְדֵי עֵשָׂו.

רִבּוֹנוֹ שֶׁל עוֹלָם טוֹב לַכֹּל, עָזְרֵנוּ לְשַׁבֵּר וּלְבַטֵּל בֶּאֱמֶת תַּאֲוַת אֲכִילָה וּשְׁתִיָּה. רַחֵם עָלַי לְמַעַן שְׁמֶךָ, "שָׁמְרָה נַפְשִׁי וְהַצִּילֵנִי אַל אֵבוֹשׁ כִּי חָסִיתִי בָךְ".

זַכֵּנִי מְהֵרָה לְהַכְנִיעַ מְזוֹנָא דְגוּפָא וּלְהַגְבִּיר מְזוֹנָא דְנִשְׁמָתָא, וְתִהְיֶה כָּל אֲכִילָתִי וּשְׁתִיָּתִי בִּשְׁבִיל קִיּוּם הַנֶּפֶשׁ לְבַד כְּמוֹ שֶׁכָּתוּב: "צַדִּיק אוֹכֵל לְשֹׂבַע נַפְשׁוֹ".

May the verse be realized in us, "They will be sated from the fatness of Your house, and You will give them to drink from the river of Your delights."

Help us subdue, break and nullify the "heel" of the Side of Evil, the heel of the wicked Esau, who represents the desire for bodily food and drink.

May we overcome him with the heel of holiness, which is the holiness of Jacob, "the heel of humility that precedes the fear of HaShem," which is the sustenance of the soul.

May "the voice is the voice of Jacob" increase, rise, grow stronger and prevail over "the hands are the hands of Esau."

Master of the world, You Who are good to all, help us truly break and nullify the desire for eating and drinking. Have compassion on me for the sake of Your Name. "Guard my soul and save me; may I not be ashamed, for I have taken refuge in You."

Without delay, help me subjugate the food of the body and augment the food of the soul. May I eat and drink only for the sake of the existence of the soul. As the verse states, "The righteous man eats to satisfy his soul."

וּתְעוֹרֵר רַחֲמֶיךָ הָרַבִּים וַחֲסָדֶיךָ הָעֲצוּמִים עָלֵינוּ, וְתַשְׁפִּיעַ עָלֵינוּ רַחֲמִים וְחֶמְלָה וַחֲנִינָה.

וּתְזַכֵּנוּ לְהִתְפַּלֵּל תְּפִלָּתֵנוּ לְפָנֶיךָ בְּכָל לֵב וָנֶפֶשׁ, בְּחֵן וּבְחֶסֶד וּבְרַחֲמִים, כְּבֵן הַמִּתְחַטֵּא לִפְנֵי אָבִיו, וְיֶעֱרַב לְפָנֶיךָ שִׂיחוֹתֵינוּ וּתְפִלּוֹתֵינוּ וְתַחֲנוּנֵינוּ.

וְנִזְכֶּה לְעוֹרֵר רַחֲמֶיךָ הָאֲמִתִּיִּים עָלֵינוּ, וְנֵחָשֵׁב לְפָנֶיךָ כְּבֵן יָחִיד כְּבֵן יַקִּיר כְּבֵן חָבִיב, כְּבֵן הַמִּתְחַטֵּא לִפְנֵי אָבִיו וְעוֹשֶׂה לוֹ רְצוֹנוֹ, בְּאַהֲבָה בְּחֶסֶד וּבְרַחֲמִים בְּחֶמְלָה וַחֲנִינָה. וְנִשְׁפֹּךְ לִבֵּנוּ כַּמַּיִם נֹכַח פָּנֶיךָ יְהוָֹה.

כִּי אַתָּה יָדַעְתָּ אֶת לְבָבִי הַמַּר וְהַנִּמְהָר, לִבִּי סְחַרְחַר, נַפְשִׁי מָרָה לִי מְאֹד מְאֹד.

רַחֵם עָלַי אָבִי אָבִי, חֲמֹל עָלַי אֲדוֹנִי יוֹצְרִי וּבוֹרְאִי, מַלְכִּי וֵאלֹהָי, אַל תַּעַזְבֵנִי וְאַל תִּטְּשֵׁנִי. אַל יִמְעֲטוּ לְפָנֶיךָ אַנְחוֹתַי וְאֶנְקוֹתַי.

כִּי בֶּאֱמֶת אִי אֶפְשַׁר לִי לְהִתְאַנֵּחַ וְלִצְעֹק בְּשׁוּם אֹפֶן כְּמוֹ שֶׁאֲנִי צָרִיךְ לִצְעֹק.

God's Compassion and Our Compassion

Arouse Your vast compassion and intense lovingkindness on our behalf. Pour compassion, mercy and graciousness onto us.

Help us recite our prayers before You with all our heart and soul, with grace, kindness and compassion, like a son approaching his father. May our conversations, prayers and pleadings be sweet to You.

May we arouse Your true compassion toward us. Please view us as an only, precious, beloved son who comes close to his father and does his father's will with love, kindness and compassion, with mercy and grace. May we pour forth our hearts like water before Your countenance, HaShem.

You know my bitter, urgent and bewildered heart, and my bitter soul.

Have compassion on me, my Father, have mercy on me. My Lord, my Maker, my Creator, my King and my God, do not abandon me. Do not spurn me. May my sighs and groans not be insignificant to You.

In truth, it is totally impossible for me to groan and cry as I really should.

אֲבָל מָה אֶעֱשֶׂה אָבִי שֶׁבַּשָּׁמַיִם, כִּי נִלְכַּדְתִּי מְאֹד בְּהַבְלֵי הָעוֹלָם הַזֶּה בַּעֲוֹנוֹתַי הָרַבִּים, וְאֵינִי יוֹדֵעַ אֵיךְ לְהַצִּיל אֶת נַפְשִׁי, כִּי אִם עָלֶיךָ לְבַד אֲנִי נִשְׁעָן וְנִתְלֶה וְנִסְמָךְ, כְּחַסְדְּךָ חַיֵּנִי, כְּחַסְדְּךָ עֲשֵׂה עִמִּי.

כִּי בֶּאֱמֶת אֲנִי בְעַצְמִי הַחַיָּב מִכָּל הַצְּדָדִים, וְגַם זֶה אֵינִי זוֹכֶה לוֹמַר בֶּאֱמֶת לַאֲמִתּוֹ, כִּי אִם בַּפֶּה לְבַד.

אֲבָל אַתָּה טוֹב לַכֹּל וּמָלֵא רַחֲמִים בְּכָל עֵת, וּכְבָר עָשִׂיתָ עִמִּי טוֹבוֹת רַבּוֹת וַחֲסָדִים גְּדוֹלִים וְנִפְלָאוֹת עַד אֵין חֵקֶר.

הוֹשִׁיעֵנִי מֵעַתָּה אָבִי שֶׁבַּשָּׁמַיִם, וְזַכֵּנִי מְהֵרָה לִתְפִלָּה בִּשְׁלֵמוּת, בְּכַוָּנַת הַלֵּב בֶּאֱמֶת, שֶׁאֶזְכֶּה לְהִתְפַּלֵּל תָּמִיד לְפָנֶיךָ בְּרַחֲמִים וְתַחֲנוּנִים וְלַאֲפוּשֵׁי בְּרַחֲמֵי טוּבֵי בְּכָל עֵת.

עַד שֶׁאֶזְכֶּה לְעוֹרֵר רַחֲמֶיךָ הָאֲמִתִּיִּים עָלַי, בְּאֹפֶן שֶׁאֶזְכֶּה לָשׁוּב בִּתְשׁוּבָה שְׁלֵמָה לְפָנֶיךָ בֶּאֱמֶת.

וְתַצִּילֵנִי בְּרַחֲמֶיךָ הָרַבִּים שֶׁלֹּא יִהְיֶה כֹּחַ לְהַסִּטְרָא אַחֲרָא

What can I do, my Father in Heaven? Because of my many sins, I am thoroughly trapped in the vanities of this world and I do not know how to save my soul. But I lean on You, I rely on You, I am supported by You. Give me life in accordance with Your lovingkindness. Treat me in accordance with Your lovingkindness.

Truthfully, I myself am responsible for everything that I have undergone, including the fact that I do not express myself in utter truth but only with my mouth.

But You are good to everyone. You are filled with compassion at every moment. You have done me vast favors, great acts of lovingkindness and endless wonders.

Save me from now on, my Father in Heaven. Help me soon attain perfect prayer with true intent of the heart, so that I will always pray to You with supplications and beseeching, and increase my pleading at every moment.

May I at last arouse Your true compassion for me, so that I will truly return to You in complete repentance.

In Your vast compassion, rescue me so that the Side of Evil will not be able to derive power

לִינֹק מִן הָרַחֲמָנוּת דִּקְדֻשָּׁה וְלֹא יִהְיֶה נִפְגָּם הָרַחֲמָנוּת דִּקְדֻשָּׁה עַל יָדָם חַס וְשָׁלוֹם.

וְתִשְׁמְרֵנִי וְתַצִּילֵנִי מִן הָאַכְזָרִיּוּת, וּמִן הַכַּעַס וּמִן הַקְּפֵּדוּת, וְאֶזְכֶּה לִהְיוֹת טוֹב וּמֵטִיב לַכֹּל בֶּאֱמֶת כִּרְצוֹנְךָ הַטּוֹב וְלֹא יִהְיֶה בְּלִבִּי שׁוּם כַּעַס וּקְפֵּדוּת וְלֹא שׁוּם אַכְזָרִיּוּת כְּלָל.

וְתַשְׁפִּיעַ עָלַי רַחֲמִים, שֶׁאֶזְכֶּה לְרַחֵם עַל הַבְּרִיּוֹת תָּמִיד כִּרְצוֹנְךָ הַטּוֹב, וְאַתָּה תְּרַחֵם עָלַי מִן הַשָּׁמַיִם וְתִשְׁמֹר אֶת דַּעְתִּי וּמוֹחִי וְשִׂכְלִי בִּקְדֻשָּׁה גְּדוֹלָה, וְתַצִּילֵנִי מִבִּלְבּוּל הַדַּעַת וּמִכְּסִילוּת וּמִמַּחֲשָׁבוֹת רָעוֹת.

וְאֶזְכֶּה לְקַדֵּשׁ אֶת דַּעְתִּי וּמַחֲשַׁבְתִּי בְּכָל עֵת בִּקְדֻשָּׁה גְּדוֹלָה, וְלֹא אַנִּיחַ לִכְנֹס בְּדַעְתִּי וּמַחֲשַׁבְתִּי שׁוּם מַחֲשָׁבָה חִיצוֹנָה וְזָרָה כְּלָל.

וְתִשְׁמְרֵנִי וְתַצִּילֵנִי תָּמִיד מִמֹּחִין דְּקַטְנוּת, וְתַשְׁפִּיעַ וְתַמְשִׁיךְ עָלַי תָּמִיד מֹחִין דְּגַדְלוּת, וְיִהְיֶה שִׂכְלִי הוֹלֵךְ וְגָדוֹל בְּכָל עֵת בִּקְדֻשָּׁה וּבְטָהֳרָה גְּדוֹלָה.

וְאֶזְכֶּה בְּרַחֲמֶיךָ הָרַבִּים לְזַכֵּךְ וּלְטַהֵר וּלְקַדֵּשׁ אֶת כָּל

from holy compassion and not compromise Your holy compassion, Heaven forbid.

Guard me and rescue me so that I will not be cruel, angry or irritable. May I be good and truly do good for all, in accordance with Your good will. May my heart contain no trace of anger, irritation or cruelty.

Pour compassion onto me so that I will always have compassion on others, in accordance with Your good will. Have compassion on me from Heaven and guard my mind, brain and intellect with great holiness, and rescue me from confused awareness, foolishness and evil thoughts.

Purifying the Mind

May I always sanctify my mind and thoughts with great holiness. May I not allow any external or foreign thoughts whatsoever to enter my consciousness and thoughts.

Guard me and rescue me always from small-mindedness. Always pour forth and draw onto me breadth of mind. May my mind grow greater at every moment with great holiness and purity.

In Your vast compassion, help me purify, cleanse and sanctify all aspects of the mind in

הַשְּׁלֹשָׁה מֹחִין שֶׁלִּי שֶׁבִּשְׁלֹשָׁה חַלְלֵי הַגֻּלְגֹּלֶת שֶׁהֵם חָכְמָה בִּינָה וָדַעַת.

עַד אֲשֶׁר הַשְּׁלֹשָׁה מֹחִין שֶׁלִּי יִהְיוּ לִי מְחִצּוֹת פְּרוּסוֹת בִּפְנֵי הַתַּאֲוָה הָרָעָה הַכְּלָלִיּוּת שֶׁהוּא תַּאֲוַת נִאוּף.

וּתְרַחֵם עָלֵינוּ בְּרַחֲמֶיךָ הָרַבִּים, וְתִשְׁלַח לָנוּ צַדִּיק אֲמִתִּי, גִּבּוֹר וּבַעַל כֹּחַ גָּדוֹל אֲשֶׁר יְקַנֵּא קִנְאַת יְהֹוָה צְבָאוֹת.

וְיִתְפַּלֵּל לְפָנֶיךָ תְּפִלָּה בִּבְחִינַת דִּין בְּכֹחַ וּגְבוּרָה גְּדוֹלָה דִּקְדֻשָּׁה, וְיַעֲשֶׂה פְּלִילוּת עִמְּךָ, כְּמוֹ פִּנְחָס בָּעֵת שֶׁקִּנֵּא עַל מַעֲשֵׂה זִמְרִי, כְּמוֹ שֶׁכָּתוּב: "וַיַּעֲמֹד פִּנְחָס וַיְפַלֵּל וַתֵּעָצַר הַמַּגֵּפָה".

וְתַעַזְרֵנוּ בִּזְכוּת וְכֹחַ תְּפִלַּת הַצַּדִּיק הַבַּעַל כֹּחַ לְהַכְנִיעַ וּלְשַׁבֵּר וּלְבַטֵּל תַּאֲוַת נִאוּף מֵעָלֵינוּ וּמֵעַל כָּל עַמְּךָ בֵּית יִשְׂרָאֵל מֵעַתָּה וְעַד עוֹלָם.

וְתַחְמֹל עַל עַמְּךָ יִשְׂרָאֵל בְּחֶמְלָתְךָ הַחֲזָקָה וּבְאַהֲבָתְךָ הַגְּדוֹלָה, וְתִתֵּן כֹּחַ וּגְבוּרָה לִתְפִלַּת הַצַּדִּיק הַבַּעַל כֹּחַ הַזֶּה, שֶׁתְּפִלָּתוֹ בִּבְחִינַת דִּין תַּעֲמֹד לְהַסִּטְרָא אַחֲרָא וְהַקְּלִפָּה בְּבֵית הַבְּלִיעָה שֶׁלָּהּ.

the three cavities of the skull: wisdom, understanding and knowledge.

May these three aspects of my mind constitute barriers against the universal evil desire, which is the lust for sexual wrongdoing.

The Prayer of the Tzaddik

In Your vast compassion, send us the true Tzaddik, the hero and man of great might who possesses the zealousness of HaShem of hosts.

May he pray before You on the level of judgment, with great power and holy might, and execute justice before You, as Pinchas did when he acted zealously regarding the act of Zimri. As the verse states, "Pinchas stood and executed judgment, and the plague came to an end."

In the merit and power of the prayer of the Tzaddik, the master of power, help us subdue, break and nullify the lust for sexual impropriety in ourselves and in Your entire nation, the House of Israel, from now and forever.

In Your powerful mercy and great love, forgive Your nation of Israel. Give power and might to the prayer of the Tzaddik, the master of power, so that his prayer will be on the level of judgment, confronting the Side of Evil and the "husk" in its very throat.

עַד שֶׁתִּהְיֶה מֻכְרַחַת הַסִּטְרָא אַחֲרָא וְהַקְּלִפָּה לְהָקִיא וּלְהוֹצִיא מִקִּרְבָּהּ וּבִטְנָהּ כָּל הַקְּדֻשּׁוֹת שֶׁבָּלְעָה.

וְכָל הַדַּעַת וְהָרַחֲמָנוּת וְהַתְּפִלּוֹת וְכָל מִינֵי נִיצוֹצוֹת הַקְּדֻשָּׁה שֶׁבָּלְעָה עַל־יְדֵי חֲטָאֵינוּ וּפְשָׁעֵינוּ הָרַבִּים, וּבִפְרָט עַל יְדֵי פְּגַם הַבְּרִית, הַכֹּל תִּהְיֶה מֻכְרַחַת לְהָקִיא וּלְהוֹצִיא מִקִּרְבָּהּ וּבִטְנָהּ חִישׁ קַל מְהֵרָה.

וִיקֻיַּם מְהֵרָה מִקְרָא שֶׁכָּתוּב: "חַיִל בָּלַע וַיְקִאֶנּוּ מִבִּטְנוֹ יֹרִשֶׁנּוּ אֵל".

וְתִהְיֶה מֻכְרַחַת הַסִּטְרָא אַחֲרָא וְהַקְּלִפָּה לִתֵּן הֲקָאוֹת הַרְבֵּה בְּכָל עֵת וּבְכָל שָׁעָה עַד אֲשֶׁר תָּקִיא וְתוֹצִיא גַּם עַצְמוּת חַיּוּתָהּ מַמָּשׁ מִקִּרְבָּהּ וּבִטְנָהּ.

כְּמוֹ שֶׁכָּתוּב: "מַטֵּה עֻזְּךָ יִשְׁלַח יְהֹוָה מִצִּיּוֹן רְדֵה בְּקֶרֶב אֹיְבֶיךָ". וְיִתְגַּיְּרוּ גֵּרִים רַבִּים אֲמִתִּיִּים וְיִתּוֹסְפוּ עַל עַמְּךָ יִשְׂרָאֵל.

וְיַכִּירוּ כָּל אֻמּוֹת הָעוֹלָם כֹּחַ מַלְכוּתֶךָ, וְיֵדְעוּ כֻלָּם "כִּי אַתָּה

Then the Side of Evil and the "husk" will be compelled to disgorge and expel from within itself and its belly all of the holiness that it had swallowed.

It will be forced to swiftly, quickly and speedily disgorge and expel from within itself and its belly all of the awareness, pleadings, prayers and various sparks of holiness that it had swallowed as a result of our many transgression and offenses—in particular, those that blemished the covenant.

May the verse quickly be realized, "Although it has swallowed wealth, it will vomit it up; God will cast [the wealth] out of its belly."

May the Side of Evil and the "husk" be forced to disgorge a great deal at every moment, until it literally disgorges and expels the essence of its life force from within itself and its belly.

As the verse states, "HaShem will send the staff of Your might from Zion; you will rule in the midst of your enemies." Then may many genuine converts become Jewish so that Your nation of Israel will grow.

The Power of God's Sovereignty

May all of the nations of the world recognize the power of Your sovereignty. May they all

הוּא יְהוָה לְבַדֶּךָ עֶלְיוֹן עַל כָּל הָאָרֶץ", וְיִתְגַּדֵּל וְיִתְקַדֵּשׁ וְיִתְרוֹמֵם וְיִתְנַשֵּׂא וְיִתְעַלֶּה כְּבוֹדְךָ עַל כָּל בָּאֵי עוֹלָם, וְכָל בְּנֵי בָשָׂר יִקְרְאוּ בִשְׁמֶךָ.

וְכֹל אֲשֶׁר נִשְׁמַת רוּחַ חַיִּים בְּאַפָּיו כֻּלָּם כְּאֶחָד יִתְּנוּ כָבוֹד וְהָדָר לִשְׁמֶךָ, וּכְבוֹד יְהוָה יִמָּלֵא כָל הָאָרֶץ.

וְיִתְפַּרְסֵם וְיִתְגַּלֶּה אֱלֹהוּתְךָ וַאֲדְנוּתְךָ לְכָל בָּאֵי עוֹלָם, וְיִהְיֶה רַעַשׁ גָּדוֹל וּפִרְסוּם שֵׁם כְּבוֹדְךָ בֵּין כָּל בְּנֵי אָדָם וְיִשְׁמְעוּ רְחוֹקִים וְיָבוֹאוּ וְיַכִּירוּ כֹּחַ מַלְכוּתֶךָ.

רִבּוֹנוֹ שֶׁל עוֹלָם, "תְּמִים דֵּעִים", עֲשֵׂה נִפְלָאוֹת עִמָּנוּ בְּעוֹלָמְךָ אֲשֶׁר בָּרָאתָ לִכְבוֹדֶךָ וְגַלֵּה כְּבוֹד מַלְכוּתְךָ עָלֵינוּ מְהֵרָה, וְהוֹפַע וְהִנָּשֵׂא עָלֵינוּ לְעֵינֵי כָּל חָי, וְקָרֵב פְּזוּרֵינוּ מִבֵּין הַגּוֹיִם וּנְפוּצוֹתֵינוּ כַּנֵּס מִיַּרְכְּתֵי אָרֶץ.

וְקוֹל פִּרְסוּם אֱלֹהוּתְךָ יִשָּׁמַע מְהֵרָה בְּכָל הָעוֹלָם בְּקוֹל

know that "You are He, HaShem, alone," supernal over all the earth. May Your honor expand. May it be sanctified, elevated and raised over all people, and may all creatures of flesh and blood call out in Your Name.

May all creatures that have a soul, the spirit of life in their nostrils, grant honor and glory to Your Name, so that the honor of HaShem will fill the entire earth.

May Your Godliness and Lordliness be pre-eminent and universally revealed. May the Name of Your glory bring about a great commotion and fanfare among all people, so that even those who are distant will hear and come and recognize the power of Your sovereignty.

Master of the world, "perfect in knowledge," perform wonders with us in Your world, which You created for Your honor. "Reveal the honor of Your sovereignty to us quickly. Appear and be exalted over us in the sight of all living creatures. Bring together our dispersed people from among the nations and gather our scattered from the ends of the earth."

May the voice that proclaims Your Godliness soon be heard in the entire world with a sound

רַעַשׁ גָּדוֹל כְּמוֹ קוֹל רְעָמִים. "יַרְעֵם אֵל בְּקוֹלוֹ נִפְלָאוֹת, עֹשֶׂה גְדוֹלוֹת עַד אֵין חֵקֶר", כִּי מִי יִתְבּוֹנֵן רַעַם גְּבוּרוֹתֶיךָ.

וִיקַיֵּם מְהֵרָה מִקְרָא שֶׁכָּתוּב: "הָבוּ לַיהֹוָה מִשְׁפְּחוֹת עַמִּים, הָבוּ לַיהֹוָה כָּבוֹד וָעֹז", וְנֶאֱמַר: "קוֹל יְהֹוָה עַל הַמָּיִם אֵל הַכָּבוֹד הִרְעִים יְהֹוָה עַל מַיִם רַבִּים.

וְתִמָּלֵא הָאָרֶץ דֵּעָה אֶת יְהֹוָה כַּמַּיִם לַיָּם מְכַסִּים".

רִבּוֹנוֹ שֶׁל עוֹלָם, "אַתָּה פוֹרַרְתָּ בְעָזְּךָ יָם, שִׁבַּרְתָּ רָאשֵׁי תַנִּינִים עַל הַמָּיִם. אַל תִּתֵּן לְחַיַּת נֶפֶשׁ תּוֹרֶךָ חַיַּת עֲנִיֶּיךָ אַל תִּשְׁכַּח לָנֶצַח".

עָזְרֵנוּ וְרַחֵם עָלֵינוּ וְעַל כָּל עַמְּךָ יִשְׂרָאֵל, וּתְעוֹרֵר רַחֲמֵי הַצַּדִּיק הָאֱמֶת "צִיר נֶאֱמָן לְשׁוֹלְחָיו", שֶׁיִּלְחוֹם בַּעֲדֵנוּ מִלְחֲמוֹת יְהֹוָה וְיוֹצִיא אוֹתָנוּ מִבֵּין שִׁנֵּיהֶם שֶׁל הַסִּטְרָא אַחֲרָא וְהַקְּלִפּוֹת.

of great commotion, like the sound of thunder. "God thunders wondrously; He performs great things" beyond inquiry—who has gazed upon Your great, mighty thunder?

May the verse soon be realized, "Attribute to HaShem, families of the nations, attribute to HaShem honor and might." "The voice of HaShem is upon the waters, the God of glory has thundered, HaShem is upon the many waters,"

"The earth will be filled with the knowledge of HaShem like water covers the sea."

Master of the world, "You crumbled the sea with Your might, You broke the heads of the serpents upon the waters." "Do not deliver the life of your turtledove to the troops; do not forget forever the life of Your impoverished ones."

We Seek God's Compassion

Help us and have compassion on us and on Your entire nation, the Jewish people. Arouse the compassion of the true Tzaddik, "a faithful agent" to those who have sent him. May he fight the wars of HaShem on our behalf and extricate us from the teeth of the Side of Evil and the "husks."

וּבְכֹחוֹ וּגְבוּרָתוֹ הַגְּדוֹלָה יוֹצִיא מֵהַסִּטְרָא אַחֲרָא כָּל הַקְּדֻשּׁוֹת וְכָל הַתְּפִלּוֹת וְכָל הָרַחֲמָנוּת וְהַדַּעַת, וְכָל הַנִּיצוֹצוֹת הַקְּדוֹשִׁים שֶׁבָּלְעוּ מִן הַקְּדֻשָּׁה בַּעֲווֹנוֹתֵינוּ הָרַבִּים, וּבִפְרָט עַל יְדֵי פְּגַם הַבְּרִית.

אָנָּא יְהֹוָה רַחֵם עָלֵינוּ, חוּס וַחֲמֹל עַל מְעַט יָמֵינוּ הַחֲרוּצִים בָּזֶה הָעוֹלָם הָעוֹבֵר, כְּצֵל עוֹבֵר וּכְעָנָן כָּלָה וּכְרוּחַ נוֹשֶׁבֶת.

וְעָזְרֵנוּ וְהוֹשִׁיעֵנוּ בְּרַחֲמֶיךָ הָרַבִּים בִּזְכוּת וְכֹחַ הַצַּדִּיקִים הָאֲמִתִּיִּים בַּעֲלֵי כֹחַ וּגְבוּרָה גְדוֹלָה שֶׁנִּזְכֶּה עַל יָדָם לָצֵאת מִטֻּמְאָה לְטָהֳרָה מֵאֲפֵלָה לְאוֹרָה מִשִּׁעְבּוּד לִגְאֻלָּה, מִיָּגוֹן לְשִׂמְחָה מֵאֵבֶל לְיוֹם טוֹב.

חוּס וַחֲמֹל עַל נַפְשֵׁנוּ וְרוּחֵנוּ וְנִשְׁמוֹתֵינוּ, חוּס וַחֲמֹל עָלֵינוּ וְעַל עוֹלָלֵנוּ וְטַפֵּנוּ. כִּי אֵין צָרָה בָּעוֹלָם כְּצָרַת הַנֶּפֶשׁ הַנְּזוּפָה הָרְחוֹקָה מֵאָבִיהָ שֶׁבַּשָּׁמַיִם.

אֲשֶׁר עֹצֶם הַצָּרָה הַזֹּאת אִי אֶפְשָׁר לְהַעֲרִיךְ וּלְבָאֵר וּלְסַפֵּר לֹא בְּפֶה וְלֹא בִּכְתָב וְלֹא בְּמַחֲשָׁבָה וְלֹא בִּרְמִיזָה, כִּי צָרַת

In his great power and might, may he extract from the Side of Evil all of the holiness, all of the prayers, all of the compassion and awareness, and all of the holy sparks that it swallowed due to our many sins—in particular, those that blemished the covenant.

Please, HaShem, have compassion on us. Have pity and mercy on our few days carved out in this world, fleeting as a passing shadow, a dissipating cloud and a blowing breeze.

In Your vast compassion, help us and save us in the merit and power of the true Tzaddikim, the masters of great power and strength. With them, may we emerge from pollution to purity, from darkness to light, from servitude to redemption, from sadness to joy, from mourning to celebration.

Have pity and mercy on our *nefesh*, *ruach* and *neshamah*. Have pity and mercy on us and our children and infants, for there is no suffering in the world like the suffering of the rebuked soul that is far from its Father in Heaven.

The intensity of that suffering is impossible to measure, explain or communicate—neither with the mouth nor in writing, neither in thought nor by allusion. For the suffering of the soul is

הַנֶּפֶשׁ עוֹלָה עַל כָּל הַצָּרוֹת וְהַיִּסּוּרִין שֶׁבָּעוֹלָם.

כִּי יְכוֹלִין לְהַפְסִיד וּלְאַבֵּד חַס וְשָׁלוֹם חַיִּים אֲמִתִּיִּים, חַיֵּי עוֹלָם וְנִצְחִיִּים בְּחִנָּם, עַל יְדֵי הֶבֶל מַעֲשֵׂה תַּעְתּוּעִים שֶׁל עוֹלָם הַזֶּה הַכָּלֶה וְהַנִּפְסָד, הַפּוֹרֵחַ וְשָׁט מְאֹד כְּצֵל עוֹף הַפּוֹרֵחַ.

וּכְבָר הִפְסַדְנוּ וְאִבַּדְנוּ מַה שֶּׁאִבַּדְנוּ.

הַצִּילֵנוּ נָא מֵעַתָּה אָבִינוּ שֶׁבַּשָּׁמַיִם, גְּאָלֵנוּ נָא גּוֹאֵל חָזָק, פְּדֵנוּ נָא, הַצִּילֵנוּ נָא פּוֹדֶה וּמַצִּיל, כִּי אֵין לָנוּ שׁוּם סְמִיכָה וְתִקְוָה כִּי אִם עָלֶיךָ וְעַל בָּנֶיךָ הַצַּדִּיקִים הָאֲמִתִּיִּים הַנִּכְלָלִים בְּךָ.

וּמִבַּלְעָדֶיךָ אֵין לָנוּ מֶלֶךְ גּוֹאֵל וּמוֹשִׁיעַ פּוֹדֶה וּמַצִּיל וּמְפַרְנֵס וְעוֹנֶה וּמְרַחֵם בְּכָל עֵת צָרָה וְצוּקָה, אֵין לָנוּ מֶלֶךְ עוֹזֵר וְסוֹמֵךְ אֶלָּא אָתָּה.

"דַּלּוּ עֵינַי לַמָּרוֹם, יְהֹוָה עָשְׁקָה לִי עָרְבֵנִי. עֲרֹב עַבְדְּךָ לְטוֹב, אַל יַעַשְׁקוּנִי זֵדִים. עֵינַי כָּלוּ לִישׁוּעָתֶךָ וּלְאִמְרַת

greater than all sufferings and torments in the world.

It is possible to squander and lose true, eternal, everlasting life, Heaven forbid, as a result of meaningless, delusory acts of this impermanent, decaying world, which quickly flits and flickers by like the shadow of a bird in flight.

We have already squandered and lost so much.

Please save us from now on, our Father in Heaven. Please redeem us, strong Redeemer, please restore us, please rescue us, our Rescuer. Our only reliance and hope is in You and in Your children, the true Tzaddikim who are incorporated into You.

Without You, we have no king, redeemer, savior, deliverer, rescuer or sustainer who responds and has compassion at every time of trouble and pressure. We have no king, helper or supporter but You.

"My eyes are raised to the heights, HaShem. I have been oppressed. Be my guarantor." "Be a guarantor to Your servant for the good—do not let the wicked oppress me! My eyes are worn out for Your salvation and for the word of

צִדְקֶךָ. עֲשֵׂה עִם עַבְדְּךָ כְחַסְדֶּךָ, וְחֻקֶּיךָ לַמְּדֵנִי.

כְּחַסְדְּךָ עֲשֵׂה עִמִּי. כְּחַסְדְּךָ חַיֵּנִי וְאֶשְׁמְרָה עֵדוּת פִּיךָ".

כְּיוֹנָה אִלֶּמֶת אֲנִי מְצַפֶּה לְרַחֲמֶיךָ וְלִישׁוּעָתְךָ הָאֲמִתִּיִּית. "כְּשׁוֹשַׁנָּה בֵּין הַחוֹחִים", כְּיוֹנָה "בְּחַגְוֵי הַסֶּלַע בְּסֵתֶר הַמַּדְרֵגָה", כֵּן לְחָצוּנִי אוֹיְבַי וְצָרַי וְרוֹדְפַי מִכָּל הַצְּדָדִים וּמִצְּדֵי צְדָדִים.

וּמִכָּל הַשּׂוֹנְאִים וְהָרוֹצְחִים הָעוֹמְדִים עָלַי בְּכָל עֵת, אֵין לִי שׁוּם שׂוֹנֵא וְרוֹצֵחַ כָּמוֹנִי בְּעַצְמִי, כִּי אֲנִי אֲנִי הוּא הָאַכְזָר הַגָּדוֹל שֶׁבְּכָל הָאַכְזָרִים, אֲשֶׁר לֹא חַסְתִּי עַל יָמַי וּשְׁנוֹתַי, וְלֹא חַסְתִּי עַל גּוּפִי וְנַפְשִׁי וְרוּחִי וְנִשְׁמָתִי.

וְלֹא חַסְתִּי עַל עוֹלָלַי וְטַפַּי וְעַל כָּל הַדּוֹרוֹת הָעֲתִידִים לָצֵאת מִמֶּנִּי עַד סוֹף כָּל הַדּוֹרוֹת, וְחָטָאתִי עָוִיתִי וּפָשַׁעְתִּי לְפָנֶיךָ וַהֲרֵעוֹתִי אֶת מַעֲשַׂי מְאֹד מֵעוֹדִי עַד הַיּוֹם הַזֶּה.

Your righteousness. Deal with Your servant in accordance with Your lovingkindness, and teach me Your laws."

Treat me in accordance with Your lovingkindness. "In accordance with Your kindness, give me life, and I will guard the testimony of Your mouth."

A Person is His Own Worst Enemy

Like a mute dove, I hope for Your compassion and for Your true salvation. I am like a rose amid the thorns, like a dove "in the clefts of the rock, in the hidden steps." I have been oppressed by my enemies and persecutors from all sides and directions.

But of all of the foes and murderers that stand against me constantly, I have no foe and murderer equal to myself. I myself am the cruelest of the cruel, because I have had no pity on my days and years. I have had no pity on my body, *nefesh, ruach* and *neshamah*.

I have had no pity on my children and infants, and on all of the generations that are destined to come from me until the end of all generations. Instead, I have transgressed, sinned and rebelled before You. I have blackened my deeds from my earliest days until now.

אוֹי לִי אוֹי לְנַפְשִׁי, כִּי גָמַלְתִּי לִי מַה שֶּׁגָּמַלְתִּי, לוּלֵא רַחֲמֶיךָ וַחֲסָדֶיךָ, אָז אָבַדְתִּי בְּעָנְיִי חַס וְשָׁלוֹם.

מָה אוֹמַר מָה אֲדַבֵּר מַה אֶצְטַדָּק הָאֱלֹהִים מָצָא אֶת עֲוֹנִי, הִנְנִי לְפָנֶיךָ בְּאַשְׁמָה רַבָּה, לְךָ יְהֹוָה הַצְּדָקָה, וְלִי בֹּשֶׁת הַפָּנִים כַּיּוֹם הַזֶּה.

לְךָ יְהֹוָה הַצְּדָקָה עַל כָּל הַטּוֹבוֹת וְהַחֲסָדִים וְהַנִּסִּים וְהַנִּפְלָאוֹת, פִּלְאֵי פְלָאוֹת אֲשֶׁר עָשִׂיתָ עִמִּי בְּכָל יוֹם וָיוֹם, מֵעוֹדִי עַד הַיּוֹם הַזֶּה.

וְלִי בֹּשֶׁת הַפָּנִים עַל כָּל הַחֲטָאִים וְהָעֲווֹנוֹת וְהַפְּשָׁעִים וְהַפְּגָמִים וּמַחֲשָׁבוֹת רָעוֹת וְהִרְהוּרִים רָעִים וּמַעֲשִׂים עֲכוּרִים שֶׁעָשִׂיתִי וּפָגַמְתִּי בְּכָל יוֹם וָיוֹם מִיּוֹם הֱיוֹתִי עַל הָאֲדָמָה עַד הַיּוֹם הַזֶּה.

אֲבָל עַל זֶה בָּאתִי לְבַקֵּשׁ מִמְּךָ יְהֹוָה אֱלֹהַי וֵאלֹהֵי אֲבוֹתַי, "גְּדוֹל הָעֵצָה וְרַב הָעֲלִילִיָּה, עוֹשֶׂה גְדוֹלוֹת עַד אֵין חֵקֶר נִסִּים וְנִפְלָאוֹת עַד אֵין מִסְפָּר".

עוֹשֶׂה נִפְלָאוֹת חֲדָשׁוֹת בְּכָל עֵת וּבְכָל יוֹם וּבְכָל שָׁעָה וּבְכָל רֶגַע וָרֶגַע, שֶׁתַּצִּילֵנִי מִמֶּנִּי בְּעַצְמִי, וּתְזַכֵּנִי שֶׁאַתְחִיל מֵעַתָּה לְרַחֵם עַל עַצְמִי בְּרַחֲמָנוּת אֲמִתִּי.

Woe to me, woe to my soul, because of what I have done to myself. If not for Your compassion and kindness, I would have been lost in my privation, Heaven forbid.

What can I say? How can I speak? How can I justify myself? God, You have uncovered my sin. I stand before You in my full guilt. HaShem, You are righteousness, and today I am shamefaced.

HaShem, You are righteous. You have done me so many favors, kindnesses, miracles and wonders, wonders of wonders, each and every day, from the beginning of my life until this day.

I am shamefaced because of all of the transgression, sins, offenses, blemishes, evil thoughts, evil fantasies and polluted deeds that I have committed, and the blemishes that I have caused every day since I began my life upon the earth to this very day.

I have a request of You, HaShem my God and God of my fathers, "great in counsel and mighty in deed," "Who performs great deeds without limit, miracles and wonders without number."

You perform new wonders at all times: every day, every hour and every minute. Rescue me from myself. Help me begin from now on to have true compassion on myself.

לְרַחֵם עַל מְעַט יָמַי הַמְּנוּיִים וְהַסְּפוּרִים וְהַקְּצוּבִים בְּמִסְפָּר תַּחַת יָדֶיךָ, לְבַל אֶעֱשֶׂה עוֹד שׁוּם דָּבָר נֶגֶד רְצוֹנְךָ כְּלָל. וְלֹא אֶפְגֹּם עוֹד שׁוּם פְּגַם נֶגְדְּךָ כְּלָל.

אִם אָוֶן פָּעַלְתִּי לֹא אוֹסִיף, וְלֹא אָשׁוּב עוֹד לְכִסְלָה.

וּתְצַוֶּה לְהָשִׁיב לִי כָּל הַמֹּחִין וְהַדַּעַת דִּקְדֻשָּׁה שֶׁנִּסְתַּלְּקוּ מִמֶּנִּי בַּעֲווֹנוֹתַי הָרַבִּים, וּתְקַדֵּשׁ אֶת מֹחִי וְדַעְתִּי בִּקְדֻשָּׁה גְדוֹלָה בְּכָל הַקְּדֻשּׁוֹת שֶׁבָּעוֹלָם.

עַד שֶׁאֶזְכֶּה שֶׁיִּהְיוּ הַמֹּחִין שֶׁלִּי מְחִצּוֹת פְּרוּסוֹת בִּפְנֵי תַּאֲוַת נִאוּף, וְלֹא יִהְיֶה שׁוּם שְׁלִיטָה וַאֲחִיזָה לַתַּאֲוָה הַזֹּאת לַעֲלוֹת עַל דַּעְתִּי וּמַחֲשַׁבְתִּי כְּלָל.

רַק אֶזְכֶּה לִפְרֹס מְחִיצוֹת הַמֹּחִין וְהַשֵּׂכֶל לְהָגֵן בִּפְנֵי הַתַּאֲוָה הַזֹּאת וְאַל יִשְׁלְטוּ בִי זָרִים כְּלָל, וְאֶזְכֶּה לִהְיוֹת קָדוֹשׁ וְטָהוֹר בֶּאֱמֶת בְּתַכְלִית הַקְּדֻשָּׁה וְהַפְּרִישׁוּת כִּרְצוֹנְךָ הַטּוֹב בֶּאֱמֶת.

Help me have compassion on my few days—whose number is assessed, numbered and counted, and which are under Your hand—so that I will no longer commit any act against Your will, and no longer cause any blemishes at all before You.

I have sinned, but I will no longer return to my foolishness.

Regaining Holy Mindfulness

Give the command so that all of my holy mindfulness and consciousness that left me because of my many sins will be restored to me. Sanctify my mind and consciousness with the greatest holiness in the world.

Ultimately, may my consciousness spread out to form a barrier against the desire for sexual wrongdoing. May this desire have no power or force to overcome my mind and thoughts at all.

Instead, may I spread out the barriers of my mind and intellect to shield me against this desire, and "foreigners" will have no control over me at all. May I be truly holy and pure, with ultimate holiness and self-restraint, in true accordance with Your good will.

וּבְכֵן תֵּן כָּבוֹד יְהוָה לְעַמֶּךָ, תְּהִלָּה לִירֵאֶיךָ, וְתִקְוָה טוֹבָה לְדוֹרְשֶׁיךָ וּפִתְחוֹן פֶּה לַמְיַחֲלִים לָךְ.

וּתְזַכֵּנוּ שֶׁיִּתְגַּדֵּל כְּבוֹדְךָ הַגָּדוֹל עַל יָדֵינוּ תָּמִיד, וְיֻמְשַׁךְ וְיִתְגַּדֵּל וְיִתְרוֹמֵם וְיִתְעַלֶּה כָּבוֹד דִּקְדֻשָּׁה בָּעוֹלָם עַד שֶׁנִּזְכֶּה עַל יְדֵי הִתְגַּלּוּת הַכָּבוֹד דִּקְדֻשָּׁה שֶׁיֻּשְׁפַּע שֶׁפַע הַנְּבוּאָה בָּעוֹלָם.

וְתַחֲזֹר לָנוּ הַשְׁפָּעַת הַנְּבוּאָה שֶׁנִּסְתַּלְּקָה מֵאִתָּנוּ בַּעֲווֹנוֹתֵינוּ, וִיקֻיַּם מְהֵרָה מִקְרָא שֶׁכָּתוּב: "וְנִבְּאוּ בְּנֵיכֶם וּבְנוֹתֵיכֶם".

וְתַמְשִׁיךְ עָלֵינוּ וְעַל כָּל עַמְּךָ בֵּית יִשְׂרָאֵל חָכְמָה וּגְבוּרָה וַעֲשִׁירוּת דִּקְדֻשָּׁה, עַד שֶׁנִּזְכֶּה כֻּלָּנוּ לִהְיוֹת רְאוּיִים לְקַבֵּל הַשְׁפָּעַת הַנְּבוּאָה וְהַשְׁרָאַת הַשְּׁכִינָה.

וּתְרַחֵם עָלֵינוּ בְּרַחֲמֶיךָ הָרַבִּים וְתִרְפָּאֵנוּ רְפוּאָה שְׁלֵמָה לְכָל מַכּוֹתֵינוּ וּלְכָל תַּחֲלוּאֵינוּ וּלְכָל מַכְאוֹבֵינוּ.

וְתִשְׁלַח מְהֵרָה רְפוּאָה שְׁלֵמָה מִן הַשָּׁמַיִם לְכָל חוֹלֵי עַמְּךָ בֵּית יִשְׂרָאֵל (וּבִפְרָט לפלוני בן פלונית אֵל נָא רְפָא נָא

Godly Honor, Prophecy and Healing

"And so, HaShem, grant honor to Your nation, praise to those who fear You, robust hope to those who seek You and the ability to pray to those who turn to You."

Through us, may Your great honor always increase. May the glory of holiness be drawn down, increased, raised high and elevated in the world until, as a result of the revelation of the glory of holiness, an outflow of prophecy will pour down into the world.

Restore the flow of prophecy that had left us because of our sins. May the verse soon be realized, "Your sons and daughters will prophesy."

Draw onto us and onto Your entire nation, the House of Israel, wisdom, might and holy wealth, until we will all deserve to receive the flow of prophecy and Your Presence.

In Your vast compassion, have compassion on us. Heal us completely of all of our wounds, illnesses and pains.

Quickly send complete healing from Heaven to all of the sick of Your nation, the House of Israel (and in particular, to [Hebrew name], the son/daughter of [mother's Hebrew name]; God,

לוֹ בְּתוֹךְ שְׁאָר חוֹלֵי עַמְּךָ יִשְׂרָאֵל) רְפוּאַת הַנֶּפֶשׁ וּרְפוּאַת הַגּוּף.

כִּי אֵין לָנוּ שׁוּם תִּקְוָה וּסְמִיכָה עַל שׁוּם רְפוּאָה בְּדֶרֶךְ הַטֶּבַע כְּלָל כִּי אִם עָלֶיךָ לְבַד, כִּי אַתָּה רוֹפֵא חִנָּם רוֹפֵא אֱמֶת. רוֹפֵא נֶאֱמָן וְרַחֲמָן אַתָּה. רְפָאֵנוּ יְהֹוָה וְנֵרָפֵא הוֹשִׁיעֵנוּ וְנִוָּשֵׁעָה כִּי תְהִלָּתֵנוּ אָתָּה.

וְרַחֵם עָלֵינוּ בְּרַחֲמֶיךָ הָרַבִּים וְקָרֵב פְּזוּרֵינוּ מִבֵּין הַגּוֹיִם וּנְפוּצוֹתֵינוּ כַּנֵּס מִיַּרְכְּתֵי אָרֶץ, וְקַבְּצֵנוּ יַחַד מֵאַרְבַּע כַּנְפוֹת הָאָרֶץ.

וְיִתְגַּדֵּל וְיִתְרַבֶּה וְיִתּוֹסֵף קִבּוּץ עַמְּךָ יִשְׂרָאֵל בְּתוֹסְפוֹת מְרֻבָּה בְּכָל עֵת וָעֵת, וְיִתּוֹסְפוּ שְׁכֵנִים רַבִּים עַל קִבּוּץ הַקָּדוֹשׁ שֶׁל עַמְּךָ יִשְׂרָאֵל בְּכָל עֵת.

וְנִזְכֶּה תָמִיד לְהִתְפַּלֵּל תְּפִלּוֹתֵינוּ לְפָנֶיךָ בְּכַוָּנָה גְדוֹלָה, בְּקִבּוּץ גָּדוֹל וָרָב, כְּמוֹ שֶׁכָּתוּב: "בְּרָב עָם הַדְרַת מֶלֶךְ".

וְיִתְרַבֶּה וְיִתְגַּדֵּל בֵּית הַתְּפִלָּה בְּרִבּוּי גָּדוֹל וְעָצוּם וָרָב, וְהַצַּדִּיקִים הָאֲמִתִּיִּים יִבְנוּ בָּתִּים רַבִּים וַעֲצוּמִים בְּלִי שִׁעוּר

please heal him/her among the other sick of Your nation, the Jewish people)—a healing of the spirit and a healing of the body.

We have no hope or expectation of any natural healing at all. Rather, we hope in You alone, because You are the Healer of the undeserving, the true Healer. Heal us, HaShem, and we will be healed. Save us, and we will be saved—for You are our praise.

Ingathering of the Exiles

In Your vast compassion, bring together our dispersed people from among the nations. Gather our diaspora from the ends of the earth, and bring us together from the four corners of the world.

May this holy gathering of Your nation, the Jewish people, constantly increase and expand, as many companions are constantly added to it.

May we always recite our prayers to You with deep concentration, in the midst of a great and multitudinous gathering. As the verse states, "In the multitude of the nation is the beauty of the King."

May the House of Prayer increase and expand greatly and extensively. May the true Tzaddikim build many mighty houses without

וָעֵרֶךְ וּמִסְפָּר עַד אֵין קֵץ וְתַכְלִית מִצֵּרוּפֵי תְּפִלּוֹת עַמְּךָ בֵּית יִשְׂרָאֵל אֲשֶׁר יִתְרַבּוּ וְיִתְגַּדְּלוּ בְּקִבּוּץ גָּדוֹל מְאֹד.

וּתְקַבֵּץ כָּל הָאֲבָנִים וְהַנְּפָשׁוֹת יַחַד וּתְצָרֵף מֵהֶם צֵרוּפִים קְדוֹשִׁים לְאֵין קֵץ מַה שֶּׁאֵין הַפֶּה יָכוֹל לְדַבֵּר וְהַלֵּב לַחְשֹׁב.

וְיִהְיוּ נִבְנִים מֵהֶם בִּנְיָנִים נָאִים גְּדוֹלִים וְרַבִּים עַד אֵין קֵץ, וְתִתְפָּאֵר וְתִשְׁתַּעֲשַׁע בָּהֶם בְּשַׁעֲשׁוּעִים גְּדוֹלִים חֲדָשִׁים אֲשֶׁר לֹא עָלוּ לְפָנֶיךָ מִימוֹת עוֹלָם.

עַד אֲשֶׁר מֵרִבּוּי הַבָּתִּים וְהַבִּנְיָנִים דִּקְדֻשָּׁה שֶׁיִּתְרַבּוּ לְאֵין קֵץ תַּכְנִיס וּתְקַבֵּץ וְתֶאֱסֹף לְתוֹךְ הַבָּתִּים דִּקְדֻשָּׁה אֶת כָּל הַנְּפָשׁוֹת הָעֲשׁוּקוֹת וְהַנְּשָׁמוֹת דְּאָזְלִין עַרְטִלָּאִין הַמְפֻזָּרִים בֵּין הַגּוֹיִם, אֶת כָּל הָאֲבָנִים הַקְּדוֹשׁוֹת הַנִּשְׁפָּכִים בְּרֹאשׁ כָּל חוּצוֹת.

כְּמוֹ שֶׁכָּתוּב: "תִּשְׁתַּפֵּכְנָה אַבְנֵי קֹדֶשׁ בְּרֹאשׁ כָּל חוּצוֹת".

וּמֵעַתָּה תְּרַחֵם עֲלֵיהֶם עַל כָּל הַנְּפָשׁוֹת הָאֵלֶּה הָעֲשׁוּקִים בַּעֲווֹנוֹתֵיהֶם וּבַעֲווֹנוֹת אֲבוֹתֵיהֶם אִתָּם וְתִמָּלֵא רַחֲמִים עֲלֵיהֶם.

measure, number or limit, constructed of the combinations of prayers of Your nation, the House of Israel, which will multiply and grow in a very great assembly.

May all of the "stones"—the souls—gather together. May holy combinations without end result—so many that the mouth cannot express them and the heart cannot conceive of them.

May many great and beautiful structures without end be built of them. May You take pride and joy in them with a great, new delight that has never arisen before You since the earliest days.

At last, due to the multitude of the holy houses and structures that will increase without number, may all of the oppressed *nefashot* and *neshamot* that had gone naked, scattered among the nations, all of the holy stones that had been spilled out at the heads of all of the streets, enter, be gathered together and augment the holy houses.

As the verse states, "The holy stones have been spilled at the head of every street."

From now on have compassion on all of these souls that are oppressed by their sins and the sins of their fathers.

כִּי אַתָּה לְבַד יוֹדֵעַ עֹצֶם הָרַחֲמָנוּת שֶׁעֲלֵיהֶם עַד אֵין שִׁעוּר וָעֵרֶךְ, רַחֵם עֲלֵיהֶם וְעָלֵינוּ לְמַעַנְךָ, וְתַחֲזֹר וּתְקַבְּצֵם בִּקְדֻשָּׁה שֵׁנִית.

וְתַכְנִיסֵם וְתַאַסְפֵם אִתְּךָ הַבַּיְתָה, וְתַאַסְפֵם מִחוּץ לִפְנִים, לְתוֹךְ בָּתֵּי הַקְּדֻשָּׁה וְהַתְּפִלָּה שֶׁיִּתְרַבּוּ וְיִתְגַּדְּלוּ וְיִתּוֹסְפוּ עַד אֵין קֵץ וְתַכְלִית, עַל יְדֵי קִבּוּץ עַמְּךָ יִשְׂרָאֵל יַחַד בְּתוֹסְפוֹת שְׁכֵנִים הַרְבֵּה בְּכָל עֵת.

וְעַל יְדֵי זֶה תְּמַלֵּא רַחֲמִים עָלֵינוּ, וְתִמְחֹל וְתִסְלַח וּתְכַפֵּר לְכָל חַטֹּאתֵנוּ וַעֲווֹנוֹתֵינוּ וּפְשָׁעֵינוּ שֶׁחָטָאנוּ וְשֶׁעָוִינוּ וְשֶׁפָּשַׁעְנוּ לְפָנֶיךָ מִנְּעוּרֵנוּ עַד הַיּוֹם הַזֶּה.

וְיַעֲלוּ וְיֵרָאוּ וְיֵרָצוּ לְפָנֶיךָ תְּפִלּוֹתֵינוּ וּתְחִנּוֹתֵינוּ כְּעוֹלוֹת וּכִזְבָחִים לְכַפֵּר עַל כָּל עֲווֹנוֹתֵינוּ וְתַהֲפֹךְ כָּל עֲווֹנוֹתֵינוּ לִזְכֻיּוֹת.

וִיקֻיַּם מִקְרָא שֶׁכָּתוּב: "וַהֲבִיאוֹתִים אֶל הַר קָדְשִׁי וְשִׂמַּחְתִּים בְּבֵית תְּפִלָּתִי, עוֹלוֹתֵיהֶם וְזִבְחֵיהֶם לְרָצוֹן עַל מִזְבְּחִי, כִּי בֵיתִי בֵּית תְּפִלָּה יִקָּרֵא לְכָל הָעַמִּים".

Be filled with compassion for them. For You alone know the immeasurable, unfathomable extent of their pitiable state. For Your sake, have compassion on them and on us. Gather them again into holiness.

Bring them in and gather them to be with You in Your house. Gather them from outside into the houses of holiness and prayer that will grow and increase beyond number and limit as a result of the gathering of Your nation of Israel, each time with many new companions.

May this lead You to be filled with compassion for us. Forgive, excuse and grant atonement for all of our transgressions, sins and offenses that we committed against You from our youth until this day.

May our prayers and pleading rise so that You will see and accept them like burnt-offerings and sacrifices that will atone for all of our sins and transform them all into merits.

May the verse be realized, "I will bring them to My holy mountain and give them joy in My House of Prayer. Their burnt-offerings and sacrifices will be accepted upon My Altar, for My House shall be called a House of Prayer for all nations."

וְתַמְשִׁיךְ רְפוּאָה שְׁלֵמָה מִן הַשָּׁמַיִם לָנוּ וּלְכָל עַמְּךָ יִשְׂרָאֵל, וְתִמְחֶה פְּשָׁעֵינוּ כָּעָב וְכֶעָנָן כְּמוֹ שֶׁכָּתוּב: "מָחִיתִי כָעָב פְּשָׁעֶיךָ וְכֶעָנָן חַטֹּאתֶיךָ שׁוּבָה אֵלַי כִּי גְאַלְתִּיךָ".

וְתַעֲבִיר וּתְסַלֵּק כָּל הָעֲנָנִים הַמַּחֲשִׁיכִים אֶת אוֹר הַשֶּׁמֶשׁ הַקְּדוֹשָׁה וְתוֹצִיאֵנוּ מֵאֲפֵלָה לְאוֹרָה מֵחֹשֶׁךְ לְאוֹר גָּדוֹל.

וּכְאוֹר בֹּקֶר יִזְרַח שֶׁמֶשׁ צְדָקָה וּמַרְפֵּא עָלֵינוּ, כְּמוֹ שֶׁכָּתוּב: "וְזָרְחָה לָכֶם יִרְאֵי שְׁמִי שֶׁמֶשׁ צְדָקָה וּמַרְפֵּא בִּכְנָפֶיהָ".

וִיקֻיַּם מְהֵרָה מִקְרָא שֶׁכָּתוּב: "וּבַל יֹאמַר שָׁכֵן חָלִיתִי הָעָם הַיּוֹשֵׁב בָּהּ נְשֻׂא עָוֹן".

וּתְזַכֵּנוּ בְּרַחֲמֶיךָ הָרַבִּים לְהִתְקָרֵב לְצַדִּיקִים אֲמִתִּיִּים שֶׁיֵּשׁ לָהֶם בְּחִינַת רוּחַ נְבוּאָה רוּחַ הַקֹּדֶשׁ בֶּאֱמֶת, בְּאֹפֶן שֶׁנִּזְכֶּה עַל יָדָם לְבָרֵר וּלְתַקֵּן הַכֹּחַ הַמְדַמֶּה.

וְלֹא יְבַלְבֵּל אוֹתָנוּ הַמְדַמֶּה חַס וְשָׁלוֹם בְּדִמְיוֹנוֹת כּוֹזְבִים

Draw complete healing from Heaven onto us and onto Your entire nation, the Jewish people. Erase our offenses like vapor and cloud. As the verse states, "I have wiped away your sins like vapor and your transgressions like a cloud. Return to Me, for I have redeemed you."

Remove all of the clouds that darken the light of the holy sun. Bring us out from dimness to brightness, from darkness to a great light.

As morning breaks, may the sun cause charity and healing to shine upon us. As the verse states, "May the sun of charity with healing in its wings shine upon you who fear My Name."

May the verse quickly be realized, "A neighbor will not say, 'I am sick.' The nation that dwells in [Jerusalem] will be cleansed of sin."

In Your vast compassion, enable us to grow truly close to the true Tzaddikim who possess a spirit of prophecy, which is truly Divine inspiration, so that through them, we will purify and rectify the power of our imagination.

Purifying Our Thoughts and Imagination

May our imagination not confuse us with deceitful illusions and evil fantasies, Heaven

וּבְבִלְבּוּלִים רָעִים חַס וְשָׁלוֹם, רַק נִזְכֶּה שֶׁיִּהְיֶה הַכֹּחַ הַמְדַמֶּה בָּרוּר וְזַךְ וָצַח אֶצְלֵנוּ בְּתַכְלִית הַתִּקּוּן.

בְּאֹפֶן שֶׁנִּזְכֶּה עַל יְדֵי זֶה לֶאֱמוּנָה שְׁלֵמָה וִישָׁרָה וּבְרוּרָה זַכָּה וְצַחָה וּנְכוֹנָה בֶּאֱמֶת כִּרְצוֹנְךָ הַטּוֹב בְּלִי שׁוּם בִּלְבּוּלִים כְּלָל.

וְנִזְכֶּה לְהַאֲמִין בְּךָ יְהֹוָה אֱלֹהֵינוּ וֵאלֹהֵי אֲבוֹתֵינוּ כִּי אַתָּה בָּרָאתָ עוֹלָמְךָ בִּרְצוֹנְךָ הַטּוֹב יֵשׁ מֵאַיִן הַמֻּחְלָט בַּעֲשָׂרָה מַאֲמָרוֹת.

וְתַצִּילֵנוּ בְּרַחֲמֶיךָ הָרַבִּים מִמַּנְהִיגִים שֶׁל שֶׁקֶר שֶׁהֵם נִקְרָאִים נְבִיאֵי הַשֶּׁקֶר, וְלֹא יְבַלְבְּלוּ אֶת דַּעְתֵּנוּ כְּלָל בְּדִמְיוֹנוֹת כּוֹזְבִים חָלִילָה.

וּתְזַכֵּךְ וּתְטַהֵר אוֹתָנוּ מִטֻּמְאַת וְזֻהֲמַת הַנָּחָשׁ, וְתִשְׁמְרֵנוּ וְתַצִּילֵנוּ שֶׁלֹּא יַעֲלֶה עַל דַּעְתֵּנוּ שׁוּם נִחוּשׁ וָקֶסֶם כְּלָל.

וְנִתְרַחֵק מִדַּרְכֵי הַמְנַחֲשִׁים וְהַקּוֹסְמִים בְּכָל מִינֵי הַרְחָקוֹת וְלֹא יִהְיֶה לָנוּ שׁוּם אֱמוּנוֹת כּוֹזְבִיּוֹת כְּלָל, רַק נִזְכֶּה תָּמִיד

forbid. Instead, may we attain a power of imagination that possesses a completely perfected clarity, purity and lucidity.

In this way, may we attain a truly complete, straight, clear, pure, lucid and proper faith in accordance with Your good will, without any confusion at all.

May we believe in You, HaShem our God and God of our fathers, in the fact that You created Your world, in accordance with Your good will, out of absolute nothingness with the Ten Statements.

In Your vast compassion, rescue us from false leaders, who are like false prophets. May they not confuse our minds at all with false imaginings, Heaven forbid.

Purify and cleanse us of the pollution and filth of the Serpent. Guard us and protect us so that no thought of divination or magic will ever cross our mind.

Attaining Holy Faith

May we distance and separate ourselves from the ways of sorcerers and magicians. May we possess no false beliefs at all. Rather, may we always be wholehearted with You, HaShem our

לִהְיוֹת תָּמִים עִם יְהֹוָה אֱלֹהֵינוּ, וּלְהִתְנַהֵג רַק בִּתְמִימוּת וּבִפְשִׁיטוּת בֶּאֱמֶת וּבֶאֱמוּנָה שְׁלֵמָה הָאֲמִתִּיּוֹת כִּרְצוֹנְךָ הַטּוֹב.

וְתַעֲבִיר וְתַעֲקֹר וּתְשַׁבֵּר וּתְכַלֶּה כָּל דֵּעוֹת הַמִּינִים וְהַכּוֹפְרִים וְהָאַפִּקוֹרְסִים מִן הָעוֹלָם.

וּתְרַחֵם עַל עוֹלָמְךָ שֶׁתִּתְפַּשֵּׁט הָאֱמוּנָה הַקְּדוֹשָׁה בָּעוֹלָם, וְיַאֲמִינוּ כָּל בָּאֵי עוֹלָם בְּחִדּוּשׁ הָעוֹלָם, וְלֹא יֵלְכוּ אַחַר חֲקִירַת הַתֹּהוּ כְּלָל.

רַק יַאֲמִינוּ כֻּלָּם בְּהָאֱמֶת, שֶׁהָעוֹלָם הוּא מְחֻדָּשׁ בִּרְצוֹנוֹ יִתְבָּרַךְ אֲשֶׁר בְּרָאוֹ בְּשֵׁשֶׁת יְמֵי בְרֵאשִׁית יֵשׁ מֵאַיִן הַמֻּחְלָט, אֲשֶׁר עַל יְסוֹד אֱמוּנָה זוֹ קַיָּם וְעוֹמֵד כָּל הָעוֹלָם וּמְלוֹאוֹ כְּמוֹ שֶׁכָּתוּב: "וְכָל מַעֲשֵׂהוּ בֶּאֱמוּנָה".

וְנִזְכֶּה כֻּלָּנוּ לְעָבְדְךָ בֶּאֱמֶת וּבֶאֱמוּנָה שְׁלֵמָה כָּל יְמֵי עוֹלָם, עַד אֲשֶׁר נִזְכֶּה לִרְאוֹת בַּטּוֹב אֲשֶׁר תַּעֲשֶׂה לָנוּ בָּעֵת שֶׁתְּחַדֵּשׁ אֶת עוֹלָמְךָ לֶעָתִיד בִּרְצוֹנְךָ הַטּוֹב, וְתַעֲשֶׂה עִמָּנוּ חֲסָדִים רַבִּים.

וִיקֻיַּם בָּנוּ מִקְרָא שֶׁכָּתוּב: "לְהַגִּיד בַּבֹּקֶר חַסְדֶּךָ וֶאֱמוּנָתְךָ

God, acting only genuinely and faithfully with a whole heart and true simplicity, in accordance with Your good will.

Remove, uproot, break and destroy all of the viewpoints of the heretics, atheists and freethinkers.

Have compassion on Your world so that holy faith will spread throughout the world, and all people will believe in the creation of the world without any inquiry into the realm of the Void.

May they all believe that the world is renewed by Your will, You Who created it during the six days of Creation, bringing existence out of absolute nothing. This faith is the foundation upon which the entire world and everything in it exists. As the verse states, "All of His deeds are in [the realm of] faith."

Help us all truly serve You in complete faith all the days of the world, until we will witness the good that You will do for us at the time that You renew Your world in the future, in accordance with Your good will, performing many acts of lovingkindness on our behalf.

May the verse be realized in us, "To tell of Your lovingkindness in the morning and of Your

בַּלֵּילוֹת", וְנֶאֱמַר: "חֲדָשִׁים לַבְּקָרִים רַבָּה אֱמוּנָתֶךָ".

וּתְבִיאֵנוּ מְהֵרָה חוּשָׁה לְאֶרֶץ יִשְׂרָאֵל, אֶרֶץ הַטּוֹבָה וְהַקְּדוֹשָׁה. וְתַמְשִׁיךְ הַשְׁגָּחָתְךָ הַשְּׁלֵמָה עַל אֶרֶץ יִשְׂרָאֵל וְעַל כָּל הָעוֹלָם כֻּלּוֹ.

וּתְחַדֵּשׁ אֶת עוֹלָמְךָ בִּקְדֻשַּׁת אֶרֶץ יִשְׂרָאֵל שֶׁמִּתְנַהֶגֶת עַל יְדֵי הַשְׁגָּחָה לְבַד, כְּמוֹ שֶׁכָּתוּב: "אֶרֶץ אֲשֶׁר יְהוָֹה אֱלֹהֶיךָ דּוֹרֵשׁ אוֹתָהּ תָּמִיד עֵינֵי יְהוָֹה אֱלֹהֶיךָ בָּהּ מֵרֵשִׁית הַשָּׁנָה וְעַד אַחֲרִית שָׁנָה".

וְתַמְשִׁיךְ הַשְׁגָּחָתְךָ הַשְּׁלֵמָה עַל כָּל הָעוֹלָם כֻּלּוֹ, וְיִתְחַדֵּשׁ הָעוֹלָם וּמְלוֹאוֹ, וְיִתְנַהֵג כָּל הָעוֹלָם כֻּלּוֹ עַל יְדֵי הַשְׁגָּחָה לְבַד בְּלִי שׁוּם הַנְהָגָה עַל פִּי דֶּרֶךְ הַטֶּבַע כְּלָל.

וְתַעֲשֶׂה נוֹרָאוֹת וְנִפְלָאוֹת מֵחָדָשׁ בְּעוֹלָמֶךָ "אֲשֶׁר לֹא נִבְרְאוּ בְכָל הָאָרֶץ וּבְכָל הַגּוֹיִם".

וְיִתְעוֹרֵר שִׁיר חָדָשׁ בָּעוֹלָם, שִׁיר שֶׁל נִפְלָאוֹת, כְּמוֹ שֶׁכָּתוּב: "מִזְמוֹר שִׁירוּ לַיהוָֹה שִׁיר חָדָשׁ כִּי נִפְלָאוֹת עָשָׂה, הוֹשִׁיעָה

faithfulness at night." And, "New each morning, vast is Your faithfulness."

A Song of Wonders

Bring us quickly, swiftly, to the Land of Israel, the good and holy land. Draw Your complete providence onto the Land of Israel and onto the entire world.

Renew Your world so that it will possess the holiness of the Land of Israel, which is guided solely by providence. As the verse states, "It is a land that HaShem your God seeks; the eyes of HaShem your God are always on it, from the beginning of the year until the end of the year."."

Draw Your total providence onto the entire world. May the world and everything in it be renewed. May the entire world be guided by providence alone, without any determinism whatsoever.

Perform new, awesome and wondrous deeds "that were not yet created upon all the earth and among all of the nations."

May a new song, a song of wonders, be aroused in the world. As the verse states, "A song: Sing a new song to HaShem, for He has performed wonders. His right hand and His

לוֹ יְמִינוֹ וּזְרוֹעַ קָדְשׁוֹ". וְנוֹדֶה לְךָ שִׁיר חָדָשׁ עַל גְּאֻלָּתֵנוּ וְעַל פְּדוּת נַפְשֵׁנוּ.

וְנִזְכֶּה לָשִׁיר וּלְזַמֵּר וּלְרַנֵּן וּלְנַגֵּן לְפָנֶיךָ נִגּוּנִים וְשִׁירוֹת וְתִשְׁבָּחוֹת חֲדָשׁוֹת, שִׁירִים שֶׁל נִפְלָאוֹת שֶׁלֹּא כְּדֶרֶךְ הַטֶּבַע.

עַד שֶׁנִּזְכֶּה לְהִתְעַנֵּג עַל יְהֹוָה, וְלִשְׁמֹעַ קוֹל הַשִּׁיר וְהַנִּגּוּן שֶׁיִּתְעַר לֶעָתִיד, שֶׁהוּא שִׁיר פָּשׁוּט כָּפוּל מְשֻׁלָּשׁ מְרֻבָּע הַכָּלוּל בְּשִׁמְךָ הַמְיֻחָד, שֶׁיִּתְנַגֵּן עַל שִׁבְעִים וּשְׁנַיִם נִימִין כְּמִנְיַן חֶסֶ"ד, וִיקֻיַּם מִקְרָא שֶׁכָּתוּב: "עוֹלָם חֶסֶד יִבָּנֶה".

רִבּוֹנוֹ שֶׁל עוֹלָם תֵּן לִי חַיִּים וְאֶחְיֶה וְלֹא אָמוּת, תֵּן לִי חֵלֶק טוֹב לָעוֹלָם הַבָּא. זַכֵּנִי זַכֵּנִי, חָנֵּנִי חָנֵּנִי, עָזְרֵנִי וְהוֹשִׁיעֵנִי שֶׁאֶזְכֶּה לִשְׁמֹעַ קוֹל הַשִּׁיר וְהַנִּגּוּן הַזֶּה שֶׁיִּתְעַר לֶעָתִיד בָּעֵת שֶׁתְּחַדֵּשׁ אֶת עוֹלָמֶךָ.

מָלֵא רַחֲמִים, טוֹב וּמֵטִיב, עָזְרֵנִי מֵעַתָּה שֶׁאֶזְכֶּה לְהִתְגַּבֵּר וְלִסְתֹּם עֵינַי וְאָזְנַי מֵחֵיזוּ דְּהַאי עָלְמָא.

holy arm have redeemed on His behalf." Then we will thank You with a new song for our redemption and for the restoration of our souls.

We will sing, make melody and burst into song before You with new melodies, songs and praises, songs of wonders that transcend nature.

Ultimately, may we take pleasure in You as we hear the sound of the song and melody that will be awakened in the future—the song that is simple, double, triple, quadruple; that is of a piece with Your unique Name; that will be played upon the seventy-two strings, which is the same numerical value as the word *chesed* (lovingkindness). May the verse then be realized, "The world will be built upon lovingkindness."

Master of the world, give me life so that I will live and not die. Give me a good portion in the World to Come. Give me merit! Be gracious to me! Help me and save me so that I will hear the sound of this song and melody that will be awakened in the future when Your world will be renewed.

You Who are filled with compassion, You Who are good and do good, help me from now on so that I will grow strong enough to close my eyes and ears to this world.

לְבִלְי לְהִסְתַּכֵּל עַל הַבְלֵי הָעוֹלָם הַזֶּה כְּלָל, וְלִבְלִי לִשְׁמֹעַ קוֹל זֶה הָעוֹלָם כְּלָל, וְלִבְלִי לְדַבֵּר שׁוּם דִּבּוּר שֶׁאֵינוֹ נוֹגֵעַ לִשְׁמְךָ וְלַעֲבוֹדָתֶךָ, שֶׁיַּגִּיעַ מֵהֶם שִׁיר וָשֶׁבַח וּתְהִלָּה לְשִׁמְךָ הַגָּדוֹל וְהַקָּדוֹשׁ.

וְאֶזְכֶּה לַעֲקֹם אֶת צַוָּארִי מִזֶּה הָעוֹלָם לִבְלִי לְהָנִיחַ שׁוּם הֶבֶל וְרוּחַ הַפֶּה כְּלָל בָּזֶה הָעוֹלָם. וְלֹא יִתְאַחֵז בִּי שׁוּם הֶבֶל מֵהַבְלֵי הָעוֹלָם הַזֶּה כְּלָל.

וְאֶזְכֶּה לְשַׁעְבֵּד כָּל קוֹמַת גּוּפִי וְיָדַי וְרַגְלַי אֵלֶיךָ, לִבְלִי לַעֲשׂוֹת בָּהֶם שׁוּם דָּבָר שֶׁאֵינוֹ נוֹגֵעַ לַעֲבוֹדָתְךָ.

רַק עֵינַי וְאָזְנַי וּפִי וְלִבִּי וְדַעְתִּי וּמַחְשְׁבוֹתַי וְכָל גּוּפִי וְיָדַי וְרַגְלַי וּרְמַ"ח אֵבָרַי וּשְׁסָ"ה גִּידַי וְכָל חוּשַׁי וְכֹחִי, כֻּלָּם יִהְיוּ מְדֻבָּקִים וּמְקֻשָּׁרִים אֵלֶיךָ בֶּאֱמֶת בְּקֶשֶׁר אַמִּיץ וְחָזָק וּמְשֻׁעְבָּדִים לַעֲבוֹדָתְךָ בֶּאֱמֶת לְעוֹלְמֵי עַד וּלְנֵצַח נְצָחִים.

עַד שֶׁאֶזְכֶּה לִשְׁמֹעַ לֶעָתִיד קוֹל הַשִּׁיר הַזֶּה הַקָּדוֹשׁ וְהַנּוֹרָא שֶׁיִּתְעַר לֶעָתִיד, אֲשֶׁר יִתְנַגֵּן עַל שִׁבְעִים וּשְׁנַיִם נִימִין. אַשְׁרֵי אָזְנַיִם שֶׁיִּשְׁמְעוּ זֹאת, אַשְׁרֵי הַמְחַכִּים וְהַמְצַפִּים וְהַמְקַוִּים לָזֶה.

May I not look at the vanities of this world at all. May I not listen to the sound of this world at all, and not engage in any speech that does not relate to Your Name and Your service. May I only express song, praise and worship of Your great and holy Name.

May I twist my neck away from this world so that I will not leave any vain breath of the mouth in this world. May none of the vanities of this world have any hold on me at all.

May I subjugate the entire anatomy of my body, with my hands and feet, to You, so that I will not do anything unrelated to serving You.

May my eyes, ears, mouth, heart, mind, thought, hands, feet, 248 limbs and 365 sinews, and all of my senses and strength, all truly cling to You and be firmly and strongly connected to You. May they truly be subjugated to Your service forever and ever.

In the future, may I at last hear the sound of this holy and awesome song that will be aroused and played upon the seventy-two strings. Fortunate are the ears that will hear this. Fortunate are those who wait for this, who hope for it, who anticipate it.

"אַשְׁרֵי תִּבְחַר וּתְקָרֵב", שֶׁיִּזְכֶּה לְהָצִיץ מִן הַחֲרַכִּים לִרְאוֹת וְלִשְׁמֹעַ מְחוֹל הַצַּדִּיקִים בָּעֵת שֶׁיִּתְנַגֵּן לִפְנֵיהֶם הַשִּׁיר הַגָּדוֹל וְהַקָּדוֹשׁ לְעוֹלְמֵי עַד.

אֲדוֹן כֹּל, מַגְבִּיהַּ שְׁפָלִים, מֵקִים מֵעָפָר וּמֵאַשְׁפָּה דַּל וְאֶבְיוֹן, טוֹב וּמֵטִיב לָרָעִים וְלַטּוֹבִים, עֲשֵׂה עִמִּי פְּלָאוֹת בְּחַיַּי בְּאֹפֶן שֶׁאֶזְכֶּה לַטּוֹב הַזֶּה בֶּאֱמֶת.

כִּי אַתָּה לְבַד יָדַעְתָּ אֶת עֲרֵבוּת נְעִימוּת מְתִיקוּת יְדִידוּת תְּשׁוּקַת הַתִּקְוָה הַזֹּאת, אֲשֶׁר אִי אֶפְשָׁר לְהַשִּׂיג וְלִתְפֹּס בַּמֹּחַ כְּלָל נְעִימוּת הַשִּׁיר הַזֶּה.

כִּי אִם אַתָּה לְבַד יָדַעְתָּ, כְּמוֹ שֶׁכָּתוּב: "עַיִן לֹא רָאָתָה אֱלֹהִים זוּלָתְךָ יַעֲשֶׂה לִמְחַכֵּה לוֹ".

רַחֵם עַל פָּגוּם וְרָחוֹק כָּמֹנִי, וַעֲשֵׂה עִמִּי פֶּלֶא לְחַיִּים. וְעָזְרֵנִי וְזַכֵּנִי מְהֵרָה לָסוּר מֵרַע וְלַעֲשׂוֹת הַטּוֹב בְּעֵינֶיךָ תָּמִיד עַד שֶׁאֶזְכֶּה לִהְיוֹת כִּרְצוֹנְךָ הַטּוֹב בֶּאֱמֶת, וְלִרְאוֹת בְּטוּב יְהֹוָה

"Fortunate is the person whom You choose and draw close." He will peer through the cracks to see and hear the circle-dance of the Tzaddikim when this great and holy song will play before them forever.

Master of all, You Who raise the lowly, You Who lift up the poor and needy person from the dust and from the ash heap, You Who are good and do good for those who are wicked and those who are good, perform wonders for me during my lifetime so that I will truly attain this goodness.

Only You know the agreeable, pleasant, sweet and amiable yearning of this hope. The mind cannot attain or grasp the sweetness of this song at all.

Only You understand. As the verse states, "No eye but Yours, God, has seen what You do for the person who hopes in You."

Have compassion on me, as blemished and distant as I am. Perform a wonder for life on my behalf. Help me quickly so that I will turn aside from evil and always do what is good in Your eyes, until I will truly be attuned to Your good will and see the goodness of HaShem in

בְּאֶרֶץ הַחַיִּים, "לַחֲזוֹת בְּנֹעַם יְהֹוָה וּלְבַקֵּר בְּהֵיכָלוֹ.

תּוֹדִיעֵנִי אֹרַח חַיִּים שֹׂבַע שְׂמָחוֹת אֶת פָּנֶיךָ נְעִימוֹת בִּימִינְךָ נֶצַח".

וּתְזַכֵּנוּ לְהִתְקָרֵב לְצַדִּיק אֲמִתִּי אֲשֶׁר כְּבָר זָכָה לְקוֹל הַשִּׁיר הַזֶּה, בְּאֹפֶן שֶׁיִּהְיֶה רָאוּי לְהוֹכִיחַ אוֹתָנוּ וְאֶת כָּל עַמְּךָ יִשְׂרָאֵל לְעוֹרֵר רֵיחַ הַטּוֹב שֶׁל גַּן עֵדֶן עַל־יְדֵי תּוֹכַחְתּוֹ הַטּוֹבָה.

שֶׁיִּהְיֶה לוֹ כֹּחַ לַהֲפֹךְ כָּל עֲווֹנוֹתֵינוּ לִזְכֻיּוֹת, וּלְהַעֲלוֹתֵינוּ מִטֻּמְאָה לְטָהֳרָה מֵחֹל לְקֹדֶשׁ וְיַמְשִׁיךְ עָלֵינוּ רֵיחַ גַּן עֵדֶן וִיחַזֵּק אֶת נַפְשֵׁנוּ וְרוּחֵנוּ וְנִשְׁמוֹתֵינוּ בִּקְדֻשָּׁה חֲזָקָה וּנְכוֹנָה.

וְיַכְנִיעַ לְפָנֵינוּ אֶת כָּל צָרֵינוּ וְרוֹדְפֵינוּ, וִישַׁבֵּר וִיכַלֶּה וְיַכְנִיעַ וְיַעֲקֹר וִיבַטֵּל אֶת עָקֵב דְּסִטְרָא אַחֲרָא שֶׁהוּא עָקֵב שֶׁל עֵשָׂו הָרָשָׁע שֶׁהוּא מְזוֹנָא דְגוּפָא.

עַד שֶׁנִּזְכֶּה כֻּלָּנוּ לְשַׁבֵּר לְגַמְרֵי תַּאֲוַת אֲכִילָה וּשְׁתִיָּה שֶׁהוּא

the land of life, "gazing upon the pleasantness of HaShem and visiting in His palace."

"Let me know the way of life, the satiety of joy before Your countenance, the pleasantness at Your right hand forever."

Coming to the True Tzaddik

Help me come close to the true Tzaddik, who has already attained the sound of this song so that he is able to admonish us and Your entire nation, the Jewish people, arousing a good fragrance from the Garden of Eden by means of his beneficial rebuke.

May he have the power to transform our sins to merits and raise us from pollution to purity, from the mundane to the holy. May he draw onto us the fragrance of the Garden of Eden and strengthen our *nefesh*, *ruach* and *neshamah* with strong and proper holiness.

May he subdue all of our enemies and persecutors. May he break, destroy, subdue, uproot and nullify the heel of the Side of Evil, the heel of the wicked Esau, which is the sustenance of the body.

At last, may we all completely break the desire for eating and drinking, which is the

מְזוֹנָא דְגוּפָא, וּלְהַגְבִּיר וּלְחַזֵּק מְזוֹנָא דְנִשְׁמָתָא שֶׁהוּא רֵיחַ טוֹב שֶׁל יִרְאַת יְהֹוָה הָאֲמִתִּיִּית.

וִיקַיֵּם בָּנוּ מִקְרָא שֶׁכָּתוּב: "יְהֹוָה רוֹעִי לֹא אֶחְסָר", וְתִהְיֶה כָּל אֲכִילָתֵנוּ וּשְׁתִיָּתֵנוּ בִּקְדֻשָּׁה וּבְטָהֳרָה גְדוֹלָה בִּבְחִינַת מְזוֹנָא דְנִשְׁמָתָא, כְּמוֹ שֶׁכָּתוּב: "צַדִּיק אוֹכֵל לְשֹׂבַע נַפְשׁוֹ".

וְיִלָּחֵם בַּעֲדֵנוּ מִלְחֶמֶת עוֹג מֶלֶךְ הַבָּשָׁן, לְהַכְנִיעַ וּלְשַׁבֵּר וְלַעֲקֹר וּלְכַלּוֹת וּלְבַטֵּל קְלִפַּת עוֹג מֶלֶךְ הַבָּשָׁן מִן הָעוֹלָם, עִם כָּל הַקְּלִפּוֹת וְהַסִּטְרִין אוֹחֲרָנִין שֶׁבָּעוֹלָם, שֶׁהֵם זוּהֲמַת הַנָּחָשׁ הָרוֹדְפִים אַחַר חֲלוּשֵׁי כֹחַ שֶׁבְּעַמְּךָ יִשְׂרָאֵל.

אָנָּא יְהֹוָה אַתָּה יָדַעְתָּ כִּי אֵין בָּנוּ כֹּחַ לַעֲמֹד בִּפְנֵיהֶם, חוּסָה עַל עַם עָנִי וְאֶבְיוֹן, עַל חֲלוּשֵׁי כֹחַ כָּמוֹנוּ הַיּוֹם, וּתְעוֹרֵר אֶת לֵב הַצַּדִּיקִים הָאֲמִתִּיִּים שֶׁיִּלָּחֲמוּ בַּעֲדֵנוּ עִם כָּל צָרֵינוּ וְרוֹדְפֵינוּ בְּגַשְׁמִיּוּת וּבְרוּחָנִיּוּת.

וּתְטַהֲרֵנוּ מִכָּל הַטֻּמְאוֹת וּבִפְרָט מִפְּגַם הַבְּרִית, בְּאֹפֶן שֶׁלֹּא אֶתְרַחֵק וְלֹא אֶשְׁתַּלַּח חַס וְשָׁלוֹם חוּץ לְמַחֲנֵה יִשְׂרָאֵל

sustenance of the body, and intensify and strengthen the sustenance of the soul, which is the good fragrance of the true fear of HaShem.

May the verse be realized, "HaShem is my shepherd, I will not lack." May we eat and drink in great holiness and purity, on the level of the sustenance of the soul. As the verse states, "The righteous man eats to satisfy his soul."

May the true Tzaddik wage war on our behalf against Og, king of Bashan—subduing, breaking, uprooting, destroying and nullifying from the world the "husk" of Og, king of Bashan, together with all of the "husks" and Sides of Evil in the world, which are the pollution of the Serpent that pursues the weak members of Your nation of Israel.

HaShem, You know that we have no power to withstand these enemies. Please have pity on a poor and needy nation, on those as weak as we are today. Arouse the heart of the true Tzaddikim to wage war on our behalf against all of our enemies and persecutors in both the physical and spiritual realms.

Purify us from all uncleanness—in particular, from the blemish of the covenant—so that I will not be removed and ejected, Heaven forbid,

הַקְּדוֹשָׁה, אֲשֶׁר כָּל הַטְּמֵאִים וּבִפְרָט הַפּוֹגְמִים בַּבְּרִית מִשְׁתַּלְּחִים מִשָּׁם.

אָנָּא יְהֹוָה מָלֵא רַחֲמִים רַחֵם עָלַי וְהַעֲלֵנִי מְהֵרָה מִטֻּמְאָה לְטָהֳרָה, וְזַכֵּנִי שֶׁאָגֵן בַּעֲדִי עַל יְדֵי הַמֹּחִין וְהַשֵּׂכֶל בִּפְנֵי כָּל הַהִרְהוּרִים וְתַאֲוַת נִאוּף.

שֶׁיִּהְיוּ הַמֹּחִין שְׁלֹשָׁה מְחִצּוֹת פְּרוּסוֹת בִּפְנֵי הִרְהוּרִים וְתַאֲוָה הַזֹּאת, עַד שֶׁאֶזְכֶּה לִקְדֻשַּׁת הַבְּרִית בֶּאֱמֶת.

וְתֶאֱסֹף אוֹתִי לְתוֹךְ מַחֲנֵה יִשְׂרָאֵל מַחֲנֵה הַקְּדֻשָּׁה, וְנִזְכֶּה לְקַיֵּם מִקְרָא שֶׁכָּתוּב: "וְהָיָה מַחֲנֶיךָ קָדוֹשׁ".

עַד שֶׁנִּזְכֶּה לִמְזוֹנָא דְנִשְׁמָתָא וּלְהַכְנִיעַ מְזוֹנָא דְגוּפָא לְבַטֵּל הַגּוּף לְגַבֵּי הַנֶּפֶשׁ, וּלְעָבְדְךָ בֶּאֱמֶת בְּאֵימָה בְּפַחַד בְּיִרְאָה וְאַהֲבָה אֲמִתִּיּוֹת כִּרְצוֹנְךָ הַטּוֹב מֵעַתָּה וְעַד עוֹלָם.

וּתְחַזֵּק וְתַבְרִיא אֶת הָרֵאָה הַקְּדוֹשָׁה, שֶׁתִּהְיֶה הָרֵאָה בִּשְׁלֵמוּת תָּמִיד אֶצְלֵנוּ וְאֵצֶל כָּל עַמְּךָ בֵּית יִשְׂרָאֵל, בְּגַשְׁמִיּוּת וּבְרוּחָנִיּוּת, וְתִתְנַהֵג תָּמִיד בְּמֶזֶג הַשָּׁוֶה כָּרָאוּי.

from the holy camp of Israel, from which all those who are unclean—in particular, those who damage the covenant—are sent away.

Please, HaShem, You Who are filled with compassion, have compassion on me and elevate me soon from uncleanness to purity. Purify me so that I will shield myself by means of my mind and intellect against all salacious fantasies and desires.

May my mind comprise the three barriers stretched out against these fantasies and this desire, until I will truly attain the holiness of the covenant.

Bring me into the holy camp of Israel. May we realize the verse, "Your camp should be holy."

At last, may we attain the food of the soul and subdue the food of the body, so that we nullify the body to the spirit. May we truly serve You with fear, dread, awe and love, in accordance with Your good will, from now and forever.

Strengthen and heal the holy lungs. May our lungs and those of Your entire nation, the House of Israel, always be whole—physically and spiritually—and always function in the proper balance.

וְתַצִּילֵנוּ בְּרַחֲמֶיךָ מִכָּל מִינֵי חָלְיֵי הָרֵאָה וּמִכָּל הֶחֳלָאִים שֶׁבָּעוֹלָם.

וְנִזְכֶּה שֶׁיִּתְתַּקֵּן וְיֻמְשַׁךְ עָלֵינוּ קְדֻשַּׁת כָּל הַדְּבָרִים שֶׁהִזְכַּרְתִּי לְפָנֶיךָ, עַל יְדֵי הָרֵאָה הַקְּדוֹשָׁה.

וְתַצִּילֵנִי מֵהַבְלֵי עוֹלָם הַזֶּה, מֵהֶבֶל מַעֲשֵׂה תַּעְתּוּעִים, וְנִזְכֶּה לְתַקֵּן כָּל הַהֲבָלִים שֶׁבָּעוֹלָם, לְבָרְרָם וּלְהַעֲלוֹתָם וּלְהָפְכָם לַהֲבָלִים שֶׁבִּקְדֻשָּׁה, לְדַבֵּר דִּבּוּרֵי תוֹרָה וּתְפִלָּה בֶּאֱמֶת בִּקְדֻשָּׁה וּבְטָהֳרָה גְדוֹלָה כִּרְצוֹנְךָ הַטּוֹב.

לראש השנה

וּתְזַכֵּנוּ לְקַבֵּל רֹאשׁ הַשָּׁנָה בִּקְדֻשָּׁה וּבְטָהֳרָה גְדוֹלָה וּבִשְׁלֵמוּת גָּדוֹל.

וְנִזְכֶּה בִּימֵי רֹאשׁ הַשָּׁנָה הַקְּדוֹשִׁים, לְהַמְשִׁיךְ עָלֵינוּ קְדֻשַּׁת הַתְּפִלָּה בִּבְחִינַת דִּין שֶׁל הַבַּעַל כֹּחַ הָאֲמִתִּי עִם כָּל הַקְּדֻשּׁוֹת וְהַתִּקּוּנִים הַנַּעֲשִׂין עַל יְדֵי זֶה.

In Your compassion, rescue us from every type of lung disease and from all diseases in the world.

May the holiness of all of these matters that I have mentioned before You grow stronger and be drawn onto us by means of the holy lungs.

Rescue us from the vanities of this world, from its empty breath, from the futility of delusion. May we rectify all of the vanities, all of the empty breaths, of the world—purifying them, elevating them and transforming them into breaths of holiness—by speaking genuine words of Torah and prayer in great holiness and purity, in accordance with Your good will.

For Rosh HaShanah

The Ability to Celebrate Rosh HaShanah

Grant me the ability to celebrate Rosh Ha-Shanah in tremendous holiness and purity, and with great perfection.

During the holy days of Rosh HaShanah, may we draw onto ourselves the holiness of prayer that is on the level of judgment—which is engaged in by the true man of power—and that will bring about and be accompanied by holiness and rectifications.

עַד שֶׁנִּזְכֶּה לְתִקּוּן הַבְּרִית בִּשְׁלֵמוּת וּלְתִקּוּן הַדַּעַת, לְתַקֵּן כָּל הַשְּׁלשָׁה מֹחִין שֶׁבְּרֹאשֵׁינוּ שֶׁיִּהְיוּ שְׁלשָׁה מְחִצּוֹת פְּרוּסוֹת בִּפְנֵי תַּאֲוַת נִאוּף, לְהָגֵן בְּפָנֵינוּ עַל יְדֵי הַדַּעַת וְהַשֵּׂכֶל הָאֱמֶת.

שֶׁלֹּא תִהְיֶה לְתַאֲוָה הַזֹּאת שׁוּם שְׁלִיטָה וַאֲחִיזָה בָּנוּ כְּלָל מֵעַתָּה וְעַד עוֹלָם, רַק נִזְכֶּה כֻּלָּנוּ אֲנִי וְכָל עַמְּךָ יִשְׂרָאֵל לִהְיוֹת קְדוֹשִׁים וּטְהוֹרִים בֶּאֱמֶת וְלִפְרשׁ מִתַּאֲוָה הַזֹּאת לְגַמְרֵי.

וְנִזְכֶּה לִתְפִלָּה בִּשְׁלֵמוּת, וְתִהְיֶה תְּפִלָּתֵנוּ תָּמִיד רַחֲמִים וְתַחֲנוּנִים לִפְנֵי הַמָּקוֹם בָּרוּךְ הוּא.

וְתַשְׁפִּיעַ עָלֵינוּ רַחֲמִים שֶׁיִּהְיֶה לָנוּ רַחֲמָנוּת אֲמִתִּי עַל עֲנִיִּים הֲגוּנִים וְעַל כָּל מִי שֶׁצְּרִיכִין לְרַחֵם עָלָיו כִּרְצוֹנְךָ הַטּוֹב.

וְתַעַזְרֵנוּ שֶׁנִּזְכֶּה לַעֲשׂוֹת בַּעֲלֵי תְשׁוּבָה וְגֵרִים הַרְבֵּה בָּעוֹלָם כִּרְצוֹנְךָ הַטּוֹב, וּלְגַדֵּל כְּבוֹדְךָ וּלְפַרְסֵם אֱלָהוּתְךָ בָּעוֹלָם.

עַד שֶׁנִּזְכֶּה לְרוּחַ נְבוּאָה אֲמִתִּיִּית בִּקְדֻשָּׁה גְדוֹלָה, וּלְבָרֵר הַכֹּחַ הַמְדַמֶּה שֶׁיִּהְיֶה הַכֹּחַ הַמְדַמֶּה בָּרוּר וְזַךְ וָצַח אֶצְלֵנוּ בְּזַכּוּת וּבִבְהִירוּת גָּדוֹל.

At last, may we attain a complete rectification of the covenant and of the mind that will rectify all of the three states of mindfulness, which are the three barriers spread out against salacious desire, shielding us with true mindfulness and intellect.

May this desire not control us or grasp us at all from now and forever onward. Instead, may we all—I and Your entire nation, the Jewish people—be truly holy and pure, and entirely separated from this desire.

May we attain perfect prayer. May our prayer always consist of petitions and pleading to You.

Compassionately send us the inspiration to show true compassion to worthy poor people and to everyone who requires compassion, in accordance with Your good will.

Help us create many penitents and converts in accordance with Your good will, to order to increase Your honor and publicize Your Godliness in the world.

May we at last attain the spirit of true prophecy in great holiness. May we purify the power of our imagination so that it will be clear, pure, lucid and crystalline.

בְּאֹפֶן שֶׁנִּזְכֶּה לְסַדֵּר תְּאָרִים וּשְׁבָחִים לְשִׁמְךָ הַגָּדוֹל וְהַקָּדוֹשׁ כָּרָאוּי בִּקְדֻשָּׁה גְדוֹלָה. וּנְבָרֵךְ שֵׁם כְּבוֹדֶךָ הַמְרֹמָם עַל כָּל בְּרָכָה וּתְהִלָּה.

וְתִתְגַּבֵּר וְתִתְחַזֵּק אֱמוּנַת חִדּוּשׁ הָעוֹלָם עַד שֶׁנִּזְכֶּה לְחִדּוּשׁ הָעוֹלָם שֶׁלֶּעָתִיד, וְיִתְנַהֵג כָּל הָעוֹלָם כֻּלּוֹ עַל יְדֵי הַשְׁגָּחָה וְנִפְלָאוֹת לְבַד שֶׁלֹּא כְּדֶרֶךְ הַטֶּבַע כְּלָל.

וְיִתְעַר שִׁיר חָדָשׁ בָּעוֹלָם, שִׁיר שֶׁל נִפְלָאוֹת, וְיִפְצְחוּ הָרִים רִנָּה.

וְתַכְנִיעַ אֶת עָקֵב דְּסִטְרָא אַחֲרָא שֶׁהוּא עֲקֵבוֹ שֶׁל עֵשָׂו הָרָשָׁע, וְיִתְגַּבֵּר וְיִתְחַזֵּק הַקּוֹל קוֹל יַעֲקֹב, עַל הַיָּדַיִם יְדֵי עֵשָׂו, וִיקֻיַּם מִקְרָא שֶׁכָּתוּב: "וְיָדוֹ אוֹחֶזֶת בַּעֲקֵב עֵשָׂו".

וְיִמְשֹׁךְ עָלֵינוּ הַנָּהָר הַיּוֹצֵא מֵעֵדֶן לְהַשְׁקוֹת אֶת הַגָּן, וְעַל יְדֵי זֶה נִזְכֶּה לְהַעֲלוֹת רֵיחַ טוֹב לְפָנֶיךָ.

In this way, may we fashion appropriate descriptions and praise of Your great and holy Name with great sanctity. May we bless Your honored Name, which is elevated beyond all blessing and praise.

May our faith in the renewal of the world be intensified and strengthened, so that we will arrive at the future, messianic renewal of the universe, when the entire world will be conducted in accordance with providence and wonders alone, and not in accordance with the way of nature at all.

Then a new song will be awakened in the world, a song of wonders, and the mountains will burst out in song.

Then You will subdue the heel of the Side of Evil, which is the heel of the wicked Esau, and "the voice is the voice of Jacob" will intensify and grow stronger to overcome "the hands are the hands of Esau." Then the verse will be realized, "His hand grasps the heel of Esau."

May the river that emerges from Eden to water the garden be drawn onto us. And by means of that, may we send up a good fragrance to You.

וּתְזַכֵּנוּ לְיִרְאָה שְׁלֵמָה בֶּאֱמֶת תָּמִיד.

וּבִפְרָט בִּימֵי רֹאשׁ הַשָּׁנָה הַקְּדוֹשִׁים שֶׁהֵם יְמֵי יִרְאָה, תְּרַחֵם עָלֵינוּ וְתַמְשִׁיךְ עָלֵינוּ יִרְאָה וָפַחַד וְאֵימָה דִּקְדֻשָּׁה גְּדוֹלָה וַעֲצוּמָה. וּבִפְרָט בְּעֵת שְׁמִיעַת קוֹל שׁוֹפָר תְּזַכֵּנוּ שֶׁיָּבֹא בְּלִבֵּנוּ יִרְאָה גְּדוֹלָה.

וְתַשְׁפִּיעַ פַּחְדְּךָ וְאֵימָתְךָ וְיִרְאָתְךָ עָלֵינוּ וְעַל כָּל יִשְׂרָאֵל וְעַל כָּל בָּאֵי עוֹלָם, וְיִירָאוּךָ כָּל הַמַּעֲשִׂים, וְיִשְׁתַּחֲווּ לְפָנֶיךָ כָּל הַבְּרוּאִים, וְיֵעָשׂוּ כֻלָּם אֲגֻדָּה אַחַת לַעֲשׂוֹת רְצוֹנְךָ בְּלֵבָב שָׁלֵם.

אָבִינוּ מַלְכֵּנוּ זַכֵּנוּ בְּרַחֲמֶיךָ לְקַבֵּל וּלְהַמְשִׁיךְ עָלֵינוּ קְדֻשַּׁת רֹאשׁ הַשָּׁנָה בְּתַכְלִית הַשְּׁלֵמוּת בְּשִׂמְחָה וּבְחֶדְוָה וּבִבְכִיָּה גְדוֹלָה מִתּוֹךְ שִׂמְחָה וּבִקְדֻשַּׁת הַמַּחֲשָׁבָה בְּיוֹתֵר בְּיִרְאָה גְדוֹלָה.

וְנִזְכֶּה לְקַיֵּם מִצְוַת שְׁמִיעַת קוֹל שׁוֹפָר בִּקְדֻשָּׁה גְּדוֹלָה בִּשְׁלֵמוּת כָּרָאוּי, עִם כָּל פְּרָטֶיהָ וְדִקְדּוּקֶיהָ וְכַוָּנוֹתֶיהָ וְתַרְיַ"ג מִצְוֹת הַתְּלוּיִם בָּהּ, וּבְאֵימָה וּבְיִרְאָה גְּדוֹלָה, כְּמוֹ

May we attain a constant, true, complete fear of You.

During the holy days of Rosh HaShanah, which are days of awe of God, have compassion on us. Draw onto us great and powerful, holy fear, dread and apprehension. In particular, when we hear the sound of the shofar, may great awe enter our heart.

Pour forth that dread, apprehension and fear of You onto us, onto all of Israel and onto all people. "Then all beings will fear You and all created beings will bow down before You, and all of them will form one assembly to do Your will with all their heart."

Our Father, our King, in Your compassion, help us receive and draw onto ourselves the holiness of Rosh HaShanah with ultimate perfection, with joy and happiness, with great weeping out of joy, and with pervasive holiness of thought, in great fear.

May we fulfill the mitzvah of hearing the sound of the shofar in great holiness, with proper wholeness, with all of its details, particulars, intentions and the 613 commandments that are dependent on it—and with great apprehension

שֶׁכָּתוּב: "אִם יִתָּקַע שׁוֹפָר בְּעִיר וְעָם לֹא יֶחֱרָדוּ".

וְנֶאֱמַר: "אַשְׁרֵי הָעָם יוֹדְעֵי תְרוּעָה, יְהֹוָה, בְּאוֹר פָּנֶיךָ יְהַלֵּכוּן. בְּשִׁמְךָ יְגִילוּן כָּל הַיּוֹם, וּבְצִדְקָתְךָ יָרוּמוּ כִּי תִפְאֶרֶת עֻזָּמוֹ אָתָּה, וּבִרְצוֹנְךָ תָּרוּם קַרְנֵנוּ. כִּי לַיהֹוָה מָגִנֵּנוּ וְלִקְדוֹשׁ יִשְׂרָאֵל מַלְכֵּנוּ".

וְנֶאֱמַר: "בַּחֲצוֹצְרוֹת וְקוֹל שׁוֹפָר הָרִיעוּ לִפְנֵי הַמֶּלֶךְ יְהֹוָה". וְנֶאֱמַר: "תִּקְעוּ בַחֹדֶשׁ שׁוֹפָר, בַּכֵּסֶא לְיוֹם חַגֵּנוּ, כִּי חֹק לְיִשְׂרָאֵל הוּא, מִשְׁפָּט לֵאלֹהֵי יַעֲקֹב".

וְנִזְכֶּה לְסַדֵּר לְפָנֶיךָ מַלְכֻיּוֹת וְזִכְרוֹנוֹת וְשׁוֹפָרוֹת בְּכַוָּנָה גְדוֹלָה וּבִשְׁלֵמוּת גָּדוֹל, עַד שֶׁנִּזְכֶּה לְרַצּוֹת אוֹתְךָ שֶׁתָּבִיא לָנוּ אֶת מְשִׁיחַ צִדְקֵנוּ חִישׁ קַל מְהֵרָה. וִיקֻיַּם מִקְרָא שֶׁכָּתוּב: "וַהֲרִיחוֹ בְּיִרְאַת יְהֹוָה".

וּתְמַהֵר וְתָחִישׁ לְגָאֳלֵנוּ וְתִבְנֶה לָנוּ אֶת בֵּית קָדְשֵׁנוּ

and fear. As the verse states, "If a shofar blows in a city, will the people not tremble?"

"Fortunate is the nation that knows the joyful shout; HaShem, they walk in the light of Your face. They rejoice in Your Name the whole day, and they are exalted in Your righteousness, because You are the glory of their strength. In accordance with Your desire, our horn is raised, because HaShem is our shield and the Holy One of Israel is our King."

"With trumpets and the voice of the shofar, raise your voices before the King, HaShem." "Sound the shofar on the new moon, on the appointed time for the day of our festival, for it is a law for Israel, the judgment of the God of Jacob."

May we recite before You the *Musaf* prayer—with its passages of *Malkhuyot* (Sovereignty), *Zikhronot* (Remembrance) and *Shofarot* (shofar-blowing)—with great intent and with great wholeness, until we please You so that You will quickly, swiftly and speedily bring us our righteous Mashiach, who "will be animated by the fear of HaShem."

Quickly and swiftly redeem us and build our holy and beautiful Temple. May we return to

וְתִפְאַרְתֵּנוּ, וְנָשׁוּב בְּגִילָה וְרִנָּה לְאַרְצֵנוּ, וְשָׁם נַעֲבָדְךָ בְּיִרְאָה כִּימֵי עוֹלָם וּכְשָׁנִים קַדְמוֹנִיּוֹת.

"הֲשִׁיבֵנוּ יְהֹוָה אֵלֶיךָ וְנָשׁוּבָה, חַדֵּשׁ יָמֵינוּ כְּקֶדֶם.

יִהְיוּ לְרָצוֹן אִמְרֵי פִי, וְהֶגְיוֹן לִבִּי לְפָנֶיךָ, יְהֹוָה צוּרִי וְגוֹאֲלִי", אָמֵן וְאָמֵן:

our Land in joy and song, and serve You there in awe, as in the early days and original years.

"Return us to You, HaShem, and we will return; renew our days as of old."

"May the words of my mouth and the meditation of my heart be pleasing before You, HaShem, my Rock and my Redeemer." Amen and amen.

9

Torah Leaders Remove the Depression That Lies on a Person's Heart / Unregulated Spiritual Fervor Can Cause Harm

---

The leaders of the generation correspond to the spirit, in that they are in tune with the spirit of every individual.

The Jewish people are the heart of the world. Wicked people—the "mixed multitude"—are like dust settling onto the heart, causing it to be depressed and preventing it from burning with a fiery zeal for God.

The leaders of the generation must breathe their spirit onto every Jew to blow off that dusty depression. When that dust is removed, the particles of fervent fire reassemble, and the Jews join together as one heart.

However, if a person attempts to force his way up to God beyond his level, his fervor becomes a destructive storm wind that stirs up too much fire.

"חַם לִבִּי בְּקִרְבִּי בַּהֲגִיגִי תִבְעַר אֵשׁ דִּבַּרְתִּי בִּלְשׁוֹנִי".

כְּאֵשׁ עָצוּר בְּלְבָבִי "וְנִלְאֵתִי כַּלְכֵל וְלֹא אוּכָל".

רִבּוֹנוֹ שֶׁל עוֹלָם, רִבּוֹנוֹ שֶׁל עוֹלָם, אַתָּה יָדַעְתָּ אוֹתְךָ, כִּי אֵין מִי שֶׁיֵּדַע מִמְּךָ תִּתְבָּרַךְ לָנֶצַח, כִּי אִם אַתָּה לְבַד, כִּי לֵית מַחֲשָׁבָה תְּפִיסָא בָּךְ כְּלָל.

אַךְ עִם כָּל זֶה, בְּגֹדֶל חֲנִינוּתֶיךָ וְעֹצֶם עַנְוְתָנוּתֶךָ, בָּרָאתָ עוֹלָמְךָ בִּשְׁבִיל יִשְׂרָאֵל עַמֶּךָ שֶׁהֵם לִבָּא דְכָל עַלְמָא, וְנָתַתָּ לָהֶם לֵב לָדַעַת וּלְהָבִין וּלְהִשְׁתּוֹקֵק וְלִכְסֹף וּלְהִתְגַּעְגֵּעַ אֵלֶיךָ תָּמִיד.

כִּי חֲנַנְתָּנוּ בְּרַחֲמֶיךָ הָרַבִּים, וְנָטַעְתָּ וְקָבַעְתָּ יְדִיעַת תְּשׁוּקַת אֱמוּנָתְךָ בְּלִבֵּנוּ, עַד אֲשֶׁר כְּלָלִיּוּת עַמְּךָ יִשְׂרָאֵל הַקָּדוֹשׁ לִבָּם בּוֹעֵר כְּאֵשׁ לֶהָבָה אֵלֶיךָ תָּמִיד.

"כִּי עַזָּה כַמָּוֶת אַהֲבָה, קָשָׁה כִשְׁאוֹל קִנְאָה רְשָׁפֶיהָ רִשְׁפֵּי אֵשׁ שַׁלְהֶבֶת יָהּ, מַיִם רַבִּים לֹא יוּכְלוּ לְכַבּוֹת אֶת הָאַהֲבָה,

Fervor for God

"**M**y heart is hot within me; in my thoughts, a fire burns until I speak with my tongue."

"This burns in my heart like fire...I grow worn out containing it—and I fail."

Master of the world, Master of the world, only You know Who You are. No one else knows You, only You alone. No thought can grasp You at all.

Nevertheless, in Your immense graciousness and tremendous humility, You created Your world for Your people of Israel. They are the heart of the entire universe. You gave them a heart with which to know You, understand You, yearn for You, long for You and pine for You always.

In Your vast compassion, You have been gracious to us. You planted and fixed a knowledge of faith and a yearning for faith in our hearts, so that the hearts of all of Your holy people of Israel constantly burn for You like a flaming fire.

"Love is as strong as death; jealousy is as harsh as Sheol. Its flames are flames of fire, a flame of God. Many waters cannot extinguish

וּנְהָרוֹת לֹא יִשְׁטְפוּהָ". מֵרָחוֹק יְהֹוָה נִרְאָה לָנוּ, וְאַהֲבַת עוֹלָם אֲהַבְנוּךָ.

אַךְ מֵרֹב עֲווֹנוֹתַי הָרַבִּים וְהָעֲצוּמִים מְאֹד כַּאֲשֶׁר אַתָּה יָדַעְתָּ, גָּבְרָה עָלַי הַמָּרָה שְׁחוֹרָה וְהָעַצְבוּת מְאֹד, אֲשֶׁר מֵחֲמַת זֶה נוֹפְלִים עַפְרוּרִיּוּת וּכְבֵדוּת עַל הַלֵּב, עַד אֲשֶׁר אֵינִי יָכֹל לִבְעֹר וּלְהִתְלַהֵב אֵלֶיךָ כָּרָאוּי.

וְאִם לִפְעָמִים מִתְנוֹצֵץ עָלַי בְּרַחֲמֶיךָ הִתְנוֹצְצוּת אֱלֹהוּתְךָ, אֵין לִי כֵּלִים לְקַבֵּל אוֹר הַהִתְנוֹצְצוּת הַזֶּה.

וַאֲזַי בּוֹעֵר הַלֵּב חוּץ מֵהַמִּדָּה חַס וְשָׁלוֹם.

עַד אֲשֶׁר אֵינִי יָכוֹל וְאֵינִי רַשַּׁאי לִפְעָמִים לְקַבֵּל עָלַי וּלְהַמְשִׁיךְ עַצְמִי וְדַעְתִּי לָזֶה הַהִתְנוֹצְצוּת שֶׁלֹּא אֶהֱרֹס לַעֲלוֹת אֶל יְהֹוָה חוּץ מֵהַמִּדָּה וְהַגְּבוּל שֶׁיֵּשׁ לִי, אֲשֶׁר גָּזַרְתָּ עָלֵינוּ וְאָסַרְתָּ לָנוּ לִבְלִי לַהֲרֹס אֵלֶיךָ חַס וְשָׁלוֹם, כְּמוֹ שֶׁכָּתוּב: "פֶּן יֶהֶרְסוּ לַעֲלוֹת אֶל יְהֹוָה".

וְלִפְעָמִים הַלֵּב אָטוּם לְגַמְרֵי עַל יְדֵי הָעַצְבוּת.

the love and rivers cannot overflow it." HaShem, You appear to us from afar, and we love You with an eternal love.

Save Us from the Irrational Urge to do Wrong

But due to the multitude of my many and grievous sins, I have been overwhelmed by bitterness and depression. As a result, clods of earth and heaviness have fallen upon my heart, and I cannot burn and glow for You properly.

On occasion, due to Your compassion, sparks of Your Godliness shine on me. But then I lack the vessels to contain their light.

And then my heart burns beyond its measure, Heaven forbid.

Therefore, at times I cannot and dare not receive these sparks and draw myself and my mind to them, because otherwise I might harm myself by rising to You, HaShem, beyond my limitations and boundaries. You have issued a decree forbidding us from breaking through to You, Heaven forbid. As the verse states, "Lest they break through to rise to HaShem."

At times, my heart is entirely sealed shut as a result of my depression.

רִבּוֹנוֹ שֶׁל עוֹלָם רִבּוֹנוֹ דְעָלְמָא כֹּלָּא, יוֹדֵעַ הַתַּעֲלוּמוֹת, אַתָּה יוֹדֵעַ רָזֵי עוֹלָם וְתַעֲלוּמוֹת סִתְרֵי כָּל חָי, מָה אוֹמַר וּמָה אֲדַבֵּר וּמָה אֲסַפֵּר לְפָנֶיךָ, הֲלֹא כָּל הַנִּסְתָּרוֹת וְהַנִּגְלוֹת אַתָּה יוֹדֵעַ, אֵין דָּבָר נֶעְלָם מִמֶּךָּ וְאֵין נִסְתָּר מִנֶּגֶד עֵינֶיךָ.

אֱלֹהֵי עוֹלָם, אֲדוֹן כֹּל, הַכֹּל יָכוֹל, חַי לָעַד וְקַיָּם לָנֶצַח, יָחִיד קַדְמוֹן, אַתָּה הוּא רִאשׁוֹן וְאַתָּה הוּא אַחֲרוֹן וּמִבַּלְעָדֶיךָ אֵין אֱלֹהִים.

"רָם וְנִשָּׂא שׁוֹכֵן עַד וְקָדוֹשׁ שְׁמוֹ, מָרוֹם וְקָדוֹשׁ תִּשְׁכּוֹן, וְאֶת דַּכָּא וּשְׁפַל רוּחַ, לְהַחֲיוֹת רוּחַ שְׁפָלִים וּלְהַחֲיוֹת לֵב נִדְכָּאִים.

חַי וְקַיָּם נוֹרָא מָרוֹם וְקָדוֹשׁ", אֲשֶׁר כָּל הָעוֹלָם וּמְלוֹאוֹ עִם כָּל הָעוֹלָמוֹת כֻּלָּם כְּלָא נֶחְשָׁב קַמָּךְ, כְּלֹא מַמָּשׁ, וְכָל הַזְּמַן שֶׁל הָעוֹלָם כֻּלּוֹ אֵינוֹ עוֹלֶה אֶצְלְךָ כְּהֶרֶף עַיִן.

אַתָּה לְבַד יוֹדֵעַ רַחֲמָנוּתְךָ בְּעַצְמְךָ, אֵיךְ אַתָּה חָפֵץ בְּטוֹבוֹתֵינוּ, לְהוֹדִיעֵנוּ אֲמִתָּתְךָ, וּלְהַטְעִימֵנוּ מִזִּיו נֹעַם

Master of the world, Master of the entire universe, You Who know hidden things, You know the secrets of the world and the hidden, concealed affairs of every living being. What shall I say? How shall I speak? What can I tell You? You know all hidden and revealed things. Nothing is hidden from You. Nothing is concealed from Your eyes.

God of the universe, Master of all, able to do anything, living forever and existing eternally, unique, primal—You are the first and You are the last. Besides You, there is no other god.

"Elevated and Exalted One, dwelling forever, holy is His Name. You dwell with the uplifted and holy, and with the crushed and lowly in spirit, to revive the spirit of the humble and to revive the heart of the crushed."

"You are alive and present, awesome, elevated and holy." The entire world and everything in it, together with all universes, is literally as nothing before You. Before You, the entire time span of the entire universe is not more than the blink of an eye.

You alone know how compassionate You are—how You desire our good and so teach us about Your true being, so that we may taste the

נִצְחִיּוּת אֱלֹהוּתְךָ, וְנִפְלָאוֹת נוֹרָאוֹת עֲרֵבַת נְעִימַת יְדִידוּת תְּשׁוּקַת דְּבֵקוּתְךָ.

וּבְכַמָּה גִלְגּוּלִים אַתָּה מִתְגַּלְגֵּל עִמָּנוּ, וּבְכַמָּה סִבּוּבִים וְסִבּוֹת שׁוֹנוֹת אַתָּה מְסַבֵּב עִמָּנוּ, לִפְעָמִים בְּנַחַת וְלִפְעָמִים בְּיִסּוּרִין רַחֲמָנָא לִצְלָן, וְהַכֹּל לְטוֹבָתֵנוּ.

כְּדֵי לְהִתְעוֹרֵר לַעֲבוֹדָתְךָ בֶּאֱמֶת כְּדֵי לָשׁוּב מִמַּעֲשֵׂינוּ וּמִדְּרָכֵינוּ הָרָעִים לָשׁוּב אֵלֶיךָ בֶּאֱמֶת וּלְהִתְדַּבֵּק בְּךָ כְּדֵי שֶׁנִּזְכֶּה לִשְׂבֹּעַ מִטּוּבְךָ לְהַשְׂבִּיעַ בְּצַחְצָחוֹת נַפְשֵׁנוּ, "לַחֲזוֹת בְּנֹעַם יְהֹוָה וּלְבַקֵּר בְּהֵיכָלוֹ", כְּדֵי לְהַכִּיר אֶת מִי שֶׁאָמַר וְהָיָה הָעוֹלָם.

אֲשֶׁר זֹאת הִיא הַהַצְלָחָה שֶׁבְּכָל הַהַצְלָחוֹת, הַיְשׁוּעָה שֶׁבְּכָל הַיְשׁוּעוֹת, הַטּוֹבָה שֶׁבְּכָל הַטּוֹבוֹת, הַתַּכְלִית מִכָּל הַתַּכְלִיּוֹת.

וְעַתָּה הַיְאֻמַּן כִּי יְסֻפָּר, שֶׁאִישׁ אֲשֶׁר אֵלֶּה לוֹ, שֶׁנִּבְרָא בִּשְׁבִיל טוֹב כָּזֶה, בִּשְׁבִיל תַּכְלִית אֲמִתִּי וְנִצְחִי כָּזֶה, לְהִתְעַנֵּג עַל

radiant, pleasant eternity of Your Godliness and the awesome wondrousness and sweet, pleasant amiability of yearning to cling to You.

You cause us to go through various experiences, and You direct our lives via different circumstances—sometimes directly and sometimes indirectly, sometimes comfortably and sometimes with suffering, may the Compassionate One protect us. It is all for our good.

You do this in order to wake us up to truly serve You, so that we will repent of our evil deeds and ways, and truly return to You and cling to You. Then we will be satiated by Your goodness and sate our souls with brightness, "gazing upon the pleasantness of HaShem and visiting in His palace." Then we will recognize the One Who spoke and brought the world into being.

That is the greatest success, the most tremendous salvation, the highest of all benefits, the apex of all goals.

And now, if the following were told, would it be believed? That a person who has these things, who was created for the sake of this good, for the sake of such a true and eternal apotheosis—delighting in HaShem and taking

יְהֹוָה וּלְהִסְתּוֹפֵף בְּצֵל קָדְשָׁתוֹ, הַהוּא פָּעַל וְעָשָׂה מַעֲשִׂים כָּאֵלֶּה וּמַחֲשָׁבוֹת כָּאֵלֶּה, כַּאֲשֶׁר עָשִׂינוּ?!

אוֹי מֶה הָיָה לָנוּ, מַה נֹּאמַר מַה נְּדַבֵּר, אוֹי! אוֹי וַאֲבוֹי! כִּי בֶּאֱמֶת אֵין לָנוּ שׁוּם דִּבּוּרִים לְדַבֵּר בְּעִנְיָן זֶה כִּי אִם לִצְעֹק בְּקוֹל מַר וְנִמְהָר עַד כְּלוֹת הַנֶּפֶשׁ, עַד יַשְׁקִיף וְיֵרֶא יְהֹוָה מִשָּׁמָיִם.

כִּי עֲדַיִן אֵין מַעְצוֹר לַיהֹוָה לְהוֹשִׁיעַ כְּהֶרֶף עַיִן יְשׁוּעָה שְׁלֵמָה וַאֲמִתִּיִּת, יְשׁוּעָה נִצְחִיִּת לְעוֹלְמֵי עַד וּלְנֵצַח נְצָחִים.

וּבְכֵן יְהִי רָצוֹן מִלְּפָנֶיךָ יְהֹוָה אֱלֹהֵינוּ וֵאלֹהֵי אֲבוֹתֵינוּ, שֶׁיָּאִירוּ עָלֵינוּ זְכוּת וְכֹחַ הַצַּדִּיקֵי אֱמֶת, וְנִזְכֶּה עַל יָדָם לְשִׂמְחָה שְׁלֵמָה.

וּבְכֹחָם הַגָּדוֹל יְנַשְּׁבוּ עָלֵינוּ בְּרוּחָם הַקָּדוֹשׁ וִינַעֲרוּ וְיָסִירוּ מִלְּבָבֵנוּ כָּל מִינֵי מָרָה שְׁחוֹרָה וְעַצְבוּת, וְכָל מִינֵי עַפְרוּרִיּוּת וּכְבֵדוּת הַנּוֹפְלִים עַל לִבֵּנוּ, עַד שֶׁנִּזְכֶּה לְהִתְלַהֵב וְלִבְעֹר אֵלֶיךָ בֶּאֱמֶת.

וְתַצִּילֵנוּ וְתִשְׁמְרֵנוּ בְּרַחֲמֶיךָ הָרַבִּים מֵרוּחַ סְעָרָה שֶׁלֹּא יִבְעֹר

refuge in the shadow of His holiness—should have performed such deeds and entertained such thoughts as we have?

Woe! What have we done in our past? What shall we say? How shall we speak? Woe! Woe! Woe! For in truth, we have no words to say about this. We can only cry out in a bitter, crushed voice until our soul grows exhausted, until You, HaShem, gaze and look down from Heaven.

Nothing can prevent You, HaShem, from saving us in the blink of an eye with a complete, true and eternal salvation that lasts forever and ever.

Therefore, may it be Your will, HaShem our God and God of our fathers, that the merit and power of the true Tzaddikim will shine on us, and through them, we will attain complete joy.

In their great power, may they breathe their holy spirit upon us, and shake off and remove every sort of bitterness and depression from our hearts, every sort of dust and heaviness that falls upon our hearts, until we will truly burn fervently for You.

In Your vast compassion, rescue us and guard us from the storm wind, so that our hearts

וְלֹא יִתְלַהֵב לִבֵּנוּ חוּץ מֵהַמִּדָּה חַס וְשָׁלוֹם הַנִּקְרָא הֲרִיסָה, וְלֹא נַהֲרֹס לַעֲלוֹת אֶל יְהוָה.

וּבְכֹחַ וּזְכוּת צַדִּיקֵי אֱמֶת תַּמְשִׁיךְ עָלֵינוּ קְדֻשַּׁת אֵלִיָּהוּ הַנָּבִיא שֶׁהָיָה רוֹכֵב עַל סוּסֵי אֵשׁ בִּסְעָרָה, אֲשֶׁר כֹּחוֹ מַסְפִּיק גַּם עָלֵינוּ לְהַכְנִיעַ וּלְבַטֵּל מֵאִתָּנוּ הָאֵשׁ הַבּוֹעֵר בִּסְעָרָה חוּץ מֵהַמִּדָּה.

כִּי אֵין אִתָּנוּ יוֹדֵעַ עַד מָה, אֵיךְ לְהִתְנַהֵג בְּעִנְיָן זֶה שֶׁל הַהִתְנוֹצְצוּת וְהַהִתְלַהֲבוּת, כִּי אֵין אָנוּ יוֹדְעִים לְכַוֵּן הַמִּדָּה כְּלָל, לִפְעָמִים הַלֵּב אָטוּם וּמְטֻמְטָם לְגַמְרֵי, וְלִפְעָמִים בּוֹעֵר חוּץ מֵהַמִּדָּה.

וְאֵין לָנוּ עַל מִי לְהִשָּׁעֵן כִּי אִם עַל אָבִינוּ שֶׁבַּשָּׁמַיִם, וְעַל זְכוּת וְכֹחַ הַצַּדִּיקִים אֲמִתִּיִּים שֶׁכָּל אֶחָד נִקְרָא "אִישׁ אֲשֶׁר רוּחַ בּוֹ", שֶׁיּוֹדֵעַ לַהֲלֹךְ נֶגֶד רוּחוֹ שֶׁל כָּל אֶחָד וְאֶחָד.

עָזְרֵנוּ וְזַכֵּנוּ בְּרַחֲמֶיךָ הָרַבִּים שֶׁיְּנַשְּׁבוּ בְּרוּחָם הַקָּדוֹשׁ עַל כָּל אֶחָד וְאֶחָד מֵאִתָּנוּ עַמְּךָ בֵּית יִשְׂרָאֵל רוּחַ קְדֻשָּׁה וְטָהֳרָה,

will not burn and flame beyond their measure, Heaven forbid, and we will not break through the boundaries to rise to You, HaShem.

In the power and merit of the true Tzaddikim, send us the holiness of the prophet Elijah, who rode upon horses of fire in a storm wind, whose power suffices to subdue and nullify our unbridled, stormy, flaming fire.

Maintaining the Proper Measure of Fervor

No one knows how a person is supposed to conduct himself in this matter of sparks and flames, because we have no idea how to maintain the proper measure: at times our heart is entirely closed and blocked, and at other times it burns beyond its measure.

We have no one on whom to rely except You, our Father in Heaven, and on the merit and power of the true Tzaddikim, each one of whom is "a man who possesses spirit," who knows how to align himself with the spirit of each and every individual.

In Your vast compassion, help us and purify us so that these Tzaddikim will breathe their holy, pure spirit upon each and every one of Your nation, the House of Israel, and we will

בְּאֹפֶן שֶׁנִּזְכֶּה לְשִׂמְחָה שְׁלֵמָה בֶּאֱמֶת כִּרְצוֹנְךָ הַטּוֹב.

עַד שֶׁיִּבְעַר וְיִתְלַהֵב לֵב שֶׁל כָּל אֶחָד וְאֶחָד אֵלֶיךָ תִּתְבָּרַךְ לָנֶצַח בִּתְשׁוּקָה גְּדוֹלָה וּבְהִתְלַהֲבוּת נִמְרָץ בְּהַדְרָגָה וּבְמִדָּה כָּרָאוּי לְכָל אֶחָד וְאֶחָד לְפִי בְּחִינָתוֹ בֶּאֱמֶת.

כַּאֲשֶׁר אַתָּה לְבַד יָדַעְתָּ כָּל זֶה, כִּי אֵין מִי שֶׁיּוֹדֵעַ לְכַוֵּן זֹאת כִּי אִם אַתָּה לְבַד.

עַד שֶׁנִּזְכֶּה כֻּלָּנוּ עַמְּךָ בֵּית יִשְׂרָאֵל לָבֹא דְּכָל עָלְמָא, שֶׁכָּל אֶחָד וְאֶחָד מִיִּשְׂרָאֵל עַם סְגֻלָּה עַם הַנִּבְחָר מִכָּל הָעַמִּים, יִהְיֶה נַעֲשֶׂה לֵב לְמָקוֹם שֶׁצָּרִיךְ לִהְיוֹת שָׁם בִּבְחִינַת לֵב.

וְכֻלָּנוּ כְּאֶחָד נִתְדַּבֵּק אֵלֶיךָ וְנִתְלַהֵב אֵלֶיךָ בֶּאֱמֶת, עַד שֶׁנִּזְכֶּה לְהִכָּלֵל בְּךָ בֶּאֱמֶת לְעוֹלְמֵי עַד וּלְנֶצַח נְצָחִים.

וִיקֻיַּם בָּנוּ מִקְרָא שֶׁכָּתוּב: "וְאַתֶּם הַדְּבֵקִים בַּיהֹוָה אֱלֹהֵיכֶם חַיִּים כֻּלְּכֶם הַיּוֹם" מֵעַתָּה וְעַד עוֹלָם אָמֵן נֶצַח סֶלָה וָעֶד:

truly attain complete joy in accordance with Your good will.

At last, may the heart of every individual burn and flame for You forever, with great yearning and an energetic fire, in a graduated and measured way that is truly fitting for every individual in accordance with his level.

You alone know all of this. No one else knows how to achieve this but You.

Your nation, the House of Israel, is the heart of the entire universe. May each and every member of the Jewish people, the special nation, the nation chosen from all nations, become the heart of the place where he must be.

Then all of us as one will truly cling to You and be aflame for You, until we will truly be absorbed into You forever, for all eternity.

May the verse be realized, "You who cling to HaShem your God are alive, all of you, today," from now and forever. Amen forever, selah, forever.

10

To Understand God's Intent, a Person Must be Joyful / Joy is Freedom / A Person Attains Joy When He Sees the Good Within Himself

A depressed person cannot direct his mind as he wishes. Consequently, it is hard for him to attain a settled awareness regarding the purpose of life and the place of all of the lusts and aspects of this world. As a result, he remains far from God, unable to come close to Him.

Only with joy can a person control his thoughts and settle his mind. That is because joy is the world of freedom. It brings a person out of exile and sets him free.

And a person attains joy when he finds the good within himself—at the very least, the fact that he is Jewish.

רִבּוֹנוֹ שֶׁל עוֹלָם זַכֵּנִי לְיַשֵּׁב דַּעְתִּי הֵיטֵב בָּזֶה הָעוֹלָם בָּזֶה הַגּוּף חִישׁ קַל מְהֵרָה, שֶׁאֶזְכֶּה לְיַשֵּׁב דַּעְתִּי הֵיטֵב מָה הַתַּכְלִית וְהַסּוֹף מִכָּל הַתַּאֲוֹת וּמִכָּל עִנְיָנֵי עוֹלָם הַזֶּה.

הֵן הַתַּאֲוֹת הַנִּכְנָסוֹת לַגּוּף, הֵן הַתַּאֲוֹת שֶׁחוּץ לַגּוּף, כְּמוֹ הַכָּבוֹד וְהַהִתְנַשְּׂאוּת וְהַשִּׂנְאָה וְהַקִּנְאָה וְהַקִּנְטוּר וְכַיּוֹצֵא בָּהֵן.

וְאֶזְכֶּה לְהִסְתַּכֵּל עַל תַּכְלִיתִי הָאֲמִתִּי הֵיטֵב בְּיִשּׁוּב הַדַּעַת חָזָק בֶּאֱמֶת, וְלֹא אַטְעֶה אֶת עַצְמִי כְּלָל בָּזֶה הָעוֹלָם.

כִּי אַתָּה יָדַעְתָּ כִּי כָל הִתְרַחֲקוּתֵנוּ מִמְּךָ הִיא מֵחֲמַת שֶׁאֵין אָנוּ מְיַשְּׁבִין עַצְמֵנוּ כְּלָל.

כִּי אִם נִזְכֶּה לְיַשֵּׁב דַּעְתֵּנוּ הֵיטֵב בְּעִנְיַן מְרִירוּת חַיֵּי הָעוֹלָם הַזֶּה, אֲשֶׁר הוּא מָלֵא כַּעַס וּמַכְאוֹבוֹת, וְכָל הַתַּאֲוֹת וְהַתַּעֲנוּגִים שֶׁל הָעוֹלָם הַזֶּה הֵם לְפִי שָׁעָה קַלָּה כְּצֵל עוֹבֵר.

וְכֻלָּם מְעֹרָבִים בִּיגוֹנוֹת הַרְבֵּה וּבְצַעַר וְיִסּוּרִין וְיָגוֹן וַאֲנָחָה כִּפְלֵי כִפְלַיִם יוֹתֵר מֵהָעֹנֶג, וְהֶפְסֵדוֹ מְרֻבֶּה מִשְּׂכָרוֹ גַּם בְּעֵת תַּאֲוֹתָיו, וּמִכָּל שֶׁכֵּן בְּאַחֲרִיתוֹ מִיָּד שֶׁהִיא מָרָה כְּלַעֲנָה.

Focusing on the Purpose of This World

Master of the universe, grant me the ability to settle my mind in this world, in this body, quickly, swiftly and speedily. Let me focus my mind very well on the goal and purpose of all of the desires and matters of this world.

May this apply both to bodily desires and to non-bodily desires such as the desire for honor and authority, hatred, jealousy, spite, and the like.

May I view the true goal clearly, with a truly tranquil mind, without any self-deception.

You know that we are very far from You because we do not settle our minds at all.

Who knows what might be if we were to settle our minds in regard to the bitterness of the life of this world, which is filled with anger and pain, and all of whose desires and delights are as brief as a passing shadow?

The world is adulterated with grief, suffering, torments, groans and sighs, which vastly outweigh its pleasures. The loss caused by this world is greater than its rewards, even at the moment that a person is fulfilling his desires— and, how much more, at the end of his life, when this world grows as bitter as wormwood.

רֵאשִׁיתוֹ יָגוֹן וַאֲנָחָה, וְאַחֲרִיתוֹ חֹשֶׁךְ וַחֲלַקְלַקּוֹת וַאֲפֵלָה נִדָּחָה, גַּם כָּל יָמָיו כַּעַס וּמַכְאוֹבוֹת הַרְבֵּה וְחָלְיוֹ וָקֶצֶף, וּמְאוּמָה לֹא יִשָּׂא בַעֲמָלוֹ.

וְכַאֲשֶׁר מְבֹאָר וּמְבֹרָר לְמִי שֶׁיֵּשׁ לוֹ מֹחַ כָּל שֶׁהוּא בְּקָדְקֳדוֹ, שֶׁכָּל הָעוֹלָם הַזֶּה הֶבֶל וָרִיק, כְּמוֹ שֶׁכָּתוּב: "יְמֵי שְׁנוֹתֵינוּ בָהֶם שִׁבְעִים שָׁנָה וְאִם בִּגְבוּרוֹת שְׁמוֹנִים שָׁנָה וְרָהְבָּם עָמָל וָאָוֶן כִּי גָז חִישׁ וַנָּעֻפָה".

וּכְמוֹ שֶׁאָמַר שְׁלֹמֹה הַמֶּלֶךְ עָלָיו הַשָּׁלוֹם: "הֲבֵל הֲבָלִים אָמַר קֹהֶלֶת הֲבֵל הֲבָלִים הַכֹּל הָבֶל".

וְכַאֲשֶׁר הֶאֱרִיךְ בָּזֶה עוֹד בְּכָל סֵפֶר קֹהֶלֶת, וּבִשְׁאָר סִפְרֵי קֹדֶשׁ מִגֹּדֶל גְּנוּת וּשְׁטוּת וְשִׁגָּעוֹן הַבְלֵי עוֹלָם הַזֶּה וְתַאֲוֹתָיו, "כִּי הַכֹּל הֶבֶל וּרְעוּת רוּחַ".

וְיוֹתֵר מִזֶּה מְבֹאָר מְאֹד לְמִי שֶׁזּוֹכֶה לְיַשֵּׁב דַּעְתּוֹ הֵיטֵב, כְּמוֹ שֶׁכָּתוּב: "וְיוֹתֵר מֵהֵמָּה בְּנִי הִזָּהֵר עֲשׂוֹת סְפָרִים הַרְבֵּה אֵין קֵץ" וְכוּ׳.

This world begins with groans and sighing, and it ends in black vertigo and disorienting darkness. All of a person's days are filled with anger and a multiplicity of pain, illness and frustration, and he gains nothing from his toil.

It is painfully obvious to anyone with any sort of intelligence that this entire world is vain and empty. As the verse states, "The days of our years come to seventy years—or, if a person is strong, eighty years. But their pride is toil and pain, for [that time] passes swiftly and we fly upward."

And King Solomon said, "Vanity of vanities, says Kohelet; vanity of vanities, everything is vanity."

He expresses this thought at length throughout the Book of Ecclesiastes. And other holy texts speak about the great disgrace, foolishness and madness of the vanities and desires of this world, "because everything is vanity and an evilness of spirit"

That and more grow clear to a person when he settles his mind well. As the verse states, "My son, take heed of more than [wisdom that has been written], for the making of many books [of instruction] has no end."

וְעַל כֵּן אִם הָיִינוּ זוֹכִים לְיַשֵּׁב עַצְמֵנוּ הֵיטֵב, בְּוַדַּאי הָיִינוּ שָׁבִים אֵלֶיךָ בֶּאֱמֶת לַאֲמִתּוֹ, כִּי גַם בָּזֶה הָעוֹלָם רוֹאִים שֶׁהַכֹּל הֶבֶל וּרְעוּת רוּחַ, מִכָּל שֶׁכֵּן וְכָל שֶׁכֵּן בָּעוֹלָם הַבָּא.

כִּי סוֹף כָּל סוֹף, אָנוּ מוּכָנִים לְהָשִׁיב הַפִּקָּדוֹן לְבַעַל הַפִּקָּדוֹן, וְאֶל עָפָר נָשׁוּב לִמְקוֹם רִמָּה וְתוֹלֵעָה, וְאָנוּ מֻכְרָחִים לִתֵּן דִּין וְחֶשְׁבּוֹן לִפְנֵי מֶלֶךְ מַלְכֵי הַמְּלָכִים הַקָּדוֹשׁ בָּרוּךְ הוּא, וְעַל כָּל הַמַּעֲשֶׂה שָׁם, כִּי הַכֹּל יִהְיֶה נִזְכָּר לָנוּ אָז, וְלֹא יִוָּתֵר לָנוּ דָּבָר.

וּמַה נַּעֲשֶׂה לְיוֹם פְּקוּדָה, מַה נַּחְשֹׁב עַל יְהֹוָה, לִפְנֵי זַעְמוֹ מִי יַעֲמֹד וּמִי יָקוּם בַּחֲרוֹן אַפּוֹ, אָנָה נוֹלִיךְ אֶת חֶרְפָּתֵנוּ, אָנָה מִפָּנָיו נִבְרָח.

"מִי יָגוּר לָנוּ אֵשׁ אוֹכֵלָה, מִי יָגוּר לָנוּ מוֹקְדֵי עוֹלָם". אֲהָהּ אָחִי אֵיכָה נַעֲשֶׂה.

Were we able to settle our minds very well, we would certainly return to You with ultimate sincerity, because even in this world we can see that everything is vanity and an evilness of spirit—and how much more clearly will we see this from the vantage point of the World to Come.

Ultimately, we must return that which we borrowed to You, its Owner. We will return to dust, to a place of maggots and worms, where we will have to give a judgment and accounting for our every deed before the King, the King of kings: the Holy One, blessed be He. Everything will be recalled at that time. Not a single detail will be overlooked.

What will we do on that day of visitation? What thoughts will we have about You, HaShem? Who will withstand Your wrath? Who will remain standing before Your furious anger? Where will we go with our disgrace? Where will we flee from You?

"Who among us will dwell with the consuming fire? Who among us will dwell with the eternal conflagrations?" O my brother, what then will we do?

אֲבָל בֶּאֱמֶת כָּל רִחוּקֵינוּ מִמְּךָ הוּא מֵחֲמַת שֶׁאֵין אָנוּ מְיַשְּׁבִין עַצְמֵנוּ הֵיטֵב הֵיטֵב בֶּאֱמֶת לַאֲמִתּוֹ, עַד הַנְּקֻדָּה שֶׁבַּלֵּב בְּלִי הַטְעָאָה אֶת עַצְמוֹ כְּלָל.

אֲבָל אַתָּה גִּלִּיתָ לָנוּ בְּתוֹרָתְךָ הַקְּדוֹשָׁה שֶׁעִקַּר יִשּׁוּב הַדַּעַת הוּא עַל יְדֵי שִׂמְחָה, וְגַם אַתָּה יָדַעְתָּ גֹּדֶל רִחוּקִי מִשִּׂמְחָה.

עַל כֵּן בָּאתִי לְפָנֶיךָ יְהֹוָה אֱלֹהַי וֵאלֹהֵי אֲבוֹתַי, אֲדוֹן הַשִּׂמְחָה וְהַחֶדְוָה, אֲשֶׁר הַשִּׂמְחָה בִּמְעוֹנֶךָ, כְּמוֹ שֶׁכָּתוּב: "הוֹד וְהָדָר לְפָנָיו, עֹז וְחֶדְוָה בִּמְקוֹמוֹ".

שֶׁתְּרַחֵם עָלַי וְעַל כָּל עַמְּךָ בֵּית יִשְׂרָאֵל, בְּרַחֲמֶיךָ הָרַבִּים בְּרַחֲמֶיךָ הַגְּדוֹלִים בְּרַחֲמֶיךָ הַגְּנוּזִים בְּרַחֲמֶיךָ הָאֲמִתִּיִּים בְּרַחֲמֶיךָ הַנִּצְחִיִּים.

וְתַמְשִׁיךְ עָלַי שִׂמְחָה אֲמִתִּיִּת מִן הַשָּׁמַיִם, בְּאֹפֶן שֶׁאֶזְכֶּה לִהְיוֹת אַךְ שָׂמֵחַ תָּמִיד. אָגִילָה וְאֶשְׂמְחָה בִּישׁוּעָתְךָ בְּכָל עֵת, "שׂוֹשׂ אָשִׂישׂ בַּיהֹוָה תָּגֵל נַפְשִׁי בֵּאלֹהַי".

עַד שֶׁאֶזְכֶּה לְקַשֵּׁר הַשִּׂמְחָה אֶל הַמֹּחַ, עַד שֶׁאֶזְכֶּה לְהוֹצִיא לְחֵרוּת מֹחִי וְדַעְתִּי וּמַחְשְׁבוֹתַי הָאֲסוּרִים בְּכַבְלֵי עֳנִי וּבַרְזֶל,

The truth is that the only reason we are far from You is that we do not settle ourselves into the inner being of our hearts of ultimate truth, without deceiving ourselves at all.

Experiencing Joy

In Your holy Torah, You revealed to us that experiencing joy constitutes the basic way of settling the mind. And You know how far I am from joy.

Therefore, I have come to You, HaShem my God and God of my fathers, Master of joy and gladness, Whose dwelling place contains joy. As the verse states, "Glory and majesty are before Him, might and gladness in His place."

Please have compassion on me and on Your entire nation, the House of Israel, in Your vast, great, hidden, true and eternal compassion.

Pour true joy onto me from Heaven, so that I will be only joyful always. May I be happy and rejoice in Your salvation at every moment. "I will truly rejoice in HaShem. My spirit will be glad in my God."

May I bind joy to my mind until I free my awareness, consciousness and thoughts, which have been imprisoned in bronze manacles of

בְּגָלוּת גָּדוֹל וָמַר זֶה יָמִים וְשָׁנִים, מִיּוֹם עָמְדִי עַל דַּעְתִּי.

כַּאֲשֶׁר אַתָּה לְבַד יָדַעְתָּ גֹּדֶל עֹצֶם מְרִירוּת הַשִּׁעְבּוּד וְהַגָּלוּת שֶׁל דַּעְתִּי, שֶׁסּוֹבֵל גָּלוּת מַר וְשִׁעְבּוּד קָשֶׁה בְּכָל עֵת, עַל יְדֵי רִבּוּי הַמַּחֲשָׁבוֹת רָעוֹת וְטִרְדּוֹת וּבִלְבּוּלִים שֶׁל הֶבֶל וּשְׁטוּת וְעַקְמִימִיּוּת שֶׁבַּלֵּב, הַבָּאִים עַל הַמֹּחַ וְהַלֵּב בְּכָל עֵת, וּמְעַקְמִים וּמְבַלְבְּלִים אֶת מֹחִי וְלִבִּי מְאֹד, אֲשֶׁר "כָּשַׁל כֹּחַ הַסַּבָּל".

וְכָל עִקַּר גָּלוּת הַדַּעַת הוּא מֵחֲמַת הַמָּרָה שְׁחוֹרָה וְהָעַצְבוּת הַקָּשֶׁה וְהַכָּבֵד וְהַמַּר מְאֹד, אֲשֶׁר הִתְגַּבְּרָה עָלֵינוּ מֵעוֹדֵנוּ.

וְעַל יְדֵי זֶה אֵין אָנוּ יְכוֹלִים לְיַשֵּׁב עַצְמֵנוּ כְּלָל, הֵיכָן אֲנַחְנוּ בָּעוֹלָם, וְלַחְשֹׁב הֵיטֵב בְּדֵעָה מְיֻשֶּׁבֶת עַל הַתַּכְלִית הָאַחֲרוֹן הָאֲמִתִּי.

כִּי אֵין אָנוּ יְכוֹלִין לְהַנְהִיג אֶת מֹחֵנוּ כִּרְצוֹנֵנוּ מֵחֲמַת עֹצֶם תֹּקֶף הַגָּלוּת שֶׁל דַּעְתֵּנוּ, מֵחֲמַת הַמָּרָה שְׁחוֹרָה וְהָעַצְבוּת הַמִּתְגַּבֶּרֶת בְּכָל עֵת.

וּמֵחֲמַת שֶׁאֵין אָנוּ מְיַשְּׁבִין עַצְמֵנוּ, עַל יְדֵי זֶה עִקַּר הִתְרַחֲקוּתֵינוּ מֵהַשֵּׁם יִתְבָּרַךְ בּוֹרֵא כָּל עוֹלָמִים.

poverty in this great and bitter exile for days and years, ever since the day that I gained awareness.

Overcoming the Pain of Exile

Only You know the great, intense, bitter subjugation and exile that my mind suffers at every moment because of the many evil thoughts, distractions and confusions in my heart, which are vain, foolish and crooked. They come upon my mind and heart at every moment, deeply twisting and confusing them, until "the strength of the porter has collapsed."

The entire essence of the exile of our minds is due to the difficult, heavy and bitter depression that has overcome us from our beginning.

As a result, we cannot settle ourselves and think clearly with a tranquil mind about our ultimate, true purpose.

We cannot direct our minds in accordance with our will because of the profound effect of the exile on our mind, because of the bitterness and depression that overwhelm us at every moment.

And the fact that we do not settle our minds constitutes the essence of our distance from You, HaShem, Creator of all worlds.

עַד שֶׁבָּאנוּ לְמַה שֶּׁבָּאנוּ וְעָשִׂינוּ מַה שֶּׁעָשִׂינוּ, וְחָטָאנוּ מַה שֶּׁחָטָאנוּ, וּפָגַמְנוּ מַה שֶּׁפָּגַמְנוּ, וְקִלְקַלְנוּ מַה שֶּׁקִּלְקַלְנוּ, וְנִתְרַחַקְנוּ כְּמוֹ שֶׁנִּתְרַחַקְנוּ, כַּאֲשֶׁר יוֹדֵעַ כָּל אֶחָד בְּנַפְשׁוֹ גֹּדֶל רִחוּקוֹ מֵהַשֵּׁם יִתְבָּרַךְ וּמִתּוֹרָתוֹ וַעֲבוֹדָתוֹ בֶּאֱמֶת.

וְהָא בְּהָא תַּלְיָא, כִּי כָל מַה שֶּׁאָנוּ מִתְרַחֲקִים יוֹתֵר, חַס וְשָׁלוֹם מִתְגַּבֶּרֶת הַמָּרָה שְׁחוֹרָה וְהָעַצְבוּת יוֹתֵר.

וְכָל מַה שֶּׁמִּתְגַּבֵּר הָעַצְבוּת וְהַמָּרָה שְׁחוֹרָה יוֹתֵר חַס וְשָׁלוֹם, מִתְגַּבֵּר בִּלְבּוּל הַדַּעַת וְגָלוּתוֹ יוֹתֵר, עַד שֶׁאֵין [אָנוּ] יְכוֹלִין לְיַשֵּׁב עַצְמֵנוּ כְּלָל, וְעַל יְדֵי זֶה נִתְרַחֲקִים יוֹתֵר חַס וְשָׁלוֹם.

וְעַתָּה מֵאַיִן יָבֹא עֶזְרֵנוּ אָבִינוּ שֶׁבַּשָּׁמַיִם, מֵאַיִן וּמֵאַיִן נְבַקֵּשׁ עֵזֶר וּתְרוּפָה וְהַצָּלָה לְחוֹלִים נְגוּעִים וּמְעֻנִּים כָּמוֹנוּ הַיּוֹם בַּדּוֹר הַזֶּה.

הַבִּיטוּ וּרְאוּ אִם יֵשׁ מַכְאוֹב כְּמַכְאוֹבֵינוּ. כִּי אֵין מַכְאוֹב כְּמַכְאוֹבֵי הַנֶּפֶשׁ הָרְחוֹקָה מֵהַשֵּׁם יִתְבָּרַךְ, מֵחֵי הַחַיִּים, הַטּוֹב

Thus, we have come to what we have come, done what we have done, transgressed what we have transgressed, blemished what we have blemished, spoiled what we have spoiled, and become distanced as we have become distanced. Everyone knows in his soul how truly far he is from You, HaShem, from Your Torah and from serving You.

And these build on each other. The further we are, Heaven forbid, the greater our bitterness and depression.

And the more our depression and bitterness grow, the more our confusion of mind and its exile grow, until we cannot settle our minds at all. As a result, we become even more distanced, Heaven forbid.

And now, where will our help come from, our Father in Heaven? From where will we seek help, healing and rescue for ourselves as we are today in this generation—sick, stricken and tormented?

Gaze and see if there is any pain like ours. There is no pain like that of a soul that is far from You, HaShem, You Who are the Life of life,

וְהַמֵּטִיב, הַחַי לָעַד וְקַיָּם לָנֶצַח. "שֹׁמּוּ שָׁמַיִם עַל זֹאת וְשַׂעֲרוּ" כִּי נֶחֱרַבְנוּ מְאֹד.

אוֹי לָנוּ שֶׁהֶחֱרַבְנוּ אֶת בֵּית הַחָכְמָה, וְשָׂרַפְנוּ אֶת הֵיכְלֵי הַשֵּׂכֶל, וְהִגְלִינוּ אֶת דַּעְתֵּנוּ לְמָקוֹם שֶׁהִגְלִינוּ, אוֹי לָנוּ מְאֹד אוֹי מֶה הָיָה לָנוּ.

רִבּוֹנוֹ שֶׁל עוֹלָם צָרוֹת לְבָבֵנוּ הִרְחִיבוּ מְאֹד, עַד שֶׁאֵין אָנוּ יוֹדְעִים מַה לְּדַבֵּר וְאֵיךְ לְדַבֵּר, מַה נֹּאמַר מַה נְּדַבֵּר מַה נִּצְטַדָּק, הָאֱלֹהִים מָצָא אֶת עֲוֹנֵנוּ, כִּי חָטָאנוּ עָוִינוּ וּפָשַׁעְנוּ לְפָנֶיךָ מִיּוֹם הֱיוֹתֵינוּ עַד הַיּוֹם הַזֶּה, מִדֵּי יוֹם יוֹם הַשְׁכֵּם וְחָטוֹא.

עַד אֲשֶׁר אֵין לָנוּ שׁוּם דַּעַת אֵיךְ לְדַבֵּר וְאֵיךְ לְיַשֵּׁב עַצְמֵנוּ הֵיטֵב בָּזֶה הָעוֹלָם הָעוֹבֵר כְּצֵל עוֹבֵר, לַחְשׁוֹב עַל תַּכְלִיתֵנוּ הַנִּצְחִי הָאֲמִתִּי.

אֲבָל בְּרַחֲמֶיךָ הָרַבִּים וְהָעֲצוּמִים אֲשֶׁר חָשַׁבְתָּ מֵרָחוֹק לְהֵטִיב אַחֲרִיתֵנוּ, הִקְדַּמְתָּ תְּרוּפָה לְמַכָּתֵינוּ הָאֲנוּשָׁה, וְשָׁלַחְתָּ לָנוּ בְּכָל דּוֹר וָדוֹר צַדִּיקִים קְדוֹשִׁים אֲמִתִּיִּים.

You Who are good and do good, You Who live forever and exist for all eternity. "Heavens, be astonished about this and storm," for we have been consumed.

Woe to us! We have destroyed the house of wisdom, burned the palaces of the intellect, and exiled our mind to where we exiled it. Woe! What has become of us?

Master of the world, the sufferings of our heart have grown so extensive that we do not know what to say or how to speak. What shall we say? How shall we speak? How can we justify ourselves? God, You have discovered our sin. We have transgressed, sinned and rebelled before You from the day that we came into being until this day, sinning every day from early on.

The Help of the Tzaddikim

At this point, we have no idea how to speak and settle our minds in this world, which passes like a fleeting shadow, in order to consider our true, eternal purpose.

But in Your vast and mighty compassion, You have considered from afar how to bring us to a good end. You prepared the medicine for our mortal wound by sending us holy, true Tzaddikim in every generation.

אֲשֶׁר בְּכֹחָם הַגָּדוֹל תִּקְּנוּ מַה שֶּׁתִּקְּנוּ, וְעָשׂוּ עִמָּנוּ מַה שֶּׁעָשׂוּ, עַד שֶׁהֱכִינוּ לָנוּ צֳרִי וּמָזוֹר וּתְרוּפָה בְּכַמָּה וְכַמָּה מִינֵי סַמִּים שֶׁל חַיִּים יְקָרִים וַאֲמִתִּיִּים וְנִצְחִיִּים, וְהוֹרוּ לָנוּ כַּמָּה וְכַמָּה דַּרְכֵי עֵצוֹת נִפְלָאוֹת וַאֲמִתִּיּוֹת בְּאֹפֶן שֶׁנִּזְכֶּה גַּם אֲנַחְנוּ לְשַׂמֵּחַ נַפְשֵׁנוּ בְּכָל עֵת.

וּבְרַחֲמֶיךָ הָרַבִּים זִכִּיתָנוּ שֶׁזֵּרְזוּ אוֹתָנוּ מְאֹד מְאֹד בְּכַמָּה אַזְהָרוֹת לְהִתְחַזֵּק בְּכָל כֹּחֵנוּ לִהְיוֹת בְּשִׂמְחָה תָּמִיד, יִהְיֶה אֵיךְ שֶׁיִּהְיֶה.

גַּם אֲנַחְנוּ נִשְׂמַח בַּיהוָה, נָגִילָה וְנִשְׂמְחָה בִּישׁוּעָתוֹ, אֲשֶׁר זִכָּנוּ לִהְיוֹת מִזֶּרַע יִשְׂרָאֵל, וְלֹא עָשָׂנוּ גוֹי, שֶׁלֹּא שָׂם חֶלְקֵנוּ כָּהֶם וְגוֹרָלֵנוּ כְּכָל הֲמוֹנָם.

וְהִצִּילָנוּ בְּרַחֲמָיו הָעֲצוּמִים, בְּנִסִּים נִפְלָאִים וְנוֹרָאִים, מִלִּהְיוֹת מִתְנַגֵּד וְחוֹלֵק עַל הַצַּדִּיקִים הָאֲמִתִּיִּים וְעַל אֲנָשִׁים כְּשֵׁרִים בֶּאֱמֶת.

"רַבּוֹת עָשִׂיתָ אַתָּה יְהוָה אֱלֹהַי, נִפְלְאוֹתֶיךָ וּמַחְשְׁבוֹתֶיךָ אֵלֵינוּ, אֵין עֲרוֹךְ אֵלֶיךָ אַגִּידָה וַאֲדַבֵּרָה עָצְמוּ מִסַּפֵּר. יִמָּלֵא

In their great power, they rectified what they have rectified and done for us what they have done. They have prepared balm and bandages for us, and medicine composed of various ingredients that provide precious, true and eternal life. They have instructed us in a number of ways with wondrous and true counsel so that we, too, may gladden our souls at every moment.

In Your vast compassion, You have inspired them to urge us strongly to be joyful at all times, no matter what.

We will rejoice in You, HaShem. We will be happy and rejoice in Your salvation, in the fact that You have given us the merit to be of the seed of Israel, that You did not make us gentiles. You did not make our portion like theirs, nor our fate like that of all of their multitude.

In Your mighty compassion, with wondrous and awesome miracles, You have rescued us from opposing and challenging the true Tzaddikim and truly worthy people.

"You have done great things, HaShem my God. Your wonders and thoughts are on our behalf. No one is comparable to You. If I were to tell and speak—but they are too many to tell!"

פִּי תְּהִלָּתֶךָ כָּל הַיּוֹם תִּפְאַרְתֶּךָ".

בָּרוּךְ אֱלֹהֵינוּ שֶׁבְּרָאָנוּ לִכְבוֹדוֹ וְהִבְדִּילָנוּ מִן הַתּוֹעִים בְּכָל הַבְּחִינוֹת. מָה נָּשִׁיב לַיהוָֹה כָּל תַּגְמוּלוֹהִי עָלֵינוּ, בַּמֶּה נְקַדֵּם יְהוָֹה, נִכַּף לֵאלֹהֵי מָרוֹם.

אִלּוּ פִינוּ מָלֵא שִׁירָה כַּיָּם וּלְשׁוֹנֵנוּ רִנָּה כַּהֲמוֹן גַּלָּיו וְכוּ', וְאִלּוּ כָּל הַיַּמִּים דְּיוֹ וְכָל אֲגַמִּים קֻלְמוֹסִים, וּבְנֵי אָדָם לַבְלָרִים וּלְשׁוֹנוֹת מְקַלְּסִים.

אֵין מַסְפִּיקִים לְהוֹדוֹת וּלְהַלֵּל וּלְסַפֵּר עַל אַחַת מֵאֶלֶף אַלְפֵי אֲלָפִים וְרִבֵּי רְבָבוֹת, רְבָבוֹת רְבָבוֹת נִפְלָאוֹת נוֹרָאוֹת וְנִסִּים וַחֲסָדִים שֶׁלֹּא נִשְׁמְעוּ מֵעוֹלָם, אֲשֶׁר הָיוּ גְנוּזִים וּמְכֻסִּים.

אֲשֶׁר חָפְרוּ וְחָתְרוּ וְהִמְשִׁיכוּ בְּכֹחָם הַגָּדוֹל מֹשֶׁה רַבֵּנוּ הָרוֹעֶה נֶאֱמָן וַאֲבוֹתֵינוּ הַקְּדוֹשִׁים וְכָל הַצַּדִּיקִים הַגְּדוֹלִים הָאֲמִתִּיִּים הַבָּאִים אַחֲרֵיהֶם, מִבַּעַל הָרָצוֹן הָעֶלְיוֹן רִבּוֹן כָּל הַנְּשָׁמוֹת אֲדוֹן כָּל הַמַּעֲשִׂים.

"The entire day, my mouth will be filled with the praise of Your beauty."

Blessed is our God Who created us for His honor and separated us in all ways from those who err. How shall we repay HaShem for all of His kind deeds on our behalf? How shall we give anything to HaShem? We will bow down to our God in the heights.

Even if our mouths were filled with song like the sea and our tongues with song like the multitude of its waves, even if all of the seas were ink and all of the pools quills, and human beings were scribes and tongues that give praise—

They would not suffice to thank, praise and relate a thousandth, a millionth, a billionth or even a trillionth of His awesome miracles and loving deeds that have not yet been recognized in the world, but have been concealed and hidden.

Moses, the faithful shepherd, our holy forefathers, and all of the great, true Tzaddikim who came after them strove and tunneled in order to draw forth holy matters with their great might from the supernal Master of will, the Master of all souls, the Master of all beings.

לְרַחֵם אֲשֶׁר אֵינָם רְאוּיִים לְרַחֵם, וְלָחוֹן אֶת שֶׁאֵינָם הֲגוּנִים לָחוֹן, כָּמוֹנוּ הַיּוֹם, שְׁפָלִים וְנִבְזִים וְנִמְאָסִים, כָּאָמוּר: "וְאַף גַּם זֹאת בִּהְיוֹתָם בְּאֶרֶץ אוֹיְבֵיהֶם לֹא מְאַסְתִּים וְלֹא גְעַלְתִּים לְכַלּוֹתָם".

עַד הֵנָּה עֲזָרוּנוּ רַחֲמֶיךָ וְלֹא עֲזָבוּנוּ חֲסָדֶיךָ יְהֹוָה אֱלֹהֵינוּ, וְנָתַתָּ לָנוּ תֹּקֶף וְהִתְחַזְּקוּת וְעַקְשָׁנוּת גָּדוֹל שֶׁיִּהְיֶה לָנוּ כֹּחַ לְהִתְחַזֵּק עַד הֵנָּה לִבְרֹחַ אֶצְלְךָ תָּמִיד, לִבְטֹחַ בִּישׁוּעָתֶךָ וּבְצִלְּךָ אָנוּ חוֹסִים.

כֵּן יוֹסִיף יְהֹוָה אֱלֹהֵינוּ אָב הָרַחֲמִים לְרַחֵם עַם עֲמוּסִים, לְהַמְשִׁיךְ עָלֵינוּ עוֹד יוֹתֵר וְיוֹתֵר חֲסָדִים רַבִּים וְרַחֲמִים גְּדוֹלִים הַחֲתוּמִים בְּאוֹצְרוֹתָיו עִמָּדוֹ כְּמוּסִים, עַד נִזְכֶּה לְ"רַב טוּבְךָ אֲשֶׁר צָפַנְתָּ לִּירֵאֶיךָ פָּעַלְתָּ לַבָּךְ חוֹסִים".

עַל כֵּן עוֹדֶנִּי עוֹמֵד וּמְצַפֶּה, עֲדַיִן תִּקְוָתִי וְתוֹחַלְתִּי חָזָק

From You, God, they drew forth the ability to have compassion on those who do not deserve compassion, and to be gracious to those who are unworthy of graciousness—indeed, as we are today: lowly, contemptible and vile. As the verse states, "When they are in the land of their enemies, I will not despise them and not be repulsed by them to destroy them, to break My covenant with them, for I am HaShem their God."

Until now, Your compassion has aided us and Your lovingkindness has not abandoned us, HaShem our God. You have given us strength, confidence and great perseverance to flee to You always, to trust in Your salvation and take refuge in Your shadow.

HaShem our God, compassionate Father, have even more compassion on we who are so burdened. Send us ever more kindnesses and great compassion, which are sealed among Your treasures, concealed together with You, until we attain "the vastness of Your goodness that You have hidden for those who fear You, Your deeds for those who take refuge in You."

I still stand and look to You with confidence. I remain strong in my hope and optimism that

בַּיהוָה שֶׁאֶזְכֶּה עוֹד מֵעַתָּה לְיִשּׁוּב הַדַּעַת בֶּאֱמֶת.

עַל כֵּן בָּאתִי לְפָנֶיךָ לִשְׁטֹחַ כַּפַּי לְרַחֲמֶיךָ שֶׁתְּחָנֵּנִי בְּרַחֲמֶיךָ וּבַחֲסָדֶיךָ הָעֲצוּמִים שֶׁאֶזְכֶּה לִהְיוֹת בְּשִׂמְחָה תָּמִיד.

וְאֶזְכֶּה לִמְצֹא בִּי בִּמְהִירוּת נְקֻדּוֹת טוֹבוֹת תָּמִיד, אֲשֶׁר בְּרַחֲמֶיךָ הָרַבִּים חָמַלְתָּ עָלֵינוּ, וְזִכִּיתָנוּ לַעֲשׂוֹת מִצְווֹת רַבּוֹת בְּכָל יוֹם.

וּלְהוֹצִיא מִפִּינוּ בְּרָכוֹת רַבּוֹת וּתְפִלּוֹת וּתְחִנּוֹת וּבַקָּשׁוֹת וְשִׁירוֹת וְתִשְׁבָּחוֹת בְּכָל יוֹם, עֶרֶב וָבֹקֶר וְצָהֳרָיִם, וְלַעֲסֹק בְּתוֹרָתְךָ הַקְּדוֹשָׁה וּבְפִקּוּדֶיךָ הַיְשָׁרִים הַמְשַׂמְּחִים אֶת הַלֵּב.

וְאִם אֵין אָנוּ זוֹכִים לְקַיֵּם שׁוּם מִצְוָה בִּשְׁלֵמוּת הָרָאוּי, וְלֹא לְדַבֵּר שׁוּם דִּבּוּר דִּקְדֻשָּׁה בְּכַוָּנָה הָרְאוּיָה.

כִּי כָל מַעֲשֵׂינוּ וּתְפִלָּתֵינוּ וְעֵסֶק תּוֹרָתֵנוּ מְעֹרְבָּב וּמְבֻלְבָּל בִּפְסֹלֶת הַרְבֵּה, עִם כָּל זֶה, עַל כָּל פָּנִים, יֵשׁ בָּהֶם כַּמָּה וְכַמָּה נְקֻדּוֹת טוֹבוֹת.

כִּי אַתָּה יוֹדֵעַ תַּעֲלוּמוֹת שֶׁאֲפִלּוּ הַגָּרוּעַ וְהַפָּחוּת שֶׁבְּיִשְׂרָאֵל,

You, HaShem, will help us from this point on to attain a truly settled mind.

Finding the Good in Ourselves

Therefore, I have come before You. I stretch my hands out to You, so that in Your compassion and mighty lovingkindness, You will be gracious to me and I will always attain joy.

May I always find good points in myself easily. In Your vast compassion, You kindly gave us the opportunity to perform many mitzvot every day.

May we express with our mouths many blessings, prayers, pleas, requests, songs and praises every day—evening, morning and afternoon—and learn Your holy Torah and Your just laws that gladden the heart.

It is true that we might not perform any mitzvah perfectly and properly, or speak any holy words with proper intent.

All of our actions, prayers and Torah learning are compromised and adulterated by a great deal of dross. Nevertheless, they still possess a great number of good points.

You know what is hidden within even the least worthy and most insignificant Jew: that

אַף־עַל־פִּי־כֵן פְּנִימִיּוּת כַּוָּנָתוֹ בְּכָל מַעֲשָׂיו הַטּוֹבִים הוּא לִשְׁמְךָ לְבַד בֶּאֱמֶת.

וַאֲפִלּוּ פּוֹשְׁעֵי יִשְׂרָאֵל מְלֵאִים מִצְווֹת כָּרִמּוֹן, וְאַתָּה מִתְפָּאֵר וּמִשְׁתַּעֲשֵׁעַ מְאֹד עִם כָּל תְּנוּעָה טוֹבָה שֶׁל הַפָּחוּת שֶׁבְּיִשְׂרָאֵל.

זַכֵּנִי אָב הָרַחֲמָן שֶׁאֶזְכֶּה לֵילֵךְ בַּדֶּרֶךְ הַזֶּה לְחַפֵּשׂ בְּעַצְמִי תָּמִיד וְלִמְצֹא בְּעַצְמִי נְקֻדּוֹת טוֹבוֹת הַרְבֵּה, בְּאֹפֶן שֶׁאֶזְכֶּה לָבוֹא לִידֵי שִׂמְחָה בֶּאֱמֶת.

עַד שֶׁאֶזְכֶּה מְהֵרָה לְיַשֵּׁב דַּעְתִּי הֵיטֵב בֶּאֱמֶת, מָה הַתַּכְלִית מִכָּל הַתַּאֲווֹת וּמִכָּל עִנְיְנֵי עוֹלָם הַזֶּה, בְּאֹפֶן שֶׁאֶזְכֶּה לָשׁוּב אֵלֶיךָ בֶּאֱמֶת מֵעַתָּה וְעַד עוֹלָם, וְלֹא אָשׁוּב עוֹד לְכִסְלָה.

אִם אָוֶן פָּעַלְתִּי לֹא אוֹסִיף, וְאֶזְכֶּה לָסוּר מֵרַע לְגַמְרֵי וְלַעֲשׂוֹת הַטּוֹב בְּעֵינֶיךָ תָּמִיד. שַׂבְּעֵנוּ מִטּוּבֶךָ וְשַׂמְּחֵנוּ בִּישׁוּעָתֶךָ וְטַהֵר לִבֵּנוּ לְעָבְדְּךָ בֶּאֱמֶת.

לֹא כַּחֲטָאֵינוּ תַּעֲשֶׂה לָנוּ וְלֹא כַעֲווֹנוֹתֵינוּ תִּגְמֹל עָלֵינוּ, לֹא מֵהֶם וְלֹא מִקְצָתָם וְלֹא חֵלֶק מֵאֶלֶף אַלְפֵי אֲלָפִים וְרִבֵּי רְבָבוֹת מֵהֶם.

the inner motive driving all of his good deeds is truly a concern for Your Name alone.

Even willful sinners of Israel are filled with mitzvot like a pomegranate [is filled with seeds]. You take a great deal of pride and delight in every good achievement of the least important Jew.

Purify me, compassionate Father, so that I will go on this path, always seeking and finding many good points in myself, until I will truly attain joy.

May I soon truly focus my mind on the ultimate fate of all desires and things of this world, so that I will truly return to You from now and forever, and no longer fall back into foolishness.

If I have committed sins, I will no longer do so. May I turn away from evil entirely and always do what You approve of. "Satiate us with Your goodness, gladden us with Your salvation, and purify our hearts to truly serve You."

Do not treat us in accordance with our transgressions. Do not repay us in accordance with our sins—neither them nor a part of them, whether a millionth, a billionth, or even a trillionth of them.

כְּחַסְדְּךָ כְּרַחֲמֶיךָ כְּנִפְלְאוֹתֶיךָ תַּעֲשֶׂה עִמָּנוּ וְאַל תִּטְּשֵׁנוּ לָנֶצַח.

הָאוֹמֵר לְעוֹלָמוֹ דַּי יֹאמַר לְצָרוֹתֵינוּ דַּי. וְאִם אָמְנָם אָנוּ בְּעַצְמֵנוּ הַחַיָּבִים בְּצָרוֹתֵינוּ, עִם כָּל זֶה רַחֲמֶיךָ רַבִּים יְהֹוָה רַחֲמֶיךָ רַבִּים מְאֹד.

חוּסָה עָלֵינוּ לְמַעַן שְׁמֶךָ, רַחֵם עָלֵינוּ כְּרֹב רַחֲמֶיךָ, "שַׂמֵּחַ נֶפֶשׁ עַבְדֶּךָ כִּי אֵלֶיךָ אֲדֹנָי נַפְשִׁי אֶשָּׂא. הָשִׁיבָה לִּי שְׂשׂוֹן יִשְׁעֶךָ וְרוּחַ נְדִיבָה תִסְמְכֵנִי.

אַל תַּעַזְבֵנִי אֲדֹנָי, אֱלֹהַי אַל תִּרְחַק מִמֶּנִּי. חוּשָׁה לְעֶזְרָתִי אֲדֹנָי תְּשׁוּעָתִי":

Treat us in accordance with Your loving-kindness, in accordance with Your compassion, in accordance with Your wonders. Never abandon us.

May You Who said to Your world, "Enough!" when You created it, now say to our troubles, "Enough!" Even if we ourselves are responsible for our suffering, Your compassion is very great, HaShem.

Have pity on us for the sake of Your Name. Have compassion on us in accordance with Your great compassion. "Give joy to the soul of Your servant—because, HaShem, I lift my soul to You!" "Restore the joy of Your salvation to me, and may a generous spirit support me."

"Do not abandon me, HaShem; my God, do not be far from me. Hurry to help me, my God, my salvation."

11

The Grasses of the Field Enhance a Person's Prayers

When a person prays in the field, all of the grasses enter into his prayer and imbue it with power.

"לְכָה דוֹדִי נֵצֵא הַשָּׂדֶה נָלִינָה בַּכְּפָרִים, נַשְׁכִּימָה לַכְּרָמִים, נִרְאֶה אִם פָּרְחָה הַגֶּפֶן, פִּתַּח הַסְּמָדַר, הֵנֵצוּ הָרִמּוֹנִים, שָׁם אֶתֵּן אֶת דוֹדַי לָךְ".

רִבּוֹנוֹ שֶׁל עוֹלָם, זַכֵּנִי לְהַרְבּוֹת בְּהִתְבּוֹדְדוּת תָּמִיד, וְאֶזְכֶּה לִהְיוֹת רָגִיל לָצֵאת בְּכָל יוֹם לַשָּׂדֶה בֵּין אִילָנוֹת וַעֲשָׂבִים וְכֹל שִׂיחַ הַשָּׂדֶה.

וְשָׁם אֶזְכֶּה לְהִתְבּוֹדֵד וּלְהַרְבּוֹת בְּשִׂיחָה זוֹ תְּפִלָּה בֵּינִי לְבֵין קוֹנִי, לָשׂוּחַ שָׁם כָּל אֲשֶׁר עִם לְבָבִי.

וְכֹל שִׂיחַ הַשָּׂדֶה וְכָל הָעֲשָׂבִים וְהָאִילָנוֹת וְכָל הַצְּמָחִים, כֻּלָּם יִתְעוֹרְרוּ לִקְרָאתִי, וְיַעֲלוּ וְיִתְּנוּ כֹּחָם וְחַיּוּתָם לְתוֹךְ דִּבְרֵי שִׂיחָתִי וּתְפִלָּתִי.

Hitbodedut Among the Trees and Grasses

"Come, my beloved. Let us go out to the field, let us stay overnight in the villages. Let us arise to the vineyards, let us see if the grapevine has flowered, if the tiny grapes have developed, if the pomegranates have lost their flowers. There I will give you my love."

Master of the world, help me always engage in a great deal of hitbodedut.[5] May I accustom myself to go out every day to the fields, among the trees, grasses and all of the vegetation of the field.

There, may I engage in hitbodedut and a great deal of conversation—that is, prayer—between myself and You, my Maker, expressing everything that is in my heart.

May all of the vegetation of the field, all of the grasses, trees and plants, be aroused to greet me, rise up and invest their strength and vitality in my words of conversation and prayer.

---

5 *Hitbodedut* (literally, "self-seclusion") refers to private prayer to God in one's mother tongue. For a "how-to" guide to *hitbodedut*, see *Where Earth and Heaven Kiss: Rebbe Nachman's Path of Meditation*, published by the Breslov Research Institute. See also *Outpouring of the Soul*.

עַד שֶׁתִּהְיֶה תְפִלָּתִי וְשִׂיחָתִי נִשְׁלֶמֶת בְּתַכְלִית הַשְּׁלֵמוּת עַל יְדֵי כָּל שִׂיחַ הַשָּׂדֶה, שֶׁיִּכְלְלוּ כֻלָּם, עִם כָּל כֹּחוֹתָם וְחַיּוּתָם וְרוּחֲנִיּוּתָם עַד שָׁרְשָׁם הָעֶלְיוֹן, כֻּלָּם יִכְלְלוּ בְּתוֹךְ תְּפִלָּתִי.

וְעַל יְדֵי זֶה אֶזְכֶּה לִפְתֹּחַ אֶת לִבִּי לְהַרְבּוֹת בִּתְפִלָּה וְתַחֲנוּנִים וּבְשִׂיחָה קְדוֹשָׁה לְפָנֶיךָ מָלֵא רַחֲמִים רַבִּים, וּלְפָנֶיךָ אֶשְׁפֹּךְ כָּל שִׂיחִי.

עַד שֶׁאֶזְכֶּה לִשְׁפֹּךְ לִבִּי כַּמַּיִם נוֹכַח פָּנֶיךָ יְהֹוָה, וְאֶשָּׂא אֵלֶיךָ כַּפַּי, עַל נַפְשִׁי וְנֶפֶשׁ עוֹלָלַי וְטַפִּי.

אֲהָהּ יְהֹוָה עֲזוֹר עֲזוֹר, אֲהָהּ יְהֹוָה כִּמְעַט אָפֵס תִּקְוָה חָלִילָה, רְאֵה כִּי אָזְלַת יָדִי וְאָפֵס כֹּחִי, רַק מֵרָחוֹק וּמֵעֵבֶר אֲנִי מְצַפְצֵף אִמְרָתִי אֵלֶיךָ.

חֲמֹל עַל חַיָּב אֲלָפִים וּרְבָבוֹת פְּעָמִים עַד הַיּוֹם כָּמוֹנִי, חֲמֹל עַל רָחוֹק כָּמוֹנִי, חֲמֹל עַל מִי שֶׁאֵינוֹ רָאוּי לְחֶמְלָה כָּמוֹנִי, חֲמֹל עָלַי, חֲמֹל עָלַי, חֲמֹל עָלַי, חֲמֹל עָלַי, רַחֵם עָלַי, רַחֵם עָלַי.

Then may my prayer and conversation reach the ultimate perfection with the aid of all of the plants of the field, so that all of them, with all of their might, vitality and spirit, reaching up to their supernal root, will be incorporated into my prayer.

As a result, may I open my heart and engage in a great deal of prayer, pleading and holy conversation before You Who are filled with vast compassion. May I pour forth all of my conversation before You.

At last, may I pour my heart out like water before Your countenance, HaShem, and lift my hands to You on behalf of my soul and the souls of my children and infants.

Seeking God's Rescue

HaShem, help! Help me, HaShem! My hope is almost entirely gone, Heaven forbid. Look, my hand has no more strength, my might is gone. I murmur to You from a great distance.

Have mercy on me. I am guilty a thousand times over, tens of thousands of times over, to this day. Have mercy on me, I who am so far away from You. Have mercy on me, I who do not deserve mercy. Have mercy on me! Have compassion on me!

חָנְנֵנִי יְהֹוָה בְּמַתְּנַת חִנָּם לְגַמְרֵי, חָנֵּנִי חָנֵּנִי, פְּדֵנִי פְּדֵנִי, הַצִּילֵנִי מֵחֲטָאִים וַעֲוונוֹת וּפְשָׁעִים, הַצִּילֵנִי מִדִּינָהּ שֶׁל גֵּיהִנָּם.

הַצִּילֵנִי מֵעֳנָשִׁים הַקָּשִׁים וְהַמָּרִים שֶׁהָיוּ מַגִּיעִים לִי חַס וְשָׁלוֹם עַל פִּי מִשְׁפָּטֶיךָ הָאֲמִתִּיִּים. הַצִּילֵנִי מֵחַרְבּוֹ שֶׁל מַלְאַךְ הַמָּוֶת וּמֵחִבּוּט הַקֶּבֶר וּמִדִּינָהּ שֶׁל גֵּיהִנָּם.

הַצִּילֵנִי מֵחֶרְפּוֹת וּבוּשׁוֹת וּבִזְיוֹנוֹת, שֶׁלֹּא אֵבוֹשׁ וְלֹא אֶכָּלֵם וְלֹא אֶכָּשֵׁל לְעוֹלָם וָעֶד, לֹא בְּעָלְמָא הָדֵין וְלֹא בְּעָלְמָא דְּאָתֵי.

הַחֲזִירֵנִי בִּתְשׁוּבָה שְׁלֵמָה לְפָנֶיךָ, עֲשֵׂה אֶת אֲשֶׁר בְּחֻקֶּיךָ אֵלֵךְ וְאֶת מִשְׁפָּטֶיךָ אֶשְׁמֹר. "שָׁמְרָה נַפְשִׁי וְהַצִּילֵנִי אַל אֵבוֹשׁ כִּי חָסִיתִי בָךְ".

הַפְלֵא חֲסָדֶיךָ, גַּלֵּה חֲסָדִים חֲדָשִׁים הַגְּנוּזִים אֶצְלְךָ לְקָרֵב וּלְרַחֵם אֶת שֶׁאֵינוֹ רָאוּי לְרַחֵם כָּמוֹנִי, לְמַעַנְךָ וּלְמַעַן אֲבוֹתֵינוּ וְרַבּוֹתֵינוּ הַצַּדִּיקִים הָאֲמִתִּיִּים אֲשֶׁר קִדַּשְׁתָּם כְּדַאי לְהָגֵן גַּם עָלַי.

Be gracious to me, HaShem. Grant me a gift that is totally undeserved. Be gracious to me! Redeem me! Rescue me from transgressions, sins and offenses. Rescue me from the judgment of Gehennom.

Rescue me from the harsh and bitter punishments that I deserve, Heaven forbid, according to Your true judgments. Rescue me from the sword of the angel of death, from being beaten in the grave and from the judgment of Gehennom.

Rescue me from dishonor, shame and disgrace. May I never be ashamed or humiliated. May I never stumble, either in this world or the next.

Bring me back to You in complete repentance. Help me walk in Your laws and keep Your judgments. "Guard my soul and save me; may I never be ashamed, for I take refuge in You."

May Your lovingkindness be wondrous. Reveal new kindnesses that have been concealed with You to bring compassion to someone like myself, someone who does not deserve compassion, for Your sake and for the sake of our forefathers and our rabbis, the true Tzaddikim, whose holiness is capable of shielding even me.

הוֹשִׁיעָה אָבִי שֶׁבַּשָּׁמַיִם, הוֹשִׁיעָה אֲדוֹנִי הַמֶּלֶךְ, "שִׁטַּחְתִּי אֵלֶיךָ כַּפָּי, אֵלֶיךָ נָשָׂאתִי אֶת עֵינַי הַיּוֹשְׁבִי בַּשָּׁמָיִם, פֵּרַשְׂתִּי יָדַי כָּל הַיּוֹם, נַפְשִׁי כְּאֶרֶץ עֲיֵפָה לְךָ סֶלָה".

זַכֵּנִי שֶׁאֶהְיֶה כִּרְצוֹנְךָ תָּמִיד, "דַּלּוּ עֵינַי לַמָּרוֹם אֲדֹנָי עָשְׁקָה לִּי עָרְבֵנִי, עֲרֹב עַבְדְּךָ לְטוֹב אַל יַעַשְׁקוּנִי זֵדִים.

עֵינַי כָּלוּ לִישׁוּעָתֶיךָ וּלְאִמְרַת צִדְקֶךָ, עַד יַשְׁקִיף וְיֵרֶא יְהֹוָה מִשָּׁמַיִם", אוּלַי יָחוּס אוּלַי יְרַחֵם.

"וַאֲנִי תָּמִיד אֲיַחֵל וְהוֹסַפְתִּי עַל כָּל תְּהִלָּתֶךָ, כִּי לֹא יִזְנַח לְעוֹלָם אֲדֹנָי, טוֹב וְיָחִיל וְדוּמָם לִתְשׁוּעַת יְהֹוָה, כִּי שָׁחָה לֶעָפָר נַפְשֵׁנוּ דָּבְקָה לָאָרֶץ בִּטְנֵנוּ, קוּמָה עֶזְרָתָה לָנוּ וּפְדֵנוּ לְמַעַן חַסְדֶּךָ", אָמֵן וְאָמֵן:

Save me, my Father in Heaven! Save me, my Master, the King! "I have spread my hands out to You." "To You have I raised my eyes, You Who dwell in Heaven." "I have stretched out my hands the entire day." "My soul turns to You like a tired land."

Help me always be in accordance with Your will. "My eyes are raised to the heights, HaShem. I have been oppressed; be my guarantor." "Be a guarantor to Your servant for the good—do not let the wicked oppress me!"

"My eyes have pined for Your salvation and Your righteous word," "until HaShem will gaze and see from Heaven." Perhaps You will have pity! Perhaps You will have compassion!

"And I will always hope, and I will add to all of Your praises," "because the Lord will not cast away forever." "It is good for a person to hope silently for the salvation of HaShem," "because our soul is cast down to the dust, our belly clings to the earth. Arise to help us and redeem us for the sake of Your kindness." Amen and amen.

12

We Must Do Only That Which Enhances God's Glory / We Must Find God's Glory in Everything and Raise It to Its Source

When a person gives slavish allegiance to his intellectual understanding, he is liable to err in a large number of areas and commit egregious wrongs.

Judaism requires a person to proceed simply and wholeheartedly, asking himself if God is present in his every deed. He must set aside his own honor and do only that which enhances God's glory.

God's glory, for the sake of which He created everything, is the root of all creation. Below that root, creation is divided into parts, each of which possesses its own root, corresponding to a specific aspect of God's glory.

This is particularly true of the Ten Statements with which God created the world. The first of these statements—"In the beginning, God created the Heaven and the earth" (Genesis 1:1)—is non-explicit and concealed, in that it does not state explicitly, "And God said…" It contains within itself all of the subsequent nine statements and provides them with their life force.

God's glory exists in everything—even in a person's sins and evil deeds. These can exist only because they receive their life force from God. They receive that force from the first of the Ten Statements, whose glory is totally concealed, since they cannot receive life force from revealed glory and the subsequent nine statements of Creation.

If a person who has fallen into spiritually polluted areas of doubt and confusion looks at himself and sees how far he is from God's glory, he seeks, "Where is the place of His glory?"

This question rises to the supernal glory of the supernal, hidden first statement of Creation, a glory so concealed that it grants life to those spiritually polluted areas. By seeking God's glory, he clings to it, reinvigorates himself, and rises to the highest heights.

That is the equivalent of a burnt-offering, which granted a person atonement for the wrong thoughts in his heart.

When a person goes on the spiritual path, each level of Torah that he attains has its own initial levels of doubt. That corresponds to the Tree of Knowledge of Good and Evil, the realm in which good and evil are mixed. When a person goes beyond that to attain the Torah itself, he attains the Tree of Life.

אֲשׁוֹטְטָה "בַּשְּׁוָקִים וּבָרְחוֹבוֹת אֲבַקְשָׁה אֵת שֶׁאָהֲבָה נַפְשִׁי בִּקַּשְׁתִּיו וְלֹא מְצָאתִיו. אָקוּמָה נָּא וַאֲסוֹבְבָה בָּעִיר".

אֵלְכָה לִי אֶל הֶהָרִים, אֶשָּׂא עֵינַי לְמֵרָחוֹק, אֲחַפֵּשׂ וַאֲבַקֵּשׁ אַיֵּה אֵפוֹא הוּא, "אַיֵּה מְקוֹם כְּבוֹדוֹ".

אַיֵּה הָעֵצָה וְהַתַּחְבּוּלָה שֶׁאֶזְכֶּה לְמָצְאוֹ וּלְהַכִּירוֹ, אֲשׁוֹטֵט לְבַקֵּשׁ אֶת יְהֹוָה וְלֹא מָצָאתִי, חָלַץ מִמֶּנִּי בַּעֲוֹנוֹתַי הָרַבִּים.

שׁוֹטַטְתִּי בְּאַרְבַּע פִּנּוֹת תְּרוּפָה לֹא מָצָאתִי, שַׁבְתִּי אֵלֶיךָ בְּבשֶׁת פָּנִים לְשַׁחֶרְךָ אֵל בְּעֵת צָרָתִי. כִּי צַר וָמַר לִי מְאֹד, צַר וָמַר לִי מְאֹד.

לֹא יָדַעְתִּי נַפְשִׁי, אָן פָּנִיתָ, אָן פָּנִיתָ, כִּי הִסְתַּרְתָּ פָּנֶיךָ מִמֶּנִּי, וַתְּמוֹגְגֵנִי בְּיַד עֲוֹנוֹתַי הָרַבִּים וְהָעֲצוּמִים מְאֹד מְאֹד יוֹתֵר מֵחוֹל יַמִּים.

אוֹי וַאֲבוֹי, כִּי "הֲלֹא עַל כִּי אֵין אֱלֹהַי בְּקִרְבִּי מְצָאוּנִי הָרָעוֹת הָאֵלֶּה", כִּי בַּעֲוֹנוֹתַי הָרַבִּים נִתְעַקֵּם לִבִּי וְדַעְתִּי וּמוֹחִי,

Because of Our Wrongdoing, God is Far from Us

I will go "through the marketplaces and the streets, I will seek Him whom my soul loves. I seek Him, but I have not found Him. Now I will arise and go around the city."

I will go to the mountains and raise my eyes from afar. I will seek and quest. Where, oh where, is He? "Where is the place of His glory?"

Where are the counsel and stratagems that will help me find You and recognize You? I wander, seeking You, HaShem, but I have not yet found You. Because of my many sins, You have slipped away from me.

I have traveled to the four corners of the earth without finding remedy for myself. I return to You shamefaced to implore You, God, in my time of trouble. My situation is difficult and bitter.

I am at a loss. Where have You gone? Where have You disappeared to? You have hidden Your face from me and caused me to melt because of my many serious sins, which are more numerous than the sand of the seas.

Woe! "These evils have come upon me because God is not in my midst." Because of my many sins, my heart, consciousness and mind

וְנִשְׁלַכְתִּי לַמְּקוֹמוֹת הָרְחוֹקִים מִן הַקְּדֻשָּׁה מְאֹד, הַנִּקְרָאִים מְקוֹמוֹת הַמְּטֻנָּפִים.

עַד אֲשֶׁר נִתְעַקֵּם וְנִתְבַּלְבֵּל וְנִשְׁחַת לִבִּי, וְנִתְעַקֵּם וְנִתְעַקֵּשׁ וְנִתְפַּתֵּל בְּכַמָּה מִינֵי עַקְמִימִיּוּת עַל עַקְמִימִיּוּת, בְּלִי שִׁעוּר וָעֵרֶךְ וּמִסְפָּר, אֲשֶׁר "כָּשַׁל כֹּחַ הַסַּבָּל", אוֹי וָמַר וָצַר וְאָח וַאֲבוֹי וְאַלְלַי.

אוֹי לִי מְאֹד עַל כָּל עֲוֹנוֹתַי הָרַבִּים שֶׁעָשִׂיתִי מֵעוֹדִי עַד הַיּוֹם הַזֶּה, עַד אֲשֶׁר "לִבִּי סְחַרְחַר עֲזָבַנִי כֹחִי וְאוֹר עֵינַי גַּם הֵם אֵין אִתִּי, אוֹהֲבַי וְרֵעַי מִנֶּגֶד נִגְעִי יַעֲמוֹדוּ וּקְרוֹבַי מֵרָחוֹק עָמָדוּ".

מָה אוֹמַר מָה אֲדַבֵּר מָה אֶצְטַדָּק, מָה אוֹמַר מָה אֲדַבֵּר מָה אֶצְטַדָּק, הָאֱלֹהִים מָצָא אֶת עֲוֹנִי אַלְפֵי אֲלָפִים וְרִבֵּי רְבָבוֹת פְּעָמִים בְּלִי שִׁעוּר וּמִסְפָּר.

"וְעַתָּה מַה יֶּשׁ לִי עוֹד צְדָקָה וְלִזְעֹק עוֹד אֶל הַמֶּלֶךְ".

רִבּוֹנוֹ שֶׁל עוֹלָם כְּבָר הִבְטַחְתָּנוּ בְּכַמָּה הַבְטָחוֹת וְהִזְהַרְתָּנוּ בְּכַמָּה אַזְהָרוֹת שֶׁאֵין שׁוּם יֵאוּשׁ בָּעוֹלָם כְּלָל.

have been twisted. I have been cast into polluted places, far from holiness.

My heart has become so twisted, confused, destroyed, bent, stubborn, so crooked with every type of crookedness beyond measure, appraisal or numbering, that "the strength of the porter has collapsed." Woe! My situation is bitter, hard, sad and wretched!

How pitiable I am because of all of my many sins that I have committed from the beginning of my life to this day, until "my heart is bewildered, my strength has abandoned me, and the light of my eyes—they, too, are not with me. My companions and friends stand aloof from my affliction, and those close to me stand at a distance."

What can I say? How can I speak? How can I justify myself? God has found my sins: thousands and millions of them, without measure or number!

And now, "What right do I still have to continue crying out to the King?"

There is No Despair

Master of the world, You have repeatedly promised us and encouraged us that there is no despair in the world at all.

עַל כֵּן כָּל עוֹד נַפְשִׁי בִּי אֶפְרֹשׂ כַּפַּי לְרַחֲמֶיךָ וְלַחֲנִינוּתֶיךָ, אוּלַי יַעֲשֶׂה יְהוָה כְּכָל נִפְלְאוֹתָיו וִיחַדֵּשׁ נִפְלָאוֹת חֲדָשׁוֹת "אֲשֶׁר לֹא נִבְרְאוּ בְּכָל הָאָרֶץ", וְיַחֲזִירֵנִי בִּתְשׁוּבָה שְׁלֵמָה לְפָנָיו בֶּאֱמֶת וּבְלֵב שָׁלֵם.

זַכֵּנִי שֶׁאֶזְכֶּה לְחַפֵּשׂ וְלִדְרֹשׁ וּלְבַקֵּשׁ אוֹתְךָ בֶּאֱמֶת, עַד אֲשֶׁר אֶזְכֶּה לִמְצֹא אוֹתְךָ מְהֵרָה, בְּאֹפֶן שֶׁאֶזְכֶּה לְהִתְקָרֵב אֵלֶיךָ בֶּאֱמֶת, עָזְרֵנִי כִּי עָלֶיךָ נִשְׁעַנְתִּי.

מָרָא דְעַלְמָא כֻּלָּא "צָרוֹת לְבָבִי הִרְחִיבוּ, מִמְּצוּקוֹתַי הוֹצִיאֵנִי". צָרוֹת לְבָבִי הִרְחִיבוּ וְגָדְלוּ וְשָׂגְבוּ וְרַבּוּ מְאֹד מְאֹד, אֲשֶׁר לֹא יְאֻמַּן כִּי יְסֻפַּר.

אֲהָהּ יְהוָה, אֲהָהּ אֲדוֹנִי, רִבּוֹנוֹ שֶׁל עוֹלָם רִבּוֹנוֹ שֶׁל עוֹלָם, עֵינַי תְּלוּיוֹת לְךָ, עֵינַי צוֹפִיּוֹת אֵלֶיךָ. כִּי אַתָּה יוֹדֵעַ הָאֱמֶת עֹצֶם הָרַחֲמָנוּת שֶׁעָלַי עַד אֵין סוֹף וְאֵין תַּכְלִית.

הַבִּיטָה בְעָנְיִי כִּי רַבּוּ מַכְאוֹבַי וְצָרוֹת לְבָבִי. "רְאֵה יְהוָה כִּי צַר לִי, מֵעַי חֳמַרְמָרוּ, נֶהְפַּךְ לִבִּי בְּקִרְבִּי, כִּי מָרוֹ מָרִיתִי".

זַכֵּנִי עָזְרֵנִי שֶׁאֶזְכֶּה לְבַקֵּשׁ וּלְחַפֵּשׂ אֶת כְּבוֹדְךָ בֶּאֱמֶת עַד שֶׁאֶמְצָאֲךָ בֶּאֱמֶת.

As long my soul is within me, I will stretch my hands out to Your compassion and graciousness. Perhaps, HaShem, You will act in accordance with all of Your wonders and bring about new wonders "that were never before created in all the world," and restore us to You in perfect repentance, in truth and with a whole heart.

Help me truly seek You, look for You and search for You, until I will soon find You, until I will truly come close to You. Help me, because I rely on You.

Master of the entire world, "the troubles of my heart have increased; deliver me from my straits." The troubles of my heart have spread, grown, expanded and become vast beyond telling.

O HaShem, O my Lord, Master of the world, Master of the world, my eyes are raised to You, my eyes turn to You, because You truly know how much endless, infinite mercy I need.

Look at my poverty. Many are my pains and the troubles of my heart. "See, HaShem, for I am in distress. My insides burn, my heart is turned within me, for I indeed rebelled."

Give me merit. Help me truly seek and search for Your glory until I truly find You.

חָנֵּנִי חָנֵּנִי, כְּשֵׁם שֶׁגָּבְרוּ רַחֲמֶיךָ עָלֵינוּ וְהוֹדַעְתָּנוּ מֵרָחוֹק תּוֹרָה הַגְּבוֹהָה הַזֹּאת שֶׁיְּכוֹלִין לִמְצֹא אוֹתְךָ אֲפִלּוּ בְּתַכְלִית תַּכְלִית הַיְרִידָה עַל יְדֵי הַחִפּוּשׂ וְהַבַּקָּשָׁה, "אַיֵּה".

אַיֵּה אֵיפוֹא הוּא, אַיֵּה קְדֻשָּׁתִי אַיֵּה טָהֳרָתִי, אַיֵּה נַפְשִׁי וְרוּחִי וְנִשְׁמָתִי, אַיֵּה יְהֹוָה אֱלֹהֵי אֲבוֹתֵינוּ הַמַּעֲלֶה אוֹתָנוּ מֵאֶרֶץ מִצְרַיִם מֵעֶרְוַת הָאָרֶץ, אַיֵּה הַמַּעֲלֶה אוֹתָנוּ מִיָּם, אַיֵּה מְקוֹם כְּבוֹדוֹ, שֶׁעַל יְדֵי זֶה זוֹכִין שֶׁתִּהְיֶה הַיְרִידָה תַּכְלִית הָעֲלִיָּה.

כֵּן בְּרַחֲמֶיךָ הָרַבִּים תַּעַזְרֵנוּ וּתְזַכֵּנוּ שֶׁנִּזְכֶּה לְקַיֵּם אֶת כָּל דִּבְרֵי הַתּוֹרָה הַזֹּאת בֶּאֱמֶת כִּרְצוֹנְךָ וְכִרְצוֹן צַדִּיקֶיךָ הָאֲמִתִּיִּים שֶׁגִּלּוּ זֹאת הַתּוֹרָה הַגְּנוּזָה בָּעוֹלָם, בְּאֹפֶן שֶׁנִּזְכֶּה לִמְצֹא אוֹתְךָ בֶּאֱמֶת תָּמִיד.

וְתִהְיֶה הַיְרִידָה תַּכְלִית הָעֲלִיָּה, וְאֶזְכֶּה לָצֵאת וְלַעֲלוֹת מְהֵרָה מִכָּל הַמְּקוֹמוֹת הַמְּטֻנָּפִים שֶׁנָּפַלְתִּי בָּהֶם בַּעֲוֹנוֹתַי הָרַבִּים, וְלַעֲלוֹת בְּתַכְלִית הָעֲלִיָּה.

וְלָשׁוּב בִּתְשׁוּבָה שְׁלֵמָה לְפָנֶיךָ בֶּאֱמֶת וּבְלֵב שָׁלֵם כִּרְצוֹנְךָ הַטּוֹב, וְאֶזְכֶּה לְהִתְקָרֵב לִכְבוֹדְךָ הַגָּדוֹל וְהַקָּדוֹשׁ.

Be gracious to me, just as when Your compassion for us intensified and You taught us from afar the exalted teaching that it is possible to find You even in the deepest depths by seeking and searching, "Where...?"

Where are You? Where is my holiness? Where is my purity? Where are my *nefesh*, *ruach* and *neshamah*? Where are You, HaShem, God of our fathers, Who took us out of the land of Egypt, out of that depraved land? Where is the One Who raised us from the sea? Where is the place of Your glory, by means of which our descent will be our ultimate ascent?

In Your vast compassion, help us truly keep all of the words of this teaching in accordance with Your will, and in accordance with the will of Your true Tzaddikim, who revealed this hidden teaching so that we may always find You.

May my descent be my ultimate ascent. May I successfully emerge and rise quickly from all of the filthy places into which I have fallen because of my many sins, and rise to the ultimate height.

May I truly return to You in complete repentance and with a full heart, in accordance with Your good will. May I come close to Your great and holy glory.

וְתַעַזְרֵנִי שֶׁיִּהְיוּ כָּל מַעֲשַׂי לְשֵׁם כְּבוֹדְךָ בֶּאֱמֶת. וְאֶזְכֶּה לְפַלֵּס דַּרְכִּי תָּמִיד, וּלְהִסְתַּכֵּל בְּכָל דָּבָר, אִם יֵשׁ בּוֹ רְצוֹן הַשֵּׁם יִתְבָּרַךְ וּכְבוֹדוֹ אָז אֶעֱשֶׂה אוֹתוֹ בִּזְרִיזוּת, וְאִם אֵין בּוֹ כְּבוֹד הַשֵּׁם יִתְבָּרַךְ אֶמָּנַע לַעֲשׂוֹתוֹ.

וְלֹא אֶסְתַּכֵּל עַל עַצְמִי וּכְבוֹדִי כְּלָל, וְלֹא עַל שׁוּם דָּבָר שֶׁבָּעוֹלָם, רַק אֲכַוֵּן בְּכָל דָּבָר לִשְׁמְךָ וְלִכְבוֹדְךָ בֶּאֱמֶת.

עַד שֶׁאֶזְכֶּה בְּרַחֲמֶיךָ הָרַבִּים וּבִישׁוּעָתְךָ הַגְּדוֹלָה, לְגַדֵּל וּלְנַשֵּׂא וּלְרוֹמֵם וּלְפָאֵר כְּבוֹדְךָ הַגָּדוֹל בָּעוֹלָם.

וְנִזְכֶּה כֻּלָּנוּ עַמְּךָ בֵּית יִשְׂרָאֵל לְעָבְדְּךָ בֶּאֱמֶת בִּתְמִימוּת גָּדוֹל כָּל יְמֵי חַיֵּינוּ לְעוֹלָם, בְּלִי שׁוּם חָכְמוֹת כְּלָל. וְלֹא נֵלֵךְ עוֹד אַחֲרֵי שְׁרִירוּת לִבֵּנוּ הָרָע.

וְלֹא נִטֶּה אַחַר שִׂכְלֵנוּ וְחָכְמָתֵנוּ הַמַּטְעִית, רַק נַטֶּה כָּל דַּעְתֵּנוּ וּמַחְשְׁבוֹתֵינוּ וּלְבָבֵנוּ לִשְׁמְךָ וְלִכְבוֹדְךָ הַגָּדוֹל וְהַקָּדוֹשׁ.

לִשְׁמֹר וְלַעֲשׂוֹת וּלְקַיֵּם אֶת כָּל דִּבְרֵי תוֹרָתֶךָ בְּאַהֲבָה בֶּאֱמֶת

For the Sake of God's Glory

Help me so that all of my deeds will truly be for the sake of Your glory. May I make my way always, and always look at every action to see if it is in accordance with Your will and glory, HaShem. If it is, I will do it enthusiastically. But if it does not express Your honor, HaShem, I will refrain from doing it.

May I not consider myself and my own honor at all, nor anything in the world. In all things, may I have only Your Name and Your honor in mind.

In Your vast compassion and great salvation, help me expand, elevate, uplift and beautify Your great honor in the world.

May all of us—Your nation, the House of Israel—truly serve You with all our hearts, all of the days of our lives forever, without any cleverness at all. May we no longer follow after the hardness of our evil heart.

May we not be misled by our intellect or mistaken cleverness. Instead, may we turn the entirety of our mind, thoughts and heart to Your great and holy Name and honor.

May we guard, perform and keep all of the words of Your Torah with love—in truth,

וּבִתְמִימוּת וּבִפְשִׁיטוּת, בַּדֶּרֶךְ אֲשֶׁר דָּרְכוּ בּוֹ אֲבוֹתֵינוּ הַקְּדוֹשִׁים מֵעוֹלָם.

וְנִזְכֶּה מְהֵרָה לְמַלְּאוֹת רְצוֹנְךָ הַקָּדוֹשׁ אֲשֶׁר רָצִיתָ בִּבְרִיאַת עוֹלָמְךָ, אֲשֶׁר בָּרָאתָ הַכֹּל לִכְבוֹדְךָ, כְּמוֹ שֶׁכָּתוּב: "כֹּל הַנִּקְרָא בִשְׁמִי וְלִכְבוֹדִי בְּרָאתִיו יְצַרְתִּיו אַף עֲשִׂיתִיו".

וְיִתְגַּלּוּ עַל יָדֵינוּ כָּל חֶלְקֵי כְבוֹדְךָ הַקָּדוֹשׁ מִכָּל דָּבָר וְדָבָר שֶׁבָּעוֹלָם שֶׁנִּבְרָא בַּעֲשָׂרָה מַאֲמָרוֹת.

אֲשֶׁר כָּל הָעֲשָׂרָה מַאֲמָרוֹת שֶׁבָּהֶם בָּרָאתָ הָעוֹלָם, כֻּלָּם הָיוּ בִּשְׁבִיל כְּבוֹדְךָ הַגָּדוֹל וְהַקָּדוֹשׁ, שֶׁיִּתְגַּלֶּה וְיִתְגַּדֵּל עַל יְדֵי כָּל חֶלְקֵי הַבְּרִיאָה.

אָנָּא יְהוָה, זַכֵּנִי לִהְיוֹת מִכְּלַל הַצַּדִּיקִים הַמְקַיְּמִין אֶת הָעוֹלָם שֶׁנִּבְרָא בַּעֲשָׂרָה מַאֲמָרוֹת.

עָזְרֵנִי עָזְרֵנִי, זַכֵּנִי זַכֵּנִי, תֶּן לִי חֲנִינָה וְלֹא אוֹבַד, "תָּעִיתִי כְּשֶׂה אוֹבֵד בַּקֵּשׁ עַבְדְּךָ".

וְאִם אֵינִי זוֹכֶה לְחַפֵּשׂ וּלְבַקֵּשׁ אוֹתְךָ כָּרָאוּי, נָא אָבִי אֲדוֹנִי

wholeheartedly and simply, following in the path that our holy forefathers always walked.

May we soon fulfill Your holy will, for whose sake You created Your universe. You created everything for Your honor, as the verse states, "Everything that is called in My Name and for My honor, I created it, I formed it, indeed, I made it."

May all of the parts of Your holy honor coming from every single thing in the world that was created with the Ten Statements be revealed through us.

All of these Ten Statements with which You created the world were for the sake of Your great and holy glory, so that it may be revealed and expanded by all parts of creation.

Please, HaShem, help me be among the righteous who maintain the world that was created with the Ten Statements.

Seek the Lost Sheep

Help me! Grant me merit! Be gracious to me so I will not be lost. "I have gone astray like a lost sheep. Seek Your servant."

If I do not deserve to seek and search for You properly, please, my Father, my Lord, my King

מַלְכִּי וֵאלֹהָי, בַּקֵּשׁ אַתָּה אוֹתִי בְּרַחֲמֶיךָ הָרַבִּים וּבַחֲסָדֶיךָ הַנּוֹרָאִים.

עֲשֵׂה עִמִּי פֶּלֶא לְחַיִּים, בַּקֵּשׁ צֹאן אוֹבְדוֹת, צֹאן נִדָּח וְאֵין מְקַבֵּץ, בַּקֵּשׁ וְחַפֵּשׂ נִדָּח וְנִשְׁלָךְ וְשָׂנוּא כָּמוֹנִי, חֲמֹל עַל פָּגוּם כָּמוֹנִי, חוּס וְרַחֵם עַל נִבְזֶה וְנִמְאָס כָּמוֹנִי.

הוֹצִיאֵנִי מִכָּל הַתַּאֲווֹת וּבִפְרָט מִתַּאֲוַת הַמִּשְׁגָּל, חַלְּצֵנִי מֵהֶם הַצִּילֵנִי מֵהֶם.

חֲמֹל עָלַי רַחֵם עָלַי, חוּסָה עָלַי וְעַל עוֹלָלַי וְטַפִּי. "אַל תִּתְּנֵנִי בְּנֶפֶשׁ צָרָי", אַל תִּתֵּן אֶת עַבְדְּךָ לִפְנֵי בַּת בְּלִיַּעַל.

"הַצִּילָה מֵחֶרֶב נַפְשִׁי מִיַּד כֶּלֶב יְחִידָתִי, הַצִּילֵנִי מִטִּיט וְאַל אֶטְבָּעָה, אִנָּצְלָה מִשּׂוֹנְאַי וּמִמַּעֲמַקֵּי מָיִם, אַל תִּשְׁטְפֵנִי שִׁבֹּלֶת מַיִם וְאַל תִּבְלָעֵנִי מְצוּלָה, וְאַל תֶּאְטַר עָלַי בְּאֵר פִּיהָ.

עֲנֵנִי יְהֹוָה כִּי טוֹב חַסְדֶּךָ, כְּרֹב רַחֲמֶיךָ פְּנֵה אֵלָי. וְאַל

and my God, seek me in Your vast compassion and awesome lovingkindness.

Grant me life miraculously. Seek the lost sheep, the banished sheep that no one gathers in. Seek and search for me. I have been driven away, cast away and hated. Have mercy on a person as blemished as I am. Have pity and compassion on a person as contemptible and offensive as I am.

Deliver me from all lusts—in particular, from the lust for sexual relations. Rescue me from them!

Have mercy on me. Have compassion on me. Have pity on me and on my children and infants. "Do not deliver me into the desire of my adversaries." Do not view me, Your servant, as being worthless.

"Save my spirit from the sword, my soul from the dogs." "Rescue me from the mud so that I will not sink. May I be delivered from my enemies and from the depths of the water." "May the waves of water not pour over me, may the depths not swallow me up, and may the wellspring not shut its mouth upon me."

"Answer me, HaShem, for Your loving-kindness is good; in accordance with Your

תַּסְתֵּר פָּנֶיךָ מֵעַבְדֶּךָ, כִּי צַר לִי מַהֵר עֲנֵנִי".

רְאֵה כִּי אָזְלַת יָדִי, רְאֵה אַנְחָתִי וְאֶנְקָתִי. עָזְרֵנִי עָזְרֵנִי, הוֹשִׁיעֵנִי גְאָלֵנִי פְּדֵנִי. כְּחַסְדְּךָ עֲשֵׂה עִמִּי, כְּחַסְדְּךָ חַיֵּנִי וְהַחֲזִירֵנִי בִּתְשׁוּבָה שְׁלֵמָה לְפָנֶיךָ.

וְתִמָּלֵא רַחֲמִים עָלַי, וּתְכַפֵּר וְתִסְלַח וְתִמְחֹל לִי עַל כָּל הַחֲטָאִים וְהָעֲוֹנוֹת וְהַפְּשָׁעִים שֶׁחָטָאתִי וְשֶׁעָוִיתִי וְשֶׁפָּשַׁעְתִּי לְפָנֶיךָ מִנְּעוּרַי עַד הַיּוֹם הַזֶּה, וּבִפְרָט מַה שֶּׁפָּגַמְתִּי בִּפְגַם הַבְּרִית.

אָנָּא יְהֹוָה, סְלַח לִי מְחַל לִי כַּפֶּר לִי, וּסְלַח לִי עַל כָּל הַהִרְהוּרִים רָעִים הָרַבִּים מְאֹד מְאֹד אֲשֶׁר הִרְהַרְתִּי מֵעוֹדִי עַד הַיּוֹם הַזֶּה, בֵּין בְּשׁוֹגֵג בֵּין בְּמֵזִיד בֵּין בְּאֹנֶס בֵּין בְּרָצוֹן.

וְאֶזְכֶּה לְבַקֵּשׁ וּלְחַפֵּשׂ אוֹתְךָ בֶּאֱמֶת, עַד שֶׁיִּתְתַּקְּנוּ וְיִתְכַּפְּרוּ עַל יְדֵי זֶה כָּל הַהִרְהוּרִים רָעִים וְכָל הָעַקְמִימִיּוֹת שֶׁבַּלֵּב.

וְכָל הַהִרְהוּרִים שֶׁהִרְהַרְתִּי אַחֲרֶיךָ וְאַחֲרֵי צַדִּיקֶיךָ הָאֲמִתִּיִּים וְאַחֲרֵי מִדּוֹתֶיךָ וּדְרָכֶיךָ הַקְּדוֹשִׁים וְהַטְּהוֹרִים וְהַנְּכוֹנִים,

compassion, turn to me. Do not hide Your face from Your servant, for I am in distress. Answer me soon."

See how powerless my hand has become. Take heed of my groans and laments. Help me! Help me! Save me, rescue me, deliver me! Treat me in accordance with Your kindness. In accordance with Your kindness, give me life and bring me back to You in complete repentance.

Be filled with compassion for me. Grant atonement and forgiveness for all of the transgressions, sins and offenses that I committed from my youth until this day—in particular, the blemishes that I caused to the covenant.

Please, HaShem, excuse me, forgive me, grant me atonement. Forgive me for all of the many evil fantasies that I engaged in all of my life until this day—whether by accident or on purpose, whether against my will or willingly.

May I truly seek and search for You, until all of my evil musings and all of the crookedness of my heart will be rectified and atoned for.

May all of my doubts about You, about Your true Tzaddikim, and about Your holy, pure and proper traits and ways gain atonement and

כֻּלָּם יִתְכַּפְּרוּ וְיִתְתַּקְּנוּ כְּאִלּוּ הִקְרַבְתִּי עוֹלוֹת לְפָנֶיךָ, שֶׁהֵם בָּאִים לְכַפֵּר עַל הִרְהוּרֵי הַלֵּב.

אָנָּא יְהוָה, חַזְּקֵנִי וְאַמְּצֵנִי בִּקְדֻשָּׁתְךָ הָעֶלְיוֹנָה. "אַל תַּעַזְבֵנִי יְהוָה, אֱלֹהַי אַל תִּרְחַק מִמֶּנִּי, חוּשָׁה לְעֶזְרָתִי אֲדֹנָי תְּשׁוּעָתִי".

זַכֵּנִי מֵעַתָּה לְקַדֵּשׁ וּלְטַהֵר עַצְמִי בֶּאֱמֶת, וְאֶזְכֶּה לְהַרְגִּישׁ אֱלֹהוּתְךָ עָלַי בְּכָל עֵת.

וּתְחָנֵּנִי שֶׁאֶזְכֶּה לָדַעַת בֶּאֱמֶת וּבְלֵב שָׁלֵם בְּכָל עֵת וּבְכָל שָׁעָה כִּי מְלֹא כָל הָאָרֶץ כְּבוֹדֶךָ, וּמַלְכוּתְךָ בַּכֹּל מָשָׁלָה. וּלְקַיֵּם מִקְרָא שֶׁכָּתוּב: "שִׁוִּיתִי יְהוָה לְנֶגְדִּי תָמִיד".

וְלֹא אֶשְׁכַּח אוֹתְךָ לְעוֹלָם, בֵּין בַּיּוֹם בֵּין בַּלַּיְלָה, בֵּין בְּהָקִיץ בֵּין בְּשֵׁנָה, בְּשִׁבְתִּי בְּבֵיתִי וּבְלֶכְתִּי בַדֶּרֶךְ, בְּשָׁכְבִּי וּבְקוּמִי, בַּאֲכִילָתִי וּבִשְׁתִיָּתִי, בַּעֲמִידָתִי וּבִישִׁיבָתִי, בְּמַחֲשָׁבָה דִּבּוּר וּמַעֲשֶׂה וּבְכָל תְּנוּעוֹתַי.

בְּכָל עֵת וּבְכָל שָׁעָה, אֶזְכֶּה לִמְצֹא וּלְהַרְגִּישׁ אֱלֹהוּתְךָ וּמֶמְשַׁלְתְּךָ עָלַי אֲשֶׁר מָלֵא כָל הָעוֹלָם, כְּמוֹ שֶׁכָּתוּב: "אִם

rectification, as though I had offered You burnt-offerings, which come to grant atonement for the thoughts in a person's heart.

Please, HaShem, strengthen me and fortify me in Your supernal holiness. "Do not abandon me, HaShem my God. Do not be far from me. Come quickly to help me, Lord of my salvation."

Help me truly sanctify and purify myself from now on. May I feel Your Godliness rest upon me at every moment.

Be gracious to me so that I will truly know with all my heart always, at every hour, that "the whole earth is filled with Your glory" and Your sovereignty rules over all. May I experience the verse, "I have placed HaShem before me always."

May I never forget You, whether by day or by night, whether awake or asleep, whether sitting at home or traveling on the road, whether lying down or getting up, whether eating or drinking, whether standing or sitting—in thought, speech and deed, in all of my movements.

At all times, at every hour, may I find and feel Your Godliness and Your sovereignty upon me, filling the entire world. As the verse states, "Will

יִסָּתֵר אִישׁ בַּמִּסְתָּרִים וַאֲנִי לֹא אֶרְאֶנּוּ נְאֻם יְהֹוָה, הֲלוֹא אֶת הַשָּׁמַיִם וְאֶת הָאָרֶץ אֲנִי מָלֵא".

מוֹשֵׁל בַּכֹּל, מָלֵא רַחֲמִים, מָלֵא חֶסֶד וָטוּב בְּכָל עֵת וּבְכָל רֶגַע, זַכֵּנִי לְהִתְקָרֵב אֵלֶיךָ בֶּאֱמֶת.

טַהֲרֵנִי וְקַדְּשֵׁנִי מִכָּל הַטִּנּוּפִים וְהַלִּכְלוּכִים שֶׁלִּכְלַכְתִּי וְטִנַּפְתִּי אֶת נַפְשִׁי עַל יְדֵי עֲווֹנוֹתַי הָרַבִּים שֶׁעָשִׂיתִי מֵעוֹדִי עַד הַיּוֹם הַזֶּה.

הַעֲלֵנִי מְהֵרָה מִטֻּמְאָה לְטָהֳרָה מֵחֹל לְקֹדֶשׁ, הוֹצִיאֵנִי מֵאֲפֵלָה לְאוֹרָה. וְקַיֵּם בָּנוּ מְהֵרָה מִקְרָא שֶׁכָּתוּב: "וְזָרַקְתִּי עֲלֵיכֶם מַיִם טְהוֹרִים וּטְהַרְתֶּם, מִכֹּל טֻמְאוֹתֵיכֶם וּמִכָּל גִּלּוּלֵיכֶם אֲטַהֵר אֶתְכֶם".

וְזַכֵּנִי בְּרַחֲמֶיךָ הָרַבִּים לְחַדֵּשׁ בַּתּוֹרָה תָּמִיד חִדּוּשִׁין דְּאוֹרַיְיתָא אֲמִתִּיִּים.

וְאֶזְכֶּה לְדַלֵּג וְלַעֲבֹר מְהֵרָה בְּכָל עֵת עַל כָּל הַבִּלְבּוּלִים וְהָעִקְמִימִיּוֹת וְעַל כָּל הַמְּנִיעוֹת הַמְבַלְבְּלִין אֶת הַמֹּחַ וְהַדַּעַת מִלְּחַפֵּשׂ וְלַחְשֹׁב וּלְחַדֵּשׁ בְּתוֹרָתְךָ הַקְּדוֹשָׁה.

a person hide in concealment so that I will not see him? says HaShem. Do I not fill the heavens and the earth?"

You Who rule over everything, You Who are filled with compassion, You Who are filled with kindness and goodness at all times, at all moments, help me truly come close to You.

Purify me and sanctify me of all of the filth and dirt with which I have polluted and sullied my soul as a result of the multitude of sins that I have committed throughout my entire life until this day.

Quickly raise me from impurity to purity, from the mundane to the holy. Extricate me from darkness to light. Quickly realize in us the verse, "I will sprinkle pure waters upon you and purify You; of all of Your contaminations and all of your idols, I will purify you."

The Power of the Holy Torah

In Your vast compassion, help me always create true Torah insights.

May I at all times quickly leave behind and pass beyond all of the confusions, crookedness and obstacles that distract a person's mind and consciousness from seeking You and thinking about creating insights into Your holy Torah.

רַק אֶזְכֶּה שֶׁיִּהְיֶה דַּעְתִּי וּמוֹחִי וּמַחֲשַׁבְתִּי דָּבוּק וּמְקֻשָּׁר בְּכָל עֵת בְּתוֹרָתְךָ הַקְּדוֹשָׁה, בְּקֶשֶׁר אַמִּיץ וְחָזָק מְאֹד בַּל יִמּוֹט לְעוֹלָם, עַד שֶׁאֶזְכֶּה לִמְצֹא וּלְחַדֵּשׁ בְּכָל פַּעַם חִדּוּשִׁין דְּאוֹרַיְתָא אֲמִתִּיִּים כִּרְצוֹנְךָ הַטּוֹב.

וְכֹחַ הַתּוֹרָה הַקְּדוֹשָׁה תֵּלֵךְ לְפָנַי וְתַנְחֶה אוֹתִי בְּכָל עֵת בְּדֶרֶךְ הָאֱמֶת וְהַיָּשָׁר, בִּנְקֻדַּת הָאֱמֶת לַאֲמִתּוֹ כִּרְצוֹנְךָ הַטּוֹב, בְּכָל יוֹם וּבְכָל עֵת וּבְכָל שָׁעָה.

וִיקֻיַּם בִּי מִקְרָא שֶׁכָּתוּב: "בְּהִתְהַלֶּכְךָ תַּנְחֶה אוֹתָךְ, בְּשָׁכְבְּךָ תִּשְׁמֹר עָלֶיךָ, וַהֲקִיצוֹתָ הִיא תְשִׂיחֶךָ".

אָבִינוּ מַלְכֵּנוּ גַּלֵּה כְּבוֹד מַלְכוּתְךָ עָלֵינוּ מְהֵרָה וְהוֹפַע וְהִנָּשֵׂא עָלֵינוּ לְעֵינֵי כָּל חָי, חוּסָה עַל כְּבוֹדְךָ הַגָּדוֹל הַמְחֻלָּל בֵּין הַגּוֹיִם בַּעֲוֹנוֹתֵינוּ הָרַבִּים.

וְהַחֲזִירֵנוּ בִּתְשׁוּבָה שְׁלֵמָה לְפָנֶיךָ, בְּאֹפֶן שֶׁנִּזְכֶּה לְהַעֲלוֹת וּלְנַשֵּׂא כְּבוֹדְךָ הַגָּדוֹל וְהַקָּדוֹשׁ, וּכְבוֹדְךָ יִמָּלֵא כָּל הָאָרֶץ.

וְכֹל אֲשֶׁר נִשְׁמַת רוּחַ חַיִּים בְּאַפָּיו יִתְּנוּ כָבוֹד וְהָדָר לְשִׁמְךָ,

May my mind and consciousness cling and connect at every moment to Your holy Torah with a strong and substantial connection that never fails, until I constantly find and create true Torah insights, in accordance with Your good will.

May the power of the holy Torah proceed before me and guide me constantly on the true and straight path to the core of ultimate truth, in accordance with Your good will, every day, at every time of the day and at every hour.

May the verse be realized in me, "When you go, it will guide you; when you lie down, it will guard you; and when you awaken, it will speak with you."

Our Father, our King, quickly reveal Your glorious sovereignty to us. Appear and be elevated over us in view of every living being. Have pity on Your great honor that is desecrated by the nations due to our many sins.

Bring us back to You in complete repentance so that we will raise and elevate Your great and holy honor, and Your honor will fill the entire world.

Then every being that has breath, the spirit of life, in its nostrils will grant honor and glory

וִיסַפְּרוּ שִׁמְךָ בְּכָל הָאָרֶץ, "כְּבוֹד מַלְכוּתְךָ יֹאמֵרוּ וּגְבוּרָתְךָ יְדַבֵּרוּ".

רִבּוֹנוֹ שֶׁל עוֹלָם מְלֹךְ עַל כָּל הָעוֹלָם כֻּלּוֹ בִּכְבוֹדֶךָ, וְהִנָּשֵׂא עַל כָּל הָאָרֶץ בִּיקָרֶךָ, וְהוֹפַע בַּהֲדַר גְּאוֹן עֻזֶּךָ עַל כָּל יוֹשְׁבֵי תֵבֵל אַרְצֶךָ.

וְיֵדַע כָּל פָּעוּל כִּי אַתָּה פְּעַלְתּוֹ וְיָבִין כָּל יְצוּר כִּי אַתָּה יְצַרְתּוֹ, וְיֹאמַר כָּל אֲשֶׁר נְשָׁמָה בְּאַפּוֹ, יְהֹוָה אֱלֹהֵי יִשְׂרָאֵל מֶלֶךְ, וּמַלְכוּתוֹ בַּכֹּל מָשָׁלָה.

"וִיבָרְכוּ שֵׁם כְּבוֹדֶךָ וּמְרוֹמַם עַל כָּל בְּרָכָה וּתְהִלָּה. בָּרוּךְ יְהֹוָה אֱלֹהִים אֱלֹהֵי יִשְׂרָאֵל עֹשֵׂה נִפְלָאוֹת לְבַדּוֹ. וּבָרוּךְ שֵׁם כְּבוֹדוֹ לְעוֹלָם וְיִמָּלֵא כְבוֹדוֹ אֶת כָּל הָאָרֶץ אָמֵן וְאָמֵן":

to Your Name, and they will tell of Your Name throughout the entire land. "They will tell the glory of Your sovereignty and relate Your might."

Master of the world, rule over the entire world in Your glory. Be elevated over the entire earth in Your eminence. Appear in the glorious exaltation of Your might to all of the inhabitants of the countries of Your world.

"May every created being know that You made Him. May every creature understand that You created him. May all that has breath in its nostrils say, 'HaShem, the God of Israel, is King, and His sovereignty rules over everything.'"

"They shall bless the Name of Your glory, for it is elevated beyond all blessing and praise." "Blessed is HaShem, God, God of Israel, Who alone does wonders. And blessed is the Name of His glory forever, and may His glory fill the entire earth. Amen and amen."

13 (II, 17)

A Person Must be Glad on the Shabbat / The Shabbat is Freedom

[Both Prayers 13 and 18 are based on Rebbe Nachman's lesson in *Likutey Moharan* II, 17. That lesson consists of two distinct parts; therefore, Reb Noson wrote Prayer 13 focusing on the topic of Shabbat, and Prayer 18 focusing on the topic of Divine providence.]

A person must be glad on the Shabbat out of an appreciation for its vast and precious holiness. When he is, his fear of God is enriched with enhanced awareness and is thus made whole.

On the weekdays, a person's fear of God may be compounded with foolishness. That foolishness derives from spiritual slavishness that he is then subject to, which blemishes his mind.

But the Shabbat—particularly, the delight of the Shabbat—is freedom. With that freedom, a person's awareness is perfected and he experiences the fear of God undiluted by foolishness. In this way, he raises his degraded, fallen fears.

On the Shabbat, a person should exhibit no signs of depression or worry, but delight in good food and drink, as well as elegant clothes. A person's eating on the Shabbat is entirely spiritual and holy, and it rises to an entirely different spiritual realm than does his weekday eating.

יְהִי רָצוֹן מִלְּפָנֶיךָ יְהוָֹה אֱלֹהֵינוּ וֵאלֹהֵי אֲבוֹתֵינוּ, שֶׁתַּעַזְרֵנִי בְּרַחֲמֶיךָ הָרַבִּים, וּתְזַכֵּנִי לְקַבֵּל שַׁבָּת קֹדֶשׁ בְּשִׂמְחָה וְחֶדְוָה גְדוֹלָה, בְּגִילָה רִנָּה דִּיצָה וְחֶדְוָה.

וְתִשְׁמְרֵנִי וְתַצִּילֵנִי שֶׁלֹּא יַעֲלֶה עַל לִבִּי שׁוּם עַצְבוּת וּמָרָה שְׁחוֹרָה וְלֹא שׁוּם יָגוֹן וַאֲנָחָה וְלֹא שׁוּם דְּאָגָה בְּיוֹם שַׁבָּת קֹדֶשׁ.

רַק אֶזְכֶּה לִשְׂמֹחַ בְּכָל עֹז בְּיוֹם שַׁבָּת קֹדֶשׁ, בְּכָל לְבָבִי וּבְכָל נַפְשִׁי וּבְכָל מְאֹדִי, בְּשִׂמְחָה שֶׁאֵין לָהּ קֵץ וְתַכְלִית.

כָּרָאוּי בֶּאֱמֶת לִשְׂמֹחַ בְּיוֹם שַׁבָּת קֹדֶשׁ, בְּיוֹם קָדוֹשׁ וְנוֹרָא כָּזֶה, שֶׁנִּתְעוֹרֵר עֹז וְחֶדְוָה וְשִׂמְחָה רַבָּה וַעֲצוּמָה בְּלִי שִׁעוּר בְּכָל הָעוֹלָמוֹת כֻּלָּם.

וּכְמוֹ שֶׁמּוּבָא בַּזֹּהַר הַקָּדוֹשׁ וּבִשְׁאָר סְפָרִים מֵרִבּוּי עֹצֶם הַשִּׂמְחָה וְהַחֶדְוָה שֶׁל שַׁבָּת קֹדֶשׁ.

רִבּוֹנוֹ שֶׁל עוֹלָם, מָה אוֹמַר וּמָה אֲדַבֵּר, בְּכָל מַה שֶּׁאֲנִי מַתְחִיל לְהִתְפַּלֵּל וּלְהִתְחַנֵּן עָלָיו, יָדַעְתִּי גַּם יָדַעְתִּי כַּמָּה אֲנִי רָחוֹק מִזֶּה.

וּכְפִי גֹּדֶל מַעֲלַת הַמִּצְוָה וְהַמִּדָּה הַקְּדוֹשָׁה, וּכְפִי גֹּדֶל

Celebrating the Shabbat with Joy

May it be Your will, HaShem our God and God of our fathers, that in Your vast compassion, You will help us celebrate the holy Shabbat with great joy and gladness, with pleasure, song, delight and cheer.

Guard me and rescue me so that I will never experience any sadness, depression, melancholy, sighs or worry on the holy Shabbat.

May I only rejoice with all my strength on the holy Shabbat, with all my heart, all my spirit and all my might, with joy that has no end or limit.

That is how it is truly fitting to rejoice on the holy Shabbat, which is such a holy and awesome day, when great gladness and mighty, infinite joy in all of the worlds are aroused.

The holy Zohar and other works teach about the vast, mighty joy and gladness of the holy Shabbat.

Master of the world, what can I say? How can I express everything that I wish to express in my prayer and petitioning? I know so well how far I am from prayer.

Corresponding to the great level of the holy mitzvot, and corresponding to their great importance for all holy matters, so is the extent of my

תּוֹעַלְתָּהּ לְכָל הַדְּבָרִים שֶׁבִּקְדֻשָּׁה, כֵּן עֹצֶם רִחוּקִי מִזֶּה בְּתַכְלִית הָרִחוּק, וּבִפְרָט מִשִּׂמְחָה בְּשַׁבָּת קֹדֶשׁ, אֲשֶׁר כִּמְעַט בָּזֶה תּוֹלֶה הַכֹּל וְהוּא עִקַּר הַהִתְקָרְבוּת אֵלֶיךָ.

אֲבָל אַתָּה יוֹדֵעַ רִבּוּי הַמְּנִיעוֹת עַל זֶה וְגֹדֶל הַהִתְגַּבְּרוּת שֶׁמִּתְגַּבְּרִין וּמִתְגָּרִין בְּכָל פַּעַם לִמְנֹעַ אוֹתִי חַס וְשָׁלוֹם מִשִּׂמְחָה שֶׁל שַׁבָּת.

חֲמֹל עָלַי אָבִי שֶׁבַּשָּׁמַיִם, אָבִי אָב הָרַחֲמָן, וְשַׂמְּחֵנִי בִּישׁוּעָתְךָ תָּמִיד. וְעָזְרֵנִי וְהוֹשִׁיעֵנִי וְזַכֵּנִי לִשְׂמֹחַ מְאֹד בְּשִׂמְחָה גְדוֹלָה בְּכָל שַׁבָּת וְשַׁבָּת, חֹק וְלֹא יַעֲבֹר, שֶׁאֶזְכֶּה לִהְיוֹת כָּל הַיּוֹם כֻּלּוֹ בְּשִׂמְחָה מִבּוֹאוֹ וְעַד צֵאתוֹ.

עַד שֶׁאֶזְכֶּה לְהַמְשִׁיךְ הַשִּׂמְחָה שֶׁל שַׁבָּת עַל שֵׁשֶׁת יְמֵי הַחֹל, עַד שֶׁאֶזְכֶּה לִהְיוֹת בְּשִׂמְחָה תָּמִיד גַּם בִּימֵי הַחֹל בְּשִׂמְחָה אֲמִתִּיִּית.

יִרְאוּ עֵינַי וְיִשְׂמַח לִבִּי וְתָגֵל נַפְשִׁי בִּישׁוּעָתְךָ בֶּאֱמֶת. וּתְזַכֵּנִי עַל יְדֵי הַשִּׂמְחָה שֶׁל שַׁבָּת לְהָרִים הַיִּרְאָה אֶל הַדַּעַת הַקָּדוֹשׁ, וְאֶזְכֶּה לְיִרְאָה שְׁלֵמָה מִפָּנֶיךָ בְּדַעַת שָׁלֵם בְּלִי כְסִילוּת כְּלָל.

רִבּוֹנוֹ שֶׁל עוֹלָם אָיֹם וְנוֹרָא, עָזְרֵנִי וְהוֹשִׁיעֵנִי וְזַכֵּנִי מְהֵרָה

distance from them, an infinite distance—in particular, from experiencing joy on the holy Shabbat, on which almost everything depends and which constitutes the essence of coming close to You.

You know the extent of the obstacles that stand before this, and how greatly they constantly rise to pull me down and keep me from the joy of the Shabbat, Heaven forbid.

Have mercy on me, my compassionate Father in Heaven! Give me joy in Your salvation always. Help me. Save me. Help me rejoice greatly every Shabbat without exception—the entire day, from beginning to end.

May I then draw the joy of the Shabbat onto the six days of the week, until I am always truly joyful, even on the weekdays.

May my eyes see, my heart rejoice, and my spirit be glad in Your salvation. Through the joy of the Shabbat, help me raise my emotion of fear to holy awareness. May I attain perfect fear of You with complete awareness and without any foolishness at all.

You Who are the awesome, awe-inspiring Master of the world, help me and save me. May

לְיִרְאַת הָרוֹמְמוּת, לְיִרְאָה קְדוֹשָׁה עִם דַּעַת הַנִּמְשָׁךְ מִשִּׂמְחָה שֶׁל שַׁבָּת קֹדֶשׁ.

מָלֵא רַחֲמִים, גּוֹאֵל וּמוֹשִׁיעַ, פּוֹדֶה וּמַצִּיל, פְּדֵנִי וְהַצִּילֵנִי, וְהוֹצִיאֵנִי מֵעַבְדוּת לְחֵרוּת מִשִּׁעְבּוּד לִגְאֻלָּה.

זַכֵּנִי לְשִׂמְחָה שֶׁל שַׁבָּת קֹדֶשׁ, שֶׁאֶזְכֶּה בְּרַחֲמֶיךָ הָרַבִּים וַחֲסָדֶיךָ הַגְּדוֹלִים, לְקַבֵּל שַׁבָּתוֹת מִתּוֹךְ רֹב שִׂמְחָה וּמִתּוֹךְ עֹשֶׁר וְכָבוֹד וּמִתּוֹךְ מִעוּט עֲוֹנוֹת.

עָזְרֵנִי שֶׁאֶזְכֶּה לְכַבֵּד אֶת הַשַּׁבָּת בְּכָל עֹז וְתַעֲצוּמוֹת, בְּכָל מִינֵי שִׂמְחָה וְחֶדְוָה.

וְאֶזְכֶּה לְהַרְבּוֹת בְּתַעֲנוּגֵי שַׁבָּת בְּכָל מִינֵי תַּעֲנוּגִים, הֵן לְהַרְבּוֹת בְּמִינֵי מַאֲכָלִים וּמַעֲדַנִּים וּמַשְׁקוֹת טוֹבִים, הֵן בְּבִגְדֵי כָבוֹד, לְהִשְׁתַּדֵּל לִזְכּוֹת לִבְגָדִים נָאִים לִכְבוֹד שַׁבָּת קֹדֶשׁ.

וְהָעִקָּר שֶׁתְּרַחֵם עָלַי וְתַעַזְרֵנִי וְתוֹשִׁיעֵנִי לִזְכּוֹת לִשְׂמֹחַ בְּכָל לֵב בְּשַׁבָּת קֹדֶשׁ בְּשִׂמְחָה וְחֶדְוָה גְדוֹלָה בֶּאֱמֶת, עַד שֶׁאֶזְכֶּה עַל יְדֵי הַשִּׂמְחָה לָצֵאת מֵעַבְדוּת לְחֵרוּת, מִשִּׁעְבּוּד לִגְאֻלָּה.

I soon attain fear of Your greatness, a holy fear with an awareness that is drawn from the joy of the holy Shabbat.

You Who are filled with compassion, Redeemer and Savior, Deliverer and Rescuer, deliver me and rescue me. Bring me forth from slavery to freedom, from subjugation to redemption.

Help me attain the joy of the holy Shabbat so that, in Your vast compassion and great kindness, I will celebrate the Shabbat with an abundance of joy, wealth and honor, and with a minimum of sins.

Help me honor the Shabbat with every sort of vigor, intensity, joy and gladness.

May I multiply the delights of the Shabbat with every type of food, delicacy and good drink. May I strive to attain beautiful clothes with which to honor the holy Shabbat.

Most importantly, please have compassion on me. Help me and save me so that I will rejoice with all my heart on the holy Shabbat, with truly great joy and gladness, until I will emerge from slavery to freedom, from subjugation to redemption.

עַד שֶׁאֶזְכֶּה עַל יְדֵי הַשִּׂמְחָה וְהַחֵרוּת שֶׁל שַׁבָּת, לְהַשְׁלִים וּלְהַגְדִּיל דַּעְתִּי בְּתַכְלִית הַגַּדְלוּת וְהַשְּׁלֵמוּת כִּרְצוֹנְךָ הַטּוֹב בֶּאֱמֶת. וְעַל יְדֵי זֶה אֶזְכֶּה לְיִרְאָה שְׁלֵמָה שֶׁתִּהְיֶה הַיִּרְאָה עִם דַּעַת בְּלִי שׁוּם סִכְלוּת כְּלָל.

וְתַעַזְרֵנִי וְתוֹשִׁיעֵנִי לְהָרִים וּלְהַגְבִּיהַּ עַל יְדֵי הַדַּעַת הַקָּדוֹשׁ אֶת כָּל הַיִּרְאוֹת הַנְּפוּלוֹת אֵלֶיךָ לְבַד תִּתְבָּרַךְ.

שֶׁלֹּא יִהְיֶה לִי שׁוּם יִרְאָה נְפוּלָה, שֶׁלֹּא אֶפְחַד וְלֹא אֶתְיָרֵא מִשּׁוּם בְּרִיאָה שֶׁבָּעוֹלָם, לֹא מִשּׁוּם שַׂר וְאָדוֹן, וְלֹא מִשּׁוּם אָדָם, וְלֹא מִשּׁוּם חַיָּה רָעָה וְלִסְטִים, וְלֹא מִשּׁוּם דָּבָר שֶׁבָּעוֹלָם.

רַק מִמְּךָ לְבַד אִירָא וְאֶפְחַד בֶּאֱמֶת, וְתִהְיֶה יִרְאָתְךָ עַל פָּנַי לְבִלְתִּי אֶחֱטָא.

רִבּוֹנוֹ שֶׁל עוֹלָם, זַכֵּנִי לְיִרְאָה שְׁלֵמָה וַאֲמִתִּית, לְיִרְאָה אֶת הַשֵּׁם הַנִּכְבָּד וְהַנּוֹרָא הַזֶּה אֶת יְהֹוָה אֱלֹהֵינוּ, אוֹתוֹ לְבַד אִירָא, וּבוֹ אֶבְטַח וְאֶשָּׁעֵן, וְלֹא אֶפְחַד מִשּׁוּם דָּבָר שֶׁבָּעוֹלָם.

וִיקֻיַּם בִּי מִקְרָא שֶׁכָּתוּב: "יְהֹוָה אוֹרִי וְיִשְׁעִי מִמִּי אִירָא יְהֹוָה מָעוֹז חַיַּי מִמִּי אֶפְחָד". וְנֶאֱמַר: "יְהֹוָה לִי לֹא אִירָא

Attaining Perfect Fear

By means of the joy and freedom of the Shabbat, may I perfect and expand my consciousness with the ultimate expansion and perfection, truly in accordance with Your good will. In this way, may I attain perfect fear, fear that is imbued with mindfulness and that contains no foolishness at all.

Help me and save me so that through holy consciousness, I will raise and elevate all fallen fears to You alone.

May I possess no fallen fears. May I not fear any being in the world: no government officer, no aristocrat, no human being, and no evil beast or criminal—nothing whatsoever.

Only You alone will I truly fear. May Your fear be upon my face so that I will not transgress.

Master of the world, give me perfect, true fear. May I fear Your honored and awesome Name, HaShem our God. May I fear You alone. May I trust in You and rely on You, and not fear anything in the world.

May the verse be realized in me, "HaShem is my light and salvation. Whom shall I fear? HaShem is the stronghold of my life. Of whom shall I be afraid?" "HaShem is for me, I shall

מַה יַּעֲשֶׂה לִי אָדָם". וְנֶאֱמַר: "בֵּאלֹהִים בָּטַחְתִּי לֹא אִירָא מַה יַּעֲשֶׂה בָשָׂר לִי".

וְנֶאֱמַר: "הִנֵּה אֵל יְשׁוּעָתִי אֶבְטַח וְלֹא אֶפְחָד כִּי עָזִּי וְזִמְרָת יָהּ יְהֹוָה וַיְהִי לִי לִישׁוּעָה. וּשְׁאַבְתֶּם מַיִם בְּשָׂשׂוֹן מִמַּעַיְנֵי הַיְשׁוּעָה".

רִבּוֹנוֹ שֶׁל עוֹלָם מָלֵא רַחֲמִים טוֹב וּמֵטִיב לַכֹּל. זַכֵּנִי לִטְעֹם טַעַם עֹנֶג שַׁבָּת בֶּאֱמֶת, זַכֵּנִי לְשִׂמְחָה וְחֵרוּת שֶׁל שַׁבָּת קֹדֶשׁ וּלְבַטֵּל כָּל הַשִּׁעְבּוּד שֶׁל יְמֵי הַחֹל, וּלְיַשֵּׁב דַּעְתִּי בִּשְׁלֵמוּת בְּלִי שׁוּם בִּלְבּוּל הַדַּעַת כְּלָל.

וְלֹא יַעֲלֶה עַל דַּעְתִּי וּמַחֲשַׁבְתִּי בְּשַׁבָּת קֹדֶשׁ, שׁוּם מַחֲשָׁבָה בְּאֵיזֶה עֵסֶק וּמְלָאכָה וּמַשָּׂא וּמַתָּן, וְלֹא שׁוּם דְּאָגָה וְטִרְדָּא כְּלָל, רַק יִהְיֶה בְּעֵינַי כְּאִלּוּ כָּל מְלַאכְתִּי עֲשׂוּיָה.

וְאֶזְכֶּה בֶּאֱמֶת לִמְנוּחָה וְעֹנֶג וְשִׂמְחָה שֶׁל שַׁבָּת קֹדֶשׁ, מְנוּחַת אַהֲבָה וּנְדָבָה, מְנוּחַת אֱמֶת וֶאֱמוּנָה, מְנוּחַת שָׁלוֹם וְשַׁלְוָה וְהַשְׁקֵט וָבֶטַח, מְנוּחָה שְׁלֵמָה שֶׁאַתָּה רוֹצֶה בָּהּ.

not fear. What can anyone do to me?" "I have trusted in God, I shall not fear. What can flesh do to me?"

"Behold, God is my salvation; I will trust and not be afraid, for God HaShem is my strength and song; He has saved me. Draw forth waters with joy from the wellsprings of salvation."

True Tranquility

Master of the world, filled with compassion, You Who are good and do good to all, help me truly taste the delights of the Shabbat. Help me so that I attain the joy and freedom of the holy Shabbat, nullify all of the subjugation of the weekdays, and settle my mind perfectly, without any confusion at all.

On the holy Shabbat, may no thoughts of business, career or finance, or any worries or apprehensions at all, arise in my mind and thoughts. May it be as though all of my work has been completed.

May I attain the true tranquility, delight and joy of the holy Shabbat—"a tranquility of love and generosity, a tranquility of truth and faith, a tranquility of peace, calm, quiet and assurance, a complete tranquility that You desire."

"שַׂמֵּחַ נֶפֶשׁ עַבְדֶּךָ כִּי אֵלֶיךָ יְהֹוָה נַפְשִׁי אֶשָּׂא". שַׂמְּחֵנִי בְּרַחֲמֶיךָ הָרַבִּים תָּמִיד, וּבִפְרָט בְּשַׁבָּתוֹת וְיָמִים טוֹבִים "תַּשְׁמִיעֵנִי שָׂשׂוֹן וְשִׂמְחָה, תָּגֵלְנָה עֲצָמוֹת דִּכִּיתָ".

כִּי אֵין מִי שֶׁיּוּכַל לְשַׂמֵּחַ אֶת נַפְשִׁי, כִּי אִם אַתָּה לְבַד, בְּחַסְדְּךָ הֶעָצוּם לְבַד, בְּרַחֲמֶיךָ הַגְּנוּזִים לְבַד, בִּזְכוּת וְכֹחַ הַצַּדִּיקִים הָאֲמִתִּיִּים שֶׁהֵם שַׁבָּת דְּכֻלְּהוּ יוֹמֵי.

קַדְּשֵׁנוּ בְּמִצְוֹתֶיךָ וְתֵן חֶלְקֵנוּ בְּתוֹרָתֶךָ, שַׂבְּעֵנוּ מִטּוּבֶךָ וְשַׂמַּח נַפְשֵׁנוּ בִּישׁוּעָתֶךָ, וְטַהֵר לִבֵּנוּ לְעָבְדְּךָ בֶּאֱמֶת, וְהַנְחִילֵנוּ יְהֹוָה אֱלֹהֵינוּ בְּאַהֲבָה וּבְרָצוֹן שַׁבַּת קָדְשֶׁךָ, וְיָנוּחוּ בוֹ כָּל יִשְׂרָאֵל מְקַדְּשֵׁי שְׁמֶךָ.

"תּוֹדִיעֵנִי אֹרַח חַיִּים שֹׂבַע שְׂמָחוֹת אֶת פָּנֶיךָ נְעִימוֹת בִּימִינְךָ נֶצַח.

יִהְיוּ לְרָצוֹן אִמְרֵי פִי וְהֶגְיוֹן לִבִּי לְפָנֶיךָ יְהֹוָה צוּרִי וְגוֹאֲלִי":

"Give joy to the soul of Your servant—because, HaShem, I lift my soul to You!" In Your vast compassion, grant me joy always—in particular, on the Shabbat and festivals. "Cause me to hear joy and gladness; may the bones that You crushed, exult."

No one but You can gladden my soul in Your mighty lovingkindness, in Your concealed compassion, in the merit and strength of the true Tzaddikim, who are the Shabbat of every day.

Sanctify us with Your mitzvot and place our portion in Your Torah. Satiate us with Your goodness, gladden our souls with Your salvation, purify our hearts to truly serve You, and give us an inheritance, HaShem our God, in love and favor, of Your holy Shabbat. May all Jews who sanctify Your Name rest on that day.

"Let me know the way of life, the satiety of joy before Your countenance, the pleasantness at Your right hand forever."

"May the words of my mouth and the meditation of my heart be pleasing before You, HaShem, my Rock and my Redeemer."

14 (II, 19)

We Must Serve God Wholeheartedly / Only the Tzaddik May Study the Sciences / Faith and Prayer are One

---

The principal thing in life is to serve God wholeheartedly, without any cleverness.

According to some philosophers, the core of being, the nature of the World to Come itself, consists of the knowledge of everything as it is. They therefore dedicate their lives to reaching that deep understanding.

If the philosophers were correct, then only a tiny minority of human beings—the elite intellectuals—could attain ultimate reward and truth. But the truth is that we attain the goal of our existence when we possess faith and perform God's commandments with absolute simplicity. Then we attain a state beyond the vision of any human eye.

Besides that, one may not engage in philosophy or study the secular sciences. This is because each of the seven wisdoms possesses its own stumbling block that can make a person fall. That stumbling block is in the realm of Amalek, who was a philosopher who denied all matters of faith. (In this context, the heretical philosophers interpret everything in the Torah non-literally, entirely denying its simple meaning.)

Only the great Tzaddik may enter into that realm and learn the seven wisdoms. Anyone else who enters into the realm of those wisdoms can fall. But the Tzaddik remains faithful.

Faith is of a piece with prayer. This is because a person's prayer changes nature. Since the secular sciences define reality as being bounded by the laws of nature, prayer eradicates those sciences.

Our goal must be for our prayer to be absorbed into God's Oneness. Then our prayer and God will be one, as it were.

תּוֹמֵךְ תְּמִימִים הוֹשִׁיעָה נָּא, תַּקִּיף לָעַד הַצְלִיחָה נָּא, תָּמִים בְּמַעֲשָׂיו עֲנֵנוּ בְיוֹם קָרְאֵנוּ. תָּם וּמִתַּמָּם עִם תְּמִימִים, זַכֵּנִי לַעֲבֹד אוֹתְךָ בֶּאֱמֶת, בִּתְמִימוּת וּבִפְשִׁיטוּת גָּמוּר בְּלִי שׁוּם חָכְמוֹת כְּלָל.

שָׁמְרֵנִי וְהַצִּילֵנִי בְּרַחֲמֶיךָ הָרַבִּים מֵחֲקִירוֹת וְחָכְמוֹת חִיצוֹנִיּוֹת וְזָרוֹת.

רַחֵם עָלַי וְעַל כָּל יִשְׂרָאֵל, וְזַכֵּנוּ בַּחֲסָדֶיךָ הָעֲצוּמִים לִתְמִימוּת בֶּאֱמֶת, כַּאֲשֶׁר אַתָּה יָדַעְתָּ דַּרְכֵי הַתְּמִימוּת בֶּאֱמֶת לַאֲמִתּוֹ, כִּרְצוֹנְךָ הַטּוֹב וְכִרְצוֹן צַדִּיקֶיךָ הַיְרֵאִים וְהַתְּמִימִים בֶּאֱמֶת.

רִבּוֹנוֹ שֶׁל עוֹלָם רִבּוֹנוֹ דְעָלְמָא כֹּלָּא, אֲנִי יוֹדֵעַ וּמַאֲמִין בֶּאֱמוּנָה שְׁלֵמָה, שֶׁגַּם בַּמָּקוֹם שֶׁאֲנִי שָׁם עַתָּה, יֵשׁ דֶּרֶךְ וְעֵצָה יְשָׁרָה בְּדַרְכֵי הַתְּמִימוּת וְהַפְּשִׁיטוּת, בְּאֹפֶן שֶׁאֶזְכֶּה לָצֵאת מִמַּה שֶּׁאֲנִי צָרִיךְ לָצֵאת וְלָשׁוּב אֵלֶיךָ בֶּאֱמֶת וּבְלֵב שָׁלֵם.

Serving God Without Philosophical Inquiry

You Who support wholehearted people, please save us. You Who are eternally mighty, please grant us success. You Who are perfect in Your deeds, answer us on the day that we call. You Who act with simplicity with wholehearted people, make it possible for me to truly serve You wholeheartedly and with absolute simplicity, without any cleverness at all.

In Your vast compassion, guard me and rescue me from philosophical inquiries and from external and foreign wisdoms.

Have compassion on me and on all Jews. In Your mighty kindness, help us truly attain wholeheartedness, the ways of ultimately true simplicity that are known to You, in accordance with Your good will and the will of Your truly God-fearing and wholehearted Tzaddikim.

Master of the world, Master of the entire universe, I know and believe with complete faith that even where I am now, there is a path and straight counsel in the ways of wholeheartedness and simplicity—so that I, too, may emerge from where I need to emerge and truly return to You with a full heart.

וְלֹא אָשׁוּב עוֹד לְכִסְלָה, וְלֹא אוֹסִיף עוֹד לִרְדֹּף אַחֲרֵי הַבְּהֵמוֹת שֶׁהֵם הָעֲוֹנוֹת, שֶׁכְּבָר רָדַפְתִּי אַחֲרֵיהֶם הַרְבֵּה.

אֲבָל בַּעֲווֹנוֹתַי הָרַבִּים נִתְבַּלְבֵּל דַּעְתִּי וְנִטַּמְטֵם לִבִּי, עַד אֲשֶׁר קָשֶׁה לִי מְאֹד לִמְצֹא דַּרְכֵי הַתְּמִימוּת.

וְאֵינִי יוֹדֵעַ עַתָּה שׁוּם דֶּרֶךְ וְעֵצָה שֶׁל תְּמִימוּת, כִּי אִם לִצְעֹק אֵלֶיךָ תָּמִיד מַה שֶּׁיָּבֹא לְתוֹךְ פִּי, כִּי "מָאן דְּהוּא בְּדוּחֲקָא לָא אִסְתַּכַּל מִידֵי".

אוּלַי אֶזְכֶּה לְפַיֶּסְךָ, וּלְעוֹרֵר רַחֲמִים כָּאֵלֶּה אֶצְלְךָ, שֶׁאֶזְכֶּה גַּם אָנֹכִי לָשׁוּב בִּתְשׁוּבָה שְׁלֵמָה לְפָנֶיךָ בֶּאֱמֶת וּבִתְמִימוּת גָּמוּר כִּרְצוֹנְךָ הַטּוֹב.

וְאֶזְכֶּה מֵעַתָּה לָנוּחַ וּלְהַשְׁקִיט, לִתְפֹּס מַחֲשַׁבְתִּי לִבְלִי לְהַנִּיחָהּ עוֹד לַחֲשֹׁב שׁוּם מַחְשְׁבוֹת חוּץ, הֵן מַחֲשָׁבוֹת שֶׁל חֲקִירוֹת וַעֲקְמִימִיּוֹת שֶׁבַּלֵּב, הֵן כָּל מִינֵי מַחֲשָׁבוֹת זָרוֹת וְהִרְהוּרִים וְתַאֲווֹת רָעוֹת.

רַק אֶזְכֶּה לְקַדֵּשׁ אֶת מַחֲשַׁבְתִּי תָּמִיד בִּקְדֻשָּׁה גְּדוֹלָה, וּלְהַטּוֹתָהּ תָּמִיד אֶל נְקֻדַּת הָאֱמֶת וְהַתְּמִימוּת, בְּלִי שׁוּם חָכְמוֹת שֶׁל הָעוֹלָם כְּלָל.

Sanctifying Our Thoughts

May I no longer regress to foolishness, and no longer pursue the "animals"—sins—that I have sought so strenuously.

In my sinfulness, I soiled my consciousness and closed my heart, so that now it is very hard for me to find the way to be wholehearted.

I do not know of any path or counsel to become wholehearted, except to cry out to You constantly with whatever words come into my mouth, because "whoever is in trouble is not exacting [about what words he expresses]."

Perhaps I will appease You. Perhaps I will arouse such compassion in You that I, even I, will return to You with complete repentance, in truth and perfect wholeheartedness, in accordance with Your good will.

From this moment on, may I attain rest and quiet. May I control my mind so that I will no longer engage in any foreign thoughts—whether philosophical inquiry, crookedness in the heart, or any type of alien thinking and evil desire.

Instead, may I always sanctify my thoughts and turn them to the core of truth and wholeheartedness, without any this-worldly cleverness at all.

מָלֵא רַחֲמִים, עֵינַי תְּלוּיוֹת אֵלֶיךָ תָּמִיד לִזְכּוֹת לָזֶה, "עֵינַי תָּמִיד אֶל יְהֹוָה, כִּי הוּא יוֹצִיא מֵרֶשֶׁת רַגְלָי".

לְךָ יְהֹוָה קִוִּיתִי לְךָ יְהֹוָה חִכִּיתִי לְךָ יְהֹוָה אֲיַחֵל. אוּלַי יָחוּס אוּלַי יְרַחֵם. וְהַטּוֹב בְּעֵינֶיךָ עֲשֵׂה עִמִּי, כִּי הִנֵּה כַּחֹמֶר בְּיַד הַיּוֹצֵר, כֵּן אֲנִי בְּיָדְךָ בַּעַל הָרַחֲמִים בַּעַל הַיְשׁוּעוֹת, הַטּוֹב וְהַמֵּטִיב לַכֹּל.

כִּי אֵין קִצְבָה לְטוֹבוֹתֶיךָ, וְאֵין קֵץ לַחֲנִינוּתֶיךָ, וְאֵין לְשַׁעֵר דַּרְכֵי חֲסָדֶיךָ וְנִפְלְאוֹתֶיךָ אֲשֶׁר אַתָּה עוֹשֶׂה בְּכָל דּוֹר וָדוֹר עִם כְּלַל יִשְׂרָאֵל, וְעִם כָּל אֶחָד וְאֶחָד בִּפְרָטֵי פְּרָטִיּוּת.

עֲשֵׂה עִמִּי חֶסֶד חִנָּם מִמַּה שֶּׁלֹּא יֶחְסַר עִמְּךָ, בְּאֹפֶן שֶׁאֶזְכֶּה לָשׁוּב אֵלֶיךָ בֶּאֱמֶת, וּלְהִתְקָרֵב אֵלֶיךָ בִּתְמִימוּת וּבִפְשִׁיטוּת גָּמוּר בְּלִי שׁוּם חָכְמוֹת כְּלָל.

וְרַחֵם עָלֵינוּ וְעַל זַרְעֵנוּ וְעַל כָּל זֶרַע עַמְּךָ בֵּית יִשְׂרָאֵל, וְתִשְׁמֹר וְתַצִּיל אוֹתָנוּ מִכָּל מִינֵי חֲקִירוֹת וְחָכְמוֹת חִיצוֹנִיּוֹת.

You Who are filled with compassion, my eyes are always turned to You so that I may attain this. "My eyes are always turned to HaShem, for He will extricate my feet from the net."

I have hoped in You, HaShem. I have waited for You, HaShem. HaShem, may I still hope? Perhaps You will have pity, perhaps You will have compassion. Do what is good in Your eyes. Behold, as clay in the hand of the potter, so am I in Your hands, Master of compassion, Master of salvations, You Who are good and do good to all.

There is no limit to Your goodness. There is no end to Your graciousness. There is no way of evaluating Your ways of lovingkindness and the wonders that You perform in every generation with the Jewish people and with each and every individual, down to the smallest detail.

In Your abundance, grant me underserved lovingkindness so that I will truly return to You and come close to You wholeheartedly, with absolute simplicity, without any cleverness at all.

Have compassion on us, on our children, and on all of the children of Your nation, the House of Israel. Guard us and rescue us from all sorts of philosophical inquiry and foreign sophistication.

וְלֹא נָשִׂים עַיִן וְלֹא נַבִּיט וְלֹא נִסְתַּכֵּל כְּלָל בְּשׁוּם סֵפֶר הַמְיֻסָּד עַל פִּי דַרְכֵי הַמְחַקְרִים, אֲפִלּוּ בִּסְפָרִים שֶׁחִבְּרוּ קְצָת מִבְּנֵי יִשְׂרָאֵל עַל פִּי הַהַקְדָּמוֹת וְהַסְּבָרוֹת שֶׁל חָכְמוֹת הַחִיצוֹנִיּוֹת שֶׁנִּמְשָׁכִין וּבָאִין מֵהָעַכּוּ"ם, אֲשֶׁר לֹא נִכְנְסוּ בְּדַת יִשְׂרָאֵל הַקָּדוֹשׁ, כִּי לֹא בְאֵלֶּה חֵלֶק יַעֲקֹב.

שְׁמֹר רַגְלֵנוּ מִלִּנָּגֵף חַס וְשָׁלוֹם בְּאַבְנֵי נֶגֶף שֶׁלָּהֶם, הַמֻּנָּחִים בְּכָל חָכְמוֹתֵיהֶם הַכְּלוּלִים בְּשֶׁבַע חָכְמוֹת, אֲשֶׁר בְּכֻלָּם מֻנָּח קְלִפַּת וְזֻהֲמַת עֲמָלֵק שֶׁהוּא הָאֶבֶן נֶגֶף שֶׁבְּכָל הַחָכְמוֹת.

אֲשֶׁר עַל יָדוֹ נִכְשָׁלִים וְנוֹפְלִים כָּל הַנִּכְנָסִין בָּהֶם, וְיוֹצְאִין מֵעוֹלָמָם, וּבָאִין לִידֵי כְפִירוּת וַאֲפִּיקוֹרְסִית גָּמוּר, רַחֲמָנָא לִצְלָן רַחֲמָנָא לִשְׁזְבָן מֵהֶם וּמֵהֲמוֹנָם.

הַצִּילֵנוּ נָא אָבִינוּ שֶׁבַּשָּׁמַיִם, עָזְרֵנוּ וְהוֹשִׁיעֵנוּ וְזַכֵּנוּ בִּזְכוּת משֶׁה רַבֵּנוּ, וּבִזְכוּת כָּל הַצַּדִּיקִים אֲמִתִּיִּים שֶׁלָּחֲמוּ מִלְחֶמֶת עֲמָלֵק, שֶׁנִּזְכֶּה לְקַבֵּל כֹּחַ מֵהֶם, לְהִנָּצֵל גַּם עַתָּה מִקְּלִפַּת עֲמָלֵק, שֶׁהוּא פִילוֹסוֹפְיָא וְחָכְמוֹת חִיצוֹנִיּוֹת.

May we not gaze, glance or look at any book—even one that was composed by Jews—that is based on philosophical approaches which are in keeping with the ideas and logic of external wisdoms derived from and originating with non-Jews, which do not conform with the holy religion of Israel and are not the portion of Jacob.

Keep our feet from being bruised, Heaven forbid, by their stumbling blocks, which exist in all of the seven wisdoms. All of these contain the "husk" and pollution of Amalek, which is the stumbling block within all wisdoms.

Because of that stumbling block, all those who enter those wisdoms stumble and fall, until they deny God and come to complete heresy, may the Compassionate One protect us, may the Compassionate One rescue us from them and their multitudes.

Rescue us, please, our Father in Heaven. Help us, save us and assist us in the merit of Moses and in the merit of all of the true Tzaddikim who waged war against Amalek, so that we may receive power from them and be rescued from the "husk" of Amalek, which is philosophy and external wisdoms.

וּתְעוֹרֵר לֵב צַדִּיקֵי אֱמֶת שֶׁבַּדּוֹר הַזֶּה, וְכָל הַצַּדִּיקִים שׁוֹכְנֵי עָפָר, שֶׁיִּלָּחֲמוּ גַּם עַתָּה בַּעֲדֵנוּ, וְיַכְנִיעוּ וְיַשְׁפִּילוּ וִישַׁבְּרוּ וִיעַקְרוּ אֶת קְלִפַּת עֲמָלֵק וְחַיָּלוֹתָיו.

לְבַל יִהְיֶה לָהֶם שׁוּם כֹּחַ לְהַכְנִיס חַס וְשָׁלוֹם דַּרְכֵיהֶם וְדֵעוֹתֵיהֶם הָרָעוֹת וְהַמָּרוֹת בְּלֵב עַמְּךָ בֵּית יִשְׂרָאֵל.

גּוֹאֵל חָזָק, הַצֵּל וּמַלֵּט וּפַלֵּט אֶת שְׁאֵרִית עַמְּךָ בֵּית יִשְׂרָאֵל מֵהַצַּר הַמַּר וְהַצּוֹרֵר הַזֶּה, מֵהָאוֹיֵב הָאַכְזָר הַזֶּה, הוּא אִישׁ צַר וְאוֹיֵב, הָמָן עֲמָלֵק הָרָע הַזֶּה, יִמַּח שְׁמוֹ וְנִמַּח זִכְרוֹ.

שֶׁהוּא הַקְּלִפָּה וְהַזֻּהֲמָה שֶׁמַּכְנֶסֶת בָּעוֹלָם חָכְמוֹת חִיצוֹנִיּוֹת וַאֲפִּיקוֹרְסִית וַחֲקִירוֹת כְּנֶגֶד הַשֵּׁם יִתְבָּרַךְ.

שֶׁרוֹצֶה לְהִתְגַּבֵּר עַתָּה חַס וְשָׁלוֹם בְּעִקְבוֹת מְשִׁיחָא, לְהַכְנִיס גַּם בְּיִשְׂרָאֵל כְּפִירוּת וַאֲפִּיקוֹרְסִית חַס וְשָׁלוֹם, עַל יְדֵי שֶׁמַּמְשִׁיכִין אוֹתָם לִלְמֹד סִפְרֵיהֶם וְחָכְמוֹתֵיהֶם וּלְשׁוֹנוֹתֵיהֶם.

רִבּוֹנוֹ שֶׁל עוֹלָם, אַתָּה לְבַד יָדַעְתָּ אֶת עֹצֶם הַצָּרָה הַזֹּאת,

Arouse the hearts of the true Tzaddikim in this generation, and the hearts of all of the Tzaddikim who are lying in the dust, so that now as well they will battle on our behalf and subdue, cast down, break and uproot the "husk" of Amalek and its troops.

May these have no power to inject their evil and bitter ways and perspectives into the hearts of Your nation, the House of Israel, Heaven forbid.

Powerful Redeemer, rescue, save and extricate the remnant of Your nation, the House of Israel, from this bitter foe, this cruel, hostile enemy, this evil Haman Amalek, may his name be blotted out and his memory destroyed.

He is the "husk" and pollution that injects external wisdoms, heresy and atheistic philosophical inquiries into the world.

He wants to gain strength at present, Heaven forbid, in this time of the "footsteps of the Mashiach," to inject denial and heresy into the Jewish people, Heaven forbid, by enticing them to learn outsiders' books, sciences and languages.

Master of the world, You alone know the intensity of this trouble. You alone know

אַתָּה לְבַד יָדַעְתָּ כִּי אֵין מִי שֶׁיַּעֲמֹד בַּעֲדֵנוּ. עַל כֵּן יֶהֱמוּ מֵעֶיךָ וְרַחֲמֶיךָ עָלֵינוּ וְעַל כָּל עַמְּךָ בֵּית יִשְׂרָאֵל, שִׁמְךָ הַגָּדוֹל יַעֲמָד לָנוּ בְּעֵת צָרָה.

חוּס וְחָנֵּנוּ וְרַחֵם עָלֵינוּ וְהוֹשִׁיעֵנוּ כִּי אֵלֶיךָ עֵינֵינוּ. וְזַכֵּנוּ בְּרַחֲמֶיךָ הָרַבִּים לֶאֱמוּנָה שְׁלֵמָה בֶּאֱמֶת בִּתְמִימוּת וּבִפְשִׁיטוּת בְּלִי שׁוּם חֲקִירוֹת וְחָכְמוֹת זָרוֹת כְּלָל.

רַק נִזְכֶּה לַעֲבֹד אוֹתְךָ בֶּאֱמֶת לְקַיֵּם מִצְוֹתֶיךָ וְלַעֲסֹק בְּתוֹרָתְךָ בְּעֻבְדָּא וּבְמִלּוּלָא, בִּתְמִימוּת וּבִפְשִׁיטוּת כָּל יָמֵינוּ לְעוֹלָם.

וְנִזְכֶּה לְקַיֵּם בֶּאֱמֶת מִקְרָא שֶׁכָּתוּב: "סוֹף דָּבָר הַכֹּל נִשְׁמָע אֶת הָאֱלֹהִים יְרָא וְאֶת מִצְוֹתָיו שְׁמוֹר כִּי זֶה כָּל הָאָדָם".

וְנַשְׁלִיךְ כָּל הַחָכְמוֹת חִיצוֹנִיּוֹת אַחֲרֵי גַוֵּנוּ, וְנִזְכֶּה לִהְיוֹת תְּמִימִים עִם יְהֹוָה אֱלֹהֵינוּ, עַד אֲשֶׁר נִזְכֶּה עַל יְדֵי הַתְּמִימוּת וְהַפְּשִׁיטוּת לְהַשִּׂיג אֶת הַתַּכְלִית הָאֲמִתִּי תַּכְלִית הַנִּצְחִי.

that there is no one to stand up on our behalf. Therefore, may the core of Your compassion be aroused on our behalf and on behalf of Your entire nation, the House of Israel. May Your great Name stand up on our behalf at this time of trouble.

Have pity and be gracious to us. Have compassion on us and save us, for our eyes are turned to You. In Your vast compassion, grant us the ability to attain true, complete faith, wholeheartedly and simply, without any philosophical inquiries or foreign wisdoms at all.

May we truly serve You, keep Your mitzvot and learn Your Torah in deed and word, wholeheartedly and simply, all of our days, forever.

May we truly realize the verse, "The end of the matter, when everything has been heard: Fear God and keep His commandments, for that is the entirety of a person."

May we cast aside all external wisdoms. May we be wholehearted with You, HaShem our God, until as a result of that wholeheartedness and simplicity, we attain the true, eternal goal.

וְתָשִׂים חֶלְקֵנוּ עִם הַצַּדִּיקִים הָאֲמִתִּיִּים אֲשֶׁר לָהֶם צָפַנְתָּ רַב טוּבְךָ, כְּמוֹ שֶׁכָּתוּב: "מָה רַב טוּבְךָ אֲשֶׁר צָפַנְתָּ לִּירֵאֶיךָ, פָּעַלְתָּ לַחוֹסִים בָּךְ נֶגֶד בְּנֵי אָדָם". וְנֶאֱמַר: "עַיִן לֹא רָאָתָה אֱלֹהִים זוּלָתְךָ יַעֲשֶׂה לִמְחַכֵּה לוֹ".

וְתַעַזְרֵנוּ וְתוֹשִׁיעֵנוּ בְּרַחֲמֶיךָ הָרַבִּים, שֶׁנִּזְכֶּה לְהִתְפַּלֵּל תְּפִלָּתֵנוּ לְפָנֶיךָ תָּמִיד בְּכַוָּנָה גְדוֹלָה וַעֲצוּמָה בְּכָל לֵב וָנֶפֶשׁ, עַד אֲשֶׁר נִזְכֶּה שֶׁתְּכַלֵּל תְּפִלָּתֵנוּ בְּאַחְדוּתְךָ לְעוֹלָם, כָּאָמוּר "הוּא תְהִלָּתְךָ וְהוּא אֱלֹהֶיךָ".

רִבּוֹנוֹ שֶׁל עוֹלָם אֲנִי רָחוֹק מִזֶּה כָּל כָּךְ עַד אֲשֶׁר אֵינִי יוֹדֵעַ אֵיךְ לְהִתְפַּלֵּל עַל זֶה. אַךְ אֲנִי מַאֲמִין בֶּאֱמוּנָה שְׁלֵמָה שֶׁעַל יְדֵי אֱמוּנָה וּתְמִימוּת וּפְשִׁיטוּת בֶּאֱמֶת יְכוֹלִין לִזְכּוֹת גַּם לָזֶה בַּחַיִּים חַיּוּתֵינוּ.

מָלֵא רַחֲמִים, "אֲמָרַי הַאֲזִינָה יְהֹוָה, בִּינָה הֲגִיגִי. הַקְשִׁיבָה לְקוֹל שַׁוְעִי מַלְכִּי וֵאלֹהָי כִּי אֵלֶיךָ אֶתְפַּלָּל".

הוֹשִׁיעָה אֲדוֹנִי הַמֶּלֶךְ, אָנָּא יְהֹוָה הוֹשִׁיעָה נָּא, אָנָּא יְהֹוָה

Place our portion among the true Tzaddikim for whom You hid away Your vast goodness. As the verse states, "How vast is Your goodness that You hid away for those who fear You; You have acted on behalf of those who take refuge in You from human beings." "No eye but Yours, God, has seen what You do for the person who hopes in You."

In Your vast compassion, help us and save us so that we will pray to You always with great, marked intent, with all our heart and soul, until our prayer will be absorbed into Your Oneness forever. As the verse states, "He is your praise and He is your God."

Master of the world, I am so far from this that I do not know how to pray for it. However, I completely believe that by means of true faith, wholeheartedness and simplicity, we can attain this in our lifetime.

You Who are filled with compassion, "HaShem, hear my words, comprehend my thought. Take heed of the voice of my outcry, my King and my God, for it is to You that I pray."

Save me, my Lord and King. Please, HaShem, save me. Please, HaShem, give me success.

הַצְלִיחָה נָּא, אָנָּא יְהֹוָה עֲנֵנוּ בְיוֹם קָרְאֵנוּ.

"יִהְיוּ לְרָצוֹן אִמְרֵי פִי וְהֶגְיוֹן לִבִּי לְפָנֶיךָ יְהֹוָה צוּרִי וְגוֹאֲלִי":

Please, HaShem, answer us on the day that we call.

"May the words of my mouth and the meditation of my heart be pleasing before You, HaShem, my Rock and my Redeemer."

15 (II, 14)

Earthly and Heavenly Foes

When a person has enemies below, that indicates that he has enemies above.

"חָנֵּנִי אֱלֹהִים כִּי שְׁאָפַנִי אֱנוֹשׁ, כָּל הַיּוֹם לוֹחֵם יִלְחָצֵנִי, שָׁאֲפוּ שׁוֹרְרַי כָּל הַיּוֹם כִּי רַבִּים לוֹחֲמִים לִי מָרוֹם, יוֹם אִירָא אֲנִי אֵלֶיךָ אֶבְטָח".

רִבּוֹנוֹ שֶׁל עוֹלָם אַתָּה יָדַעְתָּ אֶת כָּל אֲשֶׁר עָבַר עָלַי, וְאֶת כָּל אֲשֶׁר עָבַרְתִּי מִיּוֹם הֱיוֹתִי עַד הַיּוֹם הַזֶּה. אִם אָמַרְתִּי אֲסַפְּרָה כְּמוֹ אֶפֶס קָצֶה מִזֶּה, "אֶסְפְּרֵם מֵחוֹל יִרְבְּיוּן", וְלֹא יַסְפִּיק הַזְּמַן לְפָרְטָם.

אַךְ אַתָּה יָדַעְתָּ, שֶׁבְּצֵרוּף גֹּדֶל עֹצֶם קַשְׁיוּת עָרְפִּי וְחִיּוּבֵי הָעָצוּם, עוֹד גַּם זֶה הָיָה בְּעוֹכְרַי גֹּדֶל עֹצֶם הַמַּחֲלֹקֶת שֶׁמִּתְגַּבֵּר עָלַי בְּכָל עֵת בְּגַשְׁמִיּוּת וּבְרוּחָנִיּוּת.

"יְהֹוָה מָה רַבּוּ צָרָי, רַבִּים קָמִים עָלָי", רַבִּים מְאֹד, צַדִּיקִים בֵּינוֹנִים וּרְשָׁעִים, רַבִּים בְּתוֹרָה וּבְעֹשֶׁר וּבְחָכְמָה, כַּאֲשֶׁר נִגְלֶה לְפָנֶיךָ אֲדוֹן כֹּל.

וּכְבָר גִּלִּיתָ אָזְנֵינוּ שֶׁעַל יְדֵי הַמַּחֲלֹקֶת יְכוֹלִין לְהַפִּיל אֶת הָאָדָם חַס וְשָׁלוֹם מֵעֲבוֹדַת הַשֵּׁם יִתְבָּרַךְ.

Overcoming Dispute

"**B**e gracious to me, God, for men have yearned to swallow me. The entire day, the warrior oppresses me. Those who look upon me yearn to swallow me the entire day; many are those who wage war against me, Exalted One. On the day that I fear, I trust in You."

Master of the world, You know everything that I have undergone and experienced my entire life until this day. Were I to review the merest hint of this, if "I were to count them, [I would find] them more numerous than the sand," and time would not suffice to recall them.

You know that added to the combination of my stubbornness and my intense guilt, I am condemned by the magnitude of the constantly increasing opposition against me in the physical and spiritual realms.

"HaShem, how many are my adversaries, how many rise up against me!" They are so many people—righteous, intermediate and wicked; learned, wealthy and intelligent—as You know, Master of all.

You have revealed to us that dispute can cast a person down from serving You, HaShem, Heaven forbid.

וְעַתָּה מַה יַּעֲשֶׂה יַתּוּשׁ נִמְאָס כָּמוֹנִי הַיּוֹם, אֲשֶׁר רוֹדְפִים אוֹתִי מְאֹד וְחוֹרְקִים שִׁנָּם עָלַי לְבָלְעֵנִי חִנָּם חָלִילָה, "רַבִּים רוֹדְפַי וְצָרָי", וּמִי יוֹדֵעַ אִם "מֵעֵדוֹתֶיךָ לֹא נָטִיתִי".

רִבּוֹנוֹ שֶׁל עוֹלָם, הֲלֹא אַתָּה יָדַעְתָּ שֶׁאַחַר גֹּדֶל הַחִיּוּבִים וְהַפְּשִׁיעוֹת שֶׁאֲנִי חַיָּב וּפוֹשֵׁעַ בְּמַעֲשֵׂי הָרָעִים מְאֹד, עִם כָּל זֶה כָּל מַחֲשַׁבְתִּי וְכַוָּנָתִי בַּמֶּה שֶׁאֲנִי דּוֹפֵק עֲדַיִן עַל דַּלְתֵי רַחֲמִים לִפְתֹּחַ לִי שַׁעֲרֵי הַקְּדֻשָּׁה וּלְקָרְבֵנִי אֵלֶיךָ מִמָּקוֹם שֶׁאֲנִי שָׁם, כָּל כַּוָּנָתִי בְּעֵסֶק זֶה הִיא לְטוֹבָה.

כִּי כַךְ צִוּוּנוּ צַדִּיקֶיךָ הָאֲמִתִּיִּים שֶׁלְּעוֹלָם אַל יִמְנַע אָדָם עַצְמוֹ מִן הָרַחֲמִים, וַאֲפִלּוּ חֶרֶב חַדָּה מֻנַּחַת עַל צַוָּארוֹ שֶׁל אָדָם, אַל יִמְנַע עַצְמוֹ מִן הָרַחֲמִים.

וְאַתָּה יוֹדֵעַ בְּכַמָּה הִתְחַזְּקוּת חִזְּקוּ אוֹתָנוּ רַבּוֹתֵינוּ הַצַּדִּיקִים אֲמִתִּיִּים לְהִתְחַזֵּק בִּתְפִלָּה וְתַחֲנוּנִים בְּכָל עֵת, יִהְיֶה אֵיךְ שֶׁיִּהְיֶה.

וְגַם בֶּאֱמֶת יָדַעְתִּי כַּמָּה אֲנִי צָרִיךְ לְהִתְחַזֵּק בָּזֶה, כְּלֵי הַאי וְאוּלַי, כְּלֵי הַאי וְאוּלַי, אֶזְכֶּה מִיָּד אוֹ בְּהַרְחָבַת הַזְּמַן, לַחְתֹּר וְלִמְצֹא אֵיזֶה פֶּתַח וַחֲתִירָה שֶׁאוּכַל לָשׁוּב מִמַּעֲשַׂי הָרָעִים וּמִמַּחְשְׁבוֹתַי הַמְגֻנּוֹת.

And now, what shall a person like me, a despicable insect, do today when people pursue me mercilessly and threaten to swallow me alive without cause, Heaven forbid? "Many are my persecutors and my enemies." But is it true that "from Your testimonies I have not turned aside"?

Master of the world, You know that despite all of my great guilt and offenses, despite the fact that I am a blameworthy, willful sinner who has committed evil deeds, my entire thought and intent is solely for the good. I still knock at the doors of compassion, so that the gates of holiness will open for me and I will come close to You from where I stand.

The true Tzaddikim have told us that a person should never despair of Your compassion, even if a sharp sword is hanging over his neck.

You know how vigorously our rabbis, the true Tzaddikim, have urged us to encourage ourselves in prayer and supplications at all times, however things may be.

Truthfully, I know how much I need to strengthen myself in this. If only, if only, whether immediately or over time, I will exert myself to find some opening so that I may repent of my evil deeds and foul thoughts.

וְעַתָּה אָבִי שֶׁבַּשָּׁמַיִם, מָה אֶעֱשֶׂה וּמָה אֶפְעַל נֶגֶד הַמַּלְעִיגִים וְהַלֵּיצָנִים וְהַמְקַטְרְגִים וְהַחוֹלְקִים וְהָרוֹדְפִים אוֹתִי מְאֹד מְאֹד, בְּגַשְׁמִיּוּת וּבְרוּחָנִיּוּת, לְמַעְלָה וּלְמַטָּה.

כִּי אַתָּה יָדַעְתָּ שֶׁכְּשֵׁם שֶׁיֵּשׁ לִי צָרִים לְמַטָּה, כַּךְ יֵשׁ לִי צָרִים לְמַעְלָה, "כִּי רַבִּים לוֹחֲמִים לִי מָרוֹם" הַמְקַטְרְגִים עָלַי בְּכָל עֵת, וְאֵינָם מַנִּיחִים אוֹתִי לְהִתְקָרֵב לָשׁוּב אֵלֶיךָ.

וְאִם בֶּאֱמֶת מוֹדֶה אֲנִי לְפָנֶיךָ מָלֵא רַחֲמִים, בְּבוּשָׁה וּכְלִמָּה, שֶׁקִּטְרוּגָם אֵינוֹ בְּחִנָּם, כִּי בְּוַדַּאי אֵינִי כְּדַאי וְהָגוּן לְהִתְקָרֵב אֵלֶיךָ לְגֹדֶל עֹצֶם פְּשָׁעַי וַעֲווֹנוֹתַי וַחֲטָאַי, שֶׁחָטָאתִי וְעָוִיתִי וּפָשַׁעְתִּי לְפָנֶיךָ כָּל כַּךְ.

עִם כָּל זֶה "רַחֲמֶיךָ רַבִּים יְהֹוָה", רַחֲמֶיךָ רַבִּים מְאֹד, וַאֲנִי עָנִי וְאֶבְיוֹן דַּל וְנִשְׁחָת, אֵין לִי לְהֵיכָן לִבְרֹחַ וְאֶל מִי לִבְרֹחַ וְלָנוּס כִּי אִם אֵלֶיךָ לְבַד, כִּי אַתָּה "מִשְׂגָּב לִי וּמָנוֹס בְּיוֹם צַר לִי", כְּמוֹ שֶׁכָּתוּב: "יְהֹוָה עֻזִּי וּמָעֻזִּי וּמְנוּסִי בְּיוֹם צָרָה".

וְעַל זֶה בָּאתִי לְפָנֶיךָ אָבִי שֶׁבַּשָּׁמַיִם חוֹמֵל דַּלִּים, אֲשֶׁר

My Father in Heaven, what can I do and what can I accomplish against those who scorn, mock, accuse, dispute and persecute me—both in the physical and spiritual realms, above and below?

You know that just as I have troubles below, so do I have enemies above, for "many battle against me, Exalted One." They constantly accuse me and prevent me from coming close and returning to You.

I admit before You Who are filled with compassion, in my shame and humiliation, that their accusations are not baseless. I am certainly unfit and unworthy to come close to You, due to the magnitude of my many offenses, sins and transgressions that I have committed against You.

But Your compassion is vast, HaShem. Your compassion is so vast, and I am poor and impoverished, needy and crushed. I have nowhere to flee, no one to run to, no one to escape to but You alone. "You have been my tower and a refuge on my day of trouble." "HaShem is my might, my stronghold and my refuge on a day of trouble."

Therefore, I come to You, my Father in Heaven, Who has mercy on the poor, Who

דַּרְכְּךָ לְבַקֵּשׁ אֶת הַנִּרְדָּפִים, אֲפִלּוּ צַדִּיק רוֹדֵף אֶת הָרָשָׁע, שֶׁתַּעֲשֶׂה לְמַעַן שְׁמֶךָ, וְתַעַזְרֵנִי וְתוֹשִׁיעֵנִי תָּמִיד לִבְרֹחַ וְלָנוּס אֵלֶיךָ בְּכָל עֵת.

וּמִכָּל מִינֵי רְדִיפוֹת וּמַחֲלֹקֶת וְקִטְרוּגִים חַס וְשָׁלוֹם, וּמִכָּל מִינֵי אוֹיְבִים וְשׂוֹנְאִים, מִכֻּלָּם אֶבְרַח וְאָנוּס אֵלֶיךָ לְבַד, וְאֶזְכֶּה לְהִתְקָרֵב אֵלֶיךָ עַל יְדֵי זֶה יוֹתֵר וְיוֹתֵר.

וְתַעַזְרֵנִי לְהַשְׁפִּיל וּלְהַכְנִיעַ אוֹיְבַי תַּחְתָּי. וְתִפְקַח עֵינֵיהֶם וְיִרְאוּ הָאֱמֶת שֶׁכָּל מַחֲלָקְתָּם וּרְדִיפָתָם בְּחִנָּם, כִּי אֵין לִי עֵסֶק עִמָּהֶם, וַאֲנִי חָפֵץ שָׁלוֹם בֶּאֱמֶת, "אֲנִי שָׁלוֹם וְכִי אֲדַבֵּר הֵמָּה לַמִּלְחָמָה".

עָזְרֵנִי וְהוֹשִׁיעֵנִי מָלֵא רַחֲמִים חָפֵץ בֶּאֱמֶת, "שָׁמְרָה נַפְשִׁי וְהַצִּילֵנִי, אַל אֵבוֹשׁ כִּי חָסִיתִי בָךְ, הַצִּילֵנִי מֵאוֹיְבַי אֱלֹהָי מִמִּתְקוֹמְמַי תְּשַׂגְּבֵנִי", בְּגַשְׁמִיּוּת וּבְרוּחָנִיּוּת.

כִּי אֵין לִי עַל מִי לְהִשָּׁעֵן כִּי אִם עָלֶיךָ אָבִינוּ שֶׁבַּשָּׁמַיִם, וְעַל כֹּחָם שֶׁל הַצַּדִּיקִים אֲמִתִּיִּים אֲשֶׁר אֲנִי מִשְׁתּוֹקֵק

seeks those who are persecuted—even when a righteous person pursues a wicked person—to act for the sake of Your Name, to help me and save me always so I can flee swiftly to You at any time.

I will flee to You from every type of persecution, dispute and accusation, Heaven forbid, and from every type of enemy and foe, so that I may come ever closer to You.

Help me overcome and subdue my enemies below, and open their eyes so they will see the truth: that all of their disputes and persecution is for naught, for I have no business with them. I truly desire peace. "I am for peace, but when I speak, they are for war."

Help me and save me, You Who are filled with compassion and desire truth. "Guard my soul and save me; may I not be ashamed, for I take refuge in You." "Rescue me from my enemies; my God, lift me above those who have risen against me." "Save me from the hand of my enemies and pursuers" in both the physical and spiritual realms.

I have no one to rely on except You, our Father in Heaven, and the true Tzaddikim, in

לֵילֵךְ בְּדַרְכֵיהֶם הַקְּדוֹשִׁים הָאֲמִתִּיִּים, לְמַעַנְךָ וּלְמַעֲנָם עֲשֵׂה וְלֹא לָנוּ.

וְחַזְּקֵנוּ וְאַמְּצֵנוּ וְזַכֵּנוּ לְהִתְקָרֵב אֵלֶיךָ בֶּאֱמֶת. וְלֹא יִהְיֶה כֹּחַ לְשׁוּם חוֹלֵק וּמוֹנֵעַ וּמְעַכֵּב בְּגַשְׁמִיּוּת וְרוּחָנִיּוּת לְרַחֲקֵנוּ מֵעֲבוֹדָתְךָ הָאֲמִתִּיִּית בְּשׁוּם אֹפֶן. חַזֵּק יָדַיִם רָפוֹת וּבִרְכַּיִם כּוֹשְׁלוֹת תְּאַמֵּץ.

וַעֲשֵׂה אֶת אֲשֶׁר בְּחֻקֶּיךָ אֵלֵךְ וְאֶת מִצְוֹתֶיךָ אֶשְׁמֹר אֲנִי וְזַרְעִי וְכָל הַנִּלְוִים אֵלַי וְכָל בֵּית יִשְׂרָאֵל מֵעַתָּה וְעַד עוֹלָם.

"יִהְיוּ לְרָצוֹן אִמְרֵי פִי וְהֶגְיוֹן לִבִּי לְפָנֶיךָ יְהֹוָה צוּרִי וְגוֹאֲלִי".

עוֹשֶׂה שָׁלוֹם בִּמְרוֹמָיו הוּא בְּרַחֲמָיו יַעֲשֶׂה שָׁלוֹם עָלֵינוּ וְעַל כָּל יִשְׂרָאֵל וְאִמְרוּ אָמֵן:

whose holy, true ways I yearn to walk. Act for Your sake and for their sake—not for ours.

Encourage us, support us, and help us truly approach You. May no disputant, obstacle or obstruction—whether in the physical or spiritual realm—have the power to prevent us from serving You. Strengthen our weak hands and support our tottering knees.

Act so that I may walk in accordance with Your rules and keep Your mitzvot—I, my children, all who are dependent on me, and the entire House of Israel—from now and forever.

"May the words of my mouth and the meditation of my heart be pleasing before You, HaShem, my Rock and my Redeemer."

May He Who makes peace in His heights, in His compassion make peace upon us and upon all Israel, and say, "Amen."

16 (II, 15)

Tzaddikim Who Serve God with Their Mundane Deeds Speak of Themselves in Grand Terms / Charlatans Who Imitate the Tzaddikim Divert the Charity of Debauched Individuals to Themselves

---

The philanthropists who donate their money to support a true Tzaddik give him his power of speech.

Some great Tzaddikim serve God through everything in the world—through eating, drinking, and so forth—by means of which they sweeten Divine judgments and bring about redemptions. These Tzaddikim speak wonders about themselves.

The way that these great Tzaddikim describe themselves is imitated by hypocrites, who boast falsely of being wonder-workers, as though nothing is beyond them. The principal energy of these hypocrites comes from this class of Tzaddikim who say great things about themselves.

There is also a class of simple Tzaddikim who serve HaShem without saying great things about themselves. Although there are some charlatans who take on that persona, they hardly have as much power to mislead others.

Among philanthropists who give charity to Tzaddikim are some wicked, debauched people. Their charity harms the true Tzaddik by blemishing his speech. Fortunately, these wicked philanthropists are often misled into giving their charity to these charlatans rather than to the true Tzaddik.

אָדוֹן יָחִיד מָלֵא רַחֲמִים, יְהֹוָה אֱלֹהִים אֱמֶת, שָׁמְרֵנִי וְהַצִּילֵנִי בְּרַחֲמֶיךָ הָרַבִּים מִן כַּת הַשַּׁקְרָנִים וְהַצְּבוּעִים.

רַחֵם עָלַי וְשָׁמְרֵנִי וְהַצִּילֵנִי, שֶׁלֹּא יִדְבַּק בִּי שׁוּם דְּבַר שֶׁקֶר וְלֹא שׁוּם תְּנוּעָה שֶׁל שֶׁקֶר, וְלֹא יֵצֵא מִפִּי דְּבַר שֶׁקֶר וּצְבִיעוּת חַס וְשָׁלוֹם.

וְלֹא יַעֲלֶה עַל דַּעְתִּי חַס וְשָׁלוֹם לְהִתְפָּאֵר בִּגְדוֹלוֹת וְנִפְלָאוֹת מִמֶּנִּי, וְלֹא אַטְעֶה אֶת עַצְמִי וְלֹא אַטְעֶה אֶת אֲחֵרִים.

רִבּוֹנוֹ שֶׁל עוֹלָם, אַתָּה יָדַעְתָּ אֶת גֹּדֶל עֹצֶם רוֹמְמוּת קְדֻשַּׁת מַעֲלָתָם שֶׁל הַצַּדִּיקִים אֲמִתִּיִּים בְּנֵי עֲלִיָּה, וְאֶת יְקָר תִּפְאֶרֶת גְּדֻלָּתָם אֲשֶׁר זָכוּ לְמַה שֶּׁזָּכוּ.

אֲשֶׁר דַּרְכָּם לִפְעָמִים לְדַבֵּר גְּדוֹלוֹת וְנִפְלָאוֹת נוֹרָאוֹת בֶּאֱמֶת וּבְתָמִים, וְכָל דִּבְרֵיהֶם אֱמֶת וָצֶדֶק.

אֲשֶׁר עַל יְדֵי גְּדוֹלוֹת וְנִפְלָאוֹת הַנִּשְׁמָע מִפִּיהֶם הַקָּדוֹשׁ וְהַנּוֹרָא מְאֹד, יְכוֹלִים לֵידַע וּלְהַבְחִין גְּדֻלַּת הַבּוֹרֵא יִתְבָּרַךְ

Guard Us from Liars and Hypocrites

Unique Lord, filled with compassion, HaShem, true God, shield me and protect me from liars and hypocrites.

Have compassion on me. Guard me and rescue me so that I will never taint myself by lying or speaking even the trace of a lie. May my mouth never pronounce a false or hypocritical word, Heaven forbid.

May it never occur to me, Heaven forbid, to take credit for attainments that are beyond me and greater than I can achieve. May I never fool myself or others.

Master of the world, You know the great, mighty, exalted, holy level of the true, elevated Tzaddikim and of their precious, beautiful greatness, as reflected in their attainments.

At times it is their practice to make truly great and wondrous, awesome statements, in all truthfulness and sincerity, about their attainments. All of their words are true and justified.

When we hear the great things and wonders that they say about themselves with their holy and awesome mouths, we can know and recognize Your greatness, our Creator. You have

שְׁמוֹ, אֲשֶׁר חָלַק מֵחָכְמָתוֹ לִירֵאָיו, וְנָתַן כֹּחַ לְצַדִּיקָיו הָאֲמִתִּיִּים לְהַשִּׂיג הַשָּׂגוֹת כָּאֵלֶּה, וּלְדַבֵּר בֶּאֱמֶת גְּדוֹלוֹת וְנוֹרָאוֹת כָּאֵלֶּה.

אֲבָל בְּנִפְלְאוֹתֶיךָ הָעֲצוּמִים, אֶת זֶה לְעֻמַּת זֶה עָשִׂיתָ בְּחָכְמָתְךָ הַגְּדוֹלָה וְנָתַתָּ מָקוֹם לְטְעוּת.

כִּי נִמְצָאִים כְּנֶגְדָּם שַׁקְרָנִים וּצְבוּעִים הַמִּתְדַּמִּים כְּקוֹף בִּפְנֵי אָדָם, וּמִתְפָּאֲרִים גַּם כֵּן בִּגְדוֹלוֹת וְנִפְלָאוֹת כְּאִלּוּ אֵין שׁוּם דָּבָר נִמְנָע מֵהֶם.

וְכָל הַגְּדוֹלוֹת וְהַנּוֹרָאוֹת הַיּוֹצְאִים מִפִּי הַצַּדִּיקִים בֶּאֱמֶת, הֵם מְדַבְּרִים בִּלְשׁוֹנוֹת כָּאֵלֶּה בְּשֶׁקֶר וְטָעוּת.

עַל כֵּן בָּאתִי לְפָנֶיךָ מָלֵא רַחֲמִים, שֶׁתְּרַחֵם עָלֵינוּ וְעַל כָּל עַמְּךָ בֵּית יִשְׂרָאֵל, וְתִשְׁמְרֵנוּ וְתַצִּילֵנוּ מִן הַשַּׁקְרָנִים וְהַצְּבוּעִים הַמִּתְלַבְּשִׁים בְּטַלִּית שֶׁאֵינוֹ שֶׁלָּהֶם, וּמִתְפָּאֲרִין עַצְמָן בִּגְדוֹלוֹת וְנִפְלָאוֹת בְּשֶׁקֶר.

שָׁמְרֵנוּ וְהַצִּילֵנוּ שׁוֹמֵר יִשְׂרָאֵל, שֶׁלֹּא נִטְעֶה בָּהֶם וְלֹא נֹאבֶה לָהֶם וְלֹא נִשְׁמַע אֲלֵיהֶם, וְלֹא יִהְיֶה לָהֶם שׁוּם כֹּחַ וּשְׁלִיטָה

given Your wisdom to those who fear You, and have empowered Your true Tzaddikim to attain such great levels and speak the truth of their great achievements.

But in Your mighty wondrousness and great wisdom, You have balanced good with evil, and thus You have made error possible.

Therefore, there are liars and hypocrites, who—like monkeys imitating human beings—exist in opposition to the Tzaddikim and boast of their own great attainments and wonders, as though nothing is impossible for them.

They use expressions similar to all of the great and awesome words that come forth truthfully from the mouths of the Tzaddikim—but they tell lies and misstatements.

Therefore, I ask You Who are filled with compassion to have compassion on us and on Your entire nation, the House of Israel. Guard us and rescue us from the liars and hypocrites who clothe themselves in garments that are not theirs, who falsely boast of having achieved great and wondrous matters.

Guard us and rescue us, Guardian of Israel, so that we will not be fooled by them, desire them or listen to them. May they have no power or

לְהַזִּיק לָנוּ כְּלָל, לֹא בְּגַשְׁמִיּוּת וְלֹא בְּרוּחָנִיּוּת.

וְתַשְׁפִּיעַ עָלֵינוּ דַּעַת אֲמִתִּי שֶׁנִּזְכֶּה לְהַבְחִין וְלִבְחֹר בְּהָאֱמֶת לְהִתְקָרֵב לְצַדִּיקִים אֲמִתִּיִּים וּלְהִלָּוֹת אֲלֵיהֶם בֶּאֱמֶת, וְתָשִׂים חֶלְקֵנוּ עִמָּהֶם לְעוֹלָם.

וְתַעֲזֹר לָנוּ שֶׁנִּזְכֶּה לִתֵּן צְדָקָה הַרְבֵּה בְּסֵבֶר פָּנִים יָפוֹת לַעֲנִיִּים הֲגוּנִים וּכְשֵׁרִים בֶּאֱמֶת. וּתְזַכֵּנוּ לְשַׁבֵּר לִבֵּנוּ הָאַכְזָר וּלְהָפְכוֹ לְרַחֲמָנוּת, וְלֹא יִהְיֶה לִבֵּנוּ קָשֶׁה כָּאֶבֶן.

רַק תַּעַזְרֵנוּ לַהֲפֹךְ לֵב הָאֶבֶן לְלֵב רַךְ כַּמַּיִם, לְרַחֵם בֶּאֱמֶת עַל עֲנִיִּים הֲגוּנִים כְּשֵׁרִים אֲמִתִּיִּים בְּרַחֲמָנוּת גָּדוֹל כָּרָאוּי, לָתֵת לָהֶם כָּל צָרְכָּם דֵּי מַחְסוֹרָם אֲשֶׁר יֶחְסַר לָהֶם.

וְנִזְכֶּה לְיַחֵד יִחוּדִים גְּדוֹלִים בִּקְדֻשָּׁה גְדוֹלָה לְמַעְלָה לְמַעְלָה עַל יְדֵי צִדְקוֹתֵינוּ. וְתִהְיֶה בְּעֶזְרֵנוּ וְתִתֶּן לָנוּ כֹּחַ שֶׁיִּהְיֶה נַעֲשֶׂה עַל יְדֵי הַצְּדָקָה שֶׁלָּנוּ בְּחִינַת יִחוּד בְּרָכָה קְדֻשָּׁה בְּכָל הָעוֹלָמוֹת הַקְּדוֹשִׁים עַד לְמַעְלָה מַעְלָה.

אָנָּא יְהוָֹה אוֹהֵב צְדָקָה וּמִשְׁפָּט, זַכֵּנוּ בְּרַחֲמֶיךָ הָרַבִּים

dominion to harm us at all in either the physical or spiritual realms.

Pour true awareness onto us, so that we will recognize and choose truth and come close to the true Tzaddikim and those who sincerely join them, and place our portion with them forever.

Giving Charity

Help us give a great deal of charity with a pleasant expression to truly worthy and decent poor people. Help us break the cruelty of our heart and transform it to compassion so that our heart will not be as hard as stone.

Help us transform our heart of stone to a heart as soft as water, so that we will truly have appropriate, great compassion on worthy, decent poor people and give them everything they need.

With our charity, make great unifications in great, elevated holiness. Empower us so that our charity will bring about unification, blessing and holiness in all of the holy worlds, to the highest apogee.

Please, HaShem, You Who love charity and judgment, in Your vast compassion make it

לְקַיֵּם מִצְוַת צְדָקָה בִּשְׁלֵמוּת כִּרְצוֹנְךָ הַטּוֹב עִם כָּל פְּרָטֶיהָ וְדִקְדּוּקֶיהָ וְכַוָּנוֹתֶיהָ וְתַרְיַ"ג מִצְוֹת הַתְּלוּיִם בָּהּ.

וְתַעַזְרֵנוּ שֶׁנִּזְכֶּה עַל יְדֵי הַצְּדָקָה לְבַטֵּל וּלְשַׁבֵּר תַּאֲוַת נִאוּף מֵאִתָּנוּ, וְתַבְדִּילֵנוּ מִן הַצְּבוּעִים וְהַשַּׁקְרָנִים, וְלֹא תַכְשִׁיל אוֹתָנוּ בַּעֲנִיִּים שֶׁאֵינָם הֲגוּנִים.

וְתִשְׁמְרֵנוּ בְּרַחֲמֶיךָ הָרַבִּים, שֶׁלֹּא יִהְיֶה נִפְגָּם אֶצְלֵנוּ חַס וְשָׁלוֹם, הַיִּחוּד בְּרָכָה קְדֻשָּׁה הַנַּעֲשֶׂה עַל יְדֵי הַצְּדָקָה, שֶׁלֹּא יִתְגַּבֵּר עַל יְדֵי זֶה תַּאֲוַת נִאוּף חַס וְשָׁלוֹם.

מָלֵא רַחֲמִים חָפֵץ חֶסֶד, אַל תְּדִינֵנִי כְּמִפְעָלַי, וְאַל תַּעֲשֶׂה לִי כַּחֲטָאַי, רַק תְּרַחֵם עָלַי כְּרֹב רַחֲמֶיךָ כְּרֹב חֲסָדֶיךָ, וְתִשְׁמֹר אַתָּה בְּעַצְמְךָ אֶת הַצְּדָקָה שֶׁלִּי שֶׁלֹּא יִינְקוּ מִמֶּנָּה הַחִיצוֹנִים חַס וְשָׁלוֹם.

וְלֹא יִהְיֶה לָהֶם כֹּחַ לִפְגֹּם הַיִּחוּד בְּרָכָה קְדֻשָּׁה הַנַּעֲשֶׂה עַל יְדֵי הַצְּדָקָה שֶׁלִּי. וְלֹא תִתֵּן לָהֶם כֹּחַ לְהַגְבִּיר עַל יְדֵי זֶה תַּאֲוַת נִאוּף חַס וְשָׁלוֹם.

possible for us to fulfill the mitzvah of charity completely, in accordance with Your good will, with all of its details, particulars, intentions and the 613 commandments that are dependent on it.

Help us, by means of this charity, nullify and break lascivious desire. Separate us from the hypocrites and liars. Do not allow unworthy poor people to cause us to stumble.

In Your vast compassion, guard us so that we will not blemish the unity, blessing and holiness brought about by charity, a blemish that strengthens the desire for lasciviousness, Heaven forbid.

You Who are filled with compassion, You Who desire lovingkindness, do not judge me in accordance with my deeds. Do not act with me in accordance with my transgressions. Have compassion on me in accordance with Your great compassion and great lovingkindness. Do not allow the "outside forces" to derive energy from my charity, Heaven forbid.

May they not have the power to damage the unification, blessing and holiness brought about when I give charity. Do not give them the power to increase my desire for lasciviousness, Heaven forbid.

כִּי כָּל כַּוָּנָתִי בְּהַצְּדָקָה שֶׁאַתָּה מְזַכֵּנִי לִתֵּן בְּרַחֲמֶיךָ הָרַבִּים, הוּא רַק בִּשְׁבִיל מִצְוַת צְדָקָה לְבַד, כְּדֵי לַעֲשׂוֹת נַחַת רוּחַ לְפָנֶיךָ.

אֲשֶׁר צִוִּיתָנוּ בְּתוֹרָתְךָ הַקְּדוֹשָׁה לִתֵּן צְדָקָה, וְהִזְהַרְתָּ אוֹתָנוּ עַל זֶה מְאֹד בְּכַמָּה וְכַמָּה אַזְהָרוֹת, וְכָל כַּוָּנָתִי בִּנְתִינַת הַצְּדָקָה לְתַקֵּן וְלֹא לְקַלְקֵל חַס וְשָׁלוֹם, עַל כֵּן בָּאתִי לְפָנֶיךָ לִשְׁטֹחַ כַּפַּי לְרַחֲמֶיךָ, שֶׁתִּשְׁמְרֵנִי בְּרַחֲמֶיךָ מֵעֲנִיִּים שֶׁאֵינָם הֲגוּנִים.

וְתִהְיֶה עִמִּי תָּמִיד, וְתַצִּילֵנִי וְתִשְׁמְרֵנִי בְּאֹפֶן שֶׁלֹּא יִהְיֶה שׁוּם כֹּחַ וּשְׁלִיטָה לְהַחִיצוֹנִים לִינֹק מֵהַצְּדָקָה שֶׁלִּי, וְלֹא יוּכְלוּ לְקַלְקְלָהּ בְּשׁוּם אֹפֶן.

כִּי אֲנִי נוֹתֵן כָּל הַצְּדָקוֹת שֶׁלִּי עַל דַּעַת הַצַּדִּיקִים הָאֲמִתִּיִּים הַגְּדוֹלִים בְּמַעֲלָה וְהֵם יַעֲלוּ אֶת מִצְוַת הַצְּדָקָה שֶׁלִּי, וְיַעֲשׂוּ וִיתַקְּנוּ עַל יָדָהּ יִחוּדִים גְּדוֹלִים לְמַעְלָה לְמַעְלָה בְּתַכְלִית הַקְּדֻשָּׁה הָעֶלְיוֹנָה בֶּאֱמֶת.

וִיהְיֶה לְךָ נַחַת רוּחַ וְשַׁעֲשׁוּעִים גְּדוֹלִים עַל יְדֵי הַצְּדָקָה שֶׁלִּי. וּתְזַכֵּנִי לְשַׁבֵּר תַּאֲוַת נִאוּף לְגַמְרֵי וְלִזְכּוֹת לְתִקּוּן הַבְּרִית בֶּאֱמֶת עַל יְדֵי כֹּחַ וּזְכוּת הַצְּדָקָה שֶׁלִּי.

My sole intent in giving charity—which You, in Your vast compassion, make it possible for me to give—is to fulfill the mitzvah of giving charity, in order to give You satisfaction.

You commanded us in Your holy Torah to give charity. You urged us regarding this a great deal, and repeatedly. My entire intent in giving charity is to rectify and not to damage, Heaven forbid. Therefore, I spread my hands out to Your compassion, so that You will guard me from unworthy poor people.

Be with me always. Rescue me and guard me so that the "outside forces" will have no power or dominion to draw energy from my charity, and will not be able to damage it in any way.

May I give all of my charity in the manner of the true Tzaddikim who are great in stature. May they raise my mitzvah of charity, and with it make and bring about great unifications at the highest levels, with truly ultimate, supernal holiness.

May my charity give You satisfaction and great delight. Make it possible for me to entirely break the desire for lasciviousness and truly rectify the covenant as a result of the power and merit of my charity.

טוֹב וּמֵטִיב לַכֹּל, זַכֵּנִי לְהַרְבּוֹת בִּצְדָקָה לַעֲנִיִּים הֲגוּנִים בִּקְדֻשָּׁה גְּדוֹלָה כִּרְצוֹנְךָ הַטּוֹב, בְּאֹפֶן שֶׁתִּהְיֶה הַצְּדָקָה תִּקּוּן גָּדוֹל לְנַפְשִׁי וְרוּחִי וְנִשְׁמָתִי, וְלָא אֵיעוּל בְּכִסּוּפָא קַמָּךְ.

וְתִשְׁמֹר אֶת כָּל עַמְּךָ בֵּית יִשְׂרָאֵל הַצַּדִּיקִים וְהַכְּשֵׁרִים אֲשֶׁר פַּרְנָסָתָם עַל יְדֵי צְדָקָה, שֶׁלֹּא יַגִּיעַ לְיָדָם שׁוּם צְדָקָה פְּגוּמָה מֵאַנְשֵׁי נָאוּף וָרֶשַׁע, אֲשֶׁר הַצְּדָקָה שֶׁלָּהֶם מַזֶּקֶת לְהַמְקַבְּלִים.

רַק תְּסַבֵּב סִבּוֹת לְטוֹבָה בְּרַחֲמֶיךָ הָרַבִּים, שֶׁכָּל הָרְשָׁעִים וְהַנּוֹאֲפִים הַנּוֹתְנִים צְדָקָה, שֶׁכָּל צִדְקָתָם תַּגִּיעַ לְהַשַּׁקְרָנִים וְהַצְּבוּעִים.

וְהַצַּדִּיקִים וְהַכְּשֵׁרִים הָאֲמִתִּיִּים יִנָּצְלוּ מֵהֶם מִלְּקַבֵּל צְדָקָה פְּגוּמָה שֶׁלָּהֶם, שֶׁלֹּא תְקַלְקֵל הַצְּדָקָה פְּגוּמָה שֶׁלָּהֶם אֶת דִּבּוּר פִּיהֶם הַקָּדוֹשׁ שֶׁמְּקַבְּלִים הַצַּדִּיקִים מִבַּעֲלֵי הַצְּדָקָה.

וְתַזְמִין לָנוּ וּלְכָל יִשְׂרָאֵל פַּרְנָסָה בְּכָבוֹד וּבְכַשְׁרוּת וְלֹא

You Who are good and do good to all, make it possible for me to increase my charity to the worthy poor with great holiness, in accordance with Your good will, so that this charity will constitute a great rectification for my *nefesh*, *ruach* and *neshamah*, and I will not come before You in shame.

Guard Your entire nation, the House of Israel, the righteous and worthy whose income derives from charity, so that they will not receive any blemished charity from salacious, wicked men whose charity damages those who receive it.

Rather, in Your vast compassion, bring about a positive chain of events so that all of the charity of all wicked and salacious people will go to the liars and hypocrites.

May the true Tzaddikim and worthy people be saved from them, from receiving their blemished charity, so that their blemished charity will not damage the speech of the holy mouth that the Tzaddikim attain as a result of receiving charity from generous people.

A Worthy Income

Bring us and the entire Jewish people an honorable, worthy income. May the Side of Evil

יִהְיֶה אֲחִיזָה לְהַסִּטְרָא אַחֲרָא בְּפַרְנָסוֹתֵינוּ כְּלָל.

רַק נִזְכֶּה לְפַרְנָסָה טוֹבָה בְּכָבוֹד וּבְרֶוַח בִּקְדֻשָּׁה וּבְטָהֳרָה גְדוֹלָה, בְּאֹפֶן שֶׁנִּזְכֶּה לִהְיוֹת כִּרְצוֹנְךָ הַטּוֹב בֶּאֱמֶת.

וְזַכֵּנִי לַעֲסֹק בְּתוֹרָתְךָ הַקְּדוֹשָׁה וּבַעֲבוֹדָתְךָ הָאֲמִתִּיִּית בִּתְמִימוּת בֶּאֱמֶת, וְלֹא אֲהַלֵּךְ בִּגְדוֹלוֹת וּבְנִפְלָאוֹת מִמֶּנִּי, רַק אַשְׁוֶה וַאֲדַמֶּה "נַפְשִׁי כְּגָמוּל עֲלֵי אִמּוֹ, כַּגָּמוּל עָלַי נַפְשִׁי".

וְאֶזְכֶּה לַעֲסֹק בְּתוֹרָה וּתְפִלָּה בְּפֶה מָלֵא, בְּאֹפֶן שֶׁאֶזְכֶּה בְּתוֹךְ כְּלַל יִשְׂרָאֵל הַכְּשֵׁרִים, לְהַכְרִית וּלְכַלּוֹת וּלְבַעֵר אֶת כָּל הַקּוֹצִים וְהַחוֹחִים הַסּוֹבְבִים אֶת הַשּׁוֹשַׁנָּה הָעֶלְיוֹנָה.

וְלֹא יִהְיֶה שׁוּם כֹּחַ לְהַשַּׁקְרָנִים וְהַצְּבוּעִים הַמִּתְפָּאֲרִים בִּשְׁקָרִים לִינֹק מִדִּבּוּרֵנוּ כְּלָל. וּתְבַעֵר הַשֶּׁקֶר מִן הָעוֹלָם, וּתְגַלֶּה הָאֱמֶת בָּעוֹלָם.

וִיקֻיַּם מְהֵרָה מִקְרָא שֶׁכָּתוּב: "שְׂפַת אֱמֶת תִּכּוֹן לָעַד, וְעַד אַרְגִּיעָה לְשׁוֹן שָׁקֶר". וְנֶאֱמַר: "חֶסֶד וֶאֱמֶת נִפְגָּשׁוּ, צֶדֶק

have no opportunity to seize hold of our income at all.

Rather, may we attain good income with honor and ease, with holiness and great purity, so that we will truly be in accordance with Your good will.

Make it possible for me to study Your holy Torah and truly serve You with all my heart. May I not enter into matters that are greater and more wondrous than I can grasp. Rather, may "I calm and quiet my soul like a child nursing from its mother. May my soul be like my suckling child."

May I engage in Torah and prayer with a full mouth so that, among all of the worthy people of Israel, I will cut off, destroy and burn away all of the thorns and brambles that surround the supernal rose.

May the liars and hypocrites who boast falsely have no power whatsoever to derive power from our speech. Burn away falsehood entirely and reveal the truth in the world.

May the verse be quickly realized, "A lip of truth shall be established forever, but a tongue of falsehood is merely for a moment." "Kindness and truth have met, righteousness and peace

וְשָׁלוֹם נָשָׁקוּ. אֱמֶת מֵאֶרֶץ תִּצְמָח, וְצֶדֶק מִשָּׁמַיִם נִשְׁקָף.

הַדְרִיכֵנִי בַאֲמִתֶּךָ וְלַמְּדֵנִי, כִּי אַתָּה אֱלֹהֵי יִשְׁעִי, אוֹתְךָ קִוִּיתִי כָּל הַיּוֹם. וְאַל תַּצֵּל מִפִּי דְבַר אֱמֶת עַד מְאֹד, כִּי לְמִשְׁפָּטֶיךָ יִחָלְתִּי.

וַאֲנִי תְפִלָּתִי לְךָ יְהֹוָה עֵת רָצוֹן, אֱלֹהִים בְּרָב חַסְדֶּךָ עֲנֵנִי בֶּאֱמֶת יִשְׁעֶךָ":

have kissed." "Truth will sprout from the earth and righteousness will gaze down from Heaven."

"Guide me in Your truth and teach me, for You are the God of my salvation; it is for You that I have hoped all the day." "Do not utterly separate a word of truth from my mouth, because I have hoped for Your judgments."

"HaShem, may my prayer come before You at a time of favor. God, in Your vast kindness, answer me, in the truth of Your salvation."

17 (II, 16)

A Person Receives Income in a Natural Manner So He Will See Only God's Grandeur

When a person prays for income, God does not send it to him in an immediate, miraculous manner but gradually, subject to the laws of cause and effect. The reason for this is as follows.

A Jew derives his sustenance from the King.

The King's sovereignty and glory are commensurate with His humility: "In the place that you find His greatness, there you find His humility" (*Megillah* 31a).

The sustenance that the King sends down to this world is divided into various classes—animal food, food for all human beings, kosher food, and so forth. The finest foods of the King give a person the ability to express beautiful words of blessings, prayers and other expressions of serving God. These words of beauty create a crown for the King that a person can "see."

A person should see the King only when He is in His state of beauty and grandeur, not in His state of smallness.

If a person were to receive his income immediately, he would conceivably see the King at a time of His smallness, at the time that He diminishes Himself in His humility. But since a person's income arrives by means of natural cause and effect, it comes only at certain times, when the person sees the King in His beauty and not in His diminished state.

"עֵינֵי כֹל אֵלֶיךָ יְשַׂבֵּרוּ, וְאַתָּה נוֹתֵן לָהֶם אֶת אָכְלָם בְּעִתּוֹ. פּוֹתֵחַ אֶת יָדֶךָ, וּמַשְׂבִּיעַ לְכָל חַי רָצוֹן".

רִבּוֹנוֹ שֶׁל עוֹלָם תֵּן לִי פַּרְנָסָה בְּכָבוֹד קֹדֶם שֶׁאֶצְטָרֵךְ לָהּ, בְּאֹפֶן שֶׁאֶזְכֶּה לָסוּר מֵרָע וְלַעֲשׂוֹת הַטּוֹב בְּעֵינֶיךָ תָּמִיד וְלִהְיוֹת כִּרְצוֹנְךָ הַטּוֹב בֶּאֱמֶת.

כִּי אַתָּה יוֹדֵעַ כַּמָּה הַפַּרְנָסָה מְבַלְבֶּלֶת אוֹתִי וּמוֹנַעַת אוֹתִי וּמַחְלֶשֶׁת דַּעְתִּי מִלְּהִתְחַזֵּק בַּעֲבוֹדָתֶךָ.

רִבּוֹנוֹ שֶׁל עוֹלָם, יָדַעְתִּי כִּי אֲנִי רָחוֹק מִפַּרְנָסָה בְּכָבוֹד מְאֹד מְאֹד, כִּי פָּגַמְתִּי נֶגְדְּךָ מְאֹד, הֲרֵעוֹתִי אֶת מַעֲשַׂי וְקִפַּחְתִּי אֶת פַּרְנָסָתִי.

אֲבָל בָּאתִי לְפָנֶיךָ מָלֵא רַחֲמִים כְּעָנִי בַּפֶּתַח, כְּדַל וְאֶבְיוֹן הַמַּחֲזִיר עַל הַפְּתָחִים, פּוֹרֵשׂ כַּפָּיו שׁוֹאֵל וּמְבַקֵּשׁ מַתְּנַת חִנָּם וְנִדְבַת חֶסֶד.

שֶׁתְּחָנֵּנִי בְּרַחֲמֶיךָ הָרַבִּים לְבַד, בַּחֲסָדֶיךָ הָעֲצוּמִים לְבַד,

Gaining Income with Honor

"The eyes of all turn to You, and You give them their food in its time. You open your hand and satisfy the desire of all living beings."

Master of the world, give me income with honor before I need it, so that I will turn aside from evil and always do that which is good in Your eyes, and always truly be in accordance with Your good will.

You know how much the need to earn a living diverts me, hinders me and weakens my consciousness, so that I do not strengthen myself in serving You.

Master of the world, I know that I am extremely far from earning a living honorably, because I have brought about so many blemishes that keep me away from You. I myself have compromised my actions and cheated myself of my income.

I come to You Who are filled with compassion like a poor person at the gate, like an indigent pauper begging from door to door, stretching out his hand and begging for an undeserved gift of lovingkindness.

Solely in Your vast compassion, solely in Your mighty lovingkindness, be gracious to me.

וְתַזְמִין לִי פַּרְנָסָתִי מִן הַשָּׁמַיִם, וְתִתֵּן לִי כָּל צְרָכַי וְכָל צָרְכֵי אַנְשֵׁי בֵיתִי וְכָל הַתְּלוּיִים בִּי וְכָל הַנִּלְוִים אֵלֵינוּ קֹדֶם שֶׁנִּצְטָרֵךְ לָהֶם, כִּי עֵינֵינוּ לְךָ לְבַד תְּלוּיוֹת, עֵינֵינוּ לְךָ לְבַד מְצַפּוֹת וּמְחַכּוֹת.

רִבּוֹנוֹ שֶׁל עוֹלָם, אַנְתְּ הוּא לְעֵלָּא מִן כָּל הָעִלּוֹת וְהַסִּבּוֹת, וְאַתָּה יָכֹל לְסַבֵּב סִבּוֹת לְטוֹבָה בְּרַחֲמֶיךָ הָרַבִּים, בְּאֹפֶן שֶׁיַּגִּיעַ לָנוּ הַפַּרְנָסָה בְּנָקֵל בְּלִי שׁוּם בִּלְבּוּלִים וּבְלִי שׁוּם טִרְדּוֹת וִיגִיעוֹת וּבְלִי שׁוּם סִבּוֹת עַל פִּי דֶּרֶךְ הַטֶּבַע.

רַק שֶׁתַּזְמִין לָנוּ בְּרַחֲמֶיךָ הָרַבִּים הַפַּרְנָסָה בְּנָקֵל וּבִמְהִירוּת גָּדוֹל, וְתִהְיֶה נִמְשֶׁכֶת הַפַּרְנָסָה אֵלֵינוּ לְטוֹבָה בְּהַרְחָבָה גְדוֹלָה.

וְנִזְכֶּה לְבָרֵר הַפַּרְנָסָה בִּקְדֻשָּׁה גְדוֹלָה, שֶׁנִּזְכֶּה לֶאֱכֹל וְלִשְׁתּוֹת בִּקְדֻשָּׁה וּבְטָהֳרָה גְדוֹלָה, בְּאֹפֶן שֶׁנִּזְכֶּה שֶׁתִּתְבָּרֵר אֲכִילָתֵנוּ וּשְׁתִיָּתֵנוּ, וְיִהְיוּ נַעֲשִׂים מֵהֶם בֵּרוּרִים קְדוֹשִׁים בִּבְחִינַת קְטֹרֶת.

עַד שֶׁיִּהְיוּ נַעֲשִׂים מֵהֶם אִמְרֵי שֶׁפֶר, שֶׁהֵם בְּרָכוֹת וְהוֹדָאוֹת לְשִׁמְךָ הַגָּדוֹל וְהַקָּדוֹשׁ. וְאֵלּוּ הָאִמְרֵי שֶׁפֶר יַעֲלוּ וְיִתְחַבְּרוּ עִם הַמֶּלֶךְ, וְיִהְיֶה נַעֲשֶׂה מֵהֶם עֲטָרָה לְהַמֶּלֶךְ.

וְנִזְכֶּה לִרְאוֹת הָעֲטָרָה הַזֹּאת, כְּמוֹ שֶׁכָּתוּב: "צְאֶינָה וּרְאֶינָה

Send me my income from Heaven. Provide me with all of my needs, and all of the needs of my family and all who depend on me and all who are connected to us, before we are in need, because our eyes are lifted to You alone. Our eyes hope in You and turn to You alone.

Master of the world, You transcend all cause and effect. In Your vast compassion, You can bring about a chain of events for the good so that income will come to us easily, without any distractions, difficulties, drudgery or natural series of cause and effect.

In Your vast compassion, send us income easily and swiftly. May our livelihood come to us for the good with great ease.

May we purify our income with great holiness. May our eating and drinking be so holy and pure that they will correspond to the incense-offering.

May our eating and drinking create beautiful words—blessings and praises to Your great and holy Name. And may these beautiful words rise and be bound with the King, and make a crown for You.

May we see this crown. As the verse states, "Daughters of Zion, go forth and see King

בְּנוֹת צִיּוֹן בַּמֶּלֶךְ שְׁלֹמֹה, בָּעֲטָרָה שֶׁעִטְּרָה לּוֹ אִמּוֹ בְּיוֹם חֲתֻנָּתוֹ, וּבְיוֹם שִׂמְחַת לִבּוֹ".

וְנִזְכֶּה לִרְאוֹת אֶת הַמֶּלֶךְ בְּיָפְיוֹ, כְּמוֹ שֶׁכָּתוּב: "מֶלֶךְ בְּיָפְיוֹ תֶּחֱזֶינָה עֵינֶיךָ".

וְאַל תְּעַכֵּב פַּרְנָסוֹתֵינוּ בִּשְׁבִיל זֶה, כִּי אַתָּה "כֹּל תּוּכָל וְלֹא יִבָּצֵר מִמְּךָ מְזִמָּה".

כִּי אַתָּה יָכֹל לְסַבֵּב סִבּוֹת לְטוֹבָה בְּאֹפֶן שֶׁתָּבֹא לָנוּ הַפַּרְנָסָה בִּמְהִירוּת גָּדוֹל בְּלִי שׁוּם עִכּוּב כְּלָל, וּבְלִי שׁוּם עֵסֶק וְסִבָּה וּבְלִי שׁוּם טִרְדָּא כְּלָל, וְעִם כָּל זֶה נִזְכֶּה לִרְאוֹת הַמֶּלֶךְ בְּיָפְיוֹ "בָּעֲטָרָה שֶׁעִטְּרָה לּוֹ אִמּוֹ" הַנַּעֲשֵׂית מִן הָאִמְרֵי שֶׁפֶר הַמִּתְבָּרְרִים עַל יְדֵי הַפַּרְנָסָה וְהָאֲכִילָה דִּקְדֻשָּׁה.

וְקַיֵּם לָנוּ מִקְרָא שֶׁכָּתוּב: "הַגּוֹאֵל מִשַּׁחַת חַיָּיְכִי הַמְעַטְּרֵכִי חֶסֶד וְרַחֲמִים. הַמַּשְׂבִּיעַ בַּטּוֹב עֶדְיֵךְ תִּתְחַדֵּשׁ כַּנֶּשֶׁר נְעוּרָיְכִי".

אָבִינוּ שֶׁבַּשָּׁמַיִם עֲשֵׂה לְמַעַנְךָ וְרַחֵם עָלֵינוּ וּתְסַבֵּב סִבּוֹת

Solomon in the crown with which his mother crowned him on the day of his wedding and on the day of the joy of his heart."

May we see the King in his beauty. As the verse states, "Your eyes will see the King in his beauty."

Do not delay our income. "You can do everything; no purpose can be withheld from You."

You can bring about a positive chain of cause and effect so that income will come to us with great swiftness, without any impediment at all, and without any drudgery, antecedent or difficulty at all. And with this, may we see the King in His beauty, "in the crown with which his mother crowned him," which is composed of the beautiful words that are purified as a result of a person's holy income and holy eating.

May the verse be realized in us, "May He Who redeems your life from the pit, He Who crowns You with lovingkindness and compassion, satiate your mouth with goodness so that your youth will be renewed like the eagle."

Our Father in Heaven, act for Your sake. Have compassion on us and bring about a positive

לְטוֹבָה, בְּאֹפֶן שֶׁתַּגִּיעַ לָנוּ הַפַּרְנָסָה קֹדֶם שֶׁנִּצְטָרֵךְ לָהּ, וְתַזְמִין לָנוּ כָּל צְרָכֵינוּ בְּכָבוֹד וּבְנַחַת, וּבְהֶתֵּר וּבִקְדֻשָּׁה גְדוֹלָה, וּבְהַרְחָבָה וְנַחַת גָּדוֹל.

וְתַצִּילֵנוּ מֵחוֹבוֹת וְהַלְוָאוֹת, וְתַעַזְרֵנוּ לְסַלֵּק מְהֵרָה כָּל הַחוֹבוֹת וְהַלְוָאוֹת שֶׁאָנוּ מְחֻיָּבִים מִכְּבָר, וְתִשְׁמְרֵנוּ מֵעַתָּה מִלָּבֹא לִידֵי חוֹב עוֹד לְעוֹלָם.

כִּי אַתָּה יוֹדֵעַ שֶׁהַחוֹבוֹת וְהַהַלְוָאוֹת מְבַלְבְּלִים אוֹתָנוּ מְאֹד מִמְּעַט עֲבוֹדָתְךָ שֶׁאָנוּ מְכִינִים עַצְמֵנוּ בְּכָל עֵת לְהַתְחִיל בַּעֲבוֹדָתְךָ בֶּאֱמֶת.

רַחֵם עָלַי וְעָלֵינוּ אָבִינוּ אָב הָרַחֲמָן, הַזָּן אֶת הָעוֹלָם כֻּלּוֹ בְּטוּבוֹ בְּחֵן וּבְחֶסֶד וּבְרַחֲמִים, וְתֵן לִי וּלְכָל חֲבֵרָתֵנוּ וּלְכָל יִשְׂרָאֵל פַּרְנָסָה בְּכָבוֹד קֹדֶם שֶׁנִּצְטָרֵךְ לָהּ, בְּאֹפֶן שֶׁלֹּא נִצְטָרֵךְ לְהַטְרִיד דַּעְתֵּנוּ בְּהַפַּרְנָסָה כְּלָל.

וְאַל תַּצְרִיכֵנוּ לֹא לִידֵי מַתְּנַת בָּשָׂר וָדָם וְלֹא לִידֵי הַלְוָאָתָם, כִּי אִם לְיָדְךָ הַמְּלֵאָה הַפְּתוּחָה הַקְּדוֹשָׁה וְהָרְחָבָה שֶׁלֹּא נֵבוֹשׁ וְלֹא נִכָּלֵם לְעוֹלָם וָעֶד.

וְנִזְכֶּה לְבָרֵר הַפַּרְנָסָה בִּקְדֻשָּׁה וּבְטָהֳרָה גְדוֹלָה בִּבְחִינַת קְטֹרֶת הַמְשַׂמֵּחַ אֶת הַלֵּב.

chain of cause and effect so that income will come to us before we need it. Send us everything we need, honorably, easily, permissibly, in great holiness and with tremendous breadth and ease.

Keep us from incurring debts and loans. Help us quickly pay off all of our debts and loans, and guard us from ever being in debt again.

You know that having debts and loans greatly distracts us from even the little bit of true Divine service that we are always preparing ourselves to begin.

Have compassion on me and on us, our compassionate Father, You Who sustain the entire world with Your goodness, graciousness, loving-kindness and compassion. Give us—all of our companions and all of the Jewish people—an honorable livelihood before we need it, so that we will not have to trouble our minds about income at all.

Do not make us dependent on the gifts and loans of flesh and blood, but on Your full, open, holy and broad hand, so that we will never be ashamed or humiliated.

May we purify our income with great holiness and purity, corresponding to the incense-offering, which gives joy to the heart.

וְתָבִיא לָנוּ אֶת מְשִׁיחַ צִדְקֵנוּ בִּמְהֵרָה בְיָמֵינוּ, וְיִמְלֹךְ עָלֵינוּ וְעַל כָּל יִשְׂרָאֵל וְעַל כָּל הָעוֹלָם כֻּלּוֹ.

וִיקַיֵּם בָּנוּ מְהֵרָה מִקְרָא שֶׁכָּתוּב: "מֶלֶךְ בְּיָפְיוֹ תֶּחֱזֶינָה עֵינֶיךָ תִּרְאֶינָה אֶרֶץ מַרְחַקִּים" בִּמְהֵרָה בְיָמֵינוּ, אָמֵן כֵּן יְהִי רָצוֹן:

Bring us our righteous Mashiach quickly, in our days. May he rule over us, over all of the Jewish people, and over the entire world.

May the verse quickly be realized in us, "Your eyes shall see the King in His beauty; they will see from a distant land"—quickly, in our days. Amen. May it be Your will.

18 (II, 17)

God Looks Only at the Good in Us / Seeing the Good in Others / God Sometimes Relates to Us Through Providence and Sometimes Through Nature

[Both Prayers 13 and 18 are based on Rebbe Nachman's lesson in *Likutey Moharan* II, 17. That lesson consists of two distinct parts; therefore, Reb Noson wrote Prayer 13 focusing on the topic of Shabbat, and Prayer 18 focusing on the topic of Divine providence.]

God looks at the good that we do and ignores anything untoward that it might contain. (In the same way, we, too, may not view others negatively and seek to find their flaws. To the contrary, we must look only at the good.)

That is why God created a world with both providence and nature. When a person does something good, God guides him with providence. If he does something wrong, God lets nature take its course. If only providence existed, when God would see that people aren't acting correctly, He would grow angry and eliminate His providence—which is a sign of His care—entirely. But now, at such times, He leaves people to nature. And when they improve, God again exercises providence over them.

However, there is a paradox here that we as human beings cannot understand—which is that we cannot differentiate between nature and providence, since nature itself is God's providence.

רִבּוֹנוֹ שֶׁל עוֹלָם, דַּרְכְּךָ אֱלֹהֵינוּ לְהַאֲרִיךְ אַפְּךָ לָרָעִים וְלַטּוֹבִים, וְהִיא תְהִלָּתֶךָ.

מָלֵא רַחֲמִים טוֹב וּמֵטִיב לַכֹּל, אֲשֶׁר דַּרְכְּךָ לְהֵיטִיב לִבְרִיּוֹתֶיךָ, וְאַתָּה מַטֶּה כְלַפֵּי חֶסֶד תָּמִיד.

וְאֵין אַתָּה חָפֵץ לְהַבִּיט וּלְהִסְתַּכֵּל עַל הָרַע וְהָאָוֶן שֶׁאָנוּ עוֹשִׂין חַס וְשָׁלוֹם, רַק אַתָּה מַבִּיט וּמַשְׁגִּיחַ עַל מְעַט הַטּוֹב שֶׁאַתָּה מוֹצֵא בְּקִרְבֵּנוּ בַּחֲסָדֶיךָ הָעֲצוּמִים.

כְּמוֹ שֶׁכָּתוּב: "לֹא הִבִּיט אָוֶן בְּיַעֲקֹב וְלֹא רָאָה עָמָל בְּיִשְׂרָאֵל, יְהֹוָה אֱלֹהָיו עִמּוֹ, וּתְרוּעַת מֶלֶךְ בּוֹ". וְנֶאֱמַר: "אָוֶן אִם רָאִיתִי בְלִבִּי לֹא יִשְׁמַע יְהֹוָה, אָכֵן שָׁמַע אֱלֹהִים, הִקְשִׁיב בְּקוֹל תְּפִלָּתִי".

עַל כֵּן מָצָא עַבְדְּךָ אֶת לִבּוֹ עֲדַיִן לְהִתְפַּלֵּל לְפָנֶיךָ, וַעֲדַיִן עֲדַיִן עַל מִשְׁמַרְתִּי אֶעֱמֹדָה וַאֲצַפֶּה לִישׁוּעָתְךָ הָאֲמִתִּיִּית, מָתַי תָּבֹא אֵלַי שֶׁאֶזְכֶּה לָשׁוּב אֵלֶיךָ בֶּאֱמֶת.

God's Compassion

God, Master of the world, it is Your way to be patient with both wicked and good people—and that constitutes Your praise.

You Who are filled with compassion, You Who are good and do good to all, it is Your way to do good for Your creatures. You tend toward lovingkindness always.

You do not desire to look at and see the evil and sins that we commit, Heaven forbid. Rather, in Your mighty lovingkindness, You gaze upon and look at the little bit of good that You find within us.

As the verse states, "He has not gazed upon sin in Jacob and has not seen weariness in Israel; HaShem his God is with him, and the friendship of the King is with him." And, "If I have seen sin in my heart, HaShem does not hear it. But God has heard and taken heed of the voice of my prayer."

Therefore, I, Your servant, have found it possible to offer You my heartfelt prayer. And I continue to stand and hope for Your true salvation. When will it come to me so that I will truly return to You?

אֲשֶׁר עַל זֶה בִּקַּשְׁתִּי מִלְּפָנֶיךָ זֶה כַּמָּה, בְּכַמָּה לְשׁוֹנוֹת שֶׁל תְּפִלָּה וְתַחֲנוּנִים וַעֲדַיִן לֹא נוֹשַׁעְתִּי. וַאֲנִי יוֹדֵעַ שֶׁהַמְּנִיעָה מִמֶּנִּי, אֲבָל עַל טוּבְךָ הַגָּדוֹל אֲנִי נִשְׁעָן עֲדַיִן.

שֶׁתָּצִיץ וְתַבִּיט וְתַשְׁגִּיחַ עַל מְעַט דִּמְעַט נְקֻדּוֹת טוֹבוֹת הַנִּמְצָאִים בִּי עֲדַיִן, וְתַעְלִים עֵינֶיךָ מִלִּרְאוֹת וּלְהִסְתַּכֵּל עַל רִבּוּי וְעֹצֶם הָרַע שֶׁבִּי, בְּאֹפֶן שֶׁתַּכְנִיעַ וּתְבַטֵּל רִבּוּי הָרַע לְגַבֵּי מְעַט הַטּוֹב שֶׁבִּי.

וּבְכֹחֲךָ הַגָּדוֹל תִּתֵּן כֹּחַ לִמְעַט הַטּוֹב שֶׁבִּי שֶׁיִּתְגַּבֵּר עַל הָרַע שֶׁבִּי, בְּאֹפֶן שֶׁאֶזְכֶּה מֵעַתָּה לָשׁוּב בִּתְשׁוּבָה שְׁלֵמָה לְפָנֶיךָ בֶּאֱמֶת.

וְתֵטִיב עִמִּי בְּחַסְדְּךָ בְּכָל עֵת בְּגַשְׁמִיּוּת וְרוּחָנִיּוּת, לֹא כִּגְמוּלִי וּכְמַעֲשֵׂי יָדַי הַפְּגוּמִים חַס וְשָׁלוֹם, רַק כְּחַסְדְּךָ וּכְטוּבְךָ הַגָּדוֹל וּכְרַחֲמָנוּתְךָ הָעֲצוּם, אֲשֶׁר אֵין אַתָּה מַבִּיט עַל הָרַע כִּי אִם עַל מְעַט הַטּוֹב. וְאַל תִּמְנַע טוֹב מִמֶּנִּי מֵעַתָּה וְעַד עוֹלָם.

I have begged You so long regarding this, with so many expressions of prayer and pleading, but I still have not been saved. I know that the obstacle comes from within me—but I rely on Your great goodness.

Peer, gaze and look at the very few good points that still exist within me. Turn Your eyes from seeing and looking at the multitude and magnitude of the evil within me. Subdue and nullify that evil, which is so considerable when compared to the little amount of good within me.

In Your great power, empower the little amount of good within me so that it will overcome the evil. From now on may I truly return to You in complete repentance.

In Your lovingkindness, always send me goodness in the material and spiritual realms—not in accordance with what I and the blemished work of my hands deserve, Heaven forbid, but in accordance with Your lovingkindness, Your great goodness and Your mighty compassion, as a result of which You do not gaze at the evil in me but at the little bit of good. Do not withhold goodness from me, from now and forevermore.

וּתְרַחֵם עָלַי וְעַל כָּל יִשְׂרָאֵל, וְתִתֶּן לִי דַעַת שָׁלֵם דִּקְדֻשָּׁה, בְּאֹפֶן שֶׁאֶזְכֶּה לְהִתְדַּבֵּק בִּדְרָכֶיךָ הַקְּדוֹשִׁים.

לְבַל אֶסְתַּכֵּל וְאַבִּיט עַל הָרַע שֶׁל שׁוּם בַּר יִשְׂרָאֵל שֶׁבָּעוֹלָם, וְלֹא אָשִׂים עֵינַי כְּלָל עַל מַעֲשָׂיו וּמִדּוֹתָיו שֶׁאֵינָם טוֹבִים.

רַק אֶזְכֶּה לָדוּן אֶת כָּל אָדָם לְכַף זְכוּת, וּלְהִסְתַּכֵּל רַק עַל הַטּוֹב שֶׁל כָּל אֶחָד מִיִּשְׂרָאֵל, וְלֹא אֶסְתַּכֵּל עַל הָרַע שֶׁלּוֹ כְּלָל.

וּבְרַחֲמֶיךָ וַחֲסָדֶיךָ הָרַבִּים תִּפְקַח אֶת עֵינֵי דַעְתִּי, וְתִתֶּן לִי דַּעַת שָׁלֵם דִּקְדֻשָּׁה, בְּאֹפֶן שֶׁאֶזְכֶּה לְחַפֵּשׂ וּלְבַקֵּשׁ וְלִמְצֹא זְכוּת וָטוֹב בְּכָל אֶחָד מִיִּשְׂרָאֵל אֲפִלּוּ בְּהַגָּרוּעַ שֶׁבַּגְּרוּעִים.

וְאֶזְכֶּה לִרְאוֹת וּלְהַבִּיט רַק עַל הַטּוֹב שֶׁבְּכָל אֶחָד, וְלֹא אַבִּיט וְאֶסְתַּכֵּל עַל הָרַע שֶׁבָּהֶם כְּלָל.

וְתִתֶּן לִי עַיִן יָפָה וְטוֹבָה לְהַבִּיט עַל כָּל אֶחָד מִיִּשְׂרָאֵל לְטוֹבָה, אֶת הַטּוֹב שֶׁבּוֹ אֲקַבֵּל בְּדַעְתִּי לְהִסְתַּכֵּל עָלָיו, וְאֶת הָרַע לֹא אֲקַבֵּל, וְלֹא אָשִׁית עֵינַי עָלָיו כְּלָל.

לְמַעַן אֶזְכֶּה לִהְיוֹת טוֹב וְיָשָׁר גַּם עִם יְהוָֹה וְעִם אֲנָשִׁים,

Have compassion on me and on the entire Jewish people. Give me a perfected, holy consciousness so that I will cling to Your holy ways.

Seeing the Good in Others

May I not look or gaze at the evil within any Jew in the world. May I not turn my eyes to any of his deeds or traits that are not good.

May I judge every Jew favorably and only look at the good in him. May I not look at the evil in him at all.

In Your vast compassion and lovingkindness, open my mind's eye and give me a perfected, holy consciousness so that I will seek, search for and find merit and goodness in every Jew—even in the least of the least.

May I see and gaze solely at the good in everyone, and not gaze or look at any evil in anyone.

Give me a beautiful and good eye with which to gaze at every Jew for the good. May I resolve to look only at the good in him and not the evil at all.

May I be good and straight in Your eyes, HaShem, and in the eyes of people. May I "find

וְאֶמְצָא "חֵן וְשֵׂכֶל טוֹב בְּעֵינֵי אֱלֹהִים וְאָדָם".

בְּאֹפֶן שֶׁאוּכַל לְהִתְוַעֵד עִם כָּל אֶחָד וְאֶחָד מִיִּשְׂרָאֵל לְדַבֵּר עִמָּהֶם בֶּאֱמֶת לַאֲמִתּוֹ מֵהַתַּכְלִית הָאֲמִתִּי, וּלְקַבֵּל מִנְּקֻדָּתָם הַטּוֹבָה לְהִתְעוֹרֵר וְלָשׁוּב לַיהוָה.

וּלְהָאִיר בָּהֶם מִנְּקֻדָּתִי הַטּוֹבָה, וּלְחוֹנֵן אוֹתָם בַּאֲמִתַּת הַדַּעַת שֶׁל נְקֻדָּתִי הַטּוֹבָה, לְהוֹדִיעָם אֶת כָּל הַטּוּב הַנִּצְפָּן בִּי מִקְּדֻשַּׁת יִשְׂרָאֵל.

חוּס וַחֲמֹל עָלַי וְעַל כָּל יִשְׂרָאֵל לְמַעַן שְׁמֶךָ וּלְמַעַן צַדִּיקֶיךָ הָאֲמִתִּיִּים וּלְמַעַן תּוֹרָתְךָ הַקְּדוֹשָׁה, עֲשֵׂה לְמַעַנְךָ וְלֹא לְמַעֲנֵנוּ, עֲשֵׂה לְמַעַנְךָ וְהוֹשִׁיעֵנוּ, וְהַחֲזִירֵנוּ בִּתְשׁוּבָה שְׁלֵמָה לְפָנֶיךָ.

חוּסָה עָלַי כָּל עוֹד נַפְשִׁי בִּי, כִּי כְבָר פָּנָה יוֹם, וּכְבָר עָבְרוּ מִשְּׁנוֹתַי מַה שֶּׁעָבְרוּ, וַעֲדַיִן לֹא עָבַר עָלַי שָׁנָה אַחַת וְלֹא יוֹם אֶחָד בְּלִי פְּגָמִים הַרְבֵּה.

רַחֵם עָלַי מֵעַתָּה לְהַחֲיוֹת מְעַט פְּלֵטָתִי הַנִּשְׁאֶרֶת, שֶׁאֶזְכֶּה

favor and good understanding in the eyes of God and man."

May I meet every Jew and speak with him in ultimate truth about the true purpose, and appreciate his good points, so that I will be inspired to return to You, HaShem.

May I illuminate others with the good in myself and grace them with my true awareness that comes from the good within myself, sharing with them all of the good hidden in me by virtue of the fact that I possess the holiness of being a Jew.

Have pity and mercy on me and on the entire Jewish people for the sake of Your Name, for the sake of Your true Tzaddikim, and for the sake of Your holy Torah. Act for Your sake and for our sake. Act for Your sake and save us. Bring us back to You in complete repentance.

Have pity on me as long as my soul is within me. The day has waned and my years have passed, and not one year or one day has passed without my causing a great deal of blemishes.

Have compassion on me from now on to revive the small remnant that remains of me, so that from now on, with Your help, I will

מֵעַתָּה בְּכֹחֲךָ לְהַגְבִּיר הַטּוֹב עַל הָרָע, כִּי מְעַט מִן הָאוֹר דּוֹחֶה הַרְבֵּה מִן הַחֹשֶׁךְ.

"אַל תִּטְּשֵׁנִי וְאַל תַּעַזְבֵנִי אֱלֹהֵי יִשְׁעִי, אַל תֶּאֱסֹף עִם חַטָּאִים נַפְשִׁי וְעִם אַנְשֵׁי דָמִים חַיָּי, אַל תַּעַזְבֵנִי יְהֹוָה, אֱלֹהַי אַל תִּרְחַק מִמֶּנִּי, חוּשָׁה לְעֶזְרָתִי אֲדֹנָי תְּשׁוּעָתִי":

overcome the evil with good, because a little light repels a great deal of darkness.

"Do not forsake me and do not abandon me, God of my salvation." "Do not gather my soul with sinners, or my life with men of blood." "Do not abandon me, HaShem; my God, do not be far from me. Hurry to help me, God, my salvation."

19 (II, 20)

Dispute Makes a Person Prematurely Famous, Harming Him and His Cause

When a person begins serving God, he needs to wait a proper amount of time until he becomes known as a Torah leader. But dispute causes damage that results in such a person becoming prematurely known. This premature fame then harms that person or the way of serving God that he wanted to promulgate.

It may even happen that people engaged in dispute die. And even if the harm is not that bad, the dispute causes poverty.

שִׂים שָׁלוֹם טוֹבָה וּבְרָכָה, חַיִּים חֵן וָחֶסֶד וְרַחֲמִים, עָלֵינוּ וְעַל כָּל יִשְׂרָאֵל עַמֶּךָ.

אֲדוֹן הַשָּׁלוֹם, מֶלֶךְ שֶׁהַשָּׁלוֹם שֶׁלוֹ, בָּרְכֵנוּ בַשָּׁלוֹם, וְתִפְקְדֵנִי אוֹתִי וְאֶת כָּל בְּנֵי בֵיתִי לְחַיִּים טוֹבִים וּלְשָׁלוֹם. וְתַצִּילֵנוּ מִן הָעֲנִיּוּת וּמִן הַחֹסֶר.

רִבּוֹנוֹ שֶׁל עוֹלָם רַחֵם עָלֵינוּ וְעַל כָּל יִשְׂרָאֵל, וְשָׁמְרֵנוּ וְהַצִּילֵנוּ מִן הָרִיב וּמַחֲלֹקֶת, כִּי אַתָּה יוֹדֵעַ כַּמָּה שָׂנאוּי הַמַּחֲלֹקֶת וְגָדוֹל הַשָּׁלוֹם.

לַמְּדֵנִי וְהוֹרֵנִי אֵיךְ לְהִתְנַהֵג עִם כָּל בָּאֵי עוֹלָם בְּאֹפֶן שֶׁאֶזְכֶּה לִהְיוֹת בְּשָׁלוֹם יַחְדָּו עִם כָּל בְּנֵי תֵבֵל.

וַאֲפִלּוּ עִם הַחוֹלְקִים עָלַי תִּתֵּן בְּלִבִּי דֶּרֶךְ וְעֵצָה אֲמִתִּיִּית כִּרְצוֹנְךָ הַטּוֹב, שֶׁאֶזְכֶּה לֵידַע אֵיךְ לְהִתְנַהֵג עִמָּהֶם עִם כָּל אֶחָד וְאֶחָד, בְּאֹפֶן שֶׁלֹּא אַחֲזִיק בְּמַחֲלֹקֶת.

רַק אֶזְכֶּה לִהְיוֹת תָּמִיד אוֹהֵב שָׁלוֹם וְרוֹדֵף שָׁלוֹם בֶּאֱמֶת, כְּמוֹ שֶׁכָּתוּב: "סוּר מֵרָע וַעֲשֵׂה טוֹב בַּקֵּשׁ שָׁלוֹם וְרָדְפֵהוּ".

Loving Peace and Pursuing Peace

Give us and Your entire nation, the Jewish people, peace, goodness, blessing, life, graciousness, kindness and compassion.

Master of peace, King Who possesses peace, bless us with peace. Grant me and everyone in my family a good life and peace. Rescue us from poverty and want.

Master of the world, have compassion on us and on the entire Jewish people. Guard us and deliver us from argument and dispute. You know how hateful dispute is, and how great is peace.

Teach me and show me how to treat all people, so that I will be at with peace with everyone in the world.

Show my heart a path and give it true counsel, in accordance with Your good will, so that I will know how to treat people, even those who dispute me, and so that I myself will not engage in dispute.

May I always truly love peace and pursue peace. As the verse states, "Turn aside from evil and do good. Seek peace and pursue it."

וּתְרַחֵם עָלֵינוּ וְתִשְׁמְרֵנוּ שֶׁלֹּא יִגְרֹם הַמַּחֲלֹקֶת שֶׁבָּעוֹלָם לְפַרְסֵם חַס וְשָׁלוֹם מְפֻרְסָמִים קֹדֶם זְמַנָּם, כִּי אַתָּה הוֹדַעְתָּנוּ בְּרַחֲמֶיךָ גֹּדֶל הַפְּגַם וְהַהֶפְסֵד הַמַּגִּיעַ מִזֶּה חַס וְשָׁלוֹם.

רַחֵם עָלֵינוּ לְמַעַן שְׁמֶךָ, וְזַכֵּנוּ אוֹתָנוּ וְאֶת כָּל עַמְּךָ בֵּית יִשְׂרָאֵל, וְעָזְרֵנוּ וְהוֹשִׁיעֵנוּ בְּכָל עֵת, שֶׁכָּל אֶחָד וְאֶחָד יֵלֵךְ בְּדֶרֶךְ הַיָּשָׁר, בְּדֶרֶךְ הָאֱמֶת בְּדֶרֶךְ הַקֹּדֶשׁ, כְּפִי אֲשֶׁר הוֹרוּנוּ וְלִמְּדוּנוּ אֲבוֹתֵינוּ וְרַבּוֹתֵינוּ הַקְּדוֹשִׁים.

עַד אֲשֶׁר כָּל אֶחָד וְאֶחָד יִזְכֶּה לְגַלּוֹת וּלְהָאִיר בָּעוֹלָם אֶת הַדֶּרֶךְ הַקֹּדֶשׁ הָאֱמֶת שֶׁהוּא הוֹלֵךְ בּוֹ.

לְגַלּוֹת בְּכָל פַּעַם עֵצוֹת וּדְרָכִים חֲדָשִׁים קְדוֹשִׁים וּטְהוֹרִים אֲמִתִּיִּים אֵיךְ לִזְכּוֹת לְהִתְקָרֵב לְהַשֵּׁם יִתְבָּרַךְ בֶּאֱמֶת.

וְתָגֵן עָלֵינוּ וְתִשְׁמְרֵנוּ תָּמִיד שֶׁלֹּא יִתְפַּרְסֵם שׁוּם אֶחָד מִיִּשְׂרָאֵל קֹדֶם זְמַנּוֹ.

רַק כָּל אֶחָד וְאֶחָד יִזְכֶּה לֵילֵךְ וְלִכְנֹס בְּדֶרֶךְ הַקֹּדֶשׁ בֶּאֱמֶת, וְלֵילֵךְ וְלִדְרֹךְ בּוֹ יָמִים וְשָׁנִים בֶּאֱמֶת וּבְלֵב שָׁלֵם, בְּתוֹסֶפֶת

May No Jew Become Prematurely Famous

Have compassion on us and guard us so that dispute will not cause people to gain fame before their time, Heaven forbid. In Your compassion, You have informed us of the great blemish and loss that results when that occurs, Heaven forbid.

Have compassion on us for the sake of Your Name. Help us and Your entire nation, the House of Israel. Save us at every moment, so that every individual will go upon the straight, true way, the way of holiness, as our forefathers and holy rabbis have guided and taught us.

May every individual reveal the true, holy way upon which he proceeds and cause it to shine in the world.

May everyone constantly discover new, holy, pure, true advice and ways in which to truly come close to You, HaShem.

Shield us and guard us always so that no Jew will gain fame before his time.

Rather, may each individual go forward and enter upon the way of true holiness. May he proceed and walk upon that path for days and years, sincerely and wholeheartedly, at every

קְדֻשָּׁה וְטָהֳרָה וְחִיּוּת חָדָשׁ וְהִתְעוֹרְרוּת חָדָשׁ וְנִפְלָא בְּכָל עֵת.

וְנִזְכֶּה לְהִתְמַהְמֵהַּ וְלִשְׁהוֹת שָׁם בְּדֶרֶךְ הַקֹּדֶשׁ הָאֲמִתִּי זְמַן הָרָאוּי בֶּאֱמֶת, וּלְהִתְחַמֵּם שָׁם בְּהִתְלַהֲבוּת דִּקְדֻשָּׁה כָּרָאוּי, עַד שֶׁיַּגִּיעַ הַזְּמַן וְהָעֵת הָרָאוּי בֶּאֱמֶת לְגַלּוֹת וּלְהוֹדִיעַ וּלְפַרְסֵם הַדֶּרֶךְ הַקֹּדֶשׁ בָּעוֹלָם.

וְלֹא יִתְפַּרְסֵם שׁוּם אֶחָד מִיִּשְׂרָאֵל קֹדֶם זְמַנּוֹ. וְתִשְׁמְרֵנוּ וְתַצִּילֵנוּ מִכָּל מִינֵי הֶזֵּיקוֹת וְצַעַר וְיִסּוּרִין הַבָּאִים עַל יְדֵי זֶה חַס וְשָׁלוֹם.

וְתַמְשִׁיךְ עָלֵינוּ חַיִּים טוֹבִים וַאֲרוּכִים, וְלֹא יָמוּת שׁוּם אֶחָד מִיִּשְׂרָאֵל קֹדֶם זְמַנּוֹ, רַק כָּל אֶחָד וְאֶחָד יִזְכֶּה לְהַאֲרִיךְ יָמִים וְשָׁנִים טוֹבִים בְּתוֹרָה וּתְפִלָּה וּמַעֲשִׂים טוֹבִים.

עַד שֶׁיִּזְכֶּה לְגַלּוֹת הַדֶּרֶךְ הַקָּדוֹשׁ בָּעוֹלָם כְּפִי חֶלְקוֹ שֶׁיֵּשׁ לוֹ בְּהַתּוֹרָה הַקְּדוֹשָׁה כְּפִי שֹׁרֶשׁ נִשְׁמָתוֹ, בְּאֹפֶן שֶׁיִּתְגַּלּוּ דַּרְכֵי הַקְּדֻשָּׁה בָּעוֹלָם.

וְיִתְגַּלּוּ וְיָאִירוּ בָּעוֹלָם כָּל הָעֵצוֹת הָעֲמוּקוֹת, וְכָל הַדְּרָכִים הַחֲדָשִׁים וְהַנִּפְלָאִים שֶׁהִמְשִׁיכוּ הַצַּדִּיקִים בָּעוֹלָם מִיּוֹם

moment increasing holiness, purity, new life and new, wondrous inspiration.

May we wait and remain there in the way of true holiness for the necessary length of time, warming ourselves with an appropriate amount of holy fervor, until the truly right time and season will come for us to reveal, teach and publicize the holy path in the world.

May no Jew become prematurely famous. Guard us and rescue us from all sorts of damage, suffering and adversity that come as a result of that, Heaven forbid.

Send us a good, long life. May no Jew die before his time. Rather, may every individual experience many good days and years in Torah, prayer and good deeds.

May each person at last reveal the path of holiness in the world, in accordance with his portion in the holy Torah, in accordance with the root of his soul, so that the ways of holiness will be revealed.

May all of the profound counsel and all of the new and wondrous paths that the Tzaddikim have drawn into the world since the giving of the Torah until this day be revealed and shine.

מַתַּן תּוֹרָה עַד הַיּוֹם הַזֶּה, כֻּלָּם יָאִירוּ עַל פְּנֵי תֵבֵל, "לָדַעַת בָּאָרֶץ דַּרְכֶּךָ בְּכָל גּוֹיִם יְשׁוּעָתֶךָ".

בְּאֹפֶן שֶׁנִּזְכֶּה כֻּלָּנוּ אֲנַחְנוּ וְצֶאֱצָאֵינוּ עַד סוֹף כָּל הַדּוֹרוֹת, לְהִתְקָרֵב אֵלֶיךָ תָּמִיד בֶּאֱמֶת לַאֲמִתּוֹ, וְלֵילֵךְ בִּדְרָכֶיךָ הַקְּדוֹשִׁים, בְּדַרְכֵי הַצַּדִּיקִים הָאֲמִתִּיִּים הַגְּדוֹלִים וְהַנּוֹרָאִים, זְכוּתָם יָגֵן עָלֵינוּ, לְקָרְבֵנוּ אֵלֶיךָ בֶּאֱמֶת מְהֵרָה.

וְתִתֶּן לָנוּ פַּרְנָסוֹתֵינוּ בְּהַרְחָבָה גְדוֹלָה מֵאִתְּךָ, וְתִשְׁמְרֵנוּ וְתַצִּילֵנוּ מִן הָעֲנִיּוּת וְהַדַּחֲקוּת, וְלֹא יִצְטָרְכוּ עַמְּךָ יִשְׂרָאֵל זֶה לָזֶה וְלֹא לְעַם אַחֵר.

רַק בְּרַחֲמֶיךָ הָרַבִּים תַּשְׁפִּיעַ לָנוּ לְכָל אֶחָד וְאֶחָד פַּרְנָסָתוֹ וְכָל הִצְטָרְכוּתוֹ בְּהַרְחָבָה גְדוֹלָה קֹדֶם שֶׁיִּצְטָרֵךְ לָהֶם בְּנַחַת וְלֹא בְּצַעַר, בְּהֶתֵּר וְלֹא בְּאִסּוּר בְּכָבוֹד וְלֹא בְּבִזָּיוֹן.

וְתָגֵן עָלֵינוּ תָּמִיד שֶׁלֹּא יִגְרֹם הַמַּחֲלֹקֶת חַס וְשָׁלוֹם לְהַפִּיל נְפָלִים חָלִילָה.

וְלֹא יַגִּיעַ שׁוּם הֶזֵּק וּפְגַם לֹא לְדֶרֶךְ הַקֹּדֶשׁ בְּעַצְמוֹ שֶׁצְּרִיכִין הַצַּדִּיקִים וְהַכְּשֵׁרִים לְגַלּוֹת בָּעוֹלָם בְּכָל עֵת, וְלֹא לָהָאֲנָשִׁים

May they all illuminate the face of the world "so that Your way will be known upon the earth, Your salvation among all of the nations."

In that way, may we all—we and our offspring until the end of all generations—come close to You always in ultimate truth and walk in Your holy ways, in the ways of the great and awesome true Tzaddikim, so that we will truly come close to You quickly.

Send us our income with great breadth. Guard us and rescue us from poverty and want. May Your nation, the Jewish people, not be dependent on each other or on any other nation.

Rather, in Your vast compassion, pour forth onto each and every individual his income and all that he needs with great breadth before he needs it—with ease and not with suffering, in a manner that is permitted and not forbidden, with honor and not with disgrace.

Shield us always so that dispute will not destroy us, Heaven forbid.

May no damage or blemish affect the holy path that the Tzaddikim and worthy people must constantly reveal in the world, or affect the people who go upon that way in order to

הַנִּכְנָסִים בּוֹ לְגָלוּתוֹ. וְלֹא תַפִּיל אִשָּׁה פְּרִי בִטְנָהּ, (בִּפְרָט וְכוּ') וְלָא יַעֲדֵי עֲבִיד שׁוּלְטַן מִדְּבֵית יְהוּדָה.

רִבּוֹנוֹ שֶׁל עוֹלָם, מַלֵּא מִשְׁאֲלוֹתֵינוּ לְטוֹבָה בְּרַחֲמִים, כִּי צְרָכַי מְרֻבִּים מְאֹד, וְדַעְתִּי קְצָרָה לְבָאֵר וּלְפָרֵשׁ.

כִּי בְּכָל דָּבָר וְדָבָר שֶׁאֲנִי מַתְחִיל לְסַדֵּר תְּפִלָּה עָלָיו, יֵשׁ בְּלִבִּי הַרְבֵּה דְבָרִים מְאֹד לְרַצּוֹת אוֹתְךָ וּלְהִתְפַּלֵּל לְפָנֶיךָ עֲלֵיהֶם.

אַךְ דַּעְתִּי עֲכוּרָה וְטַעֲנוֹתַי נִסְתַּתְּמִין, וְאֵינִי יָכוֹל לְפָרֵט בְּפִי כָּל צְרָכַי בַּקָּשׁוֹתַי וְכָל מִשְׁאֲלוֹתַי שֶׁיֵּשׁ בְּכָל דְּבַר קְדֻשָּׁה שֶׁאֲנִי עוֹסֵק לְהִתְפַּלֵּל עָלָיו.

אַךְ אַתָּה מֵבִין כָּל תַּעֲלוּמוֹת לֵב וְאַתָּה יוֹדֵעַ סְתָרֵינוּ.

חַנּוּן וְרַחוּם, עֲשֵׂה לְמַעַנְךָ וְהוֹשִׁיעֵנוּ לְמַעַן שְׁמֶךָ, וְהוֹרֵנוּ דְרָכֶיךָ, וְהַט לִבֵּנוּ לְיִרְאָה אֶת שִׁמְךָ בֶּאֱמֶת.

וְהַצִּילֵנוּ וְשָׁמְרֵנוּ מִכָּל מִינֵי רִיב וּמַחֲלֹקֶת וְשִׂנְאָה וְקִנְאָה וְקִנְטוּר שֶׁנִּתְרַבָּה בָּעוֹלָם מְאֹד בַּעֲווֹנוֹתֵינוּ הָרַבִּים.

reveal it. May no woman miscarry the fruit of her womb (in particular, [Hebrew name], the daughter of [mother's Hebrew name]). And may sovereignty never leave the House of Judah.

God Loves Every Jew

Master of the world, compassionately fulfill our requests for the good. My needs are many and my awareness is too abbreviated to explain and elucidate what I need.

There are a great many things in my heart to ask You for and to pray to You about.

But my mind is muddled and my arguments are impeded, and I cannot express in detail everything I need and all of my requests regarding every holy matter that I am praying for.

But You understand all of the hidden matters of the heart, and You know our secret places.

You Who are gracious and compassionate, act for Your sake and save us for the sake of Your Name. Guide us in Your ways and direct our heart to truly fear Your Name.

Rescue us and guard us from every type of argument, dispute, hatred, jealousy and hostility, which have increased greatly in the world because of our many sins.

רַחֵם עָלֵינוּ לְמַעַן שְׁמֶךָ לְמַעַן תּוֹרָתֶךָ, לְמַעַן אֲמִתַּת קְדֻשַּׁת הַצַּדִּיקִים הָאֲמִתִּיִּים, וְהַשְׁקֵט הַמַּחֲלֹקֶת מְהֵרָה, וְתָשִׂים שָׁלוֹם גָּדוֹל בֵּין כָּל הַבְּרוּאִים שֶׁבָּעוֹלָם. וּתְגַלֶּה הָאֱמֶת בָּעוֹלָם.

וְתִשְׁלַח לָנוּ בְּכָל דּוֹר וָדוֹר צַדִּיקִים אֲמִתִּיִּים שֶׁיּוֹרוּ אוֹתָנוּ בְּכָל עֵת הַדֶּרֶךְ אֲשֶׁר נֵלֵךְ בָּהּ וְאֶת הַמַּעֲשֶׂה אֲשֶׁר נַעֲשֶׂה.

בְּאֹפֶן שֶׁנִּזְכֶּה כָּל אֶחָד וְאֶחָד לָשׁוּב אֵלֶיךָ בֶּאֱמֶת מִכָּל הַמְּקוֹמוֹת וְהָעִנְיָנִים אֲשֶׁר נָפַל וְנִתְעָה בָּהֶם, וְאַל יִדַּח מִמְּךָ נִדָּח.

וְתִזְכֹּר אַהֲבָתְךָ וְרַחֲמָנוּתְךָ שֶׁיֵּשׁ לְךָ עַל כָּל אֶחָד מִיִּשְׂרָאֵל, אֲפִלּוּ עַל הַקַּל שֶׁבַּקַּלִּים וְהַגָּרוּעַ שֶׁבַּגְּרוּעִים. "זְכֹר רַחֲמֶיךָ יְהוָֹה, וַחֲסָדֶיךָ כִּי מֵעוֹלָם הֵמָּה".

וְאַל תַּעַזְבֵנוּ וְאַל תִּטְּשֵׁנוּ בַּדּוֹר הֶעָנִי הַזֶּה, וּשְׁלַח לָנוּ מַנְהִיגִים אֲמִתִּיִּים שֶׁיִּהְיוּ רְאוּיִים לְהַנְהִיג אוֹתָנוּ בֶּאֱמֶת כִּרְצוֹנְךָ הַטּוֹב, "וְלֹא תִהְיֶה עֲדַת יְהוָֹה כַּצֹּאן אֲשֶׁר אֵין לָהֶם רֹעֶה".

חוּס וַחֲמֹל עָלֵינוּ, רַחֵם רַחֵם בַּעַל הָרַחֲמִים, "הוֹרֵנִי יְהוָֹה

Have compassion on us for the sake of Your Name, for the sake of Your Torah, for the sake of the true holiness of the true Tzaddikim. Silence dispute quickly. Bring great peace between all created beings in the world, and reveal the truth.

Send us true Tzaddikim in every generation who will guide us at every moment on the way that we should walk, and who will inform us of the deeds that we should perform.

May every individual truly return to You from all of the places and areas in which he fell and went astray. And may no one remain rejected.

Remember Your love and compassion for every individual Jew, even the slightest and the most unworthy. "Recall Your compassion, HaShem, and Your lovingkindness, because they are eternal."

Do not abandon us or spurn us in this poor generation. Send us genuine leaders who will be worthy of truly guiding us in accordance with Your good will. "May the congregation of HaShem not be like a flock of sheep that have no shepherd."

Have pity and mercy on us. Have compassion, Master of compassion! "HaShem, teach me Your

דַּרְכֶּךָ אֲהַלֵּךְ בַּאֲמִתֶּךָ, יַחֵד לְבָבִי לְיִרְאָה שְׁמֶךָ.

הוֹרֵנִי יְהֹוָה דַּרְכֶּךָ, וּנְחֵנִי בְּאֹרַח מִישׁוֹר לְמַעַן שׁוֹרְרָי. דְּרָכֶיךָ יְהֹוָה הוֹדִיעֵנִי, אוֹרְחוֹתֶיךָ לַמְּדֵנִי. הַדְרִיכֵנִי בַאֲמִתֶּךָ וְלַמְּדֵנִי כִּי אַתָּה אֱלֹהֵי יִשְׁעִי אוֹתְךָ, קִוִּיתִי כָּל הַיּוֹם.

הוֹרֵנִי יְהֹוָה דֶּרֶךְ חֻקֶּיךָ וְאֶצְּרֶנָּה עֵקֶב. הַדְרִיכֵנִי בִּנְתִיב מִצְוֹתֶיךָ כִּי בוֹ חָפָצְתִּי.

יִהְיוּ לְרָצוֹן אִמְרֵי פִי וְהֶגְיוֹן לִבִּי לְפָנֶיךָ יְהֹוָה צוּרִי וְגוֹאֲלִי".

עוֹשֶׂה שָׁלוֹם בִּמְרוֹמָיו הוּא בְּרַחֲמָיו יַעֲשֶׂה שָׁלוֹם עָלֵינוּ וְעַל כָּל יִשְׂרָאֵל וְאִמְרוּ אָמֵן:

ways. I will walk in Your truth. Unite my heart to fear Your Name."

"HaShem, teach me Your ways. Guide me on a path that is straight, despite [my enemies] who gaze upon me." "Guide me in Your truth and teach me, for You are the God of my salvation; it is for You that I have hoped all the day."

"HaShem, teach me the way of Your laws, and I will keep it at every step." "Lead me upon the pathway of Your commandments, for I have desired it."

"May the words of my mouth and the meditation of my heart be pleasing before You, HaShem, my Rock and my Redeemer."

May He Who makes peace in His heights, in His compassion make peace upon us and upon all Israel, and say, "Amen."

20 (II, 22)

Humility Requires an Expanded State of Consciousness

Many people are mistaken about the meaning of humility.

We work very hard to overcome our small-mindedness and enter into an expanded state of consciousness. So humility cannot simply be a state of feeling small, because that is small-mindedness. Humility must involve an expanded state of consciousness.

Thus, not everyone has the wherewithal to be humble. Humility is so difficult a skill that Moses is praised for having possessed this trait, being called the humblest of all people (Numbers 12:3). As for unworthy humility, that is a species of fawning.

לז׳ אדר הלולא דמשה רבינו ע״ה

״רָם וְנִשָּׂא, שׁוֹכֵן עַד וְקָדוֹשׁ שְׁמוֹ מָרוֹם וְקָדוֹשׁ תִּשְׁכֹּן, וְאֶת דַּכָּא וּשְׁפַל רוּחַ, לְהַחֲיוֹת רוּחַ שְׁפָלִים וּלְהַחֲיוֹת לֵב נִדְכָּאִים״.

זַכֵּנִי בְּרַחֲמֶיךָ הָרַבִּים לְהָפִיק דַּרְכֵי הָעֲנָוָה הָאֲמִתִּיִּית בֶּאֱמֶת לַאֲמִתּוֹ כִּרְצוֹנְךָ הַטּוֹב, ״כִּי בַעַר אָנֹכִי מֵאִישׁ וְלֹא בִינַת אָדָם לִי״, וְאֵין אִתִּי יוֹדֵעַ עַד מָה שׁוּם דֶּרֶךְ מִדַּרְכֵי הָעֲנָוָה הָאֲמִתִּיִּית.

כִּי כְבָר גִּלִּיתָ לָנוּ רְצוֹנְךָ הַקָּדוֹשׁ שֶׁאֵין רְצוֹנְךָ שֶׁיִּהְיֶה הָאָדָם בְּמֹחִין דְּקַטְנוּת. וּצְרִיכִין לְהַכְרִיחַ אֶת עַצְמוֹ בְּכָל הַכֹּחוֹת בְּכָל הָעֲבוֹדוֹת, וּבִפְרָט בִּשְׁעַת הַתְּפִלָּה, לָצֵאת מִמֹּחִין דְּקַטְנוּת לְמֹחִין דְּגַדְלוּת.

וְגַם כְּבָר גִּלִּיתָ לָנוּ גֹּדֶל בִּזּוּי הַגַּדְלוּת שֶׁהוּא שָׂנוּא בְּעֵינֶיךָ מְאֹד, כִּי הַגַּדְלוּת וְהַגַּבְהוּת הוּא תּוֹעֲבַת יְהֹוָה אֲשֶׁר שָׂנֵא,

For the Seventh of Adar, the Hilula of Moses

The Ways of True Humility

"**E**levated and Exalted One, dwelling forever, holy is His Name. You dwell with the uplifted and holy, and with the crushed and lowly in spirit, to revive the spirit of the humble and to revive the heart of the crushed."

In Your vast compassion, help me realize the ways of true humility in ultimate truth, in accordance with Your good will, even though "I am more animal than man, and I lack human understanding," and I do not know anyone who knows much of any of the ways of true humility.

You revealed to us that it is Your holy will that a person not remain in a state of constricted consciousness. He must exert himself with all his might in every type of worship that he engages in—particularly, prayer—to emerge from constricted consciousness to expanded consciousness.

You have also revealed to us the great ignominy of egotism. It is hateful in Your eyes. Ego and haughtiness are an abomination to You, HaShem, something that You hate. As the

כְּמוֹ שֶׁכָּתוּב: "תּוֹעֲבַת יְהֹוָה כָּל גְּבַהּ לֵב", וְנֶחְשָׁב כְּעוֹבֵד עֲבוֹדָה זָרָה וְכַאֲשֵׁרָה.

וְעַתָּה לַמְּדֵנִי וְהוֹרֵנִי אֵיךְ יִזְכֶּה בַּעַר וְנַעַר וַחֲסַר דֵּעָה כָּמוֹנִי, לֵידַע דֶּרֶךְ הָאֱמֶת בָּזֶה, אֵיךְ לְהִתְנַהֵג בָּזֶה.

בְּאֹפֶן שֶׁאֶזְכֶּה לְהִתְפַּלֵּל בְּכַוָּנַת הַלֵּב בְּשִׂמְחָה בְּמֹחִין דְּגַדְלוּת, שֶׁיִּגְבַּהּ לִבִּי בְּדַרְכֵי יְהֹוָה, וְאַף עַל פִּי כֵן לֹא יִהְיֶה בְּלִבִּי שׁוּם צַד גֵּאוּת וְגַדְלוּת וּפְנִיּוֹת.

רַק אֶזְכֶּה לַעֲנָוָה אֲמִתִּיִּית כִּרְצוֹנְךָ הַטּוֹב, לַעֲנָוָה שֶׁל מֹשֶׁה רַבֵּנוּ עָלָיו הַשָּׁלוֹם, שֶׁהָיָה "עָנָו מְאֹד מִכֹּל הָאָדָם אֲשֶׁר עַל פְּנֵי הָאֲדָמָה".

רִבּוֹנוֹ שֶׁל עוֹלָם אַתָּה יוֹדֵעַ כַּמָּה בִּלְבּוּלִים בְּלִי שִׁעוּר יֵשׁ לִי בְּעִנְיָן זֶה, וּבִפְרָט בִּשְׁעַת הַתְּפִלָּה.

כִּי אֵינִי יוֹדֵעַ שׁוּם דֶּרֶךְ בְּעִנְיָן זֶה שֶׁל הַהַכְנָעָה וְהָעֲנָוָה אֵיךְ לְהִנָּצֵל מֵעֲנָוָה פְּסוּלָה הַנִּקְרֵאת חֲנוּפָּה, וְלִבְלִי לִפֹּל בְּדַעְתִּי

verse states, "Everyone with a haughty heart is an abomination to HaShem." Such a person is considered like an idolater, and like an object of idolatry itself.

Teach me and guide me so that I will know how a person as boorish, callow and ignorant as myself may learn the way of truth in this area, how to act in this regard.

May I pray with a focused heart, with joy, with expanded consciousness, so that my heart will be uplifted in Your ways, HaShem, yet not possess any egotism, pride or untoward ambitions.

In accordance with Your good will, may I attain true humility, the humility of Moses, who was much "more humble than anyone else upon the face of the earth."

Master of the world, You know how much immeasurable confusion I have experienced regarding this matter—in particular, when it comes to prayer.

In regard to the topic of subservience and humility, I do not know how to avoid false humility, which is sycophancy, or how to avoid growing discouraged and how to strengthen

כְּלָל לְעוֹלָם, וּלְהִתְחַזֵּק בְּכָל עֹז בְּעַזּוּת דִּקְדֻשָּׁה בְּכָל מַה שֶּׁאֲנִי צָרִיךְ לְהִתְחַזֵּק.

הֵן בֵּינִי לְבֵין עַצְמִי לְבַל אֶפֹּל בְּדַעְתִּי כְּלָל, רַק לְהִתְחַזֵּק בְּשִׂמְחָה בְּעֹז וְחֶדְוָה תָּמִיד, וְחֶדְוַת יְהוָֹה יִהְיֶה מָעֻזִּי.

וְהֵן בְּעִנְיַן הַהַנְהָגָה עִם בְּנֵי הָעוֹלָם שֶׁצְּרִיכִין לִהְיוֹת עַז וְחָזָק כַּנָּמֵר נֶגֶד כָּל הַמּוֹנְעִים וְהַמְבַלְבְּלִים וְהַמַּחֲלִישִׁים דַּעַת הָרוֹצִים לִכְנֹס בְּדַרְכֵי הַצַּדִּיקִים הָאֲמִתִּיִּים.

בִּפְרָט בָּעִתִּים הַלָּלוּ בְּדוֹרוֹת אֵלּוּ בְּעוּקְבָא דִמְשִׁיחָא, אֲשֶׁר נִתְרַבָּה הַמַּחֲלֹקֶת וְהַקַּטֵּגוֹרְיָא וְהַסִּכְסוּכִים בֵּין הַתַּלְמִידֵי חֲכָמִים וְהַנִּלְוִים אֲלֵיהֶם וּבֵין כָּל הָעוֹלָם.

עַד אֲשֶׁר נִמְצָאִים אֲפִלּוּ צַדִּיקִים וּכְשֵׁרִים שֶׁיְּכוֹלִים לְהַחֲלִישׁ דַּעַת הַמַּתְחִיל לִכְנֹס בַּעֲבוֹדַת יְהוָֹה. מִכָּל־שֶׁכֵּן הַהִתְגָּרוּת וְהַמְּנִיעוֹת שֶׁל שְׁאָר בְּנֵי הָעוֹלָם.

אֲשֶׁר בְּעִנְיָן זֶה אָסוּר לְהָאָדָם לִהְיוֹת עָנָו וְנִכְנָע וְשָׁפָל כְּנֶגְדָּם, אַדְּרַבָּא צָרִיךְ לִהְיוֹת עַז כַּנָּמֵר כְּנֶגְדָּם לְבַל יִמְנָעֵהוּ

myself with all my might to attain "holy insolence" whenever I need to bolster myself.

May I never collapse inwardly, but always encourage myself with joy, might and gladness, so that the gladness of HaShem will be my fortress.

In regard to interpersonal relations, may all of us who want to enter into the ways of the true Tzaddikim be bold and strong as a leopard to overcome all obstacles, distractions and discouragement.

This is particularly important in this era, in these generations, in the time of the "footsteps of the Mashiach," when disputes, denunciations and arguments among Torah sages and those who are attached to them have increased throughout the world.

Now some Tzaddikim and worthy people even dishearten a person who is beginning to enter into the service of HaShem—and the snares and obstacles posed by other human beings are even greater.

In this matter, a person may not be humble, subservient or meek before others. To the contrary, he must be as bold as a leopard so that

שׁוּם מוֹנֵעַ, וְאַל יוּכַל לְהַחֲלִישׁ דַּעְתּוֹ שׁוּם אָדָם שֶׁבָּעוֹלָם.

וְאַף עַל פִּי שֶׁהוּא יוֹדֵעַ בְּעַצְמוֹ שִׁפְלוּתוֹ וּפְחִיתוּתוֹ שֶׁהוּא גָּרוּעַ הַרְבֵּה מֵהַקָּמִים כְּנֶגְדּוֹ וְחוֹלְקִים עָלָיו וּמִתְלוֹצְצִים מִמֶּנּוּ וּמַחֲלִישִׁים דַּעְתּוֹ, אַף עַל פִּי כֵן אָסוּר לוֹ לְהִתְבַּטֵּל כְּנֶגְדָּם.

אַדְּרַבָּא צָרִיךְ לְהִתְחַזֵּק כְּנֶגְדָּם בְּכָל עֹז, וְיֹאמַר: "אַף עַל פִּי כֵן גַּם אֲנִי רוֹצֶה לְהִתְקָרֵב לְהַשֵּׁם יִתְבָּרַךְ.

כִּי הַצַּדִּיקִים הָעֲנָוִים בֶּאֱמֶת בִּבְחִינַת עֲנָוָה שֶׁל מֹשֶׁה רַבֵּנוּ עָלָיו הַשָּׁלוֹם, הַגְּדוֹלִים בְּמַעֲלָה מִכָּל גְּדוֹלֵי עוֹלָם, הֵם אוֹחֲזִים בְּיַד כָּל הַשְּׁפָלִים וְהָרְחוֹקִים, וּמְחַזְּקִים גַּם אוֹתִי לְהִתְקָרֵב לְהַשֵּׁם יִתְבָּרַךְ".

וְעַתָּה אָבִי שֶׁבַּשָּׁמַיִם, לַמְּדֵנִי וְהוֹרֵנִי וְחַזְּקֵנִי וְאַמְּצֵנִי אֵיךְ לִזְכּוֹת לָזֶה.

שֶׁאֵדַע תָּמִיד פְּחִיתוּתִי וְשִׁפְלוּתִי בֶּאֱמֶת, וְאַף עַל פִּי כֵן אֶזְכֶּה לְהִתְחַזֵּק נֶגֶד כָּל הַמּוֹנְעִים וְהַמַּחֲלִישִׁים אֶת הַדַּעַת יִהְיֶה מִי שֶׁיִּהְיֶה, וְלֹא אֶתְבַּטֵּל נֶגְדָּם כְּלָל.

no obstacle will thwart him and no one in the world will discourage him.

Although he himself knows how lowly and worthless he is, that he is inferior to those who oppose him, dispute him, laugh at him and discourage him, nevertheless, he may not nullify himself before them.

To the contrary, he must strengthen himself against them with all his might, and say, "Nevertheless, I, too, want to come close to HaShem, may He be blessed.

"The truly humble Tzaddikim, whose humility is akin to that of the humility of Moses, who was greater in stature than all of the great leaders, hold the hand of all of those who are lowly and distant. They strengthen me as well to come close to HaShem."

And now, my Father in Heaven, teach me, guide me, strengthen me and fortify me on how to attain this.

Whatever may be, may I always know my true worthlessness and lowliness, yet nevertheless encourage myself against all who hinder me and discourage me. May I not allow myself to be subdued by them at all.

וְאֶזְכֶּה לְהַחֲיוֹת אֶת עַצְמִי תָּמִיד בְּכָל הַנְּקֻדּוֹת טוֹבוֹת הַנִּמְצָאִים בִּי עֲדַיִן, וּבְכֹחַ הַצַּדִּיקִים הַגְּדוֹלִים הָאֲמִתִּיִּים הָאוֹחֲזִים בְּיָדֵינוּ תָּמִיד, וּמְזָרְזִים וּמְחַזְּקִים אוֹתָנוּ לְהִתְקָרֵב וּלְהִשְׁתּוֹקֵק אֵלֶיךָ תָּמִיד בְּכָל עֵת יִהְיֶה אֵיךְ שֶׁיִּהְיֶה, וְלִבְלִי לְהִסְתַּכֵּל עַל שׁוּם מוֹנֵעַ וּמְעַכֵּב וּמְבַלְבֵּל.

וְתַעַזְרֵנִי וּתְחַזְּקֵנִי וּתְאַמְּצֵנִי תָּמִיד, עַד שֶׁאֶזְכֶּה לְקָרֵב לְהַשֵּׁם יִתְבָּרַךְ גַּם אֲנָשִׁים אֲחֵרִים, וּלְחַזְּקָם בַּעֲבוֹדָתְךָ וּבְתוֹרָתְךָ בֶּאֱמֶת.

כַּאֲשֶׁר הִזְהַרְתָּנוּ עַל זֶה עַל יְדֵי צַדִּיקֶיךָ הָאֲמִתִּיִּים שֶׁכָּל אָדָם מְחֻיָּב לַעֲסֹק בָּזֶה.

אָבִי שֶׁבַּשָּׁמַיִם, יוֹדֵעַ מַחֲשָׁבוֹת, יוֹדֵעַ כָּל הַתַּעֲלוּמוֹת, אַתָּה לְבַד יוֹדֵעַ כַּמָּה יְשׁוּעָה וְרַחֲמִים אֲנִי צָרִיךְ לִזְכּוֹת לְכָל זֶה, כִּי אֲנִי רָחוֹק מֵעֲנָוָה אֲמִתִּיִּית בְּתַכְלִית הָרִחוּק, כִּי עֲנָוָה גְּדוֹלָה מִכֻּלָּם.

וּבְעֹצֶם רִחוּקִי מִמְּךָ, גַּם לְפָרֵשׁ שִׂיחָתִי לְפָנֶיךָ הֵיטֵב בְּעִנְיָן זֶה נִמְנַע מִמֶּנִּי מְאֹד, אַךְ אַף עַל פִּי כֵן מִמְּךָ לֹא יִפָּלֵא כָּל דָּבָר.

May I revive myself always with all of the good points that still exist within me, and with the power of the great, true Tzaddikim, who always grasp our hands and urge and strengthen us to come close to You and yearn for You always, at all times, whatever may be. May I take no heed of any obstacle, obstruction or distraction.

Help me, strengthen me and fortify me always, until I bring other people close to You, HaShem, and truly encourage them in Your service and in Your Torah.

You have taught us through all of Your true Tzaddikim that every person is obligated to engage in this.

My Father in Heaven, You Who know thoughts, You Who know all hidden things, You alone know how much salvation and compassion I need in order to attain all of this. For I am at the opposite extreme from true humility, which is the greatest attainment of all.

I am so far from You that it is simply impossible for me to adequately express myself to You concerning this. Nevertheless, nothing at all is beyond You.

כְּמוֹ שֶׁכָּתוּב: "הֲיִפָּלֵא מֵיְהֹוָה דָּבָר, הֵן כֹּל תּוּכַל וְלֹא יִבָּצֵר מִמְּךָ מְזִמָּה". וְאַתָּה יָכֹל לְזַכּוֹת גַּם אוֹתִי לַעֲנָוָה אֲמִתִּיִּית.

וְתוֹרֵנִי וְתַדְרִיכֵנִי בַּאֲמִתֶּךָ וּתְלַמְּדֵנִי אֵיךְ לְהִתְנַהֵג עִם כָּל בָּאֵי עוֹלָם, בְּאֹפֶן שֶׁאֶזְכֶּה לִהְיוֹת קָטָן בְּעֵינַי מִכֻּלָּם וְלֵידַע שִׁפְלוּתִי בֶּאֱמֶת, וְאַף עַל פִּי כֵן אֶהְיֶה עַז וְחָזָק לִבְלִי לְהִתְבַּטֵּל נֶגֶד שׁוּם מוֹנֵעַ וּמְבַלְבֵּל וּמַחְלִישׁ דַּעַת.

זַכֵּנִי לְהַמְשִׁיךְ עָלַי קְדֻשַּׁת הָעֲנָוָה הָאֲמִתִּיִּית שֶׁל מֹשֶׁה רַבֵּנוּ עָלָיו הַשָּׁלוֹם, שֶׁהָיָה "עָנָו מְאֹד מִכֹּל הָאָדָם אֲשֶׁר עַל פְּנֵי הָאֲדָמָה", וְשָׁמְרֵנִי וְהַצִּילֵנִי מֵעֲנָוָה וְהַכְנָעָה שֶׁאֵינָהּ כִּרְצוֹנְךָ.

חָנֵּנִי מֵאִתְּךָ דֵּעָה בִּינָה וְהַשְׂכֵּל, לְבַל אַטְעֶה אֶת עַצְמִי כְּלָל בְּעִנְיַן הַהַכְנָעָה שֶׁטּוֹעִים בָּזֶה הָעוֹלָם הַרְבֵּה. לַמְּדֵנִי דֶּרֶךְ הָאֱמֶת לַאֲמִתּוֹ, שֶׁאֶזְכֶּה לְכַוֵּן בָּזֶה וּבְכָל דָּבָר רְצוֹנְךָ הַטּוֹב בֶּאֱמֶת.

זַכֵּנִי לְהִתְפַּלֵּל וְלַעֲבֹד אוֹתְךָ תָּמִיד בֶּאֱמֶת בְּמֹחִין דְּגַדְלוּת

As the verse states, "Is anything hidden from HaShem?" "You can do everything; no purpose can be withheld from You." You can help even me attain true humility.

In Your true manner, teach me and guide me. Teach me how to conduct myself with all people in such a way that I will be smaller in my eyes than all of them, and truly know how lowly I am. Yet at the same time, I will be bold and strong, and I will not nullify myself before any obstacle, distraction or discouragement.

Help me draw onto myself the holy, true humility of Moses, who was "more humble than anyone else upon the face of the earth." Protect me and rescue me from any type of humility or subservience that is not in accordance with Your will.

Graciously grant me knowledge, understanding and wisdom, so that I will never fool myself at all regarding the concept of subservience—something that people greatly misunderstand. Teach me the genuinely true path, so that I will discern Your good will in this and in everything else.

Grant me the ability to always pray and serve You with true, expanded holy consciousness at

בְּכָל עֵת, בְּמֹחִין גְּדוֹלִים אֲמִתִּיִּים דִּקְדֻשָּׁה, שֶׁהֵם עִקַּר תַּכְלִית הָעֲנָוָה הָאֲמִתִּיִּת, כִּי בְּמָקוֹם גְּדֻלָּתוֹ שָׁם אַתָּה מוֹצֵא עַנְוְתָנוּתוֹ.

עָזְרֵנִי עָזְרֵנִי, הוֹשִׁיעֵנִי הוֹשִׁיעֵנִי, "הַטֵּה יְהֹוָה אָזְנְךָ עֲנֵנִי, כִּי עָנִי וְאֶבְיוֹן אָנִי. כִּי אַתָּה עַם עָנִי תוֹשִׁיעַ, וְעֵינַיִם רָמוֹת תַּשְׁפִּיל. כִּי יַצִּיל אֶבְיוֹן מְשַׁוֵּעַ, וְעָנִי וְאֵין עוֹזֵר לוֹ. יָחוֹס עַל דַּל וְאֶבְיוֹן, וְנַפְשׁוֹת אֶבְיוֹנִים יוֹשִׁיעַ".

עָזְרֵנִי כִּי עָלֶיךָ נִשְׁעַנְתִּי, עֲנֵנִי אָבִי שֶׁבַּשָּׁמַיִם, כִּי לְךָ לְבַד הוֹחָלְתִּי, לְךָ לְבַד אֲנִי קוֹרֵא, לְךָ לְבַד אֲנִי מְצַפֶּה, לִישׁוּעָתְךָ לְבַד אֲנִי מְחַכֶּה.

לְרַחֲמֶיךָ הַגְּדוֹלִים וַחֲסָדֶיךָ הַגְּנוּזִים לְבַד תְּלוּיוֹת עֵינַי וְכָלוֹת אֲלֵיהֶם כָּל הַיּוֹם. אוּלַי יָחוֹס אוּלַי יְרַחֵם, אוּלַי יָחוֹס עַם עָנִי וְאֶבְיוֹן אוּלַי יְרַחֵם. "כִּי לֹא בָזָה וְלֹא שִׁקַּץ עֱנוּת עָנִי, וְלֹא הִסְתִּיר פָּנָיו מִמֶּנּוּ, וּבְשַׁוְּעוֹ אֵלָיו שָׁמֵעַ.

every moment. That is the essential goal of true humility, because "in the place of His greatness, there you find His humility."

Help me! Save me! "HaShem, incline Your ear, answer me, for I am poor and needy." "You deliver the humble nation and cast down haughty eyes." "He will rescue a needy person who cries out, and a poor person who has no one to help him. He will have mercy on the impoverished and needy, and He will save the souls of the needy."

Help me, because I rely on You. Answer me, my Father in Heaven, for I hope only in You. I call only to You. I look only to You. I await Your salvation alone.

The entire day, our eyes are raised and turn with yearning only to Your great compassion and hidden lovingkindness. Perhaps He will have pity! Perhaps He will be compassionate! Perhaps He will have mercy on a poor nation, and perhaps He will have compassion on the needy. "He did not despise and did not abhor the cry of the poor person, and did not hide His face from him, and heard his outcry to Him."

כָּל עַצְמוֹתַי תֹּאמַרְנָה יְהוָֹה מִי כָמוֹךָ, מַצִּיל עָנִי מֵחָזָק מִמֶּנּוּ וְעָנִי וְאֶבְיוֹן מִגּוֹזְלוֹ", שַׁוְעַת עֲנִיִּים אַתָּה תִשְׁמַע צַעֲקַת הַדַּל תַּקְשִׁיב וְתוֹשִׁיעַ.

תֶּן "לִי מָגֵן יִשְׁעֶךָ וִימִינְךָ תִסְעָדֵנִי וְעַנְוָתְךָ תַרְבֵּנִי". רַחֲמָנָא דְּעָנֵי לַעֲנִיֵּי עֲנֵינָא. רַחֲמָנָא דְעָנֵי לִתְבִירֵי לִבָּא עֲנֵינָא. רַחֲמָנָא דְּעָנֵי לְמַכִּיכֵי רוּחָא עֲנֵינָא.

"וַאֲנִי עָנִי וְאֶבְיוֹן אֱלֹהִים חוּשָׁה לִי, עֶזְרִי וּמְפַלְטִי אַתָּה יְהוָֹה אַל תְּאַחַר". אָמֵן וְאָמֵן:

"All of my bones will proclaim, 'HaShem, who is like You? You rescue the poor person from the one stronger than he, and the impoverished and pauper from the person who robs him.'" You hear the wailing of the poor. You take heed of the outcry of the needy, and You save him.

Give me "the shield of Your salvation and support me with Your right hand, and treat me with great humility." Compassionate One Who answers the poor, answer me. Compassionate One Who answers the brokenhearted, answer me. Compassionate One Who answers the broken of spirit, answer me.

"I am poor and needy. God, hasten to me. You are my help and my rescuer. HaShem, do not delay!" Amen and amen.

21 (II, 23)

Transforming Depression into Joy

When people are happy and begin to dance, if they see a sad person standing off to the side, they pull him into the circle as he leaves his depression outside the circle.

But it is a greater accomplishment to pull depression itself into the circle and transform it into joy.

There is sadness from the Side of Evil that does not want to be a chariot for holiness. It therefore flees, and so it must be forced into holiness and joy.

"שַׂמֵּחַ נֶפֶשׁ עַבְדֶּךָ כִּי אֵלֶיךָ יְהֹוָה נַפְשִׁי אֶשָּׂא. אָגִילָה וְאֶשְׂמְחָה בְּחַסְדֶּךָ אֲשֶׁר רָאִיתָ אֶת עָנְיִי יָדַעְתָּ בְּצָרוֹת נַפְשִׁי.

תַּשְׁמִיעֵנִי שָׂשׂוֹן וְשִׂמְחָה תָּגֵלְנָה עֲצָמוֹת דִּכִּיתָ. הָשִׁיבָה לִי שְׂשׂוֹן יִשְׁעֶךָ וְרוּחַ נְדִיבָה תִסְמְכֵנִי.

וְיִשְׂמְחוּ כָל חוֹסֵי בָךְ לְעוֹלָם יְרַנֵּנוּ וְתָסֵךְ עָלֵימוֹ וְיַעַלְצוּ בְךָ אֹהֲבֵי שְׁמֶךָ. אֶשְׂמְחָה וְאֶעֶלְצָה בָךְ אֲזַמְּרָה שִׁמְךָ עֶלְיוֹן.

תּוֹדִיעֵנִי אֹרַח חַיִּים שֹׂבַע שְׂמָחוֹת אֶת פָּנֶיךָ, נְעִימוֹת בִּימִינְךָ נֶצַח.

בַּיהֹוָה תִּתְהַלֵּל נַפְשִׁי יִשְׁמְעוּ עֲנָוִים וְיִשְׂמָחוּ. יָרֹנּוּ וְיִשְׂמְחוּ חֲפֵצֵי צִדְקִי, וְיֹאמְרוּ תָמִיד יִגְדַּל יְהֹוָה, הֶחָפֵץ שְׁלוֹם עַבְדּוֹ.

יָשִׂישׂוּ וְיִשְׂמְחוּ בְּךָ כָּל מְבַקְשֶׁיךָ, יֹאמְרוּ תָמִיד יִגְדַּל יְהֹוָה,

Strengthening and Increasing Joy

"Give joy to the soul of Your servant—because, HaShem, I lift my soul to You!" "I will exult and rejoice in Your kindness, for You have seen my affliction. You have known the troubles of my soul."

"Cause me to hear joy and gladness; may the bones that You crushed, exult." "Restore to me the joy of Your salvation, and may a generous spirit support me."

"May all of those who take refuge in You rejoice. May they sing, and You will shelter them. And may all who love Your Name exult in You." "I will rejoice and be delighted in You; I will sing to Your supernal Name."

"Let me know the way of life, the satiety of joy before Your countenance, the pleasantness at Your right hand forever."

"My soul will praise HaShem. The humble will hear and rejoice." "Those who desire my vindication will sing and rejoice, and they will always say, 'May HaShem, Who desires the wellbeing of His servant, be magnified.'"

"May all those who seek You exult and rejoice. May those who love Your salvation always say, 'May HaShem be made great.'"

אוֹהֲבֵי תְּשׁוּעָתֶךָ. וְצַדִּיקִים יִשְׂמְחוּ יַעַלְצוּ לִפְנֵי אֱלֹהִים וְיָשִׂישׂוּ בְשִׂמְחָה.

הֲלֹא אַתָּה תָּשׁוּב תְּחַיֵּינוּ, וְעַמְּךָ יִשְׂמְחוּ בָךְ. שַׂבְּעֵנוּ בַבֹּקֶר חַסְדֶּךָ, וּנְרַנְּנָה וְנִשְׂמְחָה בְּכָל יָמֵינוּ. שַׂמְּחֵנוּ כִּימוֹת עִנִּיתָנוּ שְׁנוֹת רָאִינוּ רָעָה.

יִשְׂמְחוּ הַשָּׁמַיִם וְתָגֵל הָאָרֶץ וְיֹאמְרוּ בַגּוֹיִם יְהֹוָה מָלָךְ. עִבְדוּ אֶת יְהֹוָה בְּשִׂמְחָה בֹּאוּ לְפָנָיו בִּרְנָנָה. יֶעֱרַב עָלָיו שִׂיחִי אָנֹכִי אֶשְׂמַח בַּיהֹוָה. הִתְהַלְלוּ בְּשֵׁם קָדְשׁוֹ יִשְׂמַח לֵב מְבַקְשֵׁי יְהֹוָה.

זָכְרֵנִי יְהֹוָה בִּרְצוֹן עַמֶּךָ, פָּקְדֵנִי בִּישׁוּעָתֶךָ. לִרְאוֹת בְּטוֹבַת בְּחִירֶיךָ, לִשְׂמֹחַ בְּשִׂמְחַת גּוֹיֶךָ לְהִתְהַלֵּל עִם נַחֲלָתֶךָ.

יִרְאוּ יְשָׁרִים וְיִשְׂמָחוּ וְכָל עַוְלָה קָפְצָה פִּיהָ. יְקַלְלוּ הֵמָּה וְאַתָּה תְבָרֵךְ קָמוּ וַיֵּבֹשׁוּ וְעַבְדְּךָ יִשְׂמָח. יְרֵאֶיךָ יִרְאוּנִי

"May the righteous rejoice, exult before God, and delight in joy."

"Will You not return and revive us, so that Your nation will rejoice in You?" "Satiate us in the morning with Your lovingkindness, and we will sing and rejoice all of our days. Grant us joy according to the days that You pained us, the years that we saw evil."

"May the heavens rejoice and the earth exult, and may they say among the nations, 'HaShem has reigned.'" "Serve HaShem with joy, come before Him with singing." "May my speech be sweet to Him; I will rejoice in HaShem." "Praise His holy Name; let the heart of those who seek HaShem rejoice."

"Remember me, HaShem, when You favor Your nation. Be mindful of me with Your salvation. May I see the goodness of Your chosen ones, may I rejoice in the joy of Your nation, may I boast with Your inheritance."

"The upright will see and rejoice, and all injustice will shut its mouth." "They will curse, but You will bless; they have risen and experienced shame, but Your servant will rejoice." "Those who fear You will see me and rejoice, for I have

וְיִשְׂמְחוּ כִּי לִדְבָרְךָ יִחָלְתִּי. יִשְׂמַח יִשְׂרָאֵל בְּעֹשָׂיו בְּנֵי צִיּוֹן יָגִילוּ בְמַלְכָּם".

רִבּוֹנוֹ שֶׁל עוֹלָם מָלֵא רַחֲמִים, אֲדוֹן הַשִּׂמְחָה וְהַחֶדְוָה, אֲשֶׁר הַשִּׂמְחָה בִּמְעוֹנֶךָ, וְאֵין לְפָנֶיךָ שׁוּם עַצְבוּת כְּלָל, כְּמוֹ שֶׁכָּתוּב: "הוֹד וְהָדָר לְפָנָיו, עֹז וְחֶדְוָה בִּמְקוֹמוֹ".

זַכֵּנִי בְּרַחֲמֶיךָ הָרַבִּים וּבַחֲסָדֶיךָ הָעֲצוּמִים, שֶׁאֶזְכֶּה לִהְיוֹת בְּשִׂמְחָה תָמִיד.

כַּאֲשֶׁר גִּלִּיתָ לָנוּ עַל יְדֵי צַדִּיקֶיךָ הָאֲמִתִּיִּים שֶׁשִּׂמְחָה הִיא סִטְרָא דִקְדֻשָּׁה, וְעַצְבוּת וּמָרָה שְׁחוֹרָה הִיא הַסִּטְרָא אַחֲרָא, וְהַקָּדוֹשׁ בָּרוּךְ הוּא שׂוֹנֵא אוֹתָהּ.

וְכָל קְדֻשַּׁת אִישׁ הַיִּשְׂרְאֵלִי הוּא עַל יְדֵי שִׂמְחָה דַּיְקָא, וְכָל הַהִתְרַחֲקוּת שֶׁלָּנוּ מִמְּךָ וְהִתְגַּבְּרוּת הַתַּאֲוֹת הַכֹּל הִיא עַל יְדֵי עַצְבוּת וּמָרָה שְׁחוֹרָה.

אֲבָל אַתָּה יָדַעְתָּ כַּמָּה אֲנִי רָחוֹק מִשִּׂמְחָה, כִּי קִלְקַלְתִּי וּפָגַמְתִּי הַרְבֵּה מְאֹד.

עַל כֵּן בָּאתִי לְפָנֶיךָ מָלֵא רַחֲמִים, שֶׁתִּהְיֶה בְּעֶזְרִי וּתְשַׂמְּחֵנִי בִּישׁוּעָתֶךָ, וְתָאִיר בִּי וּתְגַלֶּה לִי דַּרְכֵי עֵצוֹתֶיךָ הָאֲמִתִּיּוֹת,

hoped in Your word." "Israel will rejoice in its Maker; the children of Zion will be glad in their King."

Master of the world, You Who are filled with compassion, Lord of joy and gladness, You Who have joy in Your dwelling place, there is no sadness at all before You. As the verse states, "Glory and majesty are before Him, might and gladness in His place."

In Your vast compassion and intense loving-kindness, help me be joyful always.

As You have revealed to us through Your true Tzaddikim, joy is the Side of Holiness, whereas sadness and bitterness are the Other Side—which You, the blessed Holy One, detest.

The entire holiness of the Jew comes about in particular by means of joy. And all of our alienation from You and the growth of physical desires come about as a result of sadness and bitterness.

You know how far I am from joy, because I have damaged and destroyed a great deal.

Therefore, I come to You Who are filled with compassion, to help me and save me by giving me joy—and with that joy, to illuminate me and reveal to me the ways of Your true counsel,

וְתוֹרֵנִי וּתְלַמְּדֵנִי שֶׁאֶזְכֶּה לַהֲפֹךְ כָּל מִינֵי יָגוֹן וַאֲנָחָה לְשִׂמְחָה.

שֶׁלֹּא יִהְיֶה שׁוּם כֹּחַ לְהַסִּטְרָא אַחֲרָא שֶׁהוּא הַיָּגוֹן וַאֲנָחָה לְהַכְנִיס בִּי עַצְבוּת חַס וְשָׁלוֹם.

רַק אַדְּרַבָּא, אֶזְכֶּה בְּכָל עֵת לְהִתְחַזֵּק וּלְהִתְגַּבֵּר בְּשִׂמְחָה גְדוֹלָה כָּל כָּךְ, עַד שֶׁאֶזְכֶּה לַהֲפֹךְ הַיָּגוֹן וַאֲנָחָה לְשִׂמְחָה, וְלֹא אַנִּיחַ לְהָעַצְבוּת וְהַיָּגוֹן וַאֲנָחָה לְהִתְאַחֵז בִּי כְּלָל.

רַק בְּכָל מַה שֶּׁרוֹצִים לְהַכְנִיס בִּי עַצְבוּת חַס וְשָׁלוֹם, עַל יְדֵי רִבּוּי הַחֲטָאִים וְהָעֲווֹנוֹת הָעֲצוּמִים שֶׁעָשִׂיתִי, וּפְגַמְתִּי הַרְבֵּה מְאֹד בְּלִי שִׁעוּר, אֶזְכֶּה לַהֲפֹךְ כָּל זֶה לְשִׂמְחָה.

עַל אֲשֶׁר אַף עַל פִּי כֵן חָמַל הַשֵּׁם יִתְבָּרַךְ עָלַי, וְשָׂם נַפְשִׁי בַּחַיִּים וְלֹא נָתַן לַמּוֹט רַגְלַי, וְזִכַּנִי לִהְיוֹת בִּכְלַל יִשְׂרָאֵל וְלֹא עָשַׂנִי גּוֹי.

וַאֲנִי זוֹכֶה לְקַיֵּם כַּמָּה מִצְוֹת גְּדוֹלוֹת בְּכָל יוֹם וָיוֹם, לְהִתְעַטֵּף בְּצִיצִית, וּלְהָנִיחַ תְּפִלִּין, וְלִקְרוֹת קְרִיאַת שְׁמַע, וּלְקַבֵּל שַׁבָּת וְיוֹם טוֹב.

guiding and teaching me to transform every sort of groan and sigh into joy.

May the Side of Evil, which is expressed in groans and sighs that fill me with sadness, Heaven forbid, have no more power.

To the contrary, at every moment may I strengthen myself and increase my joy so much that I will transform the groans and sighs to joy, and I will not allow the sadness, groans and sighs to retain any hold on me.

They wish to fill me with sadness, Heaven forbid, by exploiting the many serious transgressions and sins that I have committed, and my many, immeasurable blemishes. Instead, may I transform all of these into joy.

Performing Mitzvot Every Day

HaShem, You have had mercy on me and kept my soul alive and not allowed my foot to slip. And You have given me the merit of being a Jew and not a gentile.

Every day, I perform a number of important mitzvot: I wrap myself in tzitzit, put on tefilin and recite the Shema, and I celebrate the Shabbat and festivals.

וְלִשְׁמֹעַ קוֹל שׁוֹפָר בְּרֹאשׁ הַשָּׁנָה, וּלְהִתְעַנּוֹת בְּיוֹם הַכִּפּוּרִים, וְלֵישֵׁב בַּסֻּכָּה, וְלִטֹּל אַרְבָּעָה מִינִים, וְלֶאֱכֹל מַצָּה בְּפֶסַח.

וְכֵן שְׁאָרֵי כָּל הַמִּצְוֹת הַקְּדוֹשׁוֹת אֲשֶׁר אֲנַחְנוּ עַם קָדְשְׁךָ מְקַיְּמִים בְּכָל עֵת אֲפִלּוּ הַפָּחוּת שֶׁבַּפְּחוּתִים וְהַקַּל שֶׁבַּקַּלִּים.

מָה רַב טוּבְךָ אֲשֶׁר עָשִׂיתָ עִמָּנוּ, "מַה יָּקָר חַסְדְּךָ אֱלֹהִים", מַה גָּדְלוּ מָה רַבּוּ מֶה עָצְמוּ רַחֲמֶיךָ וַחֲסָדֶיךָ עָלֵינוּ, אֲשֶׁר הִכְתַּרְתָּ אוֹתָנוּ בִּכְתָרִים קְדוֹשִׁים כָּאֵלֶּה.

וּבְתֹקֶף גָּלוּתֵינוּ וְעֹצֶם הִתְרַחֲקוּתֵינוּ מִמְּךָ עַל יְדֵי רִבּוּי פְּשָׁעֵינוּ נֶגְדְּךָ, עֲדַיִן אַהֲבָתְךָ קְשׁוּרָה בָּנוּ. וְאַתָּה מְזַכֶּה גַּם אוֹתִי לַעֲשׂוֹת כַּמָּה מִצְוֹת בְּכָל יוֹם.

וּבְוַדַּאי רָאוּי לִי לְהַגְדִּיל הַשִּׂמְחָה בְּכָל עֵת, וְלַהֲפֹךְ כָּל הַיָּגוֹן וַאֲנָחָה לְשִׂמְחָה. כִּי אַדְרַבָּא זֶהוּ שִׂמְחָתִי שֶׁמְּרֻחָק וּפָגוּם וְחוֹטֵא כָּמוֹנִי, יִזְכֶּה לִגַּע בִּדְבָרִים קְדוֹשִׁים וְנוֹרָאִים כָּאֵלֶּה.

On Rosh HaShanah, I hear the sound of the shofar. On Yom Kippur, I fast; on Sukkot, I sit in a sukkah and wave the Four Species; and on Pesach, I eat matzah.

And there are all of the other holy mitzvot that we, Your holy nation—even the least of the least and the slightest of the slight—perform all the time.

How vast is the goodness that You have done on our behalf! "How precious is Your loving-kindness, God!" Your compassion and loving-kindness toward us have grown, increased and intensified. They are holy crowns with which You have crowned us.

Despite our exile and our great distance from You as a result of the multitude of our offenses against You, Your love is still connected to us, and You make it possible for me to perform a number of mitzvot every day.

It is certainly fitting for me to increase my joy at every moment and transform all of my groans and sighs to joy. That itself is my joy: that a person as distant from You as myself, as blemished and sinful as I am, can touch upon such holy and awesome matters.

לְיַחֵד שִׁמְךָ בְּכָל יוֹם, וּלְהִתְעַטֵּר בַּעֲטֶרֶת תִּפְאֶרֶת הַתְּפִלִּין הַקְּדוֹשִׁים וְהַנּוֹרָאִים בְּכָל יוֹם, וּלְהִתְעַטֵּף בְּצִיצִית, לְהִתְלַבֵּשׁ בִּלְבוּשִׁין דְּמַלְכָּא בְּעִטּוּפָא דְּמִצְוָה, וּשְׁאָר הַמִּצְוֹת.

וְכָל מַה שֶּׁרוֹצֶה לְהִתְגַּבֵּר לְהַכְנִיס בְּדַעְתִּי וְלִבִּי עַצְבוּת חַס וְשָׁלוֹם, מֵרִבּוּי פְּשָׁעַי וַעֲווֹנוֹתַי, עַל יְדֵי כָל זֶה דַּיְקָא אַגְדִּיל הַשִּׂמְחָה, וְאוֹמַר לְלִבִּי אַדְּרַבָּא זֶהוּ שִׂמְחָתִי, זֶהוּ חֶדְוָתִי הַגְּדוֹלָה, שֶׁאָנֹכִי הַמְרֻחָק כָּל כָּךְ זוֹכֶה לִגַּע בְּקָדְשׁוֹת כָּאֵלֶּה.

"הֱקִיצוֹתִי וְעוֹדִי עִמָּךְ, כִּי דִכִּיתָנוּ בִּמְקוֹם תַּנִּים וַתְּכַס עָלֵינוּ בְצַלְמָוֶת, אִם שָׁכַחְנוּ שֵׁם אֱלֹהֵינוּ וַנִּפְרֹשׂ כַּפֵּינוּ לְאֵל זָר, אֲנִי לְדוֹדִי וְדוֹדִי לִי", אֲחַזְנוּךְ וְלֹא נַרְפֶּךָּ.

מָרָא דְעָלְמָא כֹּלָּא, שִׂמְחַת יִשְׂרָאֵל, "שַׂמֵּחַ נֶפֶשׁ עַבְדֶּךָ, כִּי אֵלֶיךָ יְהֹוָה נַפְשִׁי אֶשָּׂא".

זַכֵּנִי לְהַשִּׂיג בֶּאֱמֶת דַּרְכֵי הַשִּׂמְחָה הָאֲמִתִּיִּית, בְּאֹפֶן שֶׁאֶזְכֶּה

This includes unifying Your Name every day, being crowned in the beautiful crown of the holy, awesome tefilin, wrapping myself in tzitzit, wearing the garments of the King when I wrap myself in this mitzvah, and other mitzvot.

Precisely when the multitude of my offenses and sins desires to overcome my heart and mind and fill them with sadness, Heaven forbid, may I increase my joy and tell my heart that, to the contrary, this is my joy, this is my greatest gladness: that I, who am so far from You, am able to touch such holinesses.

Joy Through Song

"I came to the end [of the generations], and I am still with you." "You crushed us in a place of serpents and covered us in a deathly shadow." Even if "we forgot the name of our God and spread out our palms to a foreign god," "I am my Beloved's and my Beloved is mine." I have taken hold of You and I will not let You go.

Master of the entire world, Joy of Israel, "Give joy to the soul of Your servant—because, HaShem, I lift my soul to You!"

Help me truly attain the genuine ways of joy,

לַחֲטֹף הַיָּגוֹן וַאֲנָחָה לְתוֹךְ הַשִּׂמְחָה, לַהֲפֹךְ כָּל מִינֵי עַצְבוּת וְיָגוֹן וַאֲנָחָה לְשִׂמְחָה.

זַכֵּנִי לְהִתְחַזֵּק וּלְהִתְגַּבֵּר בְּשִׂמְחָה גְדוֹלָה תָּמִיד, וְאֶזְכֶּה לְהַמְשִׁיךְ עָלַי קְדֻשַּׁת כָּל הָעֲשָׂרָה מִינֵי נְגִינָה שֶׁהֵם כְּלָלִיּוּת הַשִּׂמְחָה הַקְּדוֹשָׁה.

וְתַרְגִּילֵנִי לְשַׂמֵּחַ אֶת נַפְשִׁי בְּכָל עֵת עַל יְדֵי נִגּוּן שֶׁל שִׂמְחָה, וְאָגִיל וְאֶשְׂמַח בַּיהוָה בְּשִׁיר וְהַלֵּל וְרַנֵּן וְזִמְרָה וְנִגּוּן, וְאֶזְכֶּה לִהְיוֹת בְּשִׂמְחָה תָמִיד.

וְעַל יְדֵי זֶה יִהְיֶה נִמְשָׁךְ עָלַי רוּחַ חַיִּים דִּקְדֻשָּׁה לְתוֹךְ כָּל הָעֲשָׂרָה מִינֵי דְּפִיקִין שֶׁבְּקִרְבִּי.

וְעַל יְדֵי זֶה תִּשְׁמְרֵנִי וְתַצִּילֵנִי מִכָּל מִינֵי חֳלָאִים וּמַכְאוֹבִים וּמֵחוּשִׁים בְּגַשְׁמִיּוּת וְרוּחָנִיּוּת, אֲשֶׁר כֻּלָּם בָּאִים עַל יְדֵי מָרָה שְׁחוֹרָה וְעַצְבוּת חַס וְשָׁלוֹם.

וְתִרְפָּאֵנִי אוֹתִי וְאֶת כָּל עַמְּךָ יִשְׂרָאֵל, וְתַחֲלִימֵנִי וּתְחַיֵּינִי עַל יְדֵי שִׂמְחָה וְחֶדְוָה שֶׁתַּמְשִׁיךְ עָלַי תָּמִיד, אֲשֶׁר מִשָּׁם כָּל הָרְפוּאוֹת שֶׁל כָּל מִינֵי חֳלָאִים שֶׁבָּעוֹלָם, כִּי שִׂמְחָה הִיא עִקַּר חִיּוּת הָאָדָם.

רְפָאֵנוּ יְהוָה וְנֵרָפֵא, הוֹשִׁיעֵנוּ וְנִוָּשֵׁעָה כִּי תְהִלָּתֵנוּ אָתָּה,

so that I will pull the moans and sighs into that joy and transform every type of sadness, moans and sighs into joy.

May I always strengthen myself and increase my joy. Help me draw the holiness of all ten types of melody, which constitute the totality of holy joy, onto myself.

Accustom me to gladden my soul at every moment with joyful melody. May I delight and rejoice in You, HaShem, with song, praise, music and melody. May I always experience joy.

As a result, may a holy spirit of life be drawn into all of the ten types of pulse within me.

Guard me and rescue me from every type of illness, pain and discomfort in the physical and spiritual realms—all of which result from bitterness and sadness, Heaven forbid.

Heal me and Your entire nation, the Jewish people. Cure me and revive me as a result of the joy and gladness that You will draw onto me always. This joy constitutes the source of all cures of every type of illness in the world, because joy is the essence of the human life force.

Heal us, HaShem, and we will be healed. Save us, and we will be saved, because You are

וְהַעֲלֵה אֲרוּכָה וּמַרְפֵּא לְכָל תַּחֲלוּאֵינוּ וּלְכָל מַכְאוֹבֵינוּ וּלְכָל מַכּוֹתֵינוּ, רְפוּאַת הַנֶּפֶשׁ וּרְפוּאַת הַגּוּף.

וְאֶתְחַזֵּק בְּשִׂמְחָה גְדוֹלָה בְּכָל עֵת בְּכָל מִינֵי דְּרָכִים וּנְתִיבוֹת וְעֵצוֹת וְתַחְבּוּלוֹת שֶׁאֶפְשָׁר לְשַׂמֵּחַ אֶת הַלֵּב עַל יָדָם.

הֵן עַל יְדֵי הַנְּקֻדּוֹת טוֹבוֹת שֶׁאֲנִי מוֹצֵא בְּעַצְמִי עֲדַיִן, הֵן עַל יְדֵי מִלֵּי דִשְׁטוּתָא, לְשַׁנּוֹת אֶת טַעְמִי וְלַעֲשׂוֹת עַצְמִי כְּשׁוֹטֶה, וּלְהַרְגִּיל עַצְמִי בְּמִלֵּי דִּבְדִיחוּתָא כְּדֵי לָבוֹא לְשִׂמְחָה שֶׁהִיא עִקַּר הַקְּדֻשָּׁה וְעִקַּר חִיּוּת הָאָדָם.

מָלֵא רַחֲמִים, בּוֹרֵא רְפוּאוֹת, אֲדוֹן הַנִּפְלָאוֹת, חֶדְוַת יְשׁוּעוֹת יַעֲקֹב, תֵּן שִׂמְחָה בְּלִבִּי.

כִּי אַתָּה יוֹדֵעַ תַּעֲלוּמוֹת לֵב, וְאַתָּה יוֹדֵעַ בְּכַמָּה דְרָכִים וּבְכַמָּה תַּחְבּוּלוֹת מִתְגַּבֵּר הַבַּעַל דָּבָר וַחֲיָלוֹתָיו עָלֵינוּ בְּכָל עֵת, לְהַמְשִׁיךְ עַצְבוּת חַס וְשָׁלוֹם עָלֵינוּ.

וְהוּא בְּתַחְבּוּלוֹתָיו עָרֹם יַעֲרִים הוּא וּמְרַמֶּה אוֹתָנוּ, וּמִתְלַבֵּשׁ עַצְמוֹ בְּמִצְוֹת, עַד שֶׁנִּדְמֶה לָנוּ שֶׁיֵּשׁ לָנוּ עַצְבוּת מֵעֲווֹנוֹתֵינוּ.

our praise. Bring healing to all of our illnesses, all of our pains and all of our wounds—a healing of the spirit and a healing of the body.

Finding Ways to be Happy

May I strengthen myself with great joy at every moment using all sorts of ways, paths, counsels and stratagems with which a person can gladden his heart.

This may be accomplished by finding good points in myself or by doing foolish things—making jokes, acting unconventionally and acting foolish—in order to be happy. For happiness is the essence of holiness and the essence of a person's life force.

You Who are filled with compassion, Creator of healing, Lord of wonders and the joyful salvation of the Jewish people, fill my heart with joy.

You know the hidden matters of the heart. You know in how many ways and with how many stratagems the Side of Evil and its troops rises up against us at every moment in order to sadden us, Heaven forbid.

It is cunning in its stratagems. It lies to us and clothes itself in mitzvot, so that we think that we are sad because of our sins.

וּבֶאֱמֶת בְּכָל זֶה הוּא פּוֹרֵשׂ רֶשֶׁת לְרַגְלֵינוּ, כִּי כְּבָר לִמַּדְתָּנוּ שֶׁעַל זֶה צְרִיכִין לְיַחֵד שָׁעָה אַחַת בְּיוֹם, לְשַׁבֵּר לִבֵּנוּ וּלְפָרֵשׁ שִׂיחָתֵנוּ לְפָנֶיךָ עַל כָּל מַה שֶּׁעָבַר עָלֵינוּ.

אֲבָל כָּל הַיּוֹם כֻּלּוֹ צְרִיכִין לְהִתְחַזֵּק בְּשִׂמְחָה, וּלְהַכְרִיחַ עַצְמֵנוּ בְּכָל כֹּחוֹתֵינוּ לָבֹא לְשִׂמְחָה גְּדוֹלָה שֶׁהוּא עִקַּר קְדֻשַּׁת יִשְׂרָאֵל.

עַל כֵּן רַחֵם עָלֵינוּ לְמַעַן שְׁמֶךָ, וְהוֹדִיעֵנוּ אוֹרְחוֹת חַיִּים שֶׁנִּזְכֶּה לְהָבִין וּלְהַשִּׂיג הַדְּרָכִים וְהַנְּתִיבוֹת וְהַשְּׁבִילִים וְהָעֵצוֹת הָאֲמִתִּיּוֹת אֵיךְ לָבוֹא לְשִׂמְחָה תָּמִיד.

וְתַעֲשֶׂה אֶת אֲשֶׁר בְּחֻקֶּיךָ אֵלֵךְ וְאֶת מִצְוֹתֶיךָ אֶשְׁמֹר, "בְּשִׂמְחָה וּבְטוּב לֵבָב מֵרֹב כֹּל", עַד שֶׁאֶזְכֶּה לְשִׂמְחָה שֶׁל עָתִיד.

וְאֶזְכֶּה לִרְאוֹת בְּשִׂמְחַת הַמָּחוֹל שֶׁתַּעֲשֶׂה לַצַּדִּיקִים לֶעָתִיד לָבֹא וְכָל אֶחָד יִהְיֶה מַרְאֶה בְּאֶצְבָּעוֹ וְיֹאמַר "זֶה יְהֹוָה".

כְּמוֹ שֶׁכָּתוּב: "וְאָמַר בַּיּוֹם הַהוּא הִנֵּה אֱלֹהֵינוּ זֶה, קִוִּינוּ לוֹ

But in truth, it is spreading a net for our feet. You have taught us that in regard to this matter, we must set aside an hour a day to break our hearts and address You, telling You everything that we have undergone.

But for the rest of the day, we must encourage ourselves with joy and force ourselves with all our might to attain great joy, which is the essence of the holiness of the Jewish people.

Have compassion on us for the sake of Your Name. Teach us the pathways of life so that we will understand and achieve the ways, paths, trails and true counsels of attaining joy constantly.

Help me follow Your laws and guard Your commandments "in joy and with a goodness of heart out of an abundance of everything," until I will attain the joy of the messianic future.

May I eventually see the joy of the circle-dance that You will make for the righteous at that future time, when everyone will point with his finger and say, "This is our God!"[6]

As the verse states, "They will say on that day, 'Behold, this is our God. We hoped in

---

6 See *Taanit* 31a.

וְיוֹשִׁיעֵנוּ, זֶה יְהֹוָה קִוִּינוּ לוֹ, נָגִילָה וְנִשְׂמְחָה בִּישׁוּעָתוֹ".

וְקַיֵּם לָנוּ מְהֵרָה מִקְרָא שֶׁכָּתוּב: "וּפְדוּיֵי יְהֹוָה יְשׁוּבוּן, וּבָאוּ צִיּוֹן בְּרִנָּה, וְשִׂמְחַת עוֹלָם עַל רֹאשָׁם שָׂשׂוֹן וְשִׂמְחָה יַשִּׂיגוּ וְנָסוּ יָגוֹן וַאֲנָחָה".

וְנֶאֱמַר: "כִּי בְשִׂמְחָה תֵצֵאוּ, וּבְשָׁלוֹם תּוּבָלוּן, הֶהָרִים וְהַגְּבָעוֹת יִפְצְחוּ לִפְנֵיכֶם רִנָּה, וְכָל עֲצֵי הַשָּׂדֶה יִמְחֲאוּ כָף". וְנֶאֱמַר: "וּשְׁאַבְתֶּם מַיִם בְּשָׂשׂוֹן מִמַּעַיְנֵי הַיְשׁוּעָה".

וְנֶאֱמַר: "כִּי נִחַם יְהֹוָה צִיּוֹן נִחַם כָּל חָרְבוֹתֶיהָ, וַיָּשֶׂם מִדְבָּרָהּ כְּעֵדֶן, וְעַרְבָתָהּ כְּגַן יְהֹוָה, שָׂשׂוֹן וְשִׂמְחָה יִמָּצֵא בָהּ, תּוֹדָה וְקוֹל זִמְרָה. שִׂמְחוּ בַיהֹוָה וְגִילוּ צַדִּיקִים וְהַרְנִינוּ כָּל יִשְׁרֵי לֵב":

Him that He would save us. This is HaShem in Whom we hoped. Let us rejoice and be glad in His salvation.'"

May the verse swiftly be realized in us, "Those redeemed of HaShem will return and come to Zion with song and with eternal joy upon their heads. Gladness and joy will overtake them, sorrow and sighing will flee."

"In joy shall you go forth and in peace shall you be led. The mountains and the hills will burst out in song before you, and all of the trees of the field will clap their hands." "You will draw water with joy from the wellsprings of salvation."

"HaShem will console Zion. He will console all of its ruins. He will make its desert like Eden and its lowland like the garden of HaShem. Gladness and joy shall be found in it, thanksgiving and the voice of song." "Rejoice with HaShem and exult, you righteous, and cause all those who are upright of heart to sing praises."

22 (II, 25)

Great Tzaddikim Achieved Their Greatness Through Hitbodedut / One Should Turn the Torah He Learns into Prayers

There is no greater spiritual practice than hitbodedut, in which a person sets aside at least an hour a day to be alone in a room or in a field and speak to God in his own words, employing logic and persuasion, expressing regret and repentance for the past, and pleading with God to allow him to truly serve Him and come close to Him. A person should pray to God for whatever he lacks in serving Him. Even if he cannot say anything, his preparation and his standing before God with the desire to speak are themselves good. A person can even turn his inability to pray into a prayer. And when a person engages in this practice, God will give him the inspiration to say the words that God wishes to hear.

A person should accustom himself to engage in this practice every day, and then be carefree the rest of the day.

This is a great practice and a wonderful way to come close to God. A number of well-known

Tzaddikim reported that they attained their greatness only because of this practice. And it is something that anyone can do.

In particular, it is an excellent practice in hitbodedut to turn a teaching of a true Tzaddik into a prayer. Turning such teachings into prayers causes great delight in Heaven.

"תְּפִלָּה לְעָנִי כִי יַעֲטֹף וְלִפְנֵי יְהוָה יִשְׁפֹּךְ שִׂיחוֹ".

רִבּוֹנוֹ שֶׁל עוֹלָם, עָזְרֵנִי לְפָרֵשׁ כָּל שִׂיחָתִי לְפָנֶיךָ בְּכָל יוֹם וּבְכָל עֵת תָּמִיד. זַכֵּנִי וְהוֹשִׁיעֵנִי שֶׁאֶזְכֶּה לְהַרְבּוֹת בְּשִׂיחָה בֵּינִי לְבֵין קוֹנִי, עַד שֶׁאֶזְכֶּה לְבַלּוֹת רֹב הַיּוֹם וְהַלַּיְלָה עַל עִנְיָן זֶה כָּל יְמֵי חַיַּי.

וּתְרַחֵם עָלַי וְתִפְתַּח אֶת פִּי בְּכָל עֵת, וְתִשְׁלַח לִי דִּבּוּרִים אֲמִתִּיִּים וּקְדוֹשִׁים מִמְּעוֹן קָדְשְׁךָ מִן הַשָּׁמַיִם, לְהַעְתִּיר וּלְהִתְפַּלֵּל וּלְבַקֵּשׁ מִלְּפָנֶיךָ עַל נַפְשִׁי בְּכָל עֵת בְּדִבּוּרִים חֲדָשִׁים.

וְתַעַזְרֵנִי תָּמִיד לְהַרְבּוֹת בְּעֶתֶר, בְּדִבְרֵי רִצּוּי וּפִיּוּס וְטַעֲנוֹת וַאֲמַתְלָאוֹת נְכוֹנוֹת בְּדִבְרֵי חֵן וְתַחֲנוּנִים, בְּאֹפֶן שֶׁאֶזְכֶּה תָּמִיד לְעוֹרֵר רַחֲמֶיךָ הָרַבִּים עָלַי שֶׁתּוֹשִׁיעֵנִי בְּכָל עֵת לְהִתְקָרֵב אֵלֶיךָ.

וְאֶזְכֶּה בְּכָל פַּעַם לַעֲלוֹת מִדַּרְגָּא לְדַרְגָּא, לְהִתְקָרֵב אֵלֶיךָ בְּכָל עֵת בְּהִתְקָרְבוּת גָּדוֹל יוֹתֵר.

עָזְרֵנִי וְהוֹשִׁיעֵנִי מָלֵא רַחֲמִים, יֶהֱמוּ מֵעֶיךָ וְרַחֲמֶיךָ עָלַי.

Pouring Forth Our Speech Before God

"**A** prayer for the poor person, when he is wrapped [in distress] and pours forth his speech before HaShem."

Master of the world, help me always express all of my speech before You, every day and at every moment. Help me and save me so that I will increase my speech from me to You, my Maker, and spend the greater part of the day and night on this, all of the days of my life.

Have compassion on me and open my mouth at every moment. Send me true and holy words from Your holy dwelling place in Heaven to plead, pray and beg before You on behalf of my soul with new words at every moment.

Help me always increase my pleading with proper words of placation and conciliation, putting forth and explaining my case with gracious and supplicating words, so that I will always arouse Your vast compassion and You will help me come close to You at every moment.

May I constantly rise from level to level and approach You at every moment.

Help me and save me, You Who are filled with compassion. Arouse Your empathy and compassion on my behalf.

כִּי יָדַעְתָּ כִּי זֶה כַּמָּה נִכְסוֹף נִכְסַפְתִּי לְהִתְקָרֵב אֵלֶיךָ וְלָשׁוּב מִמְּצוּלוֹת יָם שֶׁנִּלְכַּדְתִּי בָּהֶם בַּעֲווֹנוֹתַי הָרַבִּים.

וַאֲנִי רוֹצֶה לַחְתֹּר בְּכָל עֵת לְהִתְבּוֹדֵד וּלְפָרֵשׁ שִׂיחָתִי לְפָנֶיךָ, וַעֲדַיִן לֹא זָכִיתִי לְפָרֵשׁ שִׂיחָתִי לְפָנֶיךָ כָּרָאוּי.

וְעַל כֵּן עֲדַיִן לֹא נוֹשַׁעְתִּי מִצָּרוֹת נַפְשִׁי הַמְרֻבִּים מְאֹד מְאֹד, וּכְבָר עָבְרוּ מִשְּׁנוֹתַי מַה שֶּׁעָבְרוּ. "וְאַתָּה יְהֹוָה עַד מָתַי", מָתַי תַּתְחִיל לְהוֹשִׁיעֵנִי יְשׁוּעָה שְׁלֵמָה בֶּאֱמֶת.

כִּי אִם אָמְנָם רַבּוֹת עָשִׂיתָ אַתָּה יְהֹוָה אֱלֹהַי עִמִּי, נִפְלָאוֹת וְנוֹרָאוֹת, חֲסָדִים גְּדוֹלִים וַעֲצוּמִים בְּלִי שִׁעוּר.

אֲשֶׁר נָתַתָּ לִי כֹּחַ עַד הֵנָּה לְצַפּוֹת לִישׁוּעָתֶךָ, וּלְהִסְתּוֹפֵף בְּצֵל קְדֻשַּׁת צַדִּיקֶיךָ הַנֶּאֱמָנִים בֶּאֱמֶת.

אֲבָל אַף עַל פִּי כֵן עֲדַיִן אֲנִי רָחוֹק מִמְּךָ מְאֹד מְאֹד, וְגֹדֶל רִחוּקִי וְעִנְיָנִי וּמַהוּתִי אִי אֶפְשָׁר לְבָאֵר וּלְשַׁעֵר, יְהֹוָה אֱלֹהַי אַתָּה יָדַעְתָּ.

You know that I so strongly yearn to come close to You and return from the depths of the sea in which I have been trapped because of my many sins.

I want to strive at every moment to engage in hitbodedut and express my speech to You, but I still have not properly done so.

As a result, although so many years have already passed, I still have not been saved from the many troubles of my soul. "And You, HaShem, how long?" When will You begin to save me truly and completely?

HaShem my God, You have performed wondrous and awesome deeds for me. You have extended great and mighty kindnesses without measure on my behalf.

You have given me the strength to hope for Your salvation and take refuge in the holy shade of Your truly faithful Tzaddikim.

Nevertheless, I am still so far away from You. The great extent of my distance from You, and the paucity of what I am and what my character is, are impossible for anyone to express or estimate. Only You know these things, HaShem my God.

וּלְהַרְבּוֹת בְּשִׂיחָה וּתְפִלָּה לְפָנֶיךָ, אֵין בִּלְשׁוֹנִי מִלָּה לְפָרֵשׁ שִׂיחָתִי לְפָנֶיךָ הֵיטֵב כְּכֹל אֲשֶׁר צָפוּן וְגָנוּז בִּלְבָבִי.

כִּי אִם בְּרַחֲמֶיךָ וּבִישׁוּעָתְךָ הַגְּדוֹלָה, אִם אֶזְכֶּה לִמְצֹא חֵן בְּעֵינֶיךָ מֵעַתָּה, שֶׁתִּפְתַּח לִי מֵעַתָּה מֵחָדָשׁ שַׁעֲרֵי תְפִלָּה, שַׁעֲרֵי תְחִנָּה וּבַקָּשָׁה, שַׁעֲרֵי מְלִיצָה אֲמִתִּיִּית, שַׁעֲרֵי הִתְבּוֹדְדוּת, שַׁעֲרֵי שִׂיחָה וְדִבּוּרִים קְדוֹשִׁים, שַׁעֲרֵי חֵן וְתַחֲנוּנִים.

בְּאֹפֶן שֶׁאֶזְכֶּה מֵעַתָּה לְפָרֵשׁ כָּל שִׂיחָתִי לְפָנֶיךָ בְּדִבְרֵי תַחֲנוּנִים וְרִצּוּיִים וּפִיּוּסִים חֲדָשִׁים בְּכָל פַּעַם, בְּאֹפֶן שֶׁאֶזְכֶּה לִשְׁפֹּךְ לִבִּי כַּמַּיִם נוֹכַח פָּנֶיךָ יְהֹוָה בְּכָל עֵת.

כִּי אַתָּה יָדַעְתָּ אֶת לְבָבִי, כַּמָּה אֲנִי צָרִיךְ לְהַתְחִיל לִצְעֹק וְלִזְעֹק וּלְהִתְפַּלֵּל וּלְהִתְחַנֵּן לְפָנֶיךָ, וְלִבְכּוֹת בְּמַר נֶפֶשׁ, וְלִשְׁפֹּךְ לִבִּי כַּמַּיִם לְפָנֶיךָ.

וּלְהִשְׁתַּטֵּחַ לְפָנֶיךָ בִּכְלוֹת הַנֶּפֶשׁ מַמָּשׁ, בִּמְסִירַת נֶפֶשׁ בֶּאֱמֶת, לְבַקֵּשׁ מִלְּפָנֶיךָ עַל נַפְשִׁי, עַל כָּל הַחֲטָאִים

There are no words on my tongue to express my speech before You properly and engage in a great deal of conversation and prayer to You, in accordance with everything that is hidden and concealed in my heart.

This can only occur if, with the aid of Your compassion and salvation, I find favor in Your eyes from now on—so that You will open for me anew the gates of prayer, the gates of supplication and request, the gates of true eloquence, the gates of hitbodedut, the gates of conversation and holy words, the gates of seeking favor and pleading.

May that occur in such a way that from now on I will express all of my speech to You with new words of supplication, conciliation and appeasement at every moment, pouring forth my heart like water before Your countenance at every moment, HaShem.

You know my heart: how much I need to begin to cry out, clamor, pray and plead to You, to weep with a bitterness of soul and pour forth my heart like water before You.

I must prostrate myself until my soul expires, with actual self-sacrifice, to seek my soul from

וְהָעֲווֹנוֹת וְהַפְּשָׁעִים שֶׁהִרְבֵּיתִי מְאֹד לִפְשֹׁעַ נֶגְדֶּךָ, מֵעוֹדִי עַד הַיּוֹם הַזֶּה.

מָה אֲדַבֵּר, "אֶדַּדֶּה כָל שְׁנוֹתַי עַל מַר נַפְשִׁי. מִי יִתֵּן רֹאשִׁי מַיִם וְעֵינַי מְקוֹר דִּמְעָה וְאֶבְכֶּה יוֹמָם וָלַיְלָה" עַל מַר נַפְשִׁי אֲשֶׁר גָּמַלְתִּי לְנַפְשִׁי בְּחִנָּם.

בִּשְׁבִיל תַּאֲוָה קַלָּה הָעוֹבֶרֶת כְּצֵל עוֹבֵר, מָרַדְתִּי נֶגְדְּךָ כַּאֲשֶׁר מָרַדְתִּי, וּבָאתִי לְמַה שֶּׁבָּאתִי וְאִבַּדְתִּי מַה שֶּׁאִבַּדְתִּי.

אוֹיָה עָלַי וְעַל נַפְשִׁי, אוֹי מֶה עָשִׂיתִי, לִבִּי לִבִּי עַל חַלְלֵיהֶם, מֵעַי מֵעַי עַל חַלְלֵיהֶם. אוֹי וַאֲבוֹי, מָה אוֹמַר מָה אֲדַבֵּר מָה אֶצְטַדָּק.

לוּלֵא רַחֲמֶיךָ וַחֲסָדֶיךָ הָרַבִּים כְּבָר הָיָה מַה שֶּׁהָיָה רַחֲמָנָא לִצְלָן, "לוּלֵי תוֹרָתְךָ שַׁעֲשֻׁעָי אָז אָבַדְתִּי בְעָנְיִי".

עַל כֵּן בָּאתִי לְפָנֶיךָ מָלֵא רַחֲמִים, שֶׁתַּשְׁפִּיעַ עָלַי דִּבּוּרִים חֲדָשִׁים אֲמִתִּיִּים מִמְּקוֹר הַדִּבּוּר הַקָּדוֹשׁ, בְּאֹפֶן שֶׁאֶזְכֶּה

You, because of the transgressions, sins and offenses that I committed so willingly before You, from my beginning until this day.

What shall I say? "I will cause my sleep to flee because of the bitterness of my spirit." "Who will make my head water and my eye a source of tears? Then I would weep day and night" because of the bitterness of spirit that I inflicted upon my soul without cause.

For the sake of a slight desire that passes like a fleeting shadow, I rebelled against You. I came to what I came to, and I lost what I lost.

Woe to me and to my soul. Woe! What have I done? My heart, my heart mourns its losses! My core, my core, mourns its losses! Woe! What shall I say? How shall I speak? How can I justify myself?

If not for Your vast compassion and loving-kindness, who knows what would have been? Protect us, Compassionate One! "If Your Torah had not been my delight, I would have been lost in my affliction."

Therefore, I come to You Who are filled with compassion, so that You will pour onto me new, true words from the source of holy speech. From

מֵעַתָּה לִשְׁפֹּךְ כָּל שִׂיחִי לְפָנֶיךָ בְּכָל עֵת בְּדִבְרֵי חֵן וְתַחֲנוּנִים אֲמִתִּיִּים.

בְּאֹפֶן שֶׁאֶזְכֶּה לְרַצּוֹת וּלְפַיֵּס אוֹתְךָ, שֶׁתַּעֲשֶׂה מֵעַתָּה בְּרַחֲמֶיךָ הָרַבִּים, אֶת אֲשֶׁר בְּחֻקֶּיךָ אֵלֵךְ וְאֶת מִצְוֹתֶיךָ אֶשְׁמֹר.

שֶׁאֶזְכֶּה מֵעַתָּה לְחַדֵּשׁ יָמַי שֶׁעָבְרוּ בְּחֹשֶׁךְ וַאֲפֵלָה מְנֻדָּח, וְלֹא אָשׁוּב עוֹד לְכִסְלָה. עָזְרֵנִי מָלֵא רַחֲמִים, הוֹשִׁיעֵנִי מָלֵא יְשׁוּעוֹת.

וְתִפְתַּח אֶת עֵינֵי שִׂכְלִי וְדַעְתִּי בְּדֶרֶךְ הָאֱמֶת וְהַתְּמִימוּת הָאֲמִתִּי, שֶׁאֶזְכֶּה לֵידַע הֵיטֵב הַדֶּרֶךְ הָאֱמֶת וְהַנָּכוֹן, אֵיךְ לַעֲשׂוֹת מֵהַתּוֹרוֹת תְּפִלּוֹת נָאוֹת וַאֲמִתִּיּוֹת, כִּרְצוֹנְךָ וְכִרְצוֹן יְרֵאֶיךָ הַצַּדִּיקִים הָאֲמִתִּיִּים, אֲשֶׁר גִּלּוּ אֵלּוּ הַחִדּוּשֵׁי תוֹרָה בָּעוֹלָם.

בְּאֹפֶן שֶׁיַּעֲלוּ שַׁעֲשׁוּעִים גְּדוֹלִים לְפָנֶיךָ, עַד שֶׁתְּעוֹרֵר רַחֲמֶיךָ בֶּאֱמֶת בִּשְׁלֵמוּת, וּתְשִׁיבֵנִי אֵלֶיךָ בֶּאֱמֶת.

now on may I express all of my speech to You
at every moment with words of favor and true
pleading.

May I please and placate You so that from
now on, in Your vast compassion, You will help
me follow Your laws and keep Your mitzvot.

From now on may I renew my days that have
passed in a dark and dreary exile, and no longer
return to my foolishness. Help me, You Who are
filled with compassion. Save me, You Who are
filled with salvation.

Turning Torah into Prayers

Open my mind's eye and my consciousness
to the path of truth and true wholeheartedness,
so that I will clearly know the true and proper
way to create lovely and true prayers out of
Torah teachings, in accordance with Your will
and in accordance with the will of those who
fear You, the true Tzaddikim, who revealed
these Torah insights to the world.

May I do so in such a way that great delight
will rise to You, and You will arouse Your
compassion completely and truly bring me back
to You.

עָזְרֵנִי שֶׁאֶזְכֶּה לְכַוֵּן כַּוָּנָתָם הַקְּדוֹשָׁה שֶׁל הַצַּדִּיקִים הָאֲמִתִּיִּים בְּכָל מָקוֹם שֶׁאֶלְמוֹד בְּסִפְרֵיהֶם הַקְּדוֹשִׁים.

וּלְסַדֵּר תְּפִלּוֹת נָאוֹת וּקְדוֹשׁוֹת עַל כָּל הַדְּבָרִים הַנֶּאֱמָרִים וְהַמְּרֻמָּזִים בְּדִבְרֵיהֶם הַקְּדוֹשִׁים בֶּאֱמֶת, שֶׁאֶזְכֶּה לְהַגִּיעַ לָהֶם מְהֵרָה.

וְאֶזְכֶּה לִשְׁפֹּךְ שִׂיחִי לְפָנֶיךָ עַל יְדֵי כָּל תּוֹרָה וְתוֹרָה שֶׁגִּלּוּ הַצַּדִּיקִים אֲמִתִּיִּים בָּעוֹלָם.

וְאֶזְכֶּה לֵילֵךְ בַּעֲבוֹדָתְךָ בֶּאֱמֶת עִם כָּל דִּבְרֵי תּוֹרָתָם, שֶׁאֶזְכֶּה לֵילֵךְ בְּדֶרֶךְ הַקֹּדֶשׁ אֵיזֶה זְמַן עַל פִּי חִדּוּשֵׁי תּוֹרָה אַחַת.

וּלְהַפְצִיר וּלְהַעְתִּיר וּלְהִתְפַּלֵּל וְלָשׂוּחַ לְפָנֶיךָ בְּכָל אוֹתוֹ הַזְּמַן, עַד שֶׁאֶזְכֶּה לְהַגִּיעַ וּלְהַשִּׂיג הָעֲבוֹדָה הַנֶּאֱמָרָה בְּאוֹתָהּ הַתּוֹרָה, לְקַיֵּם בֶּאֱמֶת אֶת כָּל הַנֶּאֱמַר שָׁם, וְתִהְיֶה כָּל עֲבוֹדָתִי בְּכָל אוֹתָהּ הָעֵת וְהַזְּמַן עַל פִּי אוֹתָהּ הַתּוֹרָה.

וְאַחַר־כָּךְ אֶזְכֶּה לֵילֵךְ זְמַן מְסֻיָּם עִם חִדּוּשֵׁי תּוֹרָה אַחֶרֶת, עַד שֶׁאֶזְכֶּה לֵילֵךְ עִם כָּל חִדּוּשֵׁי תּוֹרוֹתָם שֶׁגִּלּוּ בָּעוֹלָם, וּלְכַוֵּן כַּוָּנָתָם בֶּאֱמֶת, וְלִזְכּוֹת לְקַיְּמָם בִּשְׁלֵמוּת.

Help me so that I will intuit the holy intention of the true Tzaddikim in everything that I learn in their holy books.

May I construct lovely and holy prayers regarding all of the matters that their holy words talk about or merely hint at. May I understand them quickly.

May I pour forth my conversation to You using all of the teachings that the true Tzaddikim revealed to the world.

May I truly go on the path of serving You with all of the words of their teachings, walking upon the way of holiness in accordance with the insights of each teaching for a period of time.

May I implore, beg, pray and speak to You during all that time to attain the way of Divine service discussed in that teaching, and to truly perform everything mentioned in it. May all of my service of You during that time be in accordance with that teaching.

Afterward, may I proceed for a certain amount of time with another teaching, until I proceed in this way with all of the Torah insights that these Tzaddikim revealed to the world. May I truly be attuned to their intent and implement these teachings fully.

וְאִם אֲנִי רָחוֹק מִזֶּה מְאֹד מְאֹד עַתָּה, בְּעֵינֶיךָ אֵין שׁוּם דָּבָר רָחוֹק, כִּי מִמְּךָ לֹא יִפָּלֵא כָּל דָּבָר, הֵן "כֹּל תּוּכָל וְלֹא יִבָּצֵר מִמְּךָ מְזִמָּה", וְאַתָּה עֹשֶׂה חֲדָשׁוֹת בְּכָל עֵת אֲשֶׁר לֹא נַעֲשׂוּ מֵעוֹלָם.

עָזְרֵנִי עָזְרֵנִי, הוֹשִׁיעֵנִי הוֹשִׁיעֵנִי, כִּי עַתָּה אֵין לִי שׁוּם כֹּחַ כִּי אִם לִשְׁטֹחַ כַּפַּי לְרַחֲמֶיךָ, וְגַם זֶה אֵינִי זוֹכֶה בֶּאֱמֶת כָּרָאוּי.

רַק מֵרָחוֹק אֲקַוֶּה וַאֲצַפֶּה בְּכָל עֵת לִישׁוּעָתְךָ הַשְּׁלֵמָה בֶּאֱמֶת, וְאַתָּה הַטּוֹב בְּעֵינֶיךָ עֲשֵׂה עִמִּי.

כִּי אֵין אִתִּי יוֹדֵעַ עַד מָה, אֵיךְ לְדַבֵּר וּמַה לְּדַבֵּר, וּבְאֵיזֶה דֶּרֶךְ אֶזְכֶּה לְהַגִּיעַ לְכָל מַה שֶּׁבִּקַּשְׁתִּי מִלְּפָנֶיךָ.

וּבְאֵיזֶה עִנְיָן אֶזְכֶּה לִמְצֹא הַנְּקֻדָּה הָאֲמִתִּיִּית בְּכָל עֵת הַשַּׁיָּךְ לְלִבִּי בְּאוֹתָהּ הָעֵת וְהַשָּׁעָה, בְּאֹפֶן שֶׁאֶזְכֶּה לְהִתְנַהֵג בְּכָל עֵת וּבְכָל שָׁעָה כִּרְצוֹנְךָ הַטּוֹב.

וּלְסַדֵּר תְּפִלָּה אֲמִתִּיִּית וְשִׂיחָה נָאָה לְפָנֶיךָ, וּלְקַשֵּׁר עַצְמִי

Although I am extremely far from this at present, in Your eyes, nothing is far, because nothing is beyond You. "You can do everything; no purpose can be withheld from You." You bring about new things at every moment that were never before accomplished.

Teach Me What to Say

Help me! Save me! At present, I have no strength to do anything but stretch my hands out to Your compassion—and that, too, I do not truly deserve.

However, from my distance, I hope for and constantly look toward Your true, complete salvation. Treat me in a way that is good in Your eyes.

I do not know anything: how to speak, what to say, or how I will attain everything that I have asked of You.

I do not know how I will find the true point that touches upon my heart at every moment, such that I will constantly conduct myself in accordance with Your good will.

I do not know how to recite true prayers and lovely conversations before You, or how to truly

בֶּאֱמֶת לְהַנְּקֻדָּה הָאֲמִתִּיִּית הַשַּׁיָּךְ לְלִבִּי בָּעֵת הַזֹּאת, בְּאֹפֶן שֶׁאֶזְכֶּה לָשׁוּב אֵלֶיךָ וְלִהְיוֹת כִּרְצוֹנְךָ הַטּוֹב בֶּאֱמֶת תָּמִיד.

יָחִיד קַדְמוֹן, חָזָק וְאַמִּיץ, חַזְּקֵנִי וְאַמְּצֵנִי בִּתְפִלָּה וְשִׂיחָה לְפָנֶיךָ תָּמִיד. "אֲדֹנָי שְׂפָתַי תִּפְתָּח, וּפִי יַגִּיד תְּהִלָּתֶךָ, נִדְבוֹת פִּי רְצֵה נָא יְהֹוָה, וּמִשְׁפָּטֶיךָ לַמְּדֵנִי".

אוֹחִילָה לָאֵל אֲחַלֶּה פָנָיו אֶשְׁאֲלָה מִמֶּנּוּ מַעֲנֶה לָשׁוֹן, אֲשֶׁר בִּקְהַל עָם אָשִׁירָה עֻזּוֹ אַבִּיעָה רְנָנוֹת בַּעֲדִי וּבְעַד מִפְעָלָיו, "לְאָדָם מַעַרְכֵי לֵב וּמֵיְהֹוָה מַעֲנֵה לָשׁוֹן".

הוֹרֵנִי מַה שֶּׁאֲדַבֵּר, הֲבִינֵנִי מַה שֶּׁאֶשְׁאַל, הוֹדִיעֵנִי אֵיךְ לִרְצוֹתְךָ, לַמְּדֵנִי בֶּאֱמֶת דַּרְכֵי הַהִתְבּוֹדְדוּת וְהַשִּׂיחָה עִמְּךָ בַּעַל הָרַחֲמִים בְּלָשׁוֹן שֶׁמְּדַבְּרִים בּוֹ, שֶׁתִּהְיֶה שִׂיחָתִי לְפָנֶיךָ תָּמִיד כַּאֲשֶׁר יְדַבֵּר אִישׁ אֶל רֵעֵהוּ.

הוֹרֵנִי בְּאֵיזֶה דֶּרֶךְ אֶזְכֶּה לְנַצֵּחַ אוֹתְךָ שֶׁתָּשִׁיב פָּנֶיךָ אֵלֵינוּ,

connect myself to the true point that touches upon my heart at each moment, such that I may return to You and truly be in accordance with Your good will always.

Strong and firm Unique One, Primal One, strengthen me and fortify me in prayer and conversation before You always. "My God, open my lips and my mouth will speak Your praise." "HaShem, please accept the offerings of my mouth and teach me Your judgments."

I will hope in You, God. I will pray before Your countenance and ask You to help me speak to You clearly. As part of the congregation of the nation, I will sing of Your might, praying on my behalf and on behalf of Your purposes. "A man prepares his heart, and then HaShem provides the smoothness of his tongue."

Teach me what to say. Help me understand what to ask for. Tell me how to please You. Teach me in truth the ways of hitbodedut and conversation with You, Master of compassion. May I pray to You in my own words so that I will always converse with You as a man speaks to his friend.

Teach me how to conquer You so that You will turn Your face back to us and help us truly

וְתַחֲזִירֵנוּ בִּתְשׁוּבָה שְׁלֵמָה לְפָנֶיךָ בֶּאֱמֶת.

כִּי כְבָר גִּלִּיתָ לָנוּ שֶׁזֶּה רְצוֹנְךָ שֶׁנִּזְכֶּה לְנַצֵּחַ אוֹתְךָ, כְּמוֹ שֶׁאָמְרוּ רַבּוֹתֵינוּ זִכְרוֹנָם לִבְרָכָה, זַמְּרוּ לְמִי שֶׁמְּנַצְּחִין אוֹתוֹ וְשָׂמֵחַ.

יֶעוֹרְרוּ רַחֲמֶיךָ עַל בָּנֶיךָ, וְתַשְׁפִּיעַ עָלַי וְעַל כָּל הַחֲפֵצִים וּמִתְגַּעְגְּעִים וְחוֹתְרִים לְפָרֵשׁ שִׂיחָתָם לְפָנֶיךָ, דִּבּוּרִים קְדוֹשִׁים הַנִּמְשָׁכִים מֵעֲשָׂרָה מִינֵי זִמְרָה.

אֲשֶׁר עַל יָדָם חִבֵּר דָּוִד הַמֶּלֶךְ עָלָיו הַשָּׁלוֹם סֵפֶר תְּהִלִּים, מִדִּבְרֵי שִׂיחָתוֹ הַקְּדוֹשִׁים שֶׁשָּׁפַךְ לְפָנֶיךָ בְּכָל עֵת.

כִּי אַתָּה יָדַעְתָּ כִּי אֵין אֲנַחְנוּ יוֹדְעִים שׁוּם דֶּרֶךְ שֶׁל הָעֲשָׂרָה מִינֵי זִמְרָה, רַק אָנוּ בְטוּחִים בְּכֹחַ וּזְכוּת דָּוִד הַמֶּלֶךְ עָלָיו הַשָּׁלוֹם.

וּבְכֹחַ כָּל הַצַּדִּיקִים שֶׁסִּדְּרוּ שִׁירוֹת וְתִשְׁבָּחוֹת וּתְפִלּוֹת וְשִׂיחוֹת לְפָנֶיךָ, עַד שֶׁזָּכוּ לְהַשִּׂיג כָּל הָעֲשָׂרָה מִינֵי זִמְרָה בְּתַכְלִית הַשְּׁלֵמוּת.

בְּכֹחָם לְבַד נִשְׁעַנְתִּי גַּם אָנֹכִי וְכָל הַחֲפֵצִים לְפָרֵשׁ שִׂיחָתָם לְפָנֶיךָ, שֶׁנִּזְכֶּה גַּם אֲנַחְנוּ לְדַבֵּר דִּבּוּרִים קְדוֹשִׁים אֲמִתִּיִּים כִּרְצוֹנְךָ הַנִּמְשָׁכִים מֵעֲשָׂרָה מִינֵי זִמְרָה.

return to You in complete repentance.

You have revealed to us that You want us to conquer You. As our sages said, "Sing to the One Who rejoices when He is conquered."

Arouse Your compassion for us, Your children. Send holy words that are drawn from the ten types of melody to me and to all those who desire, yearn and strive to express their conversation before You.

With these ten types of melody, King David composed the Book of Psalms, which is based on the words of his holy conversations that he poured forth to You at every moment.

You know that we do not know of any of the ten types of melody. But we are assured of the power and merit of King David.

And we are assured of the power of all of the Tzaddikim who arranged songs, praises, prayers and conversations before You, until they attained all ten types of melody with the ultimate perfection.

I, as well as all those who wish to express their conversation before You, rely on their power alone in the hope that we, too, will speak holy, true words drawn from the ten types of melody, in accordance with Your will.

וּלְהִתְפַּלֵּל הַרְבֵּה וּלְפָרֵשׁ כָּל שִׂיחָתֵנוּ לְפָנֶיךָ תָּמִיד בְּכָל עֵת בֶּאֱמֶת וּבְלֵב שָׁלֵם. בְּאֹפֶן שֶׁנִּזְכֶּה עַל יָדָם לְנַצֵּחַ אוֹתְךָ בְּכָל עֵת.

שֶׁתַּתְחִיל וְתִגְמֹר מְהֵרָה לְגָאֳלֵנוּ גְּאֻלָּה שְׁלֵמָה שֶׁאֵין אַחֲרֶיהָ גָּלוּת, גְּאוּלַּת הַנֶּפֶשׁ וְהַגּוּף וְהַמָּמוֹן, בִּכְלָל וּבִפְרָט.

שֶׁנִּזְכֶּה לָסוּר מֵרַע לְגַמְרֵי וְלַעֲשׂוֹת הַטּוֹב בְּעֵינֶיךָ תָּמִיד, וְלִהְיוֹת קְבוּעִים בִּקְדֻשָּׁתְךָ בֶּאֱמֶת, וְלַעֲלוֹת בְּכָל פַּעַם מִדַּרְגָּא לְדַרְגָּא בִּקְדֻשָּׁה גְדוֹלָה כִּרְצוֹנְךָ הַטּוֹב בֶּאֱמֶת.

"יִהְיוּ לְרָצוֹן אִמְרֵי פִי וְהֶגְיוֹן לִבִּי לְפָנֶיךָ יְהֹוָה צוּרִי וְגוֹאֲלִי":

We wish to pray a great deal, and always express all of our conversation before You at every moment truthfully and wholeheartedly, so that we will conquer You at every moment.

Begin redeeming us and quickly bring us to a complete redemption that is not followed by exile—a redemption of soul, body and money, overall and in every detail.

May we turn away from evil entirely and always do what is good in Your eyes. May we truly set firmly in Your holiness, and always rise from level to level with great holiness, in accordance with Your good will.

"May the words of my mouth and the meditation of my heart be pleasing before You, HaShem, my Rock and my Redeemer."

23 (II, 26)

A Person Should Drink Just Enough Wine to Expand His Consciousness

In the realm of holiness, there are two complementary energies: *chesed* (lovingkindness) and *gevurah* (strictness). These energies are mirrored in the realm of impurity.

When a person engages properly in a limited amount of drinking to broaden his awareness, his mind expands and rises, and the dynamic of holy lovingkindness expands.

The spirit of Moses exists in a Jew's every limb, reminding it to perform the mitzvah connected to it. That spirit is attuned to a measured amount of drinking, granting a person enhanced spiritual awareness clothed in the dynamic of lovingkindness.

But if a person drinks more than he can handle and grows intoxicated, then the dynamic of strictness that comes from the Side of Evil intensifies. Then he can grow angry and forget all of the mitzvot that Moses commanded the Jews.

לז' אדר הלולא דמשה רבינו ע"ה

"מָשְׁכֵנִי אַחֲרֶיךָ נָּרוּצָה, הֱבִיאַנִי הַמֶּלֶךְ חֲדָרָיו, נָגִילָה וְנִשְׂמְחָה בָּךְ, נַזְכִּירָה דֹדֶיךָ מִיַּיִן, מֵישָׁרִים אֲהֵבוּךָ".

רִבּוֹנוֹ שֶׁל עוֹלָם, רַב חֶסֶד וּמַרְבֶּה לְהֵיטִיב, רַחֵם עָלַי בְּרַחֲמֶיךָ הָרַבִּים, וְזַכֵּנִי לְהִתְקָרֵב אֵלֶיךָ בֶּאֱמֶת בְּכָל עֵת, וְלַעֲבֹד אוֹתְךָ תָּמִיד בְּשִׂמְחָה וּבְטוּב לֵבָב מֵרֹב כֹּל.

וְתִשְׁמֹר אוֹתִי בְּרַחֲמֶיךָ הָרַבִּים, וְתַצִּילֵנִי בְּכָל עֵת מֵרִבּוּי שְׁתִיַּת הַיַּיִן וּשְׁאָר מַשְׁקִים הַמְשַׁכְּרִים, שֶׁלֹּא אֶשְׁתֶּה לְעוֹלָם יוֹתֵר מֵהַמִּדָּה וְלֹא אָבֹא לִידֵי שִׁכְרוּת לְעוֹלָם.

כִּי אַתָּה גִּלִּיתָ לָנוּ עֹצֶם רָעַת הַשִּׁכְרוּת הַמַּטְרִיד וּמַעֲבִיר אֶת הָאָדָם מִשְּׁנֵי עוֹלָמוֹת חַס וְשָׁלוֹם.

כִּי עַל יְדֵי שִׁכְרוּת שׁוֹכְחִין אֶת כָּל הָאַזְהָרוֹת שֶׁל מֹשֶׁה רַבֵּנוּ עָלָיו הַשָּׁלוֹם, שֶׁהוּא מְלֻבָּשׁ אֶצְלֵנוּ בְּכָל אֵבֶר וָאֵבֶר אֵצֶל כָּל אֶחָד וְאֶחָד מִיִּשְׂרָאֵל, וּמַזְכִּיר וּמַזְהִיר אֶת כָּל אֵבֶר וָאֵבֶר לִשְׁמֹר וְלַעֲשׂוֹת וּלְקַיֵּם אֶת כָּל הַמִּצְוָה הַשַּׁיָּכָה לְכָל אֵבֶר

For the Seventh of Adar, the Hilula of Moses

Drinking Wine to Elevate Our Mind

"**D**raw me, we will run after you. The king brought me into his chambers. We will rejoice and be glad in you. We will recall your love, more fragrant than wine. You have been loved sincerely."

Master of the world, great in kindness and performing vast goodness, have compassion on me. Help me truly come close to You at every moment. May I always serve You with joy and with a glad heart, out of an abundance of everything.

In Your vast compassion, guard me. Rescue me at every moment from drinking too much wine and other intoxicating beverages, so that I will never over-drink and never get drunk.

You have revealed to us the great evil of intoxication, which perturbs a person and deprives him of both worlds, Heaven forbid.

As a result of being drunk, people forget all of the admonitions of Moses, who is contained within a Jew's every limb, reminding and urging each limb to guard, perform and uphold every mitzvah related to it; thus, there are

וָאֵבֶר, שֶׁהֵם רְמַ"ח אֵיבָרִים כְּנֶגֶד רְמַ"ח מִצְוֹות עֲשֵׂה.

וְעַל יְדֵי הַשִּׁכְרוּת חַס וְשָׁלוֹם שׁוֹכְחִין כָּל אֵלּוּ הָאַזְהָרוֹת, וְכָל הַדְּרָכִים נַעֲשִׂים לְפָנָיו כְּמִישׁוֹר רַחֲמָנָא לִצְלָן, כְּמוֹ שֶׁכָּתוּב: "כִּי יִתֵּן בַּכּוֹס עֵינוֹ יִתְהַלֵּךְ בְּמֵישָׁרִים".

וְנֶאֱמַר: "לְמִי אוֹי לְמִי אֲבוֹי, לְמִי חַכְלִילוּת עֵינָיִם. לַמְאַחֲרִים עַל הַיַּיִן, לַבָּאִים לַחְקֹר מִמְסָךְ. אַחֲרִיתוֹ כְּנָחָשׁ יִשָּׁךְ וּכְצִפְעֹנִי יַפְרִשׁ. עֵינֶיךָ יִרְאוּ זָרוֹת וְלִבְּךָ יְדַבֵּר תַּהְפֻּכוֹת. וְהָיִיתָ כְּשֹׁכֵב בְּלֶב יָם וּכְשֹׁכֵב בְּרֹאשׁ חִבֵּל".

מָלֵא רַחֲמִים, אַתָּה יָדַעְתָּ כַּמָּה נְפָשׁוֹת נִשְׁקְעוּ בִּיוֵן מְצוּלָה עַל יְדֵי הַשִּׁכְרוּת רַחֲמָנָא לִצְלָן, וְנִטְרְדוּ מִשְּׁנֵי עוֹלָמוֹת עַל יְדֵי זֶה.

הַצִּילֵנִי מָלֵא רַחֲמִים, שָׁמְרֵנִי בְּרַחֲמֶיךָ הָרַבִּים, שֶׁלֹּא אָבֹא לְעוֹלָם לִידֵי שִׁכְרוּת כְּלָל.

248 limbs corresponding to the 248 positive commandments.

But when people get drunk, Heaven forbid, they forget all of these admonitions, and all roads appear straight and clear to them, may the Compassionate One protect us. As the verse states, "When a person turns his gaze to the wine cup, [his behavior] appears blameless to him."

"Who cries, 'Woe!' Who, 'Alas!'…Who has bloodshot eyes?" "Those who sit late over wine, those who come to search for mixed wine." "Ultimately, it bites like a snake and stings like a viper." "Your eyes will gaze at unsuitable women and your heart will speak in confusion." "You will be like a person lying in the heart of the sea and like a person lying at the top of the mast."

You Who are filled with compassion, You know how many souls have sunken into the thick mire as a result of drunkenness, may the Compassionate One protect us, losing both worlds as a result.

You Who are filled with compassion, rescue me. In Your vast compassion, guard me so that I will never become the least bit drunk.

וַאֲפִלּוּ בְּשַׁבָּתוֹת וְיָמִים טוֹבִים וּבִשְׁאָר זְמַנִּים קְדוֹשִׁים, אֲשֶׁר רְצוֹנְךָ שֶׁנְּשַׂמַּח אֶת נַפְשֵׁנוּ עַל יְדֵי שְׁתִיַּת יַיִן מְעַט.

זַכֵּנוּ בְּרַחֲמֶיךָ הָרַבִּים, שֶׁנִּזְכֶּה לְכַוֵּן אֶת הַמִּדָּה שֶׁלֹּא נִשְׁתֶּה כִּי אִם מְעַט הַמֻּכְרָח כְּפִי רְצוֹנְךָ, כְּדֵי לְרוֹמֵם דַּעְתֵּנוּ וּלְהַרְחִיב שִׂכְלֵנוּ וְלִבֵּנוּ, כְּמוֹ שֶׁכָּתוּב: "וְיַיִן יְשַׂמַּח לְבַב אֱנוֹשׁ".

בְּאֹפֶן שֶׁנִּזְכֶּה עַל יְדֵי מְעַט הַשְּׁתִיָּה לְהַרְחִיב וּלְהַגְדִּיל הַחֲסָדִים שֶׁדַּעְתֵּנוּ מְלֻבָּשׁ בָּהֶם, שֶׁנִּזְכֶּה עַל יְדֵי מְעַט הַשְּׁתִיָּה לִהְיוֹת בְּשִׂמְחָה וּבְטוּב לֵבָב בֶּאֱמֶת, בְּאֹפֶן שֶׁנִּזְכֶּה לְהִתְדַּבֵּק בְּךָ בֶּאֱמֶת עַל יְדֵי זֶה.

וְלִזְכֹּר עַל יְדֵי זֶה יוֹתֵר וְיוֹתֵר אֶת כָּל הָאַזְהָרוֹת בְּכָל אֵבֶר וָאֵבֶר שֶׁמַּזְהִיר אוֹתָנוּ מֹשֶׁה רַבֵּנוּ עָלָיו הַשָּׁלוֹם, וְנִתְעוֹרֵר בְּיוֹתֵר לְקַיֵּם אֶת כָּל הַמִּצְוֹת הַשַּׁיָּכִים לְכָל אֵבֶר וָאֵבֶר.

וְתִפְתַּח לִבִּי בְּתוֹרָתֶךָ וְאַחֲרֵי מִצְוֹתֶיךָ תִּרְדֹּף נַפְשִׁי. וְאֶזְכֶּה לְהִתְקָרֵב אֵלֶיךָ יוֹתֵר וְיוֹתֵר עַל יְדֵי הַשְּׁתִיָּה בִּדְבֵקוּת נִפְלָא וַאֲמִתִּי כִּרְצוֹנְךָ הַטּוֹב.

וְאֶהְיֶה מִתְפַּתֶּה בְּיֵינִי בִּקְדֻשָּׁה גְדוֹלָה לִהְיוֹת כִּרְצוֹנְךָ הַטּוֹב

This applies even on the Shabbat, festivals and other holy times, when it is Your will that we gladden our souls by drinking some wine.

In Your vast compassion, help us appraise the proper measure so that we will drink only the small amount necessary, in accordance with Your will, to elevate our mind and broaden our intellect and heart, since "wine cheers the heart of man."

In that way, as a result of drinking a little, may we broaden and enhance the lovingkindness in which our mind is contained, so that as a result of a small amount of drinking, we will truly attain joy and a good heart, and truly cling to You.

As a result, may we recall ever more clearly all of the admonitions in every limb with which Moses admonishes us, so that we will be more inspired to uphold all of the mitzvot that are related to each limb.

Open my heart to Your Torah. May my spirit pursue Your mitzvot. May I come ever closer to You as a result of drinking as I truly cling to You, in accordance with Your good will.

When I drink wine in great holiness, may I truly be in accordance with Your good will. May

בֶּאֱמֶת, וְיִהְיֶה נִמְשָׁךְ עָלַי הַרְחָבַת הַדַּעַת וְהַחֲסָדִים מִדַּעַת קוֹנִי, וְאֶזְכֶּה לְכַבֵּד אֶת יְהֹוָה בֶּאֱמֶת מֵהוֹנִי וּמִגְּרוֹנִי.

רִבּוֹנוֹ שֶׁל עוֹלָם, אַתָּה יָדַעְתָּ כִּי אַף לְפִי גֹּדֶל הַגְּנוּת שֶׁל הַשִּׁכְרוּת בְּלִי שִׁעוּר, אַף עַל פִּי כֵן הֶהֱכְרַח לִפְעָמִים לִשְׁתּוֹת מְעַט בִּשְׁבִיל הַרְחָבַת הַדַּעַת.

כַּאֲשֶׁר הוֹדִיעוּנוּ חֲכָמֶיךָ הָאֲמִתִּיִּים גֹּדֶל גְּנוּת הַשִּׁכְרוּת דְּסִטְרָא אַחֲרָא, וְגֹדֶל מַעֲלַת הַשְּׁתִיָּה בִּקְדֻשָּׁה לִשְׁמֶךָ.

כְּמוֹ שֶׁאָמְרוּ רַבּוֹתֵינוּ זִכְרוֹנָם לִבְרָכָה זָכָה מְשַׂמְּחוֹ, לֹא זָכָה מְשַׁמְּמוֹ. זָכָה נַעֲשָׂה רֹאשׁ לֹא זָכָה נַעֲשָׂה רָשׁ.

וְגַם אָנוּ מְחֻיָּבִים לְקַדֵּשׁ וּלְהַבְדִּיל עַל הַיַּיִן בְּשַׁבָּתוֹת וְיָמִים טוֹבִים וּלְבָרֵךְ בִּרְכַּת הַמָּזוֹן עַל הַכּוֹס שֶׁל יַיִן, כִּי אֵין אוֹמְרִים שִׁיר אֶלָּא עַל הַיַּיִן, כְּמוֹ שֶׁכָּתוּב: "הַמְשַׂמֵּחַ אֱלֹהִים וַאֲנָשִׁים".

עַל כֵּן רַחֵם עָלֵינוּ לְמַעַן שְׁמֶךָ, וְזַכֵּנִי אוֹתִי וְאֶת כָּל חֶבְרָתֵינוּ,

breadth of consciousness and lovingkindness related to Your awareness, my Creator, be drawn onto me. May I truly honor You, HaShem, with my money and with my praise of You.

Drinking the Right Amount

Master of the world, You know that although drunkenness is immeasurably reprehensible, nevertheless, at times a person must drink a little in order to broaden his mind.

The true sages informed us that drunkenness, which is associated with the Side of Evil, is disgraceful, whereas drinking in a holy way for the sake of Your Name is exalted.

Our sages said, "If a person is meritorious, [drinking wine] makes him joyful. But if he is not meritorious, it destroys him...If he is meritorious, he becomes a leader. But if he is not meritorious, he becomes impoverished."

We are obligated to make Kiddush and Havdalah over wine on the Shabbat and festivals, and to recite the Grace after Meals over a cup of wine, because we recite song only over wine, which "gladdens God and men."

Therefore, have compassion on us for the sake of Your Name. May I, all of my friends, and Your

וְאֶת כָּל עַמְּךָ יִשְׂרָאֵל, שֶׁנִּזְכֶּה כָּל אֶחָד לְפִי בְּחִינָתוֹ לֵידַע בְּכָל עֵת לְכַוֵּן הַמִּדָּה, בְּאֹפֶן שֶׁנִּתְרַחֵק מֵהַשִּׁכְרוּת לְגַמְרֵי.

וּבָעֵת שֶׁיִּהְיֶה רְצוֹנְךָ לְשַׂמְּחֵנוּ מִיֵּינְךָ הַטּוֹב, תְּזַכֵּנוּ וְתִשְׁמֹר אוֹתָנוּ שֶׁלֹּא נִשְׁתֶּה יוֹתֵר מִדַּאי רַק מְעַט הַמֻּכְרָח, בְּאֹפֶן שֶׁנִּזְכֶּה לְשַׂמֵּחַ נַפְשֵׁנוּ וּלְהַרְחִיב דַּעְתֵּנוּ וּלְהַגְדִּיל הַחֲסָדִים.

וְלֹא נָבֹא עַל יְדֵי זֶה לִידֵי רֹגֶז וְדִינִים וּגְבוּרוֹת חַס וְשָׁלוֹם כְּלָל. רַק אַדְּרַבָּא נִזְכֶּה עַל יְדֵי מְעַט הַשְּׁתִיָּה לְהִתְפַּשְּׁטוּת בַּחֲסָדִים דִּקְדֻשָּׁה יוֹתֵר וְיוֹתֵר בְּשִׂמְחָה וּבְטוּב לֵבָב בֶּאֱמֶת כִּרְצוֹנְךָ הַטּוֹב.

בְּאֹפֶן שֶׁנִּזְכֶּה לְהִתְדַּבֵּק בְּךָ בֶּאֱמֶת וְלָגִיל וְלָשִׁיר וְלִשְׂמֹחַ בְּשִׁמְךָ בְּגִילָה וְרַנֵּן, וּלְדַבֵּר דִּבְרֵי תוֹרָה בְּהַרְחָבַת הַלֵּב וּבְשִׂמְחָה מַה שֶּׁצְּרִיכִין לְדַבֵּר וּלְגַלּוֹת.

וְתָשִׂים מַחְסוֹם לְפִינוּ לִבְלִי לִהְיוֹת "הוֹלֵךְ רָכִיל מְגַלֶּה סוֹד". לִבְלִי לְגַלּוֹת אָז חַס וְשָׁלוֹם מַה שֶּׁאֵין צְרִיכִין לְגַלּוֹת.

entire nation, the Jewish people—each person on his level—always know the right amount of wine to drink, so that we will be completely removed from drunkenness.

When it is Your will to gladden us with Your good wine, give us the strength and guard us so that we will not drink too much, but only the little amount necessary to gladden our soul, broaden our mind, and enhance the energies of lovingkindness.

May we never, as a result of drinking, experience any anger, judgment or harshness, Heaven forbid. To the contrary, as a result of our small amount of drinking, may we be increasingly drawn to holy lovingkindness, with true joy and a good heart, in accordance with Your good will.

May we truly cling to You. May we rejoice, sing and be glad in Your Name with joy and song, and speak words of Torah, saying what needs to be said and disclosed, with an expansive heart and with joy.

Place a muzzle to our mouths so that we will not be like someone "who goes as a talebearer revealing a secret," and not disclose what should not be disclosed, Heaven forbid.

וְתִפְתַּח אֶת פִּינוּ בְּשִׁירוֹת וְתִשְׁבָּחוֹת לְשִׁמְךָ הַגָּדוֹל וְהַקָּדוֹשׁ כִּרְצוֹנְךָ הַטּוֹב, וִיקֻיַּם בָּנוּ מִקְרָא שֶׁכָּתוּב: "וְחִכֵּךְ כְּיֵין הַטּוֹב, הוֹלֵךְ לְדוֹדִי לְמֵישָׁרִים, דּוֹבֵב שִׂפְתֵי יְשֵׁנִים".

עָזְרֵנִי לִהְיוֹת כִּרְצוֹנְךָ הַטּוֹב בְּכָל הַתְּנוּעוֹת, בַּאֲכִילָה וּשְׁתִיָּה וּשְׁאָר הֶכְרֵחִיּוֹת, הַכֹּל אֶזְכֶּה לַעֲשׂוֹת עַל צַד הַיּוֹתֵר טוֹב בֶּאֱמֶת כְּפִי רְצוֹנְךָ הַטּוֹב בֶּאֱמֶת בְּאוֹתוֹ הָעֵת וְהַזְּמַן.

וְלֹא אָסוּר מֵרְצוֹנְךָ יָמִין וּשְׂמֹאל, מֵעַתָּה וְעַד עוֹלָם אָמֵן סֶלָה:

Open our mouths with song and praises to Your great and holy Name, in accordance with Your good will. May the verse be realized in us, "Your palate is like the best wine, gliding down smoothly to my beloved, making the lips of the sleeping speak."

May our every action—eating, sleeping and other necessary activities—be in accordance with Your good will. May I do everything in truly the best way, truly in accordance with Your good will at that time.

May I never turn aside from Your will, right or left. Amen, selah.

24 (II, 27)

Fulfilling Obligations and Levying Fair Taxes Nullifies Four Evil Traits

---

A person must pay his obligations immediately. If he delays doing so, he brings into being the four evil traits of idolatry, sexual immorality, bloodshed and slander.

And when a principled communal leader taxes each citizen appropriately, he nullifies these four traits.

"מַלְכוּתְךָ מַלְכוּת כָּל עוֹלָמִים וּמֶמְשַׁלְתְּךָ בְּכָל דּוֹר וָדוֹר", מֶלֶךְ מְלָכִים הַמַּמְלִיךְ מְלָכִים וְלוֹ הַמְּלוּכָה.

"מְהַעְדֵּה מַלְכִין וּמְהָקֵם מַלְכִין וּכְמִצְבְּיֵהּ עָבֵד בְּחֵיל שְׁמַיָּא [וְדָיְרֵי] אַרְעָא".

אֲשֶׁר כָּל הַהִתְנַשְּׂאוּת וְהַמַּנְהִיגוּת וְהָרָאשׁוּת שֶׁל כָּל הָעוֹלָם, מִגָּדוֹל שֶׁבַּגְּדוֹלִים עַד קָטָן שֶׁבַּקְּטַנִּים הַכֹּל מֵאִתְּךָ לְבַד.

כְּמוֹ שֶׁאָמְרוּ רַבּוֹתֵינוּ זִכְרוֹנָם לִבְרָכָה: 'אֲפִלּוּ רֵישׁ גַּרְגּוּתָא מִן שְׁמַיָּא מוּקְמֵי לֵיהּ', כְּמָה שֶׁנֶּאֱמַר: "לְךָ יְהֹוָה הַמַּמְלָכָה וְהַמִּתְנַשֵּׂא לְכֹל לְרֹאשׁ".

וּבְכֵן רַחֵם עָלֵינוּ לְמַעַן שְׁמֶךָ, וְתֵן לָנוּ פַּרְנָסִים וּמַנְהִיגִים וְרָאשִׁים כְּשֵׁרִים וְנֶאֱמָנִים וַהֲגוּנִים בְּכָל עִיר וָעִיר.

וְתַמְשִׁיךְ עֲלֵיהֶם דַּעַת וְרַחֲמָנוּת אֲמִתִּי שֶׁיִּזְכּוּ לְרַחֵם עַל עֲנִיֵּי הַצֹּאן, לְבַל יַכְבִּידוּ עֹל הַנְּתִינוּת וְהַמִּסִּים עַל הָעֲנִיִּים וְהָאֶבְיוֹנִים.

רַק תַּשְׁפִּיעַ עֲלֵיהֶם דַּעַת וְרַחֲמָנוּת אֲמִתִּי שֶׁיִּתְנַהֲגוּ

Worthy Communal Leaders

"**Y**our sovereignty is a sovereignty of all times and Your governance is in every generation." You are the King of kings Who appoints kings and possesses kingship.

"He removes kings and establishes kings." "He does as He wishes with the host of Heaven and [the inhabitants of] earth."

All elevation, leadership and command of the entire world, from the very greatest to the very smallest, come from You alone.

As our sages said, "Even a superintendent of wells is appointed from Heaven, as the verse states, 'Yours, HaShem, is the sovereignty, and You are exalted as the head above all.'"

Therefore, have compassion on us for the sake of Your Name. Give us governors, officers and community leaders in every city who are sincere, reliable and worthy.

Give them true awareness and compassion so that they will have compassion on the poor of Your flock, and not overburden the poor and needy with the yoke of taxes.

Pour true awareness and compassion onto them so that they will act sincerely in their

בְּהִתְנַשְּׂאוּת שֶׁלָּהֶם בְּכַשְׁרוּת כִּרְצוֹנְךָ הַטּוֹב, לְסַדֵּר הַגְּבִיּוֹת וְהַמִּסִּים עַל כָּל אֶחָד כָּרָאוּי לוֹ לְפִי כֹּחוֹ בֶּאֱמֶת.

לְהַכְבִּיד עַל מִי שֶׁרָאוּי לְהַכְבִּיד, וּלְהָקֵל עַל מִי שֶׁרָאוּי לְהָקֵל, וְלִפְטֹר לְגַמְרֵי אֶת מִי שֶׁרָאוּי לְפָטְרוֹ, וּבִפְרָט יִרְאֵי יְהוָה אֲשֶׁר הִטּוּ שִׁכְמָם לִסְבֹּל עֹל תּוֹרָה וַעֲבוֹדָה.

רַחֵם עֲלֵיהֶם לְמַעַן שִׁמְךָ וּכְבוֹדֶךָ, וְתֵן בְּלֵב פַּרְנְסֵי וּמַנְהִיגֵי כָּל עִיר וָעִיר שֶׁיָּקֵלּוּ הָעֹל מֵעֲלֵיהֶם לְגַמְרֵי, וְתַעֲבִיר מֵהֶם עֹל מַלְכוּת וְעֹל דֶּרֶךְ אֶרֶץ.

וְתַצִּילֵנוּ וְתִשְׁמְרֵנוּ בְּרַחֲמֶיךָ הָרַבִּים מִמַּנְהִיגִים וּפַרְנָסִים הַמִּתְגָּאִים עַל הַצִּבּוּר שֶׁלֹּא לְשֵׁם שָׁמַיִם.

רַחֵם עַל עַמְּךָ יִשְׂרָאֵל הַמְפֻזָּרִים בֵּין הַגּוֹיִם, וְהֵם מוֹשְׁלִים עָלֵינוּ, וּמַכְבִּידִים בְּכָל עֵת הַנְּתִינוֹת וְהַמִּסִּים עָלֵינוּ, וְאוֹמְרִים בְּכָל עֵת מְדֹד וְהָבֵא.

elevated station, in accordance with Your good will, and tax every individual in accordance with his ability.

They should tax heavily those whom it is fitting to tax heavily, be lenient with those with whom it is fitting to be lenient, and entirely exempt those whom it is fitting to exempt—in particular, people who fear HaShem, who have bent their shoulders to bear the yoke of Torah and serving You.

Have compassion on these God-fearing people for the sake of Your Name and Your honor. Influence the hearts of the governors and officers of every city to completely alleviate their burden and free them of the yoke of various civil obligations and the yoke of earning a living.

In Your vast compassion, rescue us and protect us from officers and governors who rule over the public egotistically and not for the sake of Heaven.

Have compassion on the members of Your nation, the Jewish people, who are scattered among the nations, which rule over us and constantly burden us with taxes, constantly demanding more and more.

וְאַתָּה יוֹדֵעַ דָּחְקֵנוּ וַעֲמָלֵנוּ, וְעֹצֶם צִמְצוּם וּמִעוּט הַפַּרְנָסָה שֶׁנִּתְמַעֲטָה בַּעֲווֹנוֹתֵינוּ, וּבִפְרָט פַּרְנָסַת הַיְרֵאִים וְהַכְּשֵׁרִים הַחֲפֵצִים לְהַרְגִּיל עַצְמָן לָלֶכֶת בִּדְרָכֶיךָ וּלְהִתְקָרֵב אֵלֶיךָ בֶּאֱמֶת.

אֲשֶׁר רֻבָּם כְּכֻלָּם פַּרְנָסָתָם דְּחוּקָה מְאֹד, וּבְבֵיתָם אֵין לֶחֶם וְשִׂמְלָה, וְכָלָה פְּרוּטָה מִן הַכִּיס. וְאִם חַס וְשָׁלוֹם מְטִילִים עֲלֵיהֶם גַּם עַל הַנְּתִינוֹת "כָּשַׁל כֹּחַ הַסַּבָּל" חַס וְשָׁלוֹם.

אוֹי "מִי יָקוּם יַעֲקֹב כִּי קָטֹן הוּא". כִּי אֵין מִי יַעֲמֹד בַּעֲדֵנוּ שִׁמְךָ הַגָּדוֹל יַעֲמָד לָנוּ בְּעֵת צָרָה.

רַחֵם עָלֵינוּ בְּכָל עִיר וָעִיר מֵעָרֵי עַמְּךָ יִשְׂרָאֵל בְּמוֹשְׁבוֹתָם, (כשרוצה להתפלל על איזה עיר בפרטיות יאמר וּבִפְרָט וכו').

וְתֵן לָנוּ מַנְהִיגִים וְרָאשִׁים וּפַרְנָסִים חֲדָשִׁים כְּשֵׁרִים וַהֲגוּנִים בֶּאֱמֶת, שֶׁיְּסַדְּרוּ וְיַעֲרִיכוּ נְתִינוֹת הַמִּסִּים עַל כָּל אֶחָד וְאֶחָד כָּרָאוּי לְפִי עֶרְכּוֹ בֶּאֱמֶת לַאֲמִתּוֹ כִּרְצוֹנְךָ הַטּוֹב.

You know how oppressed and overworked we are, and the acute constriction and diminishment of our income due to our sins—in particular, the income of those who are God-fearing and worthy, who desire to accustom themselves to truly walk in Your ways and come close to You.

Most if not all of these people have a very reduced income. They lack bread and clothing, and even the smallest coin in their wallet. And now the yoke of taxes may be imposed on them, so that "the strength of the porter will collapse," Heaven forbid.

Woe! "How will Jacob rise, for he is small?" At this time of trouble, when no one stands up on our behalf, may Your great Name stand up on our behalf.

Have compassion on us in each and every community in which Your people of Israel live (and in particular, in [name of city]).

Give us truly new, worthy officers, community leaders and governors who will arrange and evaluate the tax burden for every individual fairly and honestly, in accordance with Your good will.

כִּי אַתָּה גִּלִּיתָ לָנוּ עֹצֶם הַמַּעֲלוֹת שֶׁזּוֹכִין עַל יְדֵי מַנְהִיג כָּשֵׁר, כִּי זוֹכִין עַל יָדוֹ לְבַטֵּל אַרְבַּע מִדּוֹת רָעוֹת, שֶׁהֵם: פְּגַם אֱמוּנָה וּכְפִירוּת, וְגִלּוּי עֲרָיוֹת, וּשְׁפִיכוּת דָּמִים, וּלְשׁוֹן הָרָע הַשָּׁקוּל כְּנֶגֶד כֻּלָּן, שֶׁהֵם רָאשֵׁי כָּל הָעֲבֵרוֹת שֶׁבַּתּוֹרָה.

וְאַתָּה יוֹדֵעַ כַּמָּה אָנוּ צְרִיכִין לְהַעְתִּיר וּלְהַפְצִיר אוֹתְךָ לִזְכּוֹת לְהִנָּצֵל מִפְּגַם אַרְבָּעָה מִדּוֹת רָעוֹת הָאֵלֶּה, אֲשֶׁר כָּל אֶחָד נִלְכָּד בָּהֶם כְּפִי מַה שֶּׁנִּלְכָּד, בְּהִרְהוּר אוֹ בְּדִבּוּר אוֹ בְּמַעֲשֶׂה, בְּשׁוֹגֵג אוֹ בְּמֵזִיד.

וְאַתָּה יוֹדֵעַ עַד הֵיכָן מַגִּיעִים הַפְּגָמִים הַגְּדוֹלִים הָאֵלֶּה הַנּוֹגְעִים בְּכָל הַתּוֹרָה כֻּלָּהּ.

עַל כֵּן רַחֵם עָלֵינוּ בְּרַחֲמֶיךָ הָרַבִּים וְזַכֵּנוּ שֶׁיִּהְיֶה לָנוּ מַנְהִיגִים וְרָאשִׁים הֲגוּנִים כָּאֵלֶּה, שֶׁיְּסַדְּרוּ וְיַעֲרִיכוּ הַגְּבִיּוֹת וְהַמִּסִּים עַל כָּל אֶחָד כָּרָאוּי לוֹ.

עַד שֶׁנִּזְכֶּה כֻּלָּנוּ לְהִנָּצֵל עַל יָדָם מִפְּגַם כָּל הָאַרְבַּע מִדּוֹת הָאֵלֶּה, שֶׁלֹּא יְדַבֵּק בָּנוּ וּבְזַרְעֵנוּ שׁוּם שֶׁמֶץ מֵהֶם, לֹא מֵהֶם וְלֹא מִקְּצָתָם, לֹא בְּמַחֲשָׁבָה לֹא בְּדִבּוּר וְלֹא בְּמַעֲשֶׂה, לֹא בְּשׁוֹגֵג וְלֹא בְּמֵזִיד.

You revealed to us the eminent traits that people attain when they have a worthy leader. Through such a leader, people nullify their four evil traits, which are: blemishes in faith leading to heresy, sexual immorality, bloodshed, and malicious gossip—the last of which is equal to them all. These four are the chief sins in the entire Torah.

You know how much we need to plead with You and beg You to rescue us from the blemish of these four evil traits, in which every individual is trapped in his own particular way—whether in thought, speech or deed, whether unintentionally or intentionally.

You know how far these tremendous blemishes, which affect the entire Torah, reach.

Therefore, have compassion on us. May we have worthy officers and community leaders who will fairly arrange and evaluate the taxes that are fitting for every individual.

Through such leaders, may we all be rescued from the blemish of all of these four traits, so that no trace of any of them will cling to us or our children, in whole or in part—whether in thought, speech or deed, whether unintentionally or intentionally.

רַק נִזְכֶּה לִהְיוֹת קְדוֹשִׁים וּטְהוֹרִים בְּתַכְלִית הַשְּׁלֵמוּת, וּנְקִיִּים לְגַמְרֵי מִפְּגַם כָּל הָאַרְבַּע מִדּוֹת הָאֵלֶּה.

וּתְרַחֵם עָלֵינוּ וְתִשְׁמְרֵנוּ וְתַצִּילֵנוּ מִפְּגַם נְדָרִים וּשְׁבוּעוֹת, וְתִשְׁמְרֵנוּ שֶׁלֹּא נִהְיֶה רְגִילִים בִּנְדָרִים וּשְׁבוּעוֹת.

וְכָל הַנְּדָרִים וּשְׁבוּעוֹת שֶׁאָנוּ מֻכְרָחִים לִדּוֹר אוֹ לִשָּׁבַע בִּשְׁבִיל קְדֻשָּׁה וּפְרִישׁוּת כִּרְצוֹנְךָ הַטּוֹב, כְּמוֹ שֶׁאָמְרוּ רַבּוֹתֵינוּ זִכְרוֹנוֹ לִבְרָכָה: 'נְדָרִים סְיָג לַפְּרִישׁוּת'.

תִּשְׁמְרֵנוּ בְּרַחֲמֶיךָ הָרַבִּים, וְתַעֲזֹר וְתוֹשִׁיעַ לָנוּ בְּכָל עֵת לְקַיְּמָם מִיָּד, וְלִבְלִי לַעֲבֹר חַס וְשָׁלוֹם וְלִבְלִי לְאַחֵר שׁוּם נֶדֶר וּשְׁבוּעָה.

רַק נִזְכֶּה לְקַיְּמָם בִּשְׁלֵמוּת מִיָּד, וּכְכָל הַיּוֹצֵא מִפִּינוּ נַעֲשֶׂה. וּמוֹצָא שְׂפָתֵינוּ נִשְׁמֹר וְנַעֲשֶׂה, כַּאֲשֶׁר נִדּוֹר תֵּכֶף וּמִיָּד, וְלֹא נְאַחֵר לְשַׁלְּמוֹ.

וְתוֹרֵנִי וּתְלַמְּדֵנִי בְּכָל עֵת אֵיךְ לְהִתְנַהֵג בְּעִנְיַן נְדָרִים

Rather, may we be holy and pure with ultimate perfection, and entirely cleansed of the blemish of all of these four traits.

Oaths and Vows

Have compassion on us. Guard us and rescue us from the blemish of oaths and vows. Protect us so that we will not become accustomed to making oaths and vows.

May all of the oaths and vows that we must make be for the sake of attaining holiness and self-restraint, in accordance with Your good will. As our sages said, "Oaths are a fence that encourage self-restraint."

Guard us in Your vast compassion. Help and save us at every moment to fulfill our promises immediately and not transgress, Heaven forbid, by delaying any oath or vow.

May we fulfill our oaths completely and immediately, and do all that we have promised. May we keep and do that which emerges from our lips, immediately and without delay.

Guide us and teach us at every moment how to conduct ourselves in the realm of making oaths and vows, with the goal of attaining

וּשְׁבוּעוֹת בִּשְׁבִיל קְדֻשָּׁה וּפְרִישׁוּת, בְּאֹפֶן שֶׁאֶזְכֶּה לְקַיְּמָם בֶּאֱמֶת, וְלִזְכּוֹת עַל יָדָם לִקְדֻשָּׁה וּפְרִישׁוּת בֶּאֱמֶת כִּרְצוֹנְךָ הַטּוֹב.

"הַדְרִיכֵנִי בַאֲמִתֶּךָ וְלַמְּדֵנִי כִּי אַתָּה אֱלֹהֵי יִשְׁעִי, אוֹתְךָ קִוִּיתִי כָּל הַיּוֹם".

חוּס וְרַחֵם עָלַי וְעַל כָּל יִשְׂרָאֵל וּמַלֵּא מִשְׁאֲלוֹתֵינוּ לְטוֹבָה בְּרַחֲמִים, וּתְמַהֵר וְתָחִישׁ לְגָאֳלֵנוּ וְתָבִיא לָנוּ אֶת מְשִׁיחַ צִדְקֵנוּ, וְתָשׁוּב הַמְּלוּכָה וְהָרָשׁוּת וְהַהִתְנַשְּׂאוּת לְיִשְׂרָאֵל עַמְּךָ הַכְּשֵׁרִים וְהַיְּרֵאִים בֶּאֱמֶת.

וִיקֻיַּם מִקְרָא שֶׁכָּתוּב: "כִּי לַיהֹוָה הַמְּלוּכָה וּמוֹשֵׁל בַּגּוֹיִם, וְעָלוּ מוֹשִׁיעִים בְּהַר צִיּוֹן לִשְׁפֹּט אֶת הַר עֵשָׂו וְהָיְתָה לַיהֹוָה הַמְּלוּכָה, וְהָיָה יְהֹוָה לְמֶלֶךְ עַל כָּל הָאָרֶץ בַּיּוֹם הַהוּא יִהְיֶה יְהֹוָה אֶחָד וּשְׁמוֹ אֶחָד":

holiness and asceticism. Then we will truly fulfill our promises, and through them truly attain holiness and self-restraint, in accordance with Your good will.

"Guide me in Your truth and teach me, for You are the God of my salvation. I have hoped in You all the day."

Have pity and compassion on me and on the entire Jewish people. Compassionately fulfill our requests for the good. Quickly and swiftly redeem us and bring our righteous Mashiach. Restore sovereignty, dominion and supremacy to Your people of Israel, who are truly worthy and God-fearing.

May the verse be realized, "For kingship is HaShem's, and He is the Ruler over the nations."

"And redeemers shall go up on Mount Zion to judge the mountain of Esau, and kingship shall be HaShem's."

"And HaShem will be King over the entire earth; on that day, HaShem will be One and His Name will be One."

25 (II, 30)

A Person's Tears Help Him Create Torah Insights That Can Overcome Anti-Semitic Decrees

When a person sheds tears, he creates new Torah insights. Those insights form the body of a new book of those insights, and also oppose and nullify the decrees of the nations.

מֶלֶךְ עוֹזֵר וּמוֹשִׁיעַ וּמָגֵן, הָגֵן בַּעֲדֵנוּ וּבַטֵּל וְהָסֵר מֵעָלֵינוּ כָּל גְּזֵרוֹת קָשׁוֹת וְרָעוֹת שֶׁל כָּל הַמְּלָכִים וְהַשָּׂרִים וְהַיּוֹעֲצִים, וְתַטֶּה לִבָּם עָלֵינוּ לְטוֹבָה.

כִּי אַתָּה יוֹדֵעַ מַחְשְׁבוֹתָם אֲשֶׁר הֵם חוֹשְׁבִים עָלֵינוּ בְּכָל עֵת, "כִּי הִנֵּה אוֹיְבֶיךָ יֶהֱמָיוּן וּמְשַׂנְאֶיךָ נָשְׂאוּ רֹאשׁ, עַל עַמְּךָ יַעֲרִימוּ סוֹד וְיִתְיָעֲצוּ עַל צְפוּנֶיךָ, אָמְרוּ לְכוּ וְנַכְחִידֵם מִגּוֹי וְלֹא יִזָּכֵר שֵׁם יִשְׂרָאֵל עוֹד, כִּי נוֹעֲצוּ לֵב יַחְדָּו עָלֶיךָ בְּרִית יִכְרֹתוּ".

רִבּוֹנוֹ שֶׁל עוֹלָם אַתָּה לְבַד יוֹדֵעַ מַעֲמַד וּמַצַּב יִשְׂרָאֵל בָּעֵת הַזֹּאת בֵּין הָעַכּוּ"ם, כִּי נֶחְשַׁבְנוּ כְּקוֹצִים בְּעֵינֵיהֶם, כִּכְלִי נִמְאָס, כִּכְלִי אֵין חֵפֶץ בּוֹ, נִבְזִים וּדְווּיִים וּסְחוּפִים אֲנַחְנוּ.

הַבֵּט מִשָּׁמַיִם וּרְאֵה כִּי הָיִינוּ לַעַג וָקֶלֶס בַּגּוֹיִם נֶחְשַׁבְנוּ כַּצֹּאן לַטֶּבַח יוּבָל לַהֲרֹג וּלְאַבֵּד וּלְמַכָּה וּלְחֶרְפָּה.

וּבְכָל יוֹם וּבְכָל עֵת חוֹשְׁבִים בְּכָל מְדִינָה וּמְדִינָה עֵצוֹת

Eradicating the Schemes of Anti-Semites

King, Helper, Savior and Shield, protect us! Eradicate and remove all harsh and evil decrees against us by all kings, ministers and advisors, and incline their hearts to us positively.

You know their thoughts about us at every moment. "Your enemies roar and Your foes lift their heads. They scheme and conspire against Your nation. They plot against the people whom You protect. They say, 'Let us go and destroy them so that they will no longer be a nation, so that the name of Israel will never be mentioned again.' They have agreed with a single heart; they have formed a pact against You."

Master of the world, You alone know the position of the Jewish people at this time among the non-Jews. They consider us as thorns in their eyes, as a despised object that is undesirable, vile, rejected and forsaken.

Gaze down from Heaven and see how we have become an object of derision and mockery among the nations. We are considered as sheep for the slaughter, to be killed, destroyed, beaten and insulted.

Every day and at every moment, every country's leaders engage in counsel and schemes

וּמַחֲשָׁבוֹת עַל דַּת יִשְׂרָאֵל הַקָּדוֹשׁ.

כִּי לֹא עָלֵינוּ תְּלֻנּוֹתֵיהֶם כִּי אִם עַל דַּת תּוֹרָתְךָ הַקְּדוֹשָׁה שֶׁבִּכְתָב וּבְעַל פֶּה אֲשֶׁר נָתַתָּ לָנוּ עַל יְדֵי משֶׁה נְבִיאֲךָ נֶאֱמַן בֵּיתֶךָ.

וְרַק בִּשְׁבִיל זֶה לְבַד הֵם חוֹרְקִים שִׁנָּם עָלֵינוּ בְּכָל עֵת וָעֵת בְּכָל דּוֹר וָדוֹר, בְּכָל מְדִינָה וּמְדִינָה.

כִּי לֹא אֶחָד בִּלְבָד עָמַד עָלֵינוּ לְכַלּוֹתֵינוּ, אֶלָּא שֶׁבְּכָל דּוֹר וָדוֹר עוֹמְדִים עָלֵינוּ לְכַלּוֹתֵינוּ, וְהַקָּדוֹשׁ בָּרוּךְ הוּא מַצִּילֵנוּ מִיָּדָם.

רַחֵם עָלֵינוּ אָבִינוּ אָב הָרַחֲמָן, כִּי אֵין מִי שֶׁיַּעֲמֹד בַּעֲדֵנוּ, שִׁמְךָ הַגָּדוֹל יַעֲמָד לָנוּ בְּעֵת צָרָה.

רְאֵה "כִּי אָזְלַת יָד וְאֶפֶס עָצוּר וְעָזוּב" בְּיִשְׂרָאֵל. וְאֵין אִישׁ שָׂם עַל לֵב עֹצֶם הַסַּכָּנָה שֶׁל כְּלָלִיּוּת יִשְׂרָאֵל בְּכָל עֵת.

אֲשֶׁר דָּנִים אוֹתָם בְּבָתֵּי מִשְׁפְּטֵיהֶם וְיוֹעֲצֵיהֶם, וְחוֹשְׁבִים עֲלֵיהֶם מַחֲשָׁבוֹת וּמִתְיָעֲצִים בְּכָל עֵת אֵיךְ לְהִתְנַהֵג עִמָּהֶם, בְּאֹפֶן שֶׁיַּעֲבִירוּ אוֹתָם עַל דַּת חַס וְשָׁלוֹם.

אֲשֶׁר זֶה כָּל פְּנִימִיּוּת מַחֲשַׁבְתָּם הָרָעָה, כַּאֲשֶׁר נִגְלֶה לְפָנֶיךָ אֲדוֹן כֹּל יוֹדֵעַ מַחֲשָׁבוֹת.

against the holy religion of Israel.

Their criticisms are directed not against us, but against the religion of Your holy Written and Oral Torah that You gave us through Moses Your prophet, the faithful one of Your house.

Only because of that do they grind their teeth against us—at every moment, in every generation, in every country.

"Not only one has stood against us to eradicate us, but in every generation, they stand against us to eradicate us. But the Holy One, blessed be He, saves us from their hand."

Our compassionate Father, have compassion on us. When no one stands up on our behalf, may Your great Name stand up for us at a time of trouble.

See, "the [enemies'] power is increasing, and none [of the Jews] are helped or strengthened." No one takes to heart the intense danger facing the Jewish people in every generation.

Non-Jewish courts and advisors judge them, and constantly plan and take counsel on how to strip them of their religion, Heaven forbid.

That is the entirety of the core of their evil thoughts, as is revealed to You, Master of all, Who knows thoughts.

וּכְבָר הֵסִיתוּ וְהִדִּיחוּ אֶת כַּמָּה נְפָשׁוֹת מִיִּשְׂרָאֵל עַל יְדֵי עֲצוֹתֵיהֶם וּגְזֵרוֹתֵיהֶם הָרָעוֹת. וְעוֹד הֵם חוֹשְׁבִים עֲצוֹת רָעוֹת לְהוֹסִיף גְּזֵרוֹת חַס וְשָׁלוֹם בְּכָל מְדִינָה וּמְדִינָה, כַּאֲשֶׁר נִשְׁמַע לְאָזְנֵינוּ כַּמָּה פְּעָמִים.

אוֹי לְאָזְנַיִם שֶׁכָּךְ שׁוֹמְעוֹת, אוֹי מַה נַּעֲשֶׂה לְבַטֵּל וּלְהָפֵר עֲצָתָם וּלְקַלְקֵל מַחֲשַׁבְתָּם.

"אֲדֹנָי אֱלֹהִים חֲדַל נָא מִי יָקוּם יַעֲקֹב כִּי קָטֹן הוּא". עָזְרֵנוּ לְמַעַן שְׁמֶךָ, כִּי אֵין מִי יַעֲמֹד בַּעֲדֵנוּ.

מִתְרַצֶּה בְּרַחֲמִים וּמִתְפַּיֵּס בְּתַחֲנוּנִים הִתְרַצֵּה וְהִתְפַּיֵּס לְדוֹר עָנִי כִּי אֵין עוֹזֵר, עָזְרֵנוּ כִּי עָלֶיךָ נִשְׁעָנְנוּ.

וּבְכֵן יְהִי רָצוֹן מִלְּפָנֶיךָ יְהוָה אֱלֹהֵינוּ וֵאלֹהֵי אֲבוֹתֵינוּ, מָלֵא רַחֲמִים אוֹהֵב עַמּוֹ יִשְׂרָאֵל.

שֶׁכֹּחַ הַדְּמָעוֹת הַקְּדוֹשִׁים שֶׁל הַצַּדִּיקִים אֲמִתִּיִּים שֶׁבָּכוּ הַרְבֵּה וְשָׁפְכוּ דְּמָעוֹת רַבּוֹת לְפָנֶיךָ כַּמַּיִם, עַד שֶׁזָּכוּ שֶׁנִּתְגַּלּוּ לָהֶם חִדּוּשֵׁי תוֹרָה הַרְבֵּה עַל יְדֵי דִמְעוֹתֵיהֶם.

They have already enticed and lured a number of Jewish souls by means of their counsel and evil decrees. And they plan yet more evil counsel to add more decrees, Heaven forbid, in each and every country, as we have heard a number of times.

Woe to the ears that hear this! What shall we do to nullify and eradicate their schemes and spoil their plans?

"Lord, God, desist now! Who will rise with Jacob, for he is small?" Help us for the sake of Your Name, because there is no one else to stand on our behalf.

You Who are pleased with supplication and accept entreaties, be pleased and appeased with this impoverished generation, because there is no one else to assist us. Help us, because we depend on You.

HaShem our God and God of our fathers, You are filled with compassion. You love Your people of Israel.

The Tears of the Tzaddikim

There is power in the holy tears of the true Tzaddikim: they have wept a great deal, spilling many tears before You like water, until many Torah insights were revealed to them.

עַד אֲשֶׁר חִבְּרוּ סְפָרִים שְׁלֵמִים קְדוֹשִׁים וּטְהוֹרִים נִפְלָאִים וְנוֹרָאִים מֵחִדּוּשֵׁי תוֹרָתָם הַקְּדוֹשָׁה שֶׁחִדְּשׁוּ עַל יְדֵי בְּכִיָּה בְּדִמְעוֹת שָׁלִישׁ.

רַחֵם עַל יִשְׂרָאֵל עַמֶּךָ בְּרַחֲמֶיךָ הָרַבִּים, וּתְעוֹרֵר כֹּחַ הַדְּמָעוֹת הַקְּדוֹשִׁים הָאֲמִתִּיִּים הָאֵלֶּה, שֶׁיַּעַמְדוּ כְּנֶגֶד גְּזֵרוֹת הָעַכּוּ"ם וִיבַטְּלוּ אוֹתָם.

אָנָּא אָדוֹן יָחִיד, מָלֵא רַחֲמִים, גּוֹאֵל יִשְׂרָאֵל וּקְדוֹשׁוֹ, עֶזְרַת אֲבוֹתֵינוּ אַתָּה הוּא מֵעוֹלָם, מָגֵן וּמוֹשִׁיעַ לָהֶם וְלִבְנֵיהֶם אַחֲרֵיהֶם בְּכָל דּוֹר וָדוֹר.

יֶהֱמוּ וְיִכְמְרוּ הֲמוֹן מֵעֶיךָ וְרַחֲמֶיךָ עַל עַמְּךָ יִשְׂרָאֵל אֲשֶׁר בָּחַרְתָּ, בְּעֵת צָרָה הַזֹּאת בְּעוּקְבָא דִּמְשִׁיחָא.

וְתָקִיץ וּתְעוֹרֵר זְכוּת וְכֹחַ הַדְּמָעוֹת הַקְּדוֹשִׁים וְהַנּוֹרָאִים הָאֵלֶּה, דְּמָעוֹת רַבִּים רוֹתְחִים וּבוֹעֲרִים כְּאֵשׁ לוֹהֵט, שֶׁבָּכוּ כָּל הַצַּדִּיקִים הַקְּדוֹשִׁים לְפָנֶיךָ מִימוֹת עוֹלָם.

אֲשֶׁר נִתְחַבְּרוּ סְפָרִים קְדוֹשִׁים רַבִּים מֵחִדּוּשֵׁי תוֹרָתָם שֶׁחִדְּשׁוּ עַל יְדֵי דְמָעוֹת שֶׁבָּכוּ לְפָנֶיךָ קֹדֶם שֶׁחִדְּשׁוּ בַּתּוֹרָה.

Ultimately, they composed perfect, holy, pure, wondrous and awesome books composed of the insights of their holy teachings that they created as a result of weeping with copious tears.

Have compassion on the Jewish people, Your nation, and awaken the power of these honest, holy tears so that they will oppose and nullify the decrees of the non-Jews.

Please, Lord, You Who are Unique, You Who are filled with compassion, Redeemer of Israel and its Holy One, You have always been the help of our forefathers, a shield and savior to them and to their children after them in every generation.

May You be moved and have compassion on Your chosen people of Israel at this time of trouble, during the "footsteps of the Mashiach."

Awaken and arouse the merit and power of these multitudinous, holy and awesome tears that boil and burn like a flaming fire, which all of the holy Tzaddikim wept before You from the earliest days.

Many holy books were composed of their Torah insights that they originated as a result of the tears that they cried to You first.

זְכוֹר וְהַבֵּט וְרַחֵם עַל עַמְּךָ יִשְׂרָאֵל אֲשֶׁר אָהַבְתָּ, שֶׁיַּעַמְדוּ אֵלּוּ הַדְּמָעוֹת הַקְּדוֹשִׁים שֶׁל הַצַּדִּיקִים, כְּנֶגֶד כֹּחַ הַדְּמָעוֹת הָרָעוֹת שֶׁל עֵשָׂו הָרָשָׁע, אֲשֶׁר כְּבָר סָבְלוּ יִשְׂרָאֵל צָרוֹת רַבּוֹת [הַרְבֵּה] דַּי וְהוֹתֵר עַל יְדֵי שָׁלֹשׁ דְּמָעוֹת שֶׁלּוֹ.

אָבִינוּ שֶׁבַּשָּׁמַיִם, אָבִינוּ אָב הָרַחֲמָן, הַבֵּט מִשָּׁמַיִם וּרְאֵה, וְקַבֵּל כְּנֶגְדָּם אַלְפֵי אֲלָפִים וְרִבֵּי רְבָבוֹת דְּמָעוֹת שָׁלִישׁ, שֶׁשָּׁפְכוּ יִשְׂרָאֵל לְפָנֶיךָ מִיּוֹם הֱיוֹתָם עַד הֵנָּה.

וּבִפְרָט מִיּוֹם חָרְבַּן בֵּיתְךָ עַד הַיּוֹם הַזֶּה, וּבִפְרָט הַדְּמָעוֹת הַקְּדוֹשִׁים שֶׁל הַצַּדִּיקִים אֲמִתִּיִּים, שֶׁנִּתְחַבְּרוּ סְפָרִים קְדוֹשִׁים עַל יָדָם.

מָלֵא רַחֲמִים גִּבּוֹר וְרַב לְהוֹשִׁיעַ, תֵּן כֹּחַ לְהַדְּמָעוֹת הַקְּדוֹשִׁים הָאֵלֶּה, שֶׁיַּעַמְדוּ אֵלּוּ הַדְּמָעוֹת הַקְּדוֹשִׁים שֶׁל

Recall this and gaze upon it, and have compassion on Your nation, the Jewish people, whom You love, so that these holy tears of the Tzaddikim will oppose the power of the evil tears of the wicked Esau, for the Jewish people have already borne much suffering as a result of his three tears.[7]

Our compassionate Father in Heaven, gaze from Heaven and see this. Accept the millions and billions of tears that the Jewish people have spilled before You from the day that they came into being until today.

This is particularly so from the day of the destruction of Your Temple until this day—and, in particular, regarding the holy tears of the true Tzaddikim, by means of which they composed their holy books.

You Who are filled with compassion, You Who save us with might and power, grant power to these holy tears, so that the holy tears of the

7 According to the Midrash, Esau shed three tears when he begged his father Isaac to bless him as well as Jacob (see Genesis 27:38). Rabbi Abin taught: The Community of Israel says before HaShem, "Because of the three tears that the evil one [Esau] shed, You made him ruler over the whole world and gave him prosperity in this world. How much more, then, will You do for us when You come to see that we are humiliated and that we pour out our very souls in weeping?!" (*Midrash Tehillim* 80:4).

הַצַּדִּיקִים כְּנֶגֶד הַדְּמָעוֹת שֶׁל עֵשָׂו הָרָשָׁע.

לְבַטֵּל עַל יְדֵי זֶה כָּל מִינֵי גְּזֵרוֹת קָשׁוֹת וְרָעוֹת שֶׁל הָעַמִּים, הֵן אוֹתָם שֶׁכְּבָר נִגְזְרוּ, הֵן אוֹתָם שֶׁרוֹצִים לִגְזֹר חַס וְשָׁלוֹם.

כֻּלָּם תֵּעָקֵר וְתִשָּׁבֵר וּתְמַגֵּר וּתְבַטֵּל בְּכֹחַ הַדְּמָעוֹת הַקְּדוֹשִׁים הָאֵלֶּה שֶׁל הַצַּדִּיקִים הָאֲמִתִּיִּים.

וְתַעַזְרֵנוּ וְתוֹשִׁיעֵנוּ לַעֲסֹק תָּמִיד בְּסִפְרֵי הַצַּדִּיקִים הָאֲמִתִּיִּים וְלַהֲגוֹת בָּהֶם יוֹמָם וָלַיְלָה, וְנִזְכֶּה לְהָבִין וּלְהַשְׂכִּיל אֶת כָּל דִּבְרֵי תוֹרָתָם הַקְּדוֹשָׁה, וּלְקַיֵּם דִּבְרֵיהֶם בֶּאֱמֶת.

וְיִתְפַּשְּׁטוּ סִפְרֵיהֶם בָּעוֹלָם, וְיָפוּצוּ מַעְיְנוֹתֵיהֶם חוּצָה, בְּאֹפֶן שֶׁיִּתְעוֹרְרוּ בְּכָל פַּעַם כֹּחַ דִּמְעוֹתֵיהֶם הַקְּדוֹשִׁים שֶׁעַל יְדֵיהֶם נִתְחַבְּרוּ סִפְרֵיהֶם הַקְּדוֹשִׁים.

וִיבַטְּלוּ וִישַׁבְּרוּ וִיַעַקְרוּ כָּל הָעֵצוֹת רָעוֹת וְכָל הַגְּזֵרוֹת שֶׁל הָעַכּוּ"ם. וְכָל הַקָּמִים עָלֵינוּ לְרָעָה מְהֵרָה תָּפֵר עֲצָתָם וּתְקַלְקֵל מַחֲשַׁבְתָּם.

Tzaddikim will oppose the tears of the wicked Esau.

Nullify all of the nations' harsh and evil decrees—those that have been passed and those that they intend to pass, Heaven forbid.

Uproot, break, shatter and nullify all of them with the power of these holy tears of the true Tzaddikim.

Holy Books

Help us and save us so that we will always learn the books of the true Tzaddikim and meditate upon them day and night. May we understand and comprehend all of the words of their holy teachings, and truly uphold their words.

May their books spread out throughout the world. May their wellsprings spread forth so that at every moment the power of their holy tears, through which they composed their holy books, will be aroused.

May all of the evil counsel and decrees of the non-Jews be nullified, broken and uprooted. Swiftly frustrate their counsel. Destroy the intent of all of those who rise up against us to harm us.

עֲשֵׂה לְמַעַן שְׁמֶךָ עֲשֵׂה לְמַעַן יְמִינֶךָ עֲשֵׂה לְמַעַן קְדֻשָּׁתֶךָ עֲשֵׂה לְמַעַן תּוֹרָתֶךָ.

כִּי אֵין לָנוּ עַל מִי לְהִשָּׁעֵן כִּי אִם עַל אָבִינוּ שֶׁבַּשָּׁמַיִם, וְעַל כֹּחַ וּזְכוּת אֲבוֹתֵינוּ הַצַּדִּיקִים הַקְּדוֹשִׁים.

אָבִינוּ מַלְכֵּנוּ בַּטֵּל מֵעָלֵינוּ כָּל גְּזֵרוֹת קָשׁוֹת וְרָעוֹת. אָבִינוּ מַלְכֵּנוּ הָפֵר עֲצַת אוֹיְבֵינוּ.

"אַל תִּתֵּן לְחַיַּת נֶפֶשׁ תּוֹרֶךָ חַיַּת עֲנִיֶּיךָ אַל תִּשְׁכַּח לָנֶצַח. כִּי שָׁחָה לֶעָפָר נַפְשֵׁנוּ דָּבְקָה לָאָרֶץ בִּטְנֵנוּ. קוּמָה עֶזְרָתָה לָּנוּ וּפְדֵנוּ לְמַעַן חַסְדֶּךָ":

Act for the sake of Your Name. Act for the sake of Your right hand. Act for the sake of Your holiness. Act for the sake of Your Torah.

We have no one on whom to rely except You, our Father in Heaven, and on the power and merit of our forefathers, the holy Tzaddikim.

Our Father, our King, nullify all of the harsh and evil decrees against us. Our Father, our King, nullify the counsel of our enemies.

"Do not give the life of your turtledove over to the troops; do not forget forever the life of Your impoverished ones." "Our soul is cast down to the dust, our belly clings to the earth. Arise to help us and redeem us for the sake of Your kindness."

26 (II, 32)

The Union of a Holy Couple Brings About a Heavenly Union / Jealousy is a Sign of Love, But in This World It Can be Harmful / God Causes Holy Books to be Destroyed So We May Return to Him

When a husband and wife are worthy, their marital union is free of anything unseemly. Their unification in this world is so holy and pure that an upper, Heavenly unification depends on it.

But even in this relationship, the husband may experience jealousy. That is due to his love for his wife. Theoretically, that is something positive. However, since the union of this couple occurs in this lower world, his jealousy can result in argument and disharmony.

In the time of the Temple, if a husband discovered his wife secluded with another man and suspected her of infidelity, he could take her to the Temple.[8] There, the Kohen would write verses with God's Name on a parchment and then immerse the parchment in water, erasing the text. The woman would then drink

---

8 The ceremony involving the *sotah*, or suspected woman, is detailed in Numbers 5:11-31.

the water. If she had been unfaithful, she would die. If she had been faithful, the waters would bring her blessings, following which she would be restored to a repaired relationship with her husband.

Similarly, when the Jewish people act in an unseemly manner and God, as it were, suspects us of being unfaithful to Him, He subjects us to the same ceremony of the *sotah*. In this case, the parchment with God's Name written on it is represented by holy books, and the erasure of God's Name on the parchment is represented by the loss of those books.

Sometimes, the loss of such holy books occurs naturally over the course of history. Besides that, there are hidden Tzaddikim who know the inner aspects of the Torah but who do not express their insights at all, or refrain from writing them down, or write them down and then deliberately burn the manuscript.

When great Tzaddikim hide their teachings by burning and destroying them, that causes the destruction of heretical books—which, had they spread throughout the world, would have prevented people from coming close to God. Although the Tzaddikim's teachings contain Divine Names, the destruction of these teachings is of great benefit to the world, for it makes it possible for us to come closer to God. It removes God's spirit of jealousy so that the peace between Him and the Jewish people is restored.

אַתָּה בְחַרְתָּנוּ מִכָּל הָעַמִּים, אָהַבְתָּ אוֹתָנוּ וְרָצִיתָ בָּנוּ, וְרוֹמַמְתָּנוּ מִכָּל הַלְּשׁוֹנוֹת וְקִדַּשְׁתָּנוּ בְּמִצְוֹתֶיךָ, וְקֵרַבְתָּנוּ מַלְכֵּנוּ לַעֲבוֹדָתֶךָ, וְשִׁמְךָ הַגָּדוֹל וְהַקָּדוֹשׁ עָלֵינוּ קָרָאתָ.

וַתִּתֶּן לָנוּ יְהֹוָה אֱלֹהֵינוּ בְּאַהֲבָה אֶת תּוֹרָתְךָ הַקְּדוֹשָׁה עַל יְדֵי משֶׁה נְבִיאֲךָ נֶאֱמַן בֵּיתֶךָ, וְצִוִּיתָ אוֹתָנוּ לִבְלִי לָסוּר מִן הַדָּבָר אֲשֶׁר יַגִּידוּ לָנוּ הַצַּדִּיקִים אֲמִתִּיִּים שֶׁבְּכָל דּוֹר וָדוֹר.

וּבְרַחֲמֶיךָ הָרַבִּים חוֹנַנְתָּ אוֹתָנוּ בְּכָל דּוֹר וָדוֹר כַּמָּה צַדִּיקִים וַחֲכָמִים אֲמִתִּיִּים, אֲשֶׁר הוֹרוּ אֶת יִשְׂרָאֵל דֶּרֶךְ הַיָּשָׁר וְהָאֱמֶת.

וְהִשְׁאִירוּ אַחֲרֵיהֶם בְּרָכָה סְפָרִים קְדוֹשִׁים וְנוֹרָאִים לְהָאִיר פְּנֵי תֵבֵל, לְגַלּוֹת לָנוּ דַּרְכֵי תוֹרָתְךָ הַקְּדוֹשָׁה, כְּדֵי שֶׁנִּזְכֶּה לְקַיֵּם אֶת כָּל דִּבְרֵי תוֹרָתְךָ בְּאַהֲבָה.

לְמַעַן נִזְכֶּה לְהַמְשִׁיךְ עָלֵינוּ עַל כָּל אֶחָד וְאֶחָד קְדֻשַּׁת רוּחוֹ שֶׁל מְשִׁיחַ צִדְקֵנוּ, אֲשֶׁר רוּחוֹ מְרַחֶפֶת עַל פְּנֵי הַמַּיִם

The Spirit of Holiness

You chose us from all of the nations. You loved us and desired us. You elevated us above all of the tongues and sanctified us with Your commandments. You brought us close to serve You, our King, and You associated Your great and holy Name with us.

HaShem our God, You gave us Your holy Torah through Moses Your prophet, the faithful one of Your house. And You commanded us not to turn aside from the words that the true Tzaddikim will communicate in every generation.

In Your vast compassion, You favored us in every generation with a number of true Tzaddikim and sages who taught the Jewish people the straight and true way.

They left behind them the blessing of holy and awesome books to illuminate the face of the earth, to reveal to us the ways of Your holy Torah so that we might lovingly uphold all of the words of Your Torah.

May we draw upon ourselves—may every individual draw onto himself—the holiness of the spirit of our righteous Mashiach, whose spirit "hovers over the face of the waters," which

עַל אַנְפֵּי אוֹרַיְתָא, עַל הַסְּפָרִים הַקְּדוֹשִׁים שֶׁל הַתּוֹרָה הַקְּדוֹשָׁה.

אֲשֶׁר רוּחוֹ הַקָּדוֹשׁ הַזֶּה שֶׁל מָשִׁיחַ מְלֻבָּשׁ בְּכָל אֶחָד וְאֶחָד מִיִּשְׂרָאֵל כְּפִי קְדֻשָּׁתוֹ וְטָהֳרָתוֹ.

וְעִקַּר קְדֻשָּׁתוֹ הוּא קְדֻשַּׁת הַבְּרִית, כִּי רוּחוֹ שֶׁל מָשִׁיחַ הוֹלֵךְ וּמְקַנֵּא עַל שְׁמִירַת הַבְּרִית, וַאֲפִלּוּ עַל רֵיחַ נִאוּף הוּא הוֹלֵךְ וּמְקַנֵּא לְגַדֵּל קְדֻשָּׁתוֹ וְטָהֳרָתוֹ שֶׁאֵינוֹ יָכוֹל לִסְבֹּל שׁוּם פְּגַם מִפְּגַם הַבְּרִית אֲפִלּוּ דַּק מִן הַדַּק.

כִּי "רוּחַ אַפֵּנוּ מְשִׁיחַ יְהֹוָה" מִתְקַנֵּא בְּיוֹתֵר עַל פְּגַם הַבְּרִית, כִּי כָל יִשְׁעוֹ וְכָל חֶפְצוֹ לְהַטּוֹת לֵב יִשְׂרָאֵל אֵלָיו יִתְבָּרַךְ, שֶׁיִּזְכּוּ לִהְיוֹת שׁוֹמְרֵי הַבְּרִית בֶּאֱמֶת, כִּרְצוֹנוֹ יִתְבָּרַךְ.

וְעַתָּה אָבִי שֶׁבַּשָּׁמַיִם, אָב הָרַחֲמָן, הַמָּלֵא רַחֲמִים בְּכָל עֵת וּבְכָל רֶגַע, הוֹרֵנִי וְלַמְּדֵנִי דֶּרֶךְ עֵצָה נְכוֹנָה וַאֲמִתִּיִּית שֶׁאֶזְכֶּה לְקַיְּמָהּ, בְּאֹפֶן שֶׁאֶזְכֶּה מֵעַתָּה לִשְׁמִירַת הַבְּרִית בֶּאֱמֶת, וְלִבְלִי לִפְגֹּם שׁוּם פְּגַם חַס וְשָׁלוֹם אֲפִלּוּ בְּהֶתֵּר.

is the face of the Torah: the holy books of the holy Torah.

This holy spirit of the Mashiach is contained in every Jew, corresponding to his holiness and purity.

Guarding the Covenant

The essence of each person's holiness is the holiness of the covenant. The spirit of the Mashiach is zealousness applied to guarding the covenant. He is zealous regarding even a trace of lust. Because of his great holiness and purity, he cannot bear even the slightest blemish of the covenant.

"The spirit of our nostrils, the Mashiach of HaShem" is particularly zealous regarding any blemish to the covenant. All of his hope and desire is to turn the heart of the Jewish people to You, so that we will truly guard the covenant in accordance with Your will.

And now, my Father in Heaven, You Who are filled with compassion at every moment, grant me proper and true advice, so that from now on I will truly guard the covenant and not cause any blemish, Heaven forbid, even with permissible behavior.

וְתַעַזְרֵנִי וְתוֹשִׁיעֵנִי בְּרַחֲמֶיךָ הָרַבִּים, שֶׁאֶזְכֶּה לְתַקֵּן בְּחַיַּי מְהֵרָה כָּל הַפְּגָמִים שֶׁפָּגַמְתִּי בִּפְגַם הַבְּרִית מֵעוֹדִי עַד הַיּוֹם הַזֶּה, בְּשׁוֹגֵג וּבְמֵזִיד בְּאֹנֶס וּבְרָצוֹן.

וּתְרַחֵם עָלַי וְתִשְׁמְרֵנִי מֵעַתָּה מִכָּל מִינֵי פְּגַם הַבְּרִית, בְּמַחֲשָׁבָה דִּבּוּר וּמַעֲשֶׂה.

"לֵב טָהוֹר בְּרָא לִי אֱלֹהִים, וְרוּחַ נָכוֹן חַדֵּשׁ בְּקִרְבִּי. הָשִׁיבָה לִּי שְׂשׂוֹן יִשְׁעֶךָ, וְרוּחַ נְדִיבָה תִסְמְכֵנִי. אַל תַּשְׁלִיכֵנִי מִלְּפָנֶיךָ, וְרוּחַ קָדְשְׁךָ אַל תִּקַּח מִמֶּנִּי".

עָזְרֵנִי וְזַכֵּנִי שֶׁיָּאִיר עָלַי קְדֻשַּׁת רוּחוֹ שֶׁל מָשִׁיחַ הַשּׁוֹרֶה וּמְרַחֵף עַל הַסְּפָרִים הַקְּדוֹשִׁים שֶׁל הַתּוֹרָה הַקְּדוֹשָׁה.

וּבִזְכוּתוֹ וְכֹחוֹ אֶזְכֶּה לָצֵאת מִתַּאֲוַת נִאוּף לְגַמְרֵי, וְלֹא אָבוֹא לִידֵי שׁוּם הִרְהוּר כְּלָל, וְלֹא לְשׁוּם הִסְתַּכְּלוּת הַנּוֹגֵעַ לְתַאֲוָה זֹאת.

וְתַעֲצִים עֵינַי מֵרְאוֹת בְּרָע, "הַעֲבֵר עֵינַי מֵרְאוֹת שָׁוְא בִּדְרָכֶךָ חַיֵּנִי". וְתַצִּילֵנִי מִכָּל מִינֵי פְּגַם הַבְּרִית, וְתִשְׁמְרֵנִי

In Your vast compassion, help me and save me, so that in the course of my lifetime I will quickly rectify all of the blemishes that I caused to the covenant from the beginning of my life until this day—whether unintentionally or intentionally, whether under duress or willingly.

From this moment onward, have compassion on me and protect me from every type of blemish of the covenant—in thought, speech and deed.

"God, create within me a pure heart and renew a steadfast spirit within me." "Restore to me the joy of Your salvation, and may a generous spirit support me." "Do not cast me away from You, and do not take Your holy spirit away from me."

Help me so that the holy spirit of the Mashiach that rests and hovers over the holy books of holy inspiration will shine upon me.

In its merit and power, may I renounce lustful desire entirely. May I not be vulnerable to any fantasies at all, or look at anything that has anything to do with this desire.

Help me close my eyes so that they will not look at evil. "Turn my eyes away from seeing vanity; with Your ways, give me life." Rescue me from every sort of blemish of the covenant.

בְּרַחֲמֶיךָ הָרַבִּים אֲפִלּוּ מֵרֵיחַ שֶׁל נִאוּף.

מָלֵא רַחֲמִים, שׁוֹמֵר עַמּוֹ יִשְׂרָאֵל לָעַד, שָׁמְרֵנִי וְהַצִּילֵנִי בְּרַחֲמֶיךָ הָרַבִּים, "שָׁמְרֵנִי אֵל כִּי חָסִיתִי בָךְ".

וּתְרַחֵם עָלֵינוּ בְּרַחֲמֶיךָ הָרַבִּים, וְתַעַזְרֵנִי וְתוֹשִׁיעֵנִי שֶׁיִּתְפַּשְּׁטוּ בָּעוֹלָם כָּל הַסְּפָרִים הַקְּדוֹשִׁים שֶׁל כָּל הַצַּדִּיקִים אֲמִתִּיִּים.

כִּי אַתָּה יוֹדֵעַ, רִבּוֹנוֹ דְעָלְמָא כֻּלָּא, כַּמָּה וְכַמָּה סְפָרִים קְדוֹשִׁים וִיקָרִים שֶׁל גְּדוֹלֵי הַצַּדִּיקִים, אָבוֹת הָעוֹלָם וּנְבִיאִים רִאשׁוֹנִים וְאַחֲרוֹנִים וְתַנָּאִים וַאֲמוֹרָאִים, וּשְׁאָר צַדִּיקֵי יְסוֹדֵי עוֹלָם שֶׁהָיוּ בְּכָל דּוֹר וָדוֹר.

שֶׁרֻבָּם כְּכֻלָּם חִבְּרוּ וְיָסְדוּ סְפָרִים רַבִּים יְקָרִים וּקְדוֹשִׁים, וּבַעֲוֹנוֹתֵינוּ הָרַבִּים נֶאֶבְדוּ וְנִתְעַלְּמוּ מִן הָעוֹלָם.

חֲמוֹל בְּרַחֲמֶיךָ הָרַבִּים עַל מְעַט הַסְּפָרִים הַקְּדוֹשִׁים שֶׁל הַצַּדִּיקִים שֶׁנִּשְׁאֲרוּ מְעַט מֵהַרְבֵּה, וְזַכֵּנוּ בְּרַחֲמֶיךָ הָרַבִּים

In Your vast compassion, guard me from even a trace of lust.

You Who are filled with compassion, You Who guard Your nation, the Jewish people, forever, guard me and rescue me in Your vast compassion. "Shelter me, God, for I have taken refuge in You."

Erasing the Books of Heresy

In Your vast compassion, have compassion on us. Help me and save me. May all of the holy books of all of the true Tzaddikim spread throughout the world.

Master of the entire world, You know about the many holy and precious books of the greatest Tzaddikim—the Patriarchs, the early and later prophets, the Tannaim and Amoraim, and then the other Tzaddikim, foundations of the world, who lived in every generation.

Most if not all of them composed and produced many precious and holy books—which, because of our many sins, were lost and vanished from the world.

In Your vast compassion, have mercy on the few holy books of the Tzaddikim that have survived. In Your vast compassion, may they

שֶׁיִּתְפַּשְּׁטוּ בָּעוֹלָם וְיָאִירוּ פְּנֵי תֵבֵל, לְמַעַן יָשׁוּבוּ כָּל יִשְׂרָאֵל אֵלֶיךָ לְעָבְדְךָ בֶּאֱמֶת כָּל יְמֵיהֶם לְעוֹלָם.

וְתִמָּלֵא רַחֲמִים עַל כָּל עַמְּךָ יִשְׂרָאֵל, וְתַעֲמֹד בְּעֶזְרָתֵנוּ וְתַעֲקֹר וּתְשַׁבֵּר וּתְמַגֵּר וּתְכַלֶּה וְתַכְנִיעַ וְתַשְׁפִּיל וּתְבַטֵּל מִן הָעוֹלָם כָּל סִפְרֵי הַמִּינִים וְהָאֶפִּיקוֹרְסִים וְכָל סִפְרֵי הַמְחַקְרִים הַנּוֹטִים לְצַד מִינוּת וּכְפִירוּת, הַפּוֹגְמִים בְּהַתּוֹרָה וּבְהָאֱמוּנָה הַקְּדוֹשָׁה.

כֻּלָּם תַּעֲקֹר וּתְשַׁבֵּר וּתְבַטֵּל מִן הָעוֹלָם, בִּזְכוּת וְכֹחַ סִפְרֵי הַצַּדִּיקִים הָאֲמִתִּיִּים שֶׁנִּשְׂרְפוּ וְנֶאֶבְדוּ מִן הָעוֹלָם.

וּתְעוֹרֵר בְּרַחֲמֶיךָ כָּל הַיְשִׁיבָה שֶׁל מַעְלָה וְשֶׁל מַטָּה, שֶׁיִּלְמְדוּ קַל וָחֹמֶר הַנֶּאֱמַר בְּדִבְרֵי רַבּוֹתֵינוּ זִכְרוֹנָם לִבְרָכָה: 'וּמַה סְפָרִים קְדוֹשִׁים וְנוֹרָאִים כָּאֵלֶּה, שֶׁהֵם שֵׁם יְהוָה, שְׁמוֹ שֶׁנִּכְתָּב בִּקְדֻשָּׁה, אָמְרָה תוֹרָה יִמָּחֶה, שֶׁיִּתְעַלְּמוּ מִן הָעוֹלָם, בִּשְׁבִיל לְהַטִּיל שָׁלוֹם בֵּין אִישׁ לְאִשְׁתּוֹ הַכְּשֵׁרִים.

סִפְרֵי הַמִּינִים וְהָאַפִּקוֹרְסִים שֶׁמַּטִּילִין שִׂנְאָה וְאֵיבָה

spread throughout the world and illuminate the face of the earth, so that all of the people of Israel will return to You and truly serve You all of their days, forever.

Be filled with compassion for Your entire nation, the Jewish people. Stand up and help us. Uproot, break, shatter, eradicate, subdue, crush and nullify from the world all of the books of the heretics and atheists, as well as all of the books of the philosophers that tend toward heresy and atheism, which impair the Torah and holy faith.

Uproot, break and nullify all of them in the merit and power of the books of the true Tzaddikim that were burned and lost from the world.

In Your compassion, arouse all of the supernal and earthly academies so that they will learn the logical proposition stated by our sages, "If the Torah said that such holy and awesome books—which are the Name of HaShem, His Name that is written in holiness—should be erased, that they should disappear from the world in order to institute peace between two worthy spouses [in the ceremony of the *sotah*]—

"Then how much more should the books of the heretics and atheists, which instill hatred,

וְתַחֲרוּת בֵּין יִשְׂרָאֵל לַאֲבִיהֶם שֶׁבַּשָּׁמַיִם, וְעוֹקְרִים אֶת הָעוֹסֵק בָּהֶם מִשְּׁנֵי עוֹלָמוֹת, עַל אַחַת כַּמָּה וְכַמָּה שֶׁיֹּאבְדוּ וְיִשָּׂרְפוּ וְיֵעָקְרוּ וְיִמָּחוּ וְיִתְבַּטְּלוּ מִן הָעוֹלָם'.

וְיִמָּחוּ מִן הָאָרֶץ וְיִהְיֶה נִמַּח שְׁמָם וְזִכְרָם מִן הָעוֹלָם, וְלֹא יִזָּכְרוּ עוֹד בִּשְׁמָם.

וּבְרַחֲמֶיךָ תָּשִׂים שָׁלוֹם בֵּינְךָ וּבֵין יִשְׂרָאֵל עַמֶּךָ, וְאַהֲבָתְךָ אַל תָּסִיר מִמֶּנּוּ לְעוֹלָמִים, וְתַמְשִׁיךְ שָׁלוֹם עַל יִשְׂרָאֵל עַמֶּךָ.

וְיִהְיֶה שָׁלוֹם גָּדוֹל וְנִפְלָא בֵּין אָדָם לַחֲבֵרוֹ וּבֵין אִישׁ לְאִשְׁתּוֹ, וְלֹא יִהְיֶה שׁוּם שִׂנְאָה וְקִנְאָה וּמְרִיבָה וְקִנְטוּר בֵּין אָדָם וַחֲבֵרוֹ וּבֵין אִישׁ וְאִשְׁתּוֹ.

וּבִפְרָט בֵּין אִישׁ וְאִשָּׁה הַכְּשֵׁרִים, אֲשֶׁר יִחוּדָם יָקָר מְאֹד אֲשֶׁר בָּהֶם תּוֹלֶה יִחוּדָא עִלָּאָה, וּשְׁכִינָה שְׁרוּיָה בֵּינֵיהֶם.

עֲזֹר וְרַחֵם שֶׁלֹּא תִהְיֶה בֵּינֵיהֶם שׁוּם שִׂנְאָה וְקִנְאָה, בִּזְכוּת וְכֹחַ הַסְּפָרִים הַנּוֹרָאִים הַקְּדוֹשִׁים שֶׁנִּשְׂרְפוּ וְנִתְעַלְּמוּ מִן הָעוֹלָם בִּשְׁבִיל זֶה, כַּאֲשֶׁר גִּלִּיתָ לָנוּ עַל יְדֵי חֲכָמֶיךָ הַקְּדוֹשִׁים.

enmity and alienation between the Jewish people and their Father in Heaven, and uproot the one who reads them from both worlds, be destroyed, burned, uprooted, erased and nullified from the world!"

May they be erased from the earth. May their name and memory be abolished from the world. May their name no longer be recalled.

In Your compassion, establish peace between Yourself and the Jewish people, Your nation. Never remove Your love from us. Draw peace upon the entire Jewish people, Your nation.

May there be great and wondrous peace between neighbors and between spouses. May there be no hatred, jealousy, argument or hostility between neighbors or between spouses.

In particular, may this be so for a worthy couple, whose unification is very precious, upon whom the supernal unification and God's Presence resting between them depend.

Help them. Have compassion so that no hatred and jealousy will exist between them, in the merit and power of the awesome, holy books that were burned and vanished from the world for the sake of this goal, as You revealed to us through Your holy sages.

וְעָזְרֵנוּ וְזַכֵּנוּ שֶׁסְּפָרִים אֵלּוּ שֶׁנִּשְׁאֲרוּ מֵהַצַּדִּיקִים אֲמִתִּיִּים מְעַט מֵהַרְבֵּה, יִתְפַּשְּׁטוּ וְיֵצְאוּ בָּעוֹלָם, וְיָפוּצוּ מַעְיְנוֹתֵיהֶם חוּצָה, וְיַעֲשׂוּ פְּעֻלָּתָם בִּשְׁלֵמוּת.

וְיִמָּשֵׁךְ רוּחוֹ שֶׁל מָשִׁיחַ בָּעוֹלָם, וְיִהְיֶה נַעֲשֶׂה רוּחַ קִנְאָה לְטַהֵר אֶת יִשְׂרָאֵל מִזֻּהֲמַת תַּאֲוַת נִאוּף.

שֶׁנִּזְכֶּה אֲנַחְנוּ וְכָל עַמְּךָ בֵּית יִשְׂרָאֵל לְשַׁבֵּר וּלְבַטֵּל תַּאֲוָה זֹאת מֵאִתָּנוּ לְגַמְרֵי, וְלֹא יָבֹא עָלֵינוּ שׁוּם הִרְהוּר וּמַחֲשָׁבָה רָעָה חַס וְשָׁלוֹם.

רַק נִזְכֶּה לִהְיוֹת קְדוֹשִׁים וּפְרוּשִׁים בִּקְדֻשָּׁה וּבְטָהֳרָה גְּדוֹלָה כִּרְצוֹנְךָ הַטּוֹב בֶּאֱמֶת. וְלֹא נִזְדַּקֵּק לָזֶה כִּי אִם בָּעֵת הַהֶכְרַח בִּשְׁבִיל קִיּוּם הָעוֹלָם. וְתִתֶּן לָנוּ כֹּחַ לְקַיֵּם מִצְוָה זֹאת בִּקְדֻשָּׁה וּבְטָהֳרָה גְּדוֹלָה בֶּאֱמֶת כִּרְצוֹנְךָ הַטּוֹב.

רִבּוֹנוֹ שֶׁל עוֹלָם מַלֵּא מִשְׁאֲלוֹתֵינוּ לְטוֹבָה בְּרַחֲמִים, כִּי דַעְתִּי קְצָרָה לְבָאֵר הַכֹּל, אֶת כָּל צְרָכַי בַּקָּשׁוֹתַי הַמְרֻבִּים מְאֹד בְּגוּף וָנֶפֶשׁ.

And help us so that the books that have survived of the true Tzaddikim, a remnant of many, will spread out and emerge into the world, and their wellsprings will pour forth and perform their activity fully.

May the spirit of the Mashiach be drawn into the world. May it become a spirit of jealousy to purify the Jewish people from the filth of lustful desire.

May we and Your entire nation, the House of Israel, break and nullify this desire in ourselves entirely. May we experience no fantasies or evil thoughts, Heaven forbid.

Rather, may we be holy and restrained with great holiness and purity, truly in accordance with Your good will. May we need only engage in marital relations when it is necessary to maintain the world. Give us the power to uphold this mitzvah with truly great holiness and purity, in accordance with Your good will.

Sanctify Us with Your Commandments

Master of the world, compassionately fulfill my requests for the good. My mind is too limited to explain everything: all of my needs, my very many requests in body and soul.

וּבִפְרָט בְּעִנְיָן זֶה שֶׁל תִּקּוּן הַבְּרִית שֶׁהוּא יְסוֹד הַכֹּל, אֲשֶׁר לֹא הִתְחַלְתִּי עֲדַיִן לְבָאֵר וּלְפָרֵשׁ אֶפֶס קָצֵה מַה שֶּׁאֲנִי צָרִיךְ לְהִתְנַפֵּל וּלְהִתְחַנֵּן לְפָנֶיךָ הַרְבֵּה, עַל הֶעָבָר וְעַל הַהֹוֶה וְעַל הֶעָתִיד.

אַךְ לְפָנֶיךָ נִגְלָה הַכֹּל, עַל כֵּן יְהִיֶה נָא בְּעֵינֶיךָ כְּאִלּוּ הָיִיתִי פּוֹרְטָם.

עָזְרֵנוּ וְהוֹשִׁיעֵנוּ לְמַעַן שְׁמֶךָ, שֶׁנִּזְכֶּה מֵעַתָּה לְהִתְקַדֵּשׁ בִּקְדֻשָּׁה גְדוֹלָה וּבִפְרָט בִּקְדֻשַּׁת הַבְּרִית.

קַדְּשֵׁנוּ בְּמִצְוֹתֶיךָ וְתֵן חֶלְקֵנוּ בְּתוֹרָתֶךָ, שַׂבְּעֵנוּ מִטּוּבֶךָ וְשַׂמַּח נַפְשֵׁנוּ בִּישׁוּעָתֶךָ, וְטַהֵר לִבֵּנוּ לְעָבְדְּךָ בֶּאֱמֶת.

"הַפְלֵה חֲסָדֶיךָ מוֹשִׁיעַ חוֹסִים מִמִּתְקוֹמְמִים בִּימִינֶךָ. נוֹרָאוֹת בְּצֶדֶק תַּעֲנֵנוּ אֱלֹהֵי יִשְׁעֵנוּ, מִבְטָח כָּל קַצְוֵי אֶרֶץ וְיָם רְחוֹקִים".

In particular, in regard to rectifying the covenant, which is the foundation of everything, I have not yet begun to engage in the merest fraction of necessary explanation and elucidation. I cast myself down and plead with You exceedingly in regard to the past, present and future.

However, everything is revealed to You. Therefore, may it be in Your eyes as though I had specified them.

Help us and save us for the sake of Your Name, so that from now on we will be profoundly sanctified—in particular, with the sanctity of the covenant.

Sanctify us with Your commandments and establish our portion in Your Torah. Satisfy us with Your goodness, gladden our soul with Your salvation, and purify our heart to truly serve You.

"With Your right hand, set aside Your kind acts to save those who take refuge [in You] from those who rise up [against them]." "In justice, answer us with awesome wonders, God of our salvation, Stronghold of all the ends of the earth and the distant seas."

עֲשֵׂה לְמַעַן שְׁמֶךָ, עֲשֵׂה לְמַעַן יְמִינֶךָ, עֲשֵׂה לְמַעַן קְדֻשָּׁתֶךָ, עֲשֵׂה לְמַעַן תּוֹרָתֶךָ, וּתְמַהֵר וְתָחִישׁ לְגָאֳלֵנוּ וְתָבִיא לָנוּ מְהֵרָה אֶת מְשִׁיחַ צִדְקֵנוּ.

ויקַיֵּם מְהֵרָה מִקְרָא שֶׁכָּתוּב: "מַגְדִּיל יְשׁוּעוֹת מַלְכּוֹ וְעוֹשֶׂה חֶסֶד לִמְשִׁיחוֹ לְדָוִד וּלְזַרְעוֹ עַד עוֹלָם" אָמֵן וְאָמֵן:

Act for the sake of Your Name. Act for the sake of Your right hand. Act for the sake of Your holiness. Act for the sake of Your Torah. Hurry and quickly redeem us, and bring us our righteous Mashiach.

May the verse soon be realized, "He gives great salvation to His king, and He performs lovingkindness with His anointed one, David and his offspring, forever." Amen and amen.

27 (II, 34)

A Perfect Joy Sees the Supernal Root of All Things

Usually, different people enjoy different aspects of a positive event. For instance, at a wedding, one person enjoys the food, another the music, and a third the marriage itself. But generally, no one is equally glad over all of the aspects.

Even if a person is happy because of all of these elements, his joy for them is not simultaneous, but consecutive.

However, a perfect joy is one in which a person is happy for all of the elements simultaneously.

This is only possible if one looks beyond all of these manifestations of goodness to the root from which they are derived. At that root, everything is one. Then his joy for all of the good elements is united and shines brilliantly. The more types of joy that blend together, the greater his joy, since the light increases as a result of the different types of joy shining on each other.

"תוֹדִיעֵנִי אֹרַח חַיִּים שֹׂבַע שְׂמָחוֹת אֶת פָּנֶיךָ נְעִימוֹת בִּימִינְךָ נֶצַח, תַּשְׁמִיעֵנִי שָׂשׂוֹן וְשִׂמְחָה, תָּגֵלְנָה עֲצָמוֹת דִּכִּיתָ. הָשִׁיבָה לִּי שְׂשׂוֹן יִשְׁעֶךָ, וְרוּחַ נְדִיבָה תִסְמְכֵנִי".

רִבּוֹנוֹ שֶׁל עוֹלָם אַתָּה יוֹדֵעַ כַּמָּה אֲנִי רָחוֹק מִשִּׂמְחָה אֲמִתִּיִּית בְּגוּף וָנֶפֶשׁ.

כִּי קִלְקַלְתִּי הַרְבֵּה מְאֹד בְּלִי שִׁעוּר וָעֵרֶךְ וּמִסְפָּר, עַד אֲשֶׁר סָפוּ תַמּוּ הַצֵּרוּפֵי אוֹתִיּוֹת לְכַוֵּנוֹת בָּהֶם עִנְיָנֵי וְקִלְקוּלֵי וּפְגָמֵי וְחִיּוּבֵי הָעֲצוּם.

אָבִי שֶׁבַּשָּׁמַיִם, אֵל חַי וְקַיָּם, מָה אוֹמַר מָה אֲדַבֵּר מָה אֶצְטַדָּק, הֵן עַל כָּל אֵלֶּה קָשֶׁה עָלַי מְאֹד לְהַמְשִׁיךְ הַשִּׂמְחָה עָלַי.

וְאִם בְּרַחֲמֶיךָ גָּמַלְתָּ עִמִּי טוֹבוֹת רַבּוֹת לָנֶצַח בְּלִי שִׁעוּר, וְזִכִּיתַנִי לִהְיוֹת מִזֶּרַע יִשְׂרָאֵל, וַעֲזַרְתַּנִי בְּרַחֲמֶיךָ לַעֲשׂוֹת כַּמָּה וְכַמָּה מִצְוֹת וְלַעֲסֹק בְּתוֹרָתְךָ הַקְּדוֹשָׁה, אֲשֶׁר עַל יְדֵי זֶה יֵשׁ לָנוּ לְכָל אֶחָד מִיִּשְׂרָאֵל תִּקְוָה לְאַחֲרִית טוֹב.

Joy in Body and Soul

"Let me know the way of life, the fullness of joys in Your Presence, the pleasantness in Your right hand forever." "Cause me to hear joy and gladness; may the bones that You crushed, exult." "Restore to me the joy of Your salvation, and may a generous spirit support me."

Master of the world, You know how far I am from true joy in body and soul.

I have caused damage beyond measure, evaluation or calculation, so that the combinations of letters with which to describe my massive damage, blemishes and guilt have been exhausted.

My Father in Heaven, Living and Eternal God, what shall I say? How shall I speak? How can I justify myself? All of these matters make it hard for me to experience joy.

In Your compassion, You have recompensed me with many, immeasurable favors forever. You have given me the merit of being of the seed of Israel, and compassionately helped me perform a number of mitzvot and learn Your holy Torah—things that give every Jew hope to attain a good end.

וְסוֹף כָּל סוֹף תְּתַקְּנֵנוּ בְּוַדַּאי, וְתֵטִיב עִמָּנוּ בְּטוּבְךָ הַנִּצְחִי, וְתַטְעִימֵנוּ מִנֹּעַם זִיוְךָ, אֲשֶׁר בָּזֶה יֵשׁ לָנוּ לִשְׂמֹחַ כָּל יָמֵינוּ לְעוֹלָם אֲפִלּוּ הַפָּחוּת שֶׁבַּפְּחוּתִים.

אַךְ עִם כָּל זֶה, קָשֶׁה לִי לִשְׂמֹחַ בָּזֶה עִם גּוּפִי שֶׁתִּהְיֶה הַשִּׂמְחָה בִּשְׁלֵמוּת בְּגוּף וָנֶפֶשׁ, מֵחֲמַת שֶׁיָּדַעְתִּי בְּעַצְמִי כָּל הַפְּגָמִים וְהַקִּלְקוּלִים שֶׁקִּלְקַלְתִּי וּפָגַמְתִּי כָּל כָּךְ.

עַל כֵּן בָּאתִי לְפָנֶיךָ בַּעַל הָרַחֲמִים, אֲדוֹן הַשִּׂמְחָה וְהַחֶדְוָה, שֶׁתַּעַזְרֵנִי בִּדְרָכֶיךָ הַנִּפְלָאִים וְתוֹשִׁיעֵנִי שֶׁאַף עַל פִּי כֵן אֶזְכֶּה לְשִׂמְחָה שְׁלֵמָה בֶּאֱמֶת בְּגוּף וָנֶפֶשׁ.

כִּי אַתָּה "כֹּל תּוּכָל וְלֹא יִבָּצֵר מִמְּךָ מְזִמָּה".

וּבְגֹדֶל רִחוּקִי עַתָּה מִמְּךָ וּבְכָל מַה שֶּׁעָבַרְתִּי וּפָגַמְתִּי עַד הֵנָּה, עִם כָּל זֶה "רַחֲמֶיךָ רַבִּים יְהֹוָה", וְאַתָּה רַב לְהוֹשִׁיעַ.

וְאַתָּה יָכֹל לְסַבֵּב בְּנִפְלְאוֹתֶיךָ הַנּוֹרָאוֹת, שֶׁאֶזְכֶּה גַּם אָנֹכִי לִהְיוֹת אַךְ שָׂמֵחַ תָּמִיד בֶּאֱמֶת בְּגוּף וָנֶפֶשׁ.

כִּי אַתָּה יוֹדֵעַ אָבִי שֶׁבַּשָּׁמַיִם כַּמָּה אֲנִי צָרִיךְ לְהִתְרַחֵק מֵעַצְבוּת וּמָרָה שְׁחוֹרָה עַד קָצֶה הָאַחֲרוֹן, כִּי הֵם הָיוּ בְּעוֹכְרַי,

Ultimately, You will certainly rectify us and do good for us in Your eternal goodness, and allow us to experience the pleasantness of Your radiance. For this, all of us—even the least of the least—must rejoice all of our days, forever.

Nevertheless, it is hard for me to rejoice over this with my body in such a way that the joy will be complete in my body and soul, because I know all of the blemishes and damage that I brought about.

Therefore, I come to You, Master of compassion, Lord of joy and gladness, to help me in Your wondrous ways and save me, so that I will truly attain complete joy in body and soul.

"You can do everything; no purpose can be withheld from You."

Although I am so far from You at present, and I have transgressed and blemished so much until now, "Your compassion is abundant, HaShem," and You save with great effectiveness.

With Your awesome wonders, You can bring it about that even I will be truly joyful always, in body and soul.

My Father in Heaven, You know that I need to remove myself from sadness and depression to the ultimate degree. These have been my ruin,

וְעַל יָדָם בָּאתִי לְמַה שֶׁבָּאתִי.

רַחֵם עָלַי אָבִי אָב הָרַחֲמָן טוֹב וּמֵטִיב לַכֹּל, חוֹמֵל דַּלִּים מָלֵא חֶמְלוֹת וַחֲנִינוֹת, מָלֵא הַצָּלוֹת וִישׁוּעוֹת אֲמִתִּיּוֹת וְנִצְחִיּוֹת, תֶּן לִי תִּקְוָה וְלֹא אוֹבַד.

זַכֵּנִי מֵעַתָּה לִהְיוֹת בְּשִׂמְחָה תָּמִיד בְּגוּף וָנֶפֶשׁ בֶּאֱמֶת.

עָזְרֵנִי וְהוֹשִׁיעֵנִי לְהִסְתַּכֵּל תָּמִיד עַל הַסּוֹף הָאַחֲרוֹן, בְּאֹפֶן שֶׁתִּתֵּן שִׂמְחָה בְּלִבִּי, לְמַעַן אֶזְכֶּה עַל יְדֵי זֶה לְהִנָּצֵל מִכָּל רָע.

לְגָרֵשׁ כָּל הַמַּחֲשָׁבוֹת רָעוֹת, וְכָל הַהִרְהוּרִים רָעִים, וְכָל הַבִּלְבּוּלִים וְכָל הָרַעֲיוֹנִים רָעִים וְכָל הַתַּאֲוֹת וּמִדּוֹת רָעוֹת.

הַכֹּל אֲגָרֵשׁ וַאֲסַלֵּק וַאֲבַטֵּל מֵעָלַי עַל יְדֵי הַשִּׂמְחָה וְהַחֶדְוָה שֶׁהֵם עִקַּר הַהִתְחַזְּקוּת נֶגֶד כָּל הַבִּלְבּוּלִים וְהַמְּנִיעוֹת וְהַכְּבֵדוּת.

עַד אֲשֶׁר אֶזְכֶּה לְהִתְקָרֵב אֵלֶיךָ בֶּאֱמֶת בְּשִׂמְחָה וּבְטוּב לֵבָב מֵרֹב כֹּל.

and because of them, I have come to what I have come to.

Have compassion on me, my compassionate Father. You Who are good and do good to all, You Who have mercy on the poor, You Who are filled with mercy and graciousness, You Who are filled with true and eternal deliverance and salvation—give me hope so that I will never be lost.

From now on may I always be truly joyful in body and soul.

Help me and save me so that I will always look at the ultimate purpose of creation. Give joy to my heart, so that I may be saved from every evil.

May I expel all evil thoughts, all evil fantasies, all confusions, all evil ideas, and all evil desires and traits.

May I expel, remove and nullify all of these by means of joy and gladness, which are the essential way in which a person strengthens himself against all confusion, obstacles and heaviness.

May I truly come close to You in joy and with a good heart, due to my having an abundance of everything.

וְתַעַזְרֵנִי בְּרַחֲמֶיךָ, שֶׁאֶזְכֶּה תָּמִיד לְהִסְתַּכֵּל עַל הַשֹּׁרֶשׁ הָעֶלְיוֹן שֶׁל כָּל הַשְּׂמָחוֹת וְהַטּוֹבוֹת, שֶׁשָּׁם נִתְקַבְּצִין וּמְאִירִין כָּל הַשְּׂמָחוֹת יַחַד.

בְּאֹפֶן שֶׁאֶזְכֶּה לִשְׂמֹחַ בֶּאֱמֶת בְּכָל הַטּוֹבוֹת וְהַשְּׂמָחוֹת יַחַד. וְתִתְרַבֶּה הַשִּׂמְחָה בִּלְבָבִי עַד אֵין סוֹף וְאֵין תַּכְלִית.

וְתָאִיר אוֹר הַשִּׂמְחָה הַקְּדוֹשָׁה בְּאוֹר גָּדוֹל וְנוֹרָא מְאֹד, עַל יְדֵי רִבּוּי הַהֶאָרוֹת וְהַהִתְנוֹצְצוּת מִכָּל הַשְּׂמָחוֹת וְהַטּוֹבוֹת יַחַד שֶׁתָּאִיר כָּל שִׂמְחָה וְשִׂמְחָה לַחֲבֶרְתָּהּ, וְיָאִירוּ זֶה לָזֶה, וְיִתְנוֹצְצוּ זֶה לָזֶה.

עַד שֶׁתָּאִיר וְתַבְהִיק וְתִגְדַּל אוֹר הַשִּׂמְחָה הַקְּדוֹשָׁה בְּאוֹר גָּדוֹל וְנֶעֱרָב וְנִפְלָא מְאֹד מְאֹד עַד אֵין סוֹף וְאֵין תַּכְלִית.

בְּאֹפֶן שֶׁנִּזְכֶּה לָשׁוּב אֵלֶיךָ עַל יְדֵי זֶה בֶּאֱמֶת, בְּאַהֲבָה וּבְשִׂמְחָה גְּדוֹלָה בְּגוּף וָנֶפֶשׁ בֶּאֱמֶת.

כִּי אַתָּה יוֹדֵעַ יְהֹוָה אֱלֹהֵינוּ מָלֵא רַחֲמִים, כַּמָּה וְכַמָּה יֵשׁ

Holy Joy

In Your compassion, help me so that I will always look at the supernal root of all joys and favors, the root where all joys are gathered and shine together.

In that way, may I truly rejoice with all of these favors and joys. May the joy in my heart then increase without end or limit.

Shine the light of holy joy so that it becomes a great and awesome light resulting from the combined brightness of all of these joys and favors. And by means of the multitude of illuminations as You shine all of the joys upon each other, may they illuminate and brighten each other.

Ultimately, may the light of holy joy shine and be bright and increase with an extremely great, pleasant and wondrous light, without end or limit.

As a result of that, may we truly return to You with great love and joy, in body and soul.

God Gives Us So Much

HaShem our God, You Who are filled with compassion, You know how much we, the Jewish

לָנוּ יִשְׂרָאֵל עַם קָדְשֶׁךָ לִשְׂמֹחַ תָּמִיד. וּבִפְרָט אָנֹכִי הַדַּל וְהָאֶבְיוֹן, כַּמָּה יֵשׁ לִי לִשְׂמֹחַ עַל כָּל הַטּוֹבָה אֲשֶׁר עָשִׂיתָ עִם עַבְדֶּךָ.

אֲשֶׁר זִכִּיתַנִי לִהְיוֹת בִּכְלַל יִשְׂרָאֵל עַם קָדְשֶׁךָ אֲשֶׁר בָּחַרְתָּ בָּנוּ מִכָּל הָעַמִּים, וְרוֹמַמְתָּנוּ מִכָּל הַלְּשׁוֹנוֹת, וְקִדַּשְׁתָּנוּ בְּמִצְוֹתֶיךָ וְקֵרַבְתָּנוּ מַלְכֵּנוּ לַעֲבוֹדָתֶךָ, וְשִׁמְךָ הַגָּדוֹל וְהַקָּדוֹשׁ עָלֵינוּ קָרָאתָ.

וְהִרְבֵּיתָ לָנוּ תּוֹרָה וּמִצְוֹת, לְחַיּוֹתֵנוּ כְּהַיּוֹם הַזֶּה לְזַכּוֹתֵנוּ לָנֶצַח. כִּי מֵרִבּוּי הַתּוֹרָה וְהַמִּצְוֹת זוֹכֶה כָּל אֶחָד מִיִּשְׂרָאֵל, אֲפִלּוּ הַקַּל שֶׁבַּקַּלִּים, לַחֲטֹף בְּכָל יוֹם כַּמָּה וְכַמָּה נְקֻדּוֹת טוֹבוֹת מִכַּמָּה וְכַמָּה מִצְוֹת קְדוֹשׁוֹת.

כַּמָּה וְכַמָּה מַעֲלוֹת טוֹבוֹת לַמָּקוֹם עָלֵינוּ, אִלּוּ לֹא נָתַתָּ לָנוּ אֶלָּא נְקֻדָּה אַחַת מִמִּצְוָה אַחַת דַּיֵּנוּ.

עַל אַחַת כַּמָּה וְכַמָּה טוֹבָה כְּפוּלָה וּמְכֻפֶּלֶת לַמָּקוֹם עָלֵינוּ, שֶׁהִכְתַּרְתָּ אוֹתָנוּ בְּתוֹרָה וּמִצְוֹת רַבּוֹת וּנְעִימוֹת כָּאֵלֶּה.

"רַבּוֹת עָשִׂיתָ אַתָּה יְהוָה אֱלֹהַי, נִפְלְאֹתֶיךָ וּמַחְשְׁבֹתֶיךָ

people, Your holy nation, must always rejoice. In particular, how much I, who am so meager and lacking, need to rejoice for all of the favors that You have performed for me, Your servant.

You have given us the merit to be part of the Jewish people, Your holy nation. You chose us from all of the nations, elevated us above all of the tongues, sanctified us with Your commandments, brought us close to Your service, and associated Your great and holy Name with us.

You gave us a great deal of Torah and mitzvot in order to revive us, as on this day, to grant us merit forever. By making use of the great breadth of the Torah and holy mitzvot, every Jew, even the slightest of the slight, is always able to take hold of good points.

How much good You have performed for us! Had You done no more than give us one point of one mitzvah, it would have sufficed.

How much more is God's goodness to us doubled and quadrupled. You have crowned us with the Torah and with many sweet mitzvot.

"Much have You done, HaShem my God, Your wonders and thoughts are for our sake. No

אֱלֵינוּ, אֵין עֲרֹךְ אֵלֶיךָ אַגִּידָה וַאֲדַבֵּרָה, עָצְמוּ מִסַּפֵּר. מָה אָשִׁיב לַיהוָה כָּל תַּגְמוּלוֹהִי עָלָי".

עָזְרֵנִי מָלֵא רַחֲמִים, שִׂמְחַת יִשְׂרָאֵל, שֶׁאֶזְכֶּה לְהַרְגִּישׁ הַשִּׂמְחָה הַזֹּאת בְּלִבִּי תָּמִיד. אָגִילָה וְאֶשְׂמְחָה בְּךָ וּבְצַדִּיקֶיךָ הָאֲמִתִּיִּים וּבְתוֹרָתְךָ הַקְּדוֹשָׁה.

בְּאֹפֶן שֶׁאֶזְכֶּה עַל יְדֵי זֶה לָצֵאת לְחֵרוּת מֵאֲפֵלָה לְאוֹרָה, לָשׁוּב מִמְּצוּלוֹת יָם שֶׁנִּלְכַּדְתִּי בָּהֶם, לָצֵאת מֵהֶם בְּשָׁלוֹם, וְלָשׁוּב אֵלֶיךָ בֶּאֱמֶת וּבְלֵב שָׁלֵם מֵעַתָּה וְעַד עוֹלָם.

שֶׁאֶזְכֶּה לִהְיוֹת מֵעַתָּה כִּרְצוֹנְךָ הַטּוֹב בֶּאֱמֶת תָּמִיד. וְלֹא אֶעֱשֶׂה עוֹד הָרַע בְּעֵינֶיךָ, וְלֹא אָשׁוּב עוֹד לְכִסְלָה, וְאֶעֱזֹב מֵעַתָּה דַּרְכֵי הָרַע וּמַחְשְׁבוֹתַי הָרָעוֹת.

וְאֶתְחַזֵּק בְּכָל עֵת בְּעֹז וְחֶדְוָה וְשָׂשׂוֹן וְשִׂמְחָה, וְחֶדְוַת יְהוָה יִהְיֶה מָעֻזִּי, לְהִתְגַּבֵּר עַל יְדֵי זֶה עַל כָּל הַמַּחֲשָׁבוֹת רָעוֹת וְעַל כָּל הַתַּאֲוֹת רָעוֹת, וְלַחְשׁוֹב בְּכָל עֵת רַק מַחֲשָׁבוֹת קְדוֹשׁוֹת וּטְהוֹרוֹת תָּמִיד, בְּלִי שׁוּם בִּלְבּוּל הַדַּעַת כְּלָל.

one compares with You. I would tell and speak them, but they are too many to recount." "How can I repay HaShem for all of His kindness to me?"

You Who are filled with compassion, You Who are the Joy of Israel, help me always feel this joy in my heart. May I be glad and rejoice in You, in Your true Tzaddikim, and in Your holy Torah.

May I emerge to freedom, from dimness to brightness. May I return from the depths of the sea in which I was trapped. May I emerge from them in peace and return to You in truth and with a full heart, from now and forever.

From this moment on, may I truly be in accordance with Your good will always. May I no longer do that which is evil in Your eyes and no longer return to foolishness. From now on may I abandon my evil ways and evil thoughts.

May I strengthen myself at every moment with boldness, gladness, happiness and joy. May the gladness of HaShem be my fortress, so that I may overcome all evil thoughts and all evil desires. At every moment, may I think only holy and pure thoughts always, without any mental distractions whatsoever.

מָלֵא רַחֲמִים, שַׂבְּעֵנִי מִטּוּבֶךָ וְשַׂמְּחֵנִי בִּישׁוּעָתֶךָ תָּמִיד, כִּי בְשֵׁם קָדְשְׁךָ הַגָּדוֹל וְהַנּוֹרָא לְבַד בָּטַחְתִּי, אָגִילָה וְאֶשְׂמְחָה בִּישׁוּעָתֶךָ.

"יִהְיוּ לְרָצוֹן אִמְרֵי פִי וְהֶגְיוֹן לִבִּי לְפָנֶיךָ יְהוָֹה צוּרִי וְגוֹאֲלִי", אָמֵן וְאָמֵן:

You Who are filled with compassion, satiate me with Your goodness. Give me joy in Your salvation always, for I have trusted in Your great and awesome holy Name. I will be glad and rejoice in Your salvation.

"May the words of my mouth and the meditation of my heart be pleasing before You, HaShem, my Rock and my Redeemer." Amen and amen.

28 (II, 39)

We Can Return to God Through the Godliness in Every Created Thing / A Person Who Cannot Recognize God in Every Creation Must Cling to the Tzaddikim / The World to Come Makes Our Existence Worthwhile

---

God created a universe filled with wonders. That is true of our physical world—how much more, then, the other cosmos.

He created all of this for the sake of the Jewish people.

As for the Jewish people, we were created for the ultimate goal of Heaven and earth: the world of souls, a world that is entirely Shabbat. In that world, people will understand God without any screens or obstacles. There will be complete unity, and, as our sages said, "Everyone will point with his finger [and say], "This is our God, in Whom we hoped" (*Taanit* 31a; Isaiah 25:9).

Everything created in this world contains that ultimate purpose. Every entity has a spiritual beginning and an ultimate purpose. The spiritual beginning marks the level from which it devolved until it turned into a physical entity. And it has an ultimate purpose for which sake it was created. The Jewish people can study, know and contemplate the details of creation—the form of the limbs and the structure of everything—and from that appreciate God's greatness, and serve Him through that.

Every object has a connection to the purpose for which it was created. Through every object, we can reach God and serve Him to attain that purpose—the nexus where the object ends and touches upon the ultimate purpose.

Everyone must contemplate this, and thus know and recognize God's greatness in everything: in every entity's form and shape, number of limbs, structure, and so forth. We must serve God with that until we reach the ultimate purpose of that entity, which is the level of the Shabbat, the world of souls.

People who have expansive minds can do this. But how can lowly people such as ourselves, who are on the level of the feet, attain this knowledge?

The answer is that we must yearn deeply for a leader of the generation, a faithful shepherd comparable to Moses, who has the power to illuminate us so that we will reach the goal.

It is an extraordinary fact that the promulgation of this ultimate awareness depends on people in this low world. All souls must go through this world in order to attain the ultimate reality. Everything in this world is needed to attain that end.

We should yearn and beg God with many tears, asking Him to help us attain this awareness so that we may know Him through everything in this world.

In our present state, we do not have "beautiful faces" at all. Therefore, God must have compassion on us and send us a faithful shepherd who can illumine us with awareness so that we will serve Him properly and attain the ultimate goal.

We ask God to send us a king and leader, a faithful shepherd, to illumine us. This is related to the Hebrew month of Nisan, which marks the new year for kings. At that time, not only human but angelic, heavenly kings are appointed.

The six days of Creation, when God created everything, correspond to the beginning of things. And the seventh day, the Shabbat, is the culmination, the ultimate purpose.

The six days themselves are creations. They are like a circle around a central point, which is the Shabbat. Nevertheless, there are differences between these six, between that which was created first and that which was created on the sixth day, closer to the Shabbat.

In and of itself, our world is not enough. When our sages state that it would have been better had man not been created (*Eruvin* 13b), they are referring to this world, which has so much suffering. But in the context of the World to Come, it is better for man to have been created, because then he may attain the ultimate goal. And due to the fact that there is a World to Come, there is even something intrinsically valuable in this world as well, because, as our sages said, "One hour of repentance and good deeds in this world is better than the entire life of the World to Come" (*Avot* 4:17).

לז' אדר הלולא דמשה רבינו ע"ה

"רֹעֵה יִשְׂרָאֵל הַאֲזִינָה נוֹהֵג כַּצֹּאן יוֹסֵף יוֹשֵׁב הַכְּרוּבִים הוֹפִיעָה".

רִבּוֹנוֹ שֶׁל עוֹלָם מֶלֶךְ מַנְהִיג וּמוֹשֵׁל, מָלֵא רַחֲמִים אֲשֶׁר חָמַלְתָּ עָלֵינוּ בְּחֶמְלָתְךָ הַגְּדוֹלָה וְשָׁלַחְתָּ לָנוּ מוֹשִׁיעַ וָרַב גּוֹאֵל יִשְׂרָאֵל וּקְדוֹשׁוֹ, הוּא מֹשֶׁה רַבֵּנוּ עָלָיו הַשָּׁלוֹם.

אֲשֶׁר הוֹצִיאָנוּ מֵאֲפֵלָה לְאוֹרָה, מֵחֹשֶׁךְ לְאוֹר גָּדוֹל, וְנָתַן לָנוּ אֶת הַתּוֹרָה, וְהֵאִיר עֵינֵינוּ, וְהוֹדִיעָנוּ אֲמִתַּת אֱמוּנָתְךָ הַקְּדוֹשָׁה.

וּמֵעֹצֶם גְּדֻלָּתוֹ הַנִּפְלָאָה הָיָה יָכֹל לְהָאִיר גַּם בְּהַפָּחוּת שֶׁבַּפְּחוּתִים כָּמוֹנוּ הַיּוֹם, לְהוֹדִיעַ לַכֹּל גְּדֻלָּתְךָ וּגְבוּרָתֶךָ.

לִפְקֹחַ עֵינַיִם עִוְרוֹת, לְהָאִיר עֵינֵי כָּל יִשְׂרָאֵל אֲפִלּוּ אוֹתָם שֶׁהֵם בִּבְחִינַת רַגְלִין, שֶׁיּוּכְלוּ לְהַעֲמִיק בְּדַעְתָּם לְהַשִּׂיג הַתַּכְלִית הָאֲמִתִּי מִכָּל הַבְּרוּאִים שֶׁבָּעוֹלָם, לָדַעַת וּלְהַכִּיר אוֹתְךָ תִּתְבָּרַךְ לָנֶצַח, עַל יְדֵי כָּל הַבְּרִיּוֹת שֶׁבָּעוֹלָם, וּלְהִתְקָרֵב אֵלֶיךָ וּלְהִתְדַּבֵּק בְּךָ בֶּאֱמֶת.

For the Seventh of Adar, the Hilula of Moses

Seeking a Leader Like Moses

"**S**hepherd of Israel, listen! You Who guide Joseph like sheep, You Who dwell between the cherubs, appear!"

Master of the world, King, Leader and Ruler, filled with compassion, You had great mercy on us and sent us a savior and teacher, a redeemer and holy man of Israel: Moses.

He brought us forth from dimness to brightness, from darkness to a great light. He gave us the Torah and illumined our eyes, and he taught us the truth of Your holy faithfulness.

With his intensely wondrous greatness, he was able to illumine the lowest of the low—as we are today—to inform everyone of Your greatness and might.

He opened the eyes of the blind. He illumined the eyes of all Israel, even those who are compared to the feet, so that they might delve in their minds to comprehend the true, ultimate meaning of every created entity in the world—to know and recognize You forever by means of every created entity, and to come close to You and truly cling to You.

אַשְׁרֵי הַדּוֹר שֶׁזָּכוּ לְמַנְהִיג כָּזֶה, אַשְׁרֵי עֵינַיִם שֶׁזָּכוּ לִרְאוֹתוֹ, אַשְׁרֵי אָזְנַיִם שֶׁזָּכוּ לִשְׁמֹעַ דִּבְרֵי אֱלֹהִים חַיִּים מִפִּיו הַקָּדוֹשׁ וְהַנּוֹרָא, שֶׁהָיְתָה שְׁכִינָה מְדַבֶּרֶת מִתּוֹךְ גְּרוֹנוֹ.

"וְעַתָּה יְהֹוָה אֱלֹהֵינוּ אָבִינוּ אָתָּה", הַט אָזְנְךָ לְשַׁוְעָתֵנוּ, "פְּקַח עֵינֶיךָ וּרְאֵה שׁוֹמְמוֹתֵינוּ", וְחוּס וְרַחֵם עָלֵינוּ.

וְהוֹרֵנוּ וְלַמְּדֵנוּ מַה נַּעֲשֶׂה עַתָּה, מַה נִּפְעַל עַתָּה, אֶל מִי נִפְנֶה לְעֶזְרָה, "הַגִּידָה לִּי שֶׁאָהֲבָה נַפְשִׁי, אֵיכָה תִרְעֶה, אֵיכָה תַּרְבִּיץ בַּצָּהֳרָיִם", הוֹדִיעֵנוּ נָא בְּאֵיזֶה דֶּרֶךְ נְשׁוֹטֵט לְבַקֵּשׁ מַנְהִיג אֲמִתִּי כָּזֶה.

כִּי לְעֹצֶם שִׁפְלוּתֵנוּ וַחֲלִישׁוּתֵנוּ עַתָּה, וְכֻלָּנוּ אֵין פָּנֵינוּ יָפוֹת כְּלָל, אֵין מִי שֶׁיּוּכַל לַעֲזֹר אוֹתָנוּ כִּי אִם רַבִּי וּמַנְהִיג אֲמִתִּי שֶׁיִּהְיֶה בֶּאֱמֶת בִּבְחִינַת משֶׁה רַבֵּנוּ עָלָיו הַשָּׁלוֹם.

שֶׁיּוּכַל לְהָאִיר גַּם בָּנוּ הַדַּעַת הַקָּדוֹשׁ שֶׁנִּזְכֶּה עַל יְדֵי זֶה לָבוֹא אֶל הַתַּכְלִית הָאֲמִתִּי, לָדַעַת וּלְהַכִּיר אוֹתְךָ תִּתְבָּרַךְ לָנֶצַח, עַל יְדֵי כָּל הַבְּרִיּוֹת שֶׁבָּעוֹלָם.

אֲשֶׁר כֻּלָּם נִבְרְאוּ רַק בִּשְׁבִיל זֶה, כְּדֵי שֶׁיִּזְכֶּה הָאָדָם לְהַכִּיר

Fortunate is the generation that had such a leader. Fortunate are the eyes that saw him. Fortunate are the ears that heard the words of the Living God from his holy and awesome mouth, when God's Presence spoke from his throat.

"And now, HaShem our God, You are our Father." Incline Your ear to our outcry. "Open Your eyes and see our desolation." Have pity and compassion on us.

Guide us and teach us what we should do now, what we should accomplish now, to whom we should turn for help. "Tell me, you who love my soul, where do you graze, where do you lie down at noon?" Tell me, please, where we should go to seek a true leader like this.

In our present state of extreme lowliness and weakness, none of us have beautiful faces in the least. No one can help us but a genuine teacher and leader who is truly on the level of Moses.

He can illumine our holy awareness so that we will reach our true goal of knowing and recognizing You forever by means of all created beings in the world.

All of them were created only for this: so that a person will recognize You through them. That

אוֹתְךָ עַל יָדָם, שֶׁזֶּה עִקַּר הַתַּכְלִית שֶׁל כָּל הַבְּרִיאָה בִּכְלָל וּבִפְרָט.

וְאֵיךְ זוֹכִין לִמְצֹא מַנְהִיג כָּזֶה, אַיֵּה, אֵיפוֹא הוּא, אַיֵּה מְקוֹם כְּבוֹדוֹ, אַיֵּה הָעֵצָה וְהַתַּחְבּוּלָה שֶׁנִּזְכֶּה לִמְצְאוֹ.

כִּי אִם אָמְנָם גַּם עַתָּה נִמְצָאִים צַדִּיקִים וּמַנְהִיגֵי יִשְׂרָאֵל, יְהֹוָה עֲלֵיהֶם יִחְיוּ, וְיַאֲרִיךְ יְמֵיהֶם וּשְׁנוֹתֵיהֶם.

אֲבָל הֲלֹא כָּל הַמְפֻרְסָמִים כֻּלָּם יוֹדוּ בְּעַצְמָן וְלֹא יֵבוֹשׁוּ, שֶׁאֵין לָהֶם זֶה הַכֹּחַ שֶׁהִזְכַּרְנוּ לְפָנֶיךָ, שֶׁהוּא הַכֹּחַ שֶׁל מֹשֶׁה רַבֵּנוּ, לְהָאִיר בָּנוּ הַדַּעַת הַזֶּה שֶׁיַּשִּׂיג כָּל אֶחָד וְאֶחָד הַתַּכְלִית הָאֲמִתִּי בָּזֶה הָעוֹלָם מִכָּל הַדְּבָרִים שֶׁבָּעוֹלָם, אֲשֶׁר לְכַךְ נוֹצַרְנוּ.

וְעַתָּה מַה נַּעֲשֶׂה וּמַה נִּפְעַל, מִי יָקוּם בַּעֲדֵנוּ אוֹי "מִי יָקוּם יַעֲקֹב כִּי קָטֹן הוּא".

מָרֵיהּ דְּעָלְמָא כֹּלָּא, מְרַחֵם עַל הָאָרֶץ מְרַחֵם עַל הַבְּרִיּוֹת, אֲשֶׁר "נָחִיתָ כַצֹּאן עַמֶּךָ בְּיַד מֹשֶׁה וְאַהֲרֹן". אַיֵּה רַחֲמָנוּתְךָ

is the essential purpose of all created beings, collectively and individually.

How can we find such a leader? Where, oh where, is he? Where is the place of his glory? Where are the counsel and stratagems that will help us find him?

If Tzaddikim and leaders of Israel are indeed alive today, HaShem, give them a life filled with many days and years.

However, all of the recognized leaders, without exception, acknowledge and admit without shame that they lack this power that we have mentioned before You—the power of Moses—to illumine us with the awareness that every individual can attain his true purpose in this world by understanding all things in the world, which is the objective for which we were created.

What, then, shall we do? What shall we undertake? Who will stand up on our behalf? Woe! "How will Jacob rise, for he is small?"

Master of the entire world, You Who have compassion on the world, You who have compassion on the people, "Your nation, [whom] You guided like sheep by the hand of Moses and Aaron," where is Your compassion for Israel,

עַל יִשְׂרָאֵל עַם קָדְשְׁךָ עַתָּה, "עַל מִי נָטַשְׁתָּ מְעַט הַצֹּאן הַזֶּה, עַל מִי עֲזַבְתָּ אוֹתָנוּ, חֲלוּשֵׁי כֹּחַ כָּאֵלֶּה, פְּחוּתֵי עֵרֶךְ כָּמוֹנוּ הַיּוֹם.

רְאֵה עֲמִידָתֵנוּ דַּלִּים וְרֵקִים, אֲשֶׁר הִשְׁחֲרוּ פָּנֵינוּ מִפְּנֵי חַטֹּאתֵינוּ, וְנִכְפְּפָה קוֹמָתֵנוּ מִפְּנֵי עֲווֹנוֹתֵינוּ.

אֶל מִי נָנוּס לְעֶזְרָה, "הֲמָאֹס מָאַסְתָּ אֶת יְהוּדָה, אִם בְּצִיּוֹן גָּעֲלָה נַפְשֶׁךָ, מַדּוּעַ הִכִּיתָנוּ וְאֵין לָנוּ מַרְפֵּא, קַוֵּה לְשָׁלוֹם וְאֵין טוֹב, וּלְעֵת מַרְפֵּא וְהִנֵּה בְעָתָה".

הַאִם הִפְקַרְתָּ אֶת עַמְּךָ יִשְׂרָאֵל חָלִילָה, הֲלֹא כְּבָר הִבְטַחְתָּנוּ שֶׁאֲפִלּוּ בְּתֹקֶף יְרִידָתֵנוּ בְּעֹמֶק הַגָּלוּת הַזֶּה בְּגוּף וָנֶפֶשׁ כָּמוֹנוּ הַיּוֹם, לֹא תַעַזְבֵנוּ וְלֹא תִמְאָסֵנוּ לְעוֹלָם.

כְּמוֹ שֶׁכָּתוּב: "וְאַף גַּם זֹאת בִּהְיוֹתָם בְּאֶרֶץ אוֹיְבֵיהֶם, לֹא מְאַסְתִּים וְלֹא גְעַלְתִּים לְכַלּוֹתָם, לְהָפֵר בְּרִיתִי אִתָּם, כִּי אֲנִי יְהֹוָה אֱלֹהֵיהֶם".

וּכְתִיב: "וְלֹא דִבֶּר יְהֹוָה לִמְחוֹת אֶת שֵׁם יִשְׂרָאֵל מִתַּחַת הַשָּׁמָיִם".

Your holy nation, at present? "With whom have You left the few sheep?" To whom have You abandoned us, we who are so weak and unworthy?

See our meager and desolate status. Our faces are blackened by our transgressions, and we are hunched over because of our sins.

To whom will we flee for help? "Have You indeed rejected Judah? Has Your soul despised Zion? Why have You struck us so that we have no remedy? We hope for peace but there is no goodness, and for a time of healing, but behold, there is terror."

Have You abandoned Your nation, the Jewish people, Heaven forbid? Didn't You promise us that even in our extreme descent into the depth of this exile in body and soul, as we are today, You will never abandon or abhor us?

As the verse states, "When they are in the land of their enemies, I will not despise them and I will not abhor them to destroy them, to break My covenant with them, for I am HaShem their God."

"HaShem never said that He would eradicate the name of Israel from under the heavens."

וּכְתִיב: "כִּי לֹא יִטֹּשׁ יְהֹוָה אֶת עַמּוֹ בַּעֲבוּר שְׁמוֹ הַגָּדוֹל כִּי הוֹאִיל יְהֹוָה לַעֲשׂוֹת אֶתְכֶם לוֹ לְעָם".

וּכְתִיב: "כִּי לֹא יִטֹּשׁ יְהֹוָה עַמּוֹ, וְנַחֲלָתוֹ לֹא יַעֲזֹב".

וְכָהֵנָּה וְכָהֵנָּה עוֹד הַבְטָחוֹת הַרְבֵּה אֲשֶׁר הִבְטַחְתָּ אֶת אֲבוֹתֵינוּ לְעָזְרֵנוּ וּלְהוֹשִׁיעֵנוּ בְּכָל דּוֹר וָדוֹר.

וְעַתָּה עַתָּה אַיֵּה רַחֲמָנוּתְךָ אַיֵּה נִפְלְאוֹתֶיךָ, וְלָמָּה "תִהְיֶה עֲדַת יְהֹוָה כַּצֹּאן אֲשֶׁר אֵין לָהֶם רוֹעֶה".

חוּס וַחֲמֹל עָלֵינוּ חוּס וְרַחֵם עָלֵינוּ, וְזַכֵּנוּ וְעָזְרֵנוּ לְהִתְפַּלֵּל וּלְהִתְחַנֵּן לְפָנֶיךָ עַל זֶה הַרְבֵּה, לִצְעֹק וְלִזְעֹק "זְעָקָה גְדוֹלָה וּמָרָה", וְלִבְכּוֹת לְפָנֶיךָ בְּכָל יוֹם עַל זֶה בִּדְמָעוֹת שָׁלִישׁ.

עַד שֶׁתְּחָנֵּנוּ וְתַעֲנֵנוּ וְתַחְמֹל עָלֵינוּ וְתִתֵּן לָנוּ רוֹעֶה יִשְׂרָאֵל מַנְהִיג אֲמִתִּי מַנְהִיג רַחֲמָן כְּמוֹ משֶׁה רַבֵּנוּ רוֹעֶה נֶאֱמָן.

שֶׁיּוּכַל לַעֲסֹק בְּתִקּוּנֵנוּ לַהֲשִׁיבֵנוּ אֵלֶיךָ בֶּאֱמֶת, וְיָאִיר גַּם בָּנוּ הַשָּׂגַת דַּעְתּוֹ הַקְּדוֹשָׁה, וִיפַקַּח עֵינֵי דַעְתֵּנוּ בִּקְדֻשָּׁה וּבְטָהֳרָה גְדוֹלָה.

"For the sake of His great Name, HaShem will not forsake His nation; HaShem has sworn to make you His nation."

"HaShem will not reject His nation, and He will not abandon his inheritance."

You gave our forefathers many more such promises that You would help us and save us in every generation.

But now, where is Your compassion? Where are Your wonders? Why should "the congregation of HaShem be like a flock that has no shepherd"?

Have pity and mercy on us. Have pity and compassion on us. Grant us merit. Help us pray and plead with You a great deal regarding this, crying out and calling out with "a great and bitter shout," and weeping before You every day regarding this with an abundance of tears.

Be gracious and answer us. Have mercy on us and give us a shepherd of Israel, a true leader, a compassionate leader like Moses, the faithful shepherd.

Such a leader can rectify us and truly bring us back to You. He can shine his attainments, his holy awareness, upon us, and open our mind's eye with great holiness and purity.

שֶׁנִּזְכֶּה גַּם אֲנַחְנוּ לְהַשִּׂיג הַתַּכְלִית הָאֲמִתִּי מִכָּל הַבְּרוּאִים שֶׁבָּעוֹלָם, וּלְהַכִּיר אוֹתְךָ בֶּאֱמֶת וּלְהִתְקָרֵב אֵלֶיךָ וּלְהִתְדַּבֵּק בְּךָ לָנֶצַח.

לשבת קודש

וְתַעַזְרֵנוּ וְתוֹשִׁיעֵנוּ לְקַבֵּל שַׁבָּתוֹת כָּרָאוּי, בְּשִׂמְחָה וְחֶדְוָה גְדוֹלָה וּבִדְבֵקוּת נִפְלָא כִּרְצוֹנְךָ הַטּוֹב, עַד שֶׁנִּזְכֶּה עַל יְדֵי זֶה לָדַעַת וּלְהַשִּׂיג תַּכְלִית מַעֲשֵׂי שָׁמַיִם וָאָרֶץ גַּם בָּזֶה הָעוֹלָם.

לָדַעַת וּלְהַכִּיר אוֹתְךָ בֶּאֱמֶת עַל יְדֵי כָּל הַדְּבָרִים שֶׁבָּעוֹלָם, כִּרְצוֹנְךָ וְכִרְצוֹן יְרֵאֶיךָ הָאֲמִתִּיִּים, עֲדֵי נִזְכֶּה לְיוֹם שֶׁכֻּלּוֹ שַׁבָּת וּמְנוּחָה לְחַיֵּי הָעוֹלָמִים.

מָלֵא רַחֲמִים, יְהֹוָה, פְּקַח עֵינֵינוּ וְנִרְאֶה וְנָבִין וְנַשְׂכִּיל הָאֱמֶת לַאֲמִתּוֹ, אֵיךְ לְהִתְנַהֵג עַתָּה, בְּאֹפֶן שֶׁנִּזְכֶּה לְבַקֵּשׁ וְלִמְצֹא מַנְהִיג אֲמִתִּי כָּזֶה שֶׁיְּבִיאֵנוּ בְּחַיֵּינוּ לַתַּכְלִית הָאֲמִתִּי.

May we, even we, attain the true, ultimate goal of all created beings in the world, which is to truly recognize You, come close to You and cling to You forever.

For the Holy Shabbat

A Day That is Entirely Shabbat

Help us and save us so that we will celebrate the Shabbat properly, with great joy and gladness and with wondrous closeness to You, in accordance with Your good will—until even as we are in this world, we will know and understand the purpose of the works of Heaven and earth.

May we truly know and recognize You by means of all things in the world, in accordance with Your will and in accordance with the will of those who truly fear You, until we will attain a day that is entirely Shabbat and tranquility, with eternal life.

HaShem, You Who are filled with compassion, open our eyes so that we will see, understand and comprehend the ultimate truth, and know how to conduct ourselves at present, beseeching You until we find the true leader who will bring us in our lifetime to the true goal.

כִּי אֵין לָנוּ עַל מִי לְהִשָּׁעֵן כִּי אִם עָלֶיךָ אָבִינוּ שֶׁבַּשָּׁמַיִם, "אֲנַחְנוּ הַחֹמֶר וְאַתָּה יֹצְרֵנוּ וּמַעֲשֵׂה יָדְךָ כֻּלָּנוּ, עָלֶיךָ יַעֲזֹב חֵלֶכָה יָתוֹם אַתָּה הָיִיתָ עוֹזֵר".

כִּי אַתָּה לְבַד יוֹדֵעַ צְפוּן לִבֵּנוּ וְאֵיךְ לְעָזְרֵנוּ עַתָּה בְּכָל הָעִנְיָנִים, וּבִפְרָט בְּעִנְיָן זֶה אֲשֶׁר בּוֹ תָּלוּי הַכֹּל.

שֶׁנִּזְכֶּה לִמְצֹא הַמַּנְהִיג הָאֲמִתִּי שֶׁהוּא בִּבְחִינַת מֹשֶׁה רַבֵּנוּ, שֶׁיּוּכַל לַהֲבִיאֵנוּ לַתַּכְלִית הָאֲמִתִּי וְהַנִּצְחִי מְהֵרָה בְּחַיֵּינוּ.

וְהַטּוֹב בְּעֵינֶיךָ עֲשֵׂה עִמָּנוּ, כִּי אָנוּ מַשְׁלִיכִים כָּל יְהָבֵנוּ עָלֶיךָ.

"וַאֲנִי תָּמִיד אֲיַחֵל, עַד יַשְׁקִיף וְיֵרֶא יְהֹוָה מִשָּׁמָיִם", וְיָשׁוּב אֵלֵינוּ וִירַחֲמֵנוּ, וּכְאָב אֶת בֵּן יִרְצֵנוּ, וְיַחֲזִיר לָנוּ הָעֲטָרָה לְיָשְׁנָהּ, וְיִתֵּן לָנוּ רוֹעֶה כִּלְבָבוֹ.

וִיקַיֵּם מְהֵרָה מִקְרָא שֶׁכָּתוּב: "וְנָתַתִּי לָכֶם רוֹעִים כְּלִבִּי וְרָעוּ אֶתְכֶם דֵּעָה וְהַשְׂכֵּל".

We have no one on whom to rely except You, our Father in Heaven. "We are the clay and You are our Maker. All of us are the work of Your hand." "Your troops depend on You; You help the orphan."

You alone know what is hidden in our heart, and how to help us at present in all areas—in particular, in this matter on which everything depends.

May we find the true leader, a person associated with Moses, who can bring us to our true and eternal purpose—quickly, in our lifetime.

May he help us in a way that is proper in Your eyes. We cast all of our burden upon You.

"I will constantly hope," "until HaShem will gaze and look from Heaven" and return to us and have compassion on us like a father with his son. May You reconcile with us, return the crown to its original glory, and give us a shepherd in accordance with Your heart.

May the verse quickly be realized, "I will give you shepherds in accordance with My heart, and they will feed you with knowledge and understanding."

וּתְמַהֵר וְתָחִישׁ לְגָאֳלֵנוּ וְתָבִיא לָנוּ אֶת מְשִׁיחַ צִדְקֵנוּ, וִיקֻיַּם מְהֵרָה: "וַהֲקִמֹתִי עֲלֵיהֶם רֹעֶה אֶחָד וְרָעָה אֶתְהֶן אֵת עַבְדִּי דָוִיד הוּא יִרְעֶה אוֹתָם וְהוּא יִהְיֶה לָהֶן לְרֹעֶה, וַאֲנִי יְהֹוָה אֶהְיֶה לָהֶם לֵאלֹהִים וְעַבְדִּי דָוִד נָשִׂיא בְּתוֹכָם אֲנִי יְהֹוָה דִּבַּרְתִּי".

וְנֶאֱמַר: "וְלֹא יִטַּמְּאוּ עוֹד בְּגִלּוּלֵיהֶם וּבְשִׁקּוּצֵיהֶם וּבְכֹל פִּשְׁעֵיהֶם וְהוֹשַׁעְתִּי אוֹתָם מִכֹּל מוֹשְׁבֹתֵיהֶם אֲשֶׁר חָטְאוּ בָהֶם וְטִהַרְתִּי אוֹתָם וְהָיוּ לִי לְעָם וַאֲנִי אֶהְיֶה לָהֶם לֵאלֹהִים, וְעַבְדִּי דָוִד מֶלֶךְ עֲלֵיהֶם וְרוֹעֶה אֶחָד יִהְיֶה לְכֻלָּם וּבְמִשְׁפָּטַי יֵלֵכוּ וְחֻקּוֹתַי יִשְׁמְרוּ וְעָשׂוּ אוֹתָם.

יְהֹוָה אֱלֹהִים צְבָאוֹת הֲשִׁיבֵנוּ הָאֵר פָּנֶיךָ וְנִוָּשֵׁעָה":

Hurry, quickly redeem us and bring us our righteous Mashiach. May the verse swiftly be realized, "I will establish one shepherd over them who will shepherd them—namely, My servant David. He will shepherd them and be their shepherd. I, HaShem, will be their God, and My servant David will be a prince in their midst. I, HaShem, have spoken."

"They will no longer contaminate themselves with their idols, with their detestable things and with all of their offenses. I will save them from all of their dwelling places where they transgressed. I will purify them. They will be My nation, and I will be their God. My servant David will be king over them. All of them will have one shepherd, and they will walk in My ordinances and observe My statutes and perform them."

"HaShem, God of hosts, bring us back; shine Your face and we will be saved."

29 (II, 28)

When God Takes Pride in Us, He Grants Us Providence / When a Person Deserves God's Pride, Whatever He Looks at Attains the Level of the Land of Israel / One Should be with the Tzaddik on Rosh HaShanah / A Person Who has Tasted the Land of Israel Can Know If Someone was with a Tzaddik on Rosh HaShanah

---

God's pride in the souls of Israel creates a spiritual equivalent of tefilin for Him. That enters and blazes through His eyes and creates His providence, as it were.

When Jews are far from God, He cannot take pride in us, and the tefilin on His head and arm are damaged. Then God's Presence cries out, "My head is heavy, My arm is heavy!" (*Sanhedrin* 46a).

But when a Jew comes close to God and he is joined by another Jew, and more and more people want to serve God and come close to Him, God's pride in the Jewish people increases. That pride manifests itself as His tefilin and His providence. God's providence is particularly intense and constant upon the Land of Israel. That providence makes the Land holy and gives its atmosphere the property of dispensing wisdom.

When a person sees God's pride in the Jewish people, he attains a beautiful state of mind, which becomes his own set of spiritual tefilin. Such tefilin enter into him and break out through his eyes. Then his own eyes are on the level of the eyes of HaShem. As a result, whatever he looks at attains the level of the Land of Israel.

In order to see God's pride, a person must see the true Tzaddik, a person who brings others to serve God. That Tzaddik himself constitutes God's pride in His people, since it is through him that all of their closeness to God and His pride in them exist.

When Jews gather together with the Tzaddik to hear the word of HaShem—in particular, on Rosh HaShanah—God's pride is exceptionally great. Then the loveliness of the true Tzaddik is increased, for he himself is God's pride. Then whoever looks sincerely at him gains access to God's pride and to the mindfulness associated with tefilin, and his eyes are on the level of the eyes of HaShem. Then whatever he looks at attains the level of the Land of Israel.

When someone else, someone who desires the Land of Israel—in particular, if he has already experienced the taste of the Land of Israel—meets an individual who was in the company of the true Tzaddik on Rosh HaShanah, he senses the taste of the Land of Israel, for that individual spreads the atmosphere of the Land of Israel.

"עֵינַי תָּמִיד אֶל יְהֹוָה כִּי הוּא יוֹצִיא מֵרֶשֶׁת רַגְלָי, אֵלֶיךָ נָשָׂאתִי אֶת עֵינַי הַיֹּשְׁבִי בַּשָּׁמָיִם.

הִנֵּה כְעֵינֵי עֲבָדִים אֶל יַד אֲדוֹנֵיהֶם כְּעֵינֵי שִׁפְחָה אֶל יַד גְּבִרְתָּהּ כֵּן עֵינֵינוּ אֶל יְהֹוָה אֱלֹהֵינוּ עַד שֶׁיְּחָנֵּנוּ, חָנֵּנוּ יְהֹוָה חָנֵּנוּ, כִּי רַב שָׂבַעְנוּ בוּז".

אָבִי שֶׁבַּשָּׁמַיִם מָלֵא רַחֲמִים רַב חֶסֶד וּמַרְבֶּה לְהֵיטִיב, טוֹב לַכֹּל וְרַחֲמָיו עַל כָּל מַעֲשָׂיו, הַמְרַחֵם עַל הָאָרֶץ וּמְרַחֵם עַל הַבְּרִיּוֹת.

רִבּוֹנוֹ דְעָלְמָא כֻּלָּא, אַתָּה בָּרָאתָ עוֹלָמְךָ בִּרְצוֹנְךָ הַטּוֹב בִּשְׁבִיל יִשְׂרָאֵל עַמֶּךָ, כְּדֵי לְהִתְפָּאֵר עִמָּהֶם בְּכָל דּוֹר וָדוֹר.

וּבְטוּבְךָ הַגָּדוֹל בָּחַרְתָּ יִשְׂרָאֵל עַמְּךָ מִכָּל הָעַמִּים וְאֶת אֶרֶץ הַקְּדוֹשָׁה מִכָּל הָאֲרָצוֹת, לִהְיוֹת לְעַמְּךָ יִשְׂרָאֵל לְנַחֲלָה.

כִּי יָדַעְתָּ שֶׁשָּׁם אֲוִיר הַקָּדוֹשׁ הַמַּחְכִּים וְשָׁם מָקוֹם מוּכָן

The Land of Faith and Wisdom

"**M**y eyes are always turned to HaShem, for He will extricate my feet from the net." "I have lifted my eyes to You Who dwell in the heavens."

"Behold, like the eyes of slaves turned to the hand of their master, like the eyes of the maidservant turned to the hand of her mistress, so are our eyes turned to HaShem our God until He will be gracious to us. Be gracious to us, HaShem. Be gracious to us, because we have suffered much contempt."

My Father in Heaven, filled with compassion, vast in lovingkindness and doing much good to all, You have compassion on all of Your works—compassion on the earth and compassion on people.

Master of the entire world, You created Your world in accordance with Your good will for the sake of the Jewish people, Your nation, in order to take pride in them in every generation.

In Your great goodness, You chose the Jewish people, Your nation, from all nations, and the Holy Land from all lands as the inheritance of Your nation of Israel.

You know that the Land possesses the holy atmosphere that bestows wisdom. It is the

לִקְדֻשַּׁת יִשְׂרָאֵל, לְהַשִּׂיג שָׁם חָכְמָה הָאֲמִתִּיִּית, לְהַכִּיר אוֹתְךָ בְּדַעַת נִפְלָא וּבֶאֱמוּנָה שְׁלֵמָה.

רִבּוֹנוֹ שֶׁל עוֹלָם אֲדוֹן כָּל הָאָרֶץ, אֱלוֹהַּ כָּל הַבְּרִיּוֹת, מָה אוֹמַר וּמָה אֲדַבֵּר, אַתָּה יוֹדֵעַ מַעֲלַת אֶרֶץ־יִשְׂרָאֵל וּקְדֻשָּׁתָהּ הָעוֹלָה עַד אֵין סוֹף וְאֵין תַּכְלִית.

וְאָנֹכִי הַבָּזוּי וְהַנִּמְאָס אֲשֶׁר הִרְבֵּיתִי לִפְשֹׁעַ נֶגְדְּךָ, וּפָגַמְתִּי וְקִלְקַלְתִּי הַרְבֵּה מְאֹד.

עַד אֲשֶׁר עַל יְדֵי רִבּוּי עֲווֹנוֹתַי וּפְשָׁעַי הָעֲצוּמִים, וּבִפְרָט עַל יְדֵי כָּל מַה שֶּׁפָּגַמְתִּי בִּפְגַם הַבְּרִית מֵעוֹדִי עַד הַיּוֹם הַזֶּה, עַל יְדֵי כָּל זֶה טָרַפְתִּי אֶת דַּעְתִּי וּפָגַמְתִּי אֶת מֹחִי, וַאֲפִלּוּ מְעַט הָרְשִׁימוּ שֶׁנִּשְׁאֲרָה מִדַּעְתִּי הִיא גַּם כֵּן מְבֻלְבֶּלֶת וַעֲכוּרָה מְאֹד.

אַךְ עִם כָּל זֶה, גַּם זֹאת הָרְשִׁימוּ הַמְּעוּטָה שֶׁל אֲמִתַּת דַּעְתִּי, רוֹאָה מֵרָחוֹק וּמֵצִיץ מִן הַחֲרַכִּים מִבֵּין זִכָּרוֹן דִּבְרֵי תוֹרָתְךָ הַקְּדוֹשָׁה, אֲשֶׁר חוֹנַנְתָּנוּ בְּרַחֲמֶיךָ הָרַבִּים, עַד אֲשֶׁר אֲנִי מֵבִין מֵרָחוֹק גֹּדֶל עֹצֶם מַעֲלַת קְדֻשַּׁת אֶרֶץ יִשְׂרָאֵל בְּלִי שִׁעוּר וָעֵרֶךְ.

place that is prepared for the holiness of the Jewish people, so that they may attain true wisdom there and recognize You with wondrous awareness and complete faith.

Master of the world, Lord of all the earth, God of all creatures, what shall I say? How shall I speak? You know the value of the Land of Israel and its infinite, endless holiness.

I am despicable and abhorrent. I have willfully sinned so much before You. I have blemished and damaged a very great deal.

As a result of the multitude of my acute and willful sins—in particular, as a result of all of the blemishes to the covenant that I have brought about from my beginning until this day—I have disordered my awareness and blemished my consciousness. Even the trace of an impression that remains of my consciousness is confused and murky.

Yet despite all that, this slight impression of my true awareness gazes at holiness from afar, peering through the cracks as it recalls the words of Your holy Torah that You graciously gave us in Your vast compassion, until I understand from a distance the extraordinary, dear holiness of the Land of Israel, beyond measure and evaluation.

וְכַאֲשֶׁר שָׁמַעְנוּ מִפִּי הַצַּדִּיקִים הָאֲמִתִּיִּים וְרָאִינוּ בְּסִפְרֵיהֶם הַקְּדוֹשִׁים שֶׁכָּל קְדֻשַּׁת אִישׁ הַיִּשְׂרְאֵלִי תְּלוּיָה בְּאֶרֶץ יִשְׂרָאֵל.

וְהִנֵּה עַתָּה, אַחֲרֵי כָּל מַה שֶּׁעָבַר עָלַי מֵעוֹדִי עַד הַיּוֹם הַזֶּה, וְכַמָּה סִבּוֹת סִבַּבְתָּ עִמִּי, וּבְכַמָּה גִּלְגּוּלִים גִּלְגַּלְתָּ עִמִּי כְּדֵי לְקָרְבֵנִי אֵלֶיךָ וּלְהַחֲזִירֵנִי בִּתְשׁוּבָה שְׁלֵמָה לְפָנֶיךָ.

וַעֲדַיִן לֹא עָלְתָה בְּיָדִי לִזְכּוֹת לִתְשׁוּבָה שְׁלֵמָה כָּרָאוּי, וְלֹא דַי שֶׁלֹּא זָכִיתִי לִתְשׁוּבָה שְׁלֵמָה אַף גַּם פָּגַמְתִּי הַרְבֵּה מְאֹד בְּכָל עֵת.

וְעַתָּה אַחֲרֵי כָּל אֵלֶּה, אֵינִי יוֹדֵעַ עַתָּה שׁוּם דֶּרֶךְ בֵּית מָנוֹס מִמֶּנִּי, וְלֹא שׁוּם עֵצָה וְתַחְבּוּלָה.

כִּי אִם עוֹד רוּחִי מְקַשְׁקֵשׁ בְּקִרְבִּי, עוֹד קוֹל דּוֹדִי דּוֹפֵק בִּי, וּמְעוֹרְרֵנִי וּמְזָרְזֵנִי בְּתוֹרָתוֹ הַקְּדוֹשָׁה לִנְסֹעַ לְאֶרֶץ יִשְׂרָאֵל.

אוּלַי אֶזְכֶּה לָשׁוּב מִכְּסִילָתִי וּמִמַּעֲשַׂי הַפְּגוּמִים, אוּלַי אֶזְכֶּה לְהַתְחִיל לִחְיוֹת חַיִּים אֲמִתִּיִּים, אוּלַי יָחוּס אוּלַי יְרַחֵם.

וְאַתָּה יוֹדֵעַ עֹצֶם רִבּוּי הַסְּפֵקוֹת שֶׁיֵּשׁ לִי בָּזֶה בְּלִי שִׁעוּר וְזֶה עִקַּר הַמְּנִיעָה שֶׁלִּי, בְּצֵרוּף שְׁאָרֵי מְנִיעוֹת מֵחֲמַת

As we have heard from the mouths of the true Tzaddikim and read in their holy books, all of a Jew's holiness depends on the Land of Israel.

I have undergone many experiences from the beginning of my life until today. I have lived through many passages of cause and effect, chains of events whose purpose has been to bring me close to You and restore me to You in complete repentance.

But I still have not properly, completely repented. More than that, I have brought about a very great many blemishes at every moment.

And now, after all this, I do not know of any way—of any counsel or stratagem—to reach a house of refuge.

But my spirit peals within me. The voice of my Beloved still pulses within me, arousing me and urging me through His holy Torah to travel to the Land of Israel.

Perhaps I will return from my foolishness and blemished deeds. Perhaps I will begin to live a genuine life. Perhaps You will have pity. Perhaps You will have compassion.

You know the teeming multitude of immeasurable questions that I have regarding this. These constitute my principal obstacle, together

מָמוֹן וְרִחוּק הַדֶּרֶךְ וּשְׁאָרֵי מְנִיעוֹת רַבּוֹת.

אֲבָל בֶּאֱמֶת אֲנִי מוֹדֶה לְפָנֶיךָ בּוֹחֵן לִבּוֹת וּכְלָיוֹת, שֶׁעִקַּר הַמְּנִיעָה הִיא מְנִיעַת הַמֹּחַ מֵחֲמַת כַּמָּה סְפֵקוֹת וּבִלְבּוּלִים, שֶׁמְּבַלְבְּלִין אֶת דַּעְתִּי וּמוֹנְעִים אוֹתִי מִלְּהִתְגַּבֵּר וּלְהִתְחַזֵּק לַעֲסוֹק בָּזֶה לְהָכִין לִי הַדֶּרֶךְ לִנְסֹעַ לְאֶרֶץ יִשְׂרָאֵל.

וְאַף עַל פִּי כֵן בְּרַחֲמֶיךָ הָרַבִּים אַתָּה מְרַמֵּז לִי בְּכָל עֵת לְהִשְׁתּוֹקֵק לָזֶה לָבוֹא לְאֶרֶץ יִשְׂרָאֵל, עַד אֲשֶׁר לֹא אוּכַל לָנוּחַ וְלִשְׁקֹט מִלִּכְסֹף לָזֶה לֵילֵךְ וְלָבֹא לְאֶרֶץ יִשְׂרָאֵל.

כִּי יָדַעְתִּי כִּי רַחֲמֶיךָ לֹא כָלִים, כְּלֵי הַאי וְאוּלַי תְּזַכֵּנִי לָבֹא לְשָׁם בְּשָׁלוֹם, וּלְהַמְשִׁיךְ עָלַי שָׁם קְדֻשַּׁת אֶרֶץ יִשְׂרָאֵל בֶּאֱמֶת.

בְּאֹפֶן שֶׁאֶזְכֶּה לְהִתְחַכֵּם מֵעַתָּה וּלְהַשְׂכִּיל עַל דְּרָכַי, וּלְבַעֵר הָרָע מִקִּרְבִּי, וּלְבַטֵּל הָרוּחַ שְׁטוּת מִמֶּנִּי, וְלִזְכּוֹת לִתְשׁוּבָה שְׁלֵמָה בֶּאֱמֶת.

אֲשֶׁר לָזֶה לְבַד כָּלְתָה נַפְשִׁי, כִּי זֶה כַּמָּה נִכְסוֹף נִכְסַפְתִּי לָשׁוּב אֵלֶיךָ.

וּכְבָר גִּלִּיתָ לָנוּ גֹּדֶל רַחֲמֶיךָ וְעֹצֶם חֲנִינוּתֶיךָ בְּכָל עֵת,

with issues such as expenses, travel distance and many other challenges.

In truth, I admit to You Who examine the heart and the core of every person, that the basic barrier is in my mind. I have various doubts and confusions that cloud my mind and prevent me from strengthening and encouraging myself to prepare my way to travel to the Land of Israel.

In Your vast compassion, You hint to me at every moment to yearn to come to the Land of Israel, keeping me from growing stale and comfortable but inspiring me to yearn to go and reach the Land of Israel.

I know that Your compassion does not cease. Please allow me to get there in peace, and truly draw the holiness of the Land of Israel onto myself.

May I grow wise from now on and act intelligently. May I burn away the evil within myself, nullify my spirit of foolishness, and truly attain complete repentance.

This is all that my spirit yearns for. I have longed and pined so deeply to return to You.

You have revealed to us Your great compassion and mighty graciousness at every moment,

וְרַב טוּבְךָ בְּכָל דּוֹר וָדוֹר, אֲשֶׁר אַתָּה צוֹפֶה לָרָשָׁע וְחָפֵץ בְּהִצָּדְקוֹ.

כִּי לֹא תַחְפֹּץ בְּמוֹת הַמֵּת כִּי אִם בְּשׁוּבוֹ מִדְּרָכָיו וְחָיָה, וְעַד יוֹם מוֹתוֹ תְּחַכֶּה לוֹ. "תָּשֵׁב אֱנוֹשׁ עַד דַּכָּא" עַד דִּכְדּוּכָהּ שֶׁל נֶפֶשׁ.

רִבּוֹנוֹ שֶׁל עוֹלָם, רַחֵם עַל יוֹנָה אִלֶּמֶת כָּמוֹנִי, רַחֵם עַל חֲלוּשׁ דֵּעָה, עַל נִבְזֶה וְנִמְאָס כָּמוֹנִי.

אֲשֶׁר אֲנִי מָאוּס (נִבְזֶה וְנִמְאָס) בְּעֵינֵי עַצְמִי בְּתַכְלִית הַמִּאוּס, וְלֹא עַל חִנָּם מִדֶּרֶךְ הָעֲנָוָה הָאֲמִתִּיִּית, כִּי אִם מֵחֲמַת עֲכִירַת מִאוּס מַעֲשַׂי הָרָעִים וַעֲווֹנוֹתַי הָעֲצוּמִים וּפְגָמַי הַמְרֻבִּים.

אָנָּא אָדוֹן יָחִיד מַלֵּא מִשְׁאֲלוֹתַי בְּרַחֲמִים, וְזַכֵּנִי לָבוֹא לְאֶרֶץ יִשְׂרָאֵל מְהֵרָה, וְאֶזְכֶּה לַעֲבֹר וּלְדַלֵּג עַל כָּל מִינֵי מְנִיעוֹת, וְלִנְסֹעַ וְלָבֹא לְשָׁם מְהֵרָה חוּשָׁה בְּשָׁלוֹם בְּלִי פֶּגַע, וְלִפְעֹל שָׁם קְדֻשָּׁה וְטָהֳרָה, בְּאֹפֶן שֶׁאֶזְכֶּה לָשׁוּב אֵלֶיךָ וּלְהִתְקָרֵב אֵלֶיךָ בֶּאֱמֶת, וְלֹא אָשׁוּב עוֹד לְכִסְלָה מֵעַתָּה וְעַד עוֹלָם.

and Your vast goodness in every generation. You hope and desire that the wicked person will make himself worthy.

You do not desire his death, but that he will repent and live. You wait for him until the day of his death. "You press a man down" until his spirit is crushed.

Master of the world, have compassion on me. I am like a mute dove. Have compassion on me, I who am so unaware, so despicable and abhorrent.

I am completely abhorrent (despicable and abhorrent) in my own eyes—not because I am humble, but because of the grimy, abhorrent nature of my evil deeds, my grievous sins and my innumerable blemishes.

Please, Unique Lord, compassionately fulfill my requests. May I reach the Land of Israel quickly. May I pass and leap over all sorts of obstacles. May I travel and arrive quickly, swiftly, in peace and without harm. And once there, may I generate holiness and purity so that I will come back to You and truly come close to You, and no longer return to my foolishness, from this moment and forever onward.

רִבּוֹנוֹ שֶׁל עוֹלָם זַכֵּנִי בִּזְכוּת כָּל הַצַּדִּיקִים שֶׁגִּלּוּ קְדֻשַּׁת אֶרֶץ יִשְׂרָאֵל בָּעוֹלָם, וּבִזְכוּת כָּל הַצַּדִּיקִים וְהַכְּשֵׁרִים שֶׁזָּכוּ לָבֹא לְאֶרֶץ יִשְׂרָאֵל אַחֲרֵי מְנִיעוֹת רַבּוֹת וַעֲצוּמוֹת בְּלִי שִׁעוּר כַּאֲשֶׁר אַתָּה יָדַעְתָּ, וּפָעֲלוּ שָׁם מַה שֶּׁפָּעֲלוּ.

זַכֵּנִי בִּזְכוּתָם וּבִזְכוּת תּוֹרָתָם הַקְּדוֹשָׁה וּבִזְכוּת מַעֲשֵׂיהֶם הַטּוֹבִים שֶׁאֶזְכֶּה גַּם אָנֹכִי הַשָּׁפָל וְהַבָּזוּי לֵילֵךְ וְלָבוֹא לְאֶרֶץ יִשְׂרָאֵל חִישׁ קַל מְהֵרָה.

אָבִי שֶׁבַּשָּׁמַיִם הַגּוֹמֵל עִמִּי חֲסָדִים וְטוֹבוֹת רַבּוֹת בְּכָל עֵת אֲשֶׁר זִכִּיתַנִי בְּרַחֲמֶיךָ וַחֲסָדֶיךָ לְהִתְפַּלֵּל עַל זֶה לָבֹא לְאֶרֶץ יִשְׂרָאֵל.

גְּמֹל עַל עַבְדְּךָ עוֹד חֲסָדִים וְטוֹבוֹת יוֹתֵר וְיוֹתֵר, וְתַגְדִּיל נִפְלְאוֹתֶיךָ עִמִּי, וְתַעֲשֶׂה עִמִּי חֶסֶד חִנָּם בְּכָל עֵת.

וּתְלַמְּדֵנִי בְּדֶרֶךְ עֲצוֹתֶיךָ הָאֲמִתִּיּוֹת, וְתוֹרֵנִי בְּדֶרֶךְ הַיָּשָׁר וְהָאֱמֶת, בְּאֹפֶן שֶׁאֶזְכֶּה מֵעַתָּה לַעֲזֹב דַּרְכֵּי הָרַע וּמַחְשְׁבוֹתַי הַפְּגוּמוֹת.

Master of the world, we rely on the merit of all of the Tzaddikim who revealed the holiness of the Land of Israel, and on the merit of all of the Tzaddikim and worthy people who came to the Land of Israel—after measureless and tiring obstacles, as You know—where they brought about what they brought about.

In their merit—in the merit of their holy Torah and in the merit of their good deeds—may I, lowly and reprehensible as I am, proceed and arrive in the Land of Israel quickly, swiftly and speedily.

My Father in Heaven, You recompense me with lovingkindness and many benefits at every moment. In Your compassion and loving-kindness, You have made it possible for me to pray to come to the Land of Israel.

Recompense me, Your servant, with more and more of Your kindness and favors. Increase Your wonders on my behalf and grant me undeserved kindness at every moment.

Teach me the way of Your true counsel. Guide me on the straight and true path, so that from now on I will abandon my evil ways and blemished thoughts.

וְאֶזְכֶּה לְהִתְקַשֵּׁר בְּךָ מֵעַתָּה וָלֵילֵךְ וְלָבֹא מְהֵרָה לְאֶרֶץ יִשְׂרָאֵל בַּשָּׁנָה הַזֹּאת, וְאֶזְכֶּה לְהִתְחַדֵּשׁ לְגַמְרֵי לְהַתְחִיל מֵחָדָשׁ בַּעֲבוֹדַת יְהֹוָה כְּאִלּוּ נוֹלַדְתִּי הַיּוֹם.

רִבּוֹנוֹ שֶׁל עוֹלָם זְכֹר נָא הַהִתְפָּאֲרוּת וְהַשַּׁעֲשׁוּעִים שֶׁקִּבַּלְתָּ מִכָּל הַצַּדִּיקִים שֶׁהָיוּ בְּכָל דּוֹר וָדוֹר, וּמִכְּלַל יִשְׂרָאֵל עַמְּךָ הַקָּדוֹשׁ.

וְכָל הַהִתְפָּאֲרוּת וְהַשַּׁעֲשׁוּעִים אֲשֶׁר אַתָּה מְקַבֵּל עֲדַיִן מִכְּלַל יִשְׂרָאֵל עַמְּךָ וּמֵהַצַּדִּיקִים וְהַכְּשֵׁרִים אֲמִתִּיִּים הַנִּלְוִים אֲלֵיהֶם שֶׁבַּדּוֹר הַזֶּה, אֲשֶׁר מִשָּׁם נִמְשָׁךְ כָּל קְדֻשַּׁת אֶרֶץ יִשְׂרָאֵל.

וְזַכֵּנִי גַּם כֵּן, שֶׁיִּהְיֶה לִי חֵלֶק בְּהַהִתְפָּאֲרוּת הַזֹּאת, שֶׁאֶזְכֶּה לָשׁוּב אֵלֶיךָ וְלַעֲשׂוֹת רְצוֹנְךָ בֶּאֱמֶת, עַד אֲשֶׁר תִּתְפָּאֵר עִמִּי הַשְּׁכִינָה תָּמִיד בְּכָל עֵת.

כִּי בְּרַחֲמֶיךָ הָרַבִּים בָּחַרְתָּ בָּנוּ מִכָּל הָעַמִּים, וְאַתָּה מִתְפָּאֵר בָּנוּ בְּכָל דּוֹר וָדוֹר, וְזֹאת הַהִתְפָּאֲרוּת עוֹלָה לְכֶתֶר וַעֲטָרָה עַל רֹאשְׁךָ בִּבְחִינַת תְּפִלִּין, וּמִשָּׁם נִמְשָׁךְ קְדֻשַּׁת אֶרֶץ יִשְׂרָאֵל.

May I connect myself to You from now on, and proceed and soon arrive in the Land of Israel—this year. May I be remade entirely so that I will begin anew in serving You, HaShem, as though I had been born today.

Pride in the Tzaddikim

Master of the world, please recall the pride and delight that You have received from all of the Tzaddikim in every generation, and from the totality of the Jewish people, Your holy nation.

Recall all of the pride and delight that You still receive from the totality of the Jewish people, Your nation, as well as from the Tzaddikim in this generation and their truly worthy followers, from which all of the holiness of the Land of Israel is drawn.

May I, too, possess a portion of this pride. May I return to You and truly do Your will, until Your Presence will take pride in me always, at every moment.

In Your vast compassion, You chose us from all of the nations. You take pride in us in every generation. This pride rises as a crown and as a diadem upon Your head, like tefilin. The holiness of the Land of Israel is drawn from that pride.

כִּי הַהִתְפָּאֲרוּת בּוֹקֵעַ בָּעֵינַיִם, וְעַל יְדֵי זֶה נִמְשָׁכִין עֵינֵי הַשְׁגָּחָתְךָ עַל אֶרֶץ יִשְׂרָאֵל, אֲשֶׁר מִשָּׁם מְקַבֶּלֶת אֶרֶץ יִשְׂרָאֵל קְדֻשָּׁתָהּ הַגְּדוֹלָה.

כִּי עַל יְדֵי זֶה אֲוִירָהּ מַחְכִּים, עַל יְדֵי שֶׁנִּמְשָׁכִין שָׁם תָּמִיד עֵינֶיךָ הַקְּדוֹשִׁים שֶׁהֵם עֵינֵי הַחָכְמָה וְהַמַּדָּע.

כְּמוֹ שֶׁכָּתוּב: "אֶרֶץ אֲשֶׁר יְהֹוָה אֱלֹהֶיךָ דּוֹרֵשׁ אוֹתָהּ תָּמִיד עֵינֵי יְהֹוָה אֱלֹהֶיךָ בָּהּ מֵרֵשִׁית הַשָּׁנָה וְעַד אַחֲרִית שָׁנָה".

עַל כֵּן רַחֵם עָלַי וְעַל כָּל יִשְׂרָאֵל, וְזַכֵּנִי שֶׁיִּתְגַּלֶּה לָנוּ קְדֻשַּׁת אֶרֶץ יִשְׂרָאֵל, עַד אֲשֶׁר נִזְכֶּה לִכְסֹף וּלְהִשְׁתּוֹקֵק וּלְהִתְגַּעְגֵּעַ תָּמִיד בֶּאֱמֶת לְאֶרֶץ יִשְׂרָאֵל, וּלְהִתְפַּלֵּל הַרְבֵּה עַל זֶה לְפָנֶיךָ מָלֵא רַחֲמִים, עַד אֲשֶׁר נִזְכֶּה לָבוֹא לְאֶרֶץ יִשְׂרָאֵל חִישׁ קַל מְהֵרָה.

לראש השנה

וְזַכֵּנוּ בְּרַחֲמֶיךָ הָרַבִּים וַחֲסָדֶיךָ הָעֲצוּמִים, שֶׁנִּזְכֶּה בְּכָל שָׁנָה וְשָׁנָה, לִנְסֹעַ עַל רֹאשׁ הַשָּׁנָה לְצַדִּיקִים אֲמִתִּיִּים.

Because pride radiates from the eyes, the eyes of Your providence gaze upon the Land of Israel and, from that, the Land receives its great holiness.

Because Your holy eyes, which are the eyes of wisdom and knowledge, are drawn to the Land, its atmosphere bestows wisdom.

As the verse states, "It is a land that HaShem your God seeks; the eyes of HaShem your God are always on it, from the beginning of the year until the end of the year."

Therefore, have compassion on me and on the entire Jewish people. May the holiness of the Land of Israel be revealed to us, until we will truly yearn, long and pine for it always. May we pray a great deal on this theme to You Who are filled with compassion, until we will come to the Land of Israel quickly, swiftly and speedily.

For Rosh HaShanah

Gathering with the Tzaddikim on Rosh HaShanah

And in Your vast compassion and mighty lovingkindness, help us travel every year to the true Tzaddikim for Rosh HaShanah.

וְאֶזְכֶּה לִהְיוֹת נִמְנֶה גַּם כֵּן בֵּין עַמְּךָ יִשְׂרָאֵל הַכְּשֵׁרִים וְהַתְּמִימִים הַמִּתְאַסְּפִים וּמִתְקַבְּצִים לְצַדִּיקִים אֲמִתִּיִּים עַל רֹאשׁ הַשָּׁנָה.

כִּי אַתָּה לְבַד יוֹדֵעַ מַעֲלַת הַקִּבּוּץ שֶׁל עַמְּךָ יִשְׂרָאֵל בְּרֹאשׁ הַשָּׁנָה לְצַדִּיקִים אֲמִתִּיִּים.

אַתָּה לְבַד יוֹדֵעַ כַּמָּה וְכַמָּה הִתְפָּאֲרוּת וְשַׁעֲשׁוּעִים גְּדוֹלִים וְנוֹרָאִים אֲשֶׁר אַתָּה מְקַבֵּל בְּכָל רֹאשׁ הַשָּׁנָה וְרֹאשׁ הַשָּׁנָה מֵהַקִּבּוּץ הַקָּדוֹשׁ שֶׁל עַמְּךָ יִשְׂרָאֵל אֵצֶל הַצַּדִּיקִים הָאֲמִתִּיִּים.

זַכֵּנוּ בְּרַחֲמֶיךָ הָרַבִּים וַחֲסָדֶיךָ הָעֲצוּמִים, שֶׁנִּהְיֶה אֲנַחְנוּ נִכְלָלִים גַּם כֵּן בְּהַהִתְפָּאֲרוּת וְהַשַּׁעֲשׁוּעִים הָאֵלֶּה, וְאַל יְמַנְּעֵנוּ מִזֶּה שׁוּם מוֹנֵעַ, וְאַל יְעַכְּבֵנוּ שׁוּם עִכּוּב, וְאַל יַטְרִידֵנוּ שׁוּם טִרְדָּא בָּעוֹלָם.

רַק נִזְכֶּה תָּמִיד בְּכָל שָׁנָה וְשָׁנָה, לֵילֵךְ וְלָבֹא וּלְהִתְאַסֵּף אֶל הַקִּבּוּץ הַקָּדוֹשׁ וְהַנּוֹרָא שֶׁל עַמְּךָ יִשְׂרָאֵל הַכְּשֵׁרִים, הַמִּתְאַסְּפִים וּמִתְקַבְּצִים אֵצֶל הַצַּדִּיקִים הָאֲמִתִּיִּים בְּכָל רֹאשׁ הַשָּׁנָה.

וְעַל יְדֵי זֶה נִזְכֶּה שֶׁתִּתְפָּאֵר בָּנוּ תָּמִיד, וְתַמְשִׁיךְ עָלֵינוּ קְדֻשַּׁת אֶרֶץ יִשְׂרָאֵל תָּמִיד.

May I be counted among the people of Your nation of Israel who are worthy and whole-hearted, and who gather to be together with the true Tzaddikim on Rosh HaShanah.

You alone know the value of the gathering of Your nation, the Jewish people, on Rosh HaShanah together with the true Tzaddikim.

You alone know how much pride and great, awesome delight You receive every Rosh HaShanah from the holy gathering of Your nation, the Jewish people, together with the true Tzaddikim.

In Your multitudinous compassion and mighty lovingkindness, may we be included in this pride and these delights. May no obstacle obstruct us, no hindrance hinder us, and no barrier bar us.

May we always, every year, come together with the holy and awesome gathering of the worthy members of Your nation, the Jewish people, who join together with the true Tzaddikim every Rosh HaShanah.

As a result of this, may You always take pride in us and always draw onto us the holiness of the Land of Israel.

וּתְזַכֵּנוּ וְתַעַזְרֵנוּ שֶׁנִּזְכֶּה לְהִסְתַּכֵּל עַל פְּאֵר יֹפִי הֲדָרַת פְּנֵי הַצַּדִּיקִים הָאֲמִתִּיִּים, אֲשֶׁר הֵם כְּלִילַת יֹפִי.

כִּי הֵם כְּלוּלִים מִכָּל הַהִתְפָּאֲרוּת וְהַשַּׁעֲשׁוּעִים שֶׁל כְּלַל יִשְׂרָאֵל אֲשֶׁר אַתָּה מְקַבֵּל עַל יָדָם, עַל יְדֵי שֶׁהֵם עוֹסְקִים תָּמִיד לְקָרְבָם אֵלֶיךָ.

זַכֵּנִי בְּרַחֲמֶיךָ הָרַבִּים לְהִסְתַּכֵּל עַל פְּנֵיהֶם תָּמִיד בֶּאֱמֶת, וּבִפְרָט בִּימֵי רֹאשׁ הַשָּׁנָה הַקְּדוֹשִׁים שֶׁאָז הוּא עִקָּר הַהִתְפָּאֲרוּת, וְאָז פְּנֵיהֶם מְאִירוֹת מְאֹד בְּאוֹר כְּלַל הַהִתְפָּאֲרוּת וְהַשַּׁעֲשׁוּעִים שֶׁל כָּל הַקִּבּוּץ הַקָּדוֹשׁ הַמִּתְקַבְּצִים אֲלֵיהֶם.

אָנָּא יְהֹוָה בְּרַחֲמֶיךָ הָרַבִּים, זַכֵּנוּ לְהִסְתַּכֵּל עַל פְּאֵר הֲדָרַת פְּנֵיהֶם הַקְּדוֹשִׁים וְהַנּוֹרָאִים בֶּאֱמֶת, בְּאֹפֶן שֶׁנִּזְכֶּה עַל יְדֵי זֶה לְקַבֵּל וּלְהַמְשִׁיךְ עָלֵינוּ גַּם כֵּן הֶאָרָה נִפְלָאָה מֵהַהִתְפָּאֲרוּת הַזֹּאת.

עַד אֲשֶׁר נִזְכֶּה שֶׁיִּמְשַׁךְ עָלֵינוּ תָּמִיד קְדֻשַּׁת הַתְּפִלִּין הַנּוֹרָאִים, וּפְאֵר קְדֻשַּׁת הַתְּפִלִּין יִהְיוּ בּוֹקְעִים בְּעֵינֵינוּ.

עַד שֶׁנִּזְכֶּה גַּם בְּכָל מָקוֹם שֶׁאֲנַחְנוּ נִסְתַּכֵּל וְנַבִּיט שָׁם, שֶׁיִּתְקַדֵּשׁ הַמָּקוֹם הַהוּא בִּקְדֻשַּׁת אֶרֶץ יִשְׂרָאֵל.

Help us look at the beautiful loveliness of the glory of the face of the true Tzaddikim, who are the totality of loveliness.

These Tzaddikim are composed of all of the pride and delights of the totality of the Jewish people, which You receive through these Tzaddikim as a result of their acting always to bring the Jewish people close to You.

In Your vast compassion, enable me to truly look at their faces always—in particular, during the holy days of Rosh HaShanah, which is the principal time of that pride, when their faces shine brightly with the light of the totality of the pride and delight of the entire holy gathering that converges to be with them.

Please, HaShem, in Your vast compassion, enable us to truly look at the pride of the glory of their holy and awesome faces, so that as a result, we will receive and draw onto ourselves a wondrous illumination from this pride.

May the holiness of the holy tefilin always be drawn onto us, and their beautiful holiness blaze from our eyes.

May every place that we look and gaze at be sanctified with the sanctity of the Land of Israel.

עַד אֲשֶׁר כָּל מִי שֶׁיּוֹדֵעַ מִטַּעַם אֶרֶץ יִשְׂרָאֵל הַקָּדוֹשׁ, יַרְגִּישׁ קְדֻשַּׁת אֶרֶץ יִשְׂרָאֵל בְּכָל מָקוֹם שֶׁיִּתְוָעֵד עִמָּנוּ יַחַד, עַד אֲשֶׁר יַכִּיר אוֹתָנוּ וְיֵדַע וְיַבְחִין שֶׁאֲנַחְנוּ זָכִינוּ לִהְיוֹת אֵצֶל צַדִּיקִים אֲמִתִּיִּים עַל רֹאשׁ הַשָּׁנָה.

רִבּוֹנוֹ שֶׁל עוֹלָם, מָלֵא רַחֲמִים, רַחֵם עַל צַעֲקַת הַשְּׁכִינָה אֲשֶׁר צוֹעֶקֶת בְּקוֹל מַר עַל מַעֲשֵׂינוּ הָרָעִים, קַלַּנִי מֵרֹאשִׁי, קַלַּנִי מִזְּרוֹעִי.

מִי יָכֹל לִסְבֹּל קוֹל צַעֲקָתָהּ הַמָּרָה, אַתָּה לְבַד יוֹדֵעַ גֹּדֶל מְרִירַת צְעָקָה גְּדוֹלָה וּמָרָה הַזֹּאת.

רַחֵם רַחֵם, וְשָׁמְרֵנוּ וְהַצִּילֵנוּ מֵעַתָּה מִמַּעֲשִׂים רָעִים וּמִמַּחֲשָׁבוֹת רָעוֹת, וְזַכֵּנוּ לָשׁוּב אֵלֶיךָ בֶּאֱמֶת, בִּזְכוּת וְכֹחַ הַצַּדִּיקִים הָאֲמִתִּיִּים.

בְּאֹפֶן שֶׁתִּתְפָּאֵר הַשְּׁכִינָה בָּנוּ מֵעַתָּה, וּתְקַבֵּל שַׁעֲשׁוּעִים גְּדוֹלִים וְהִתְפָּאֲרוּת הַרְבֵּה מֵאִתָּנוּ בְּכָל עֵת מִכָּל אֶחָד וְאֶחָד בִּפְרָטִיּוּת.

וְעָזְרֵנוּ וְזַכֵּנוּ לָשׁוּב בִּתְשׁוּבָה שְׁלֵמָה, וּלְתַקֵּן מְהֵרָה כָּל מַה שֶּׁפָּגַמְנוּ לְפָנֶיךָ בְּעֵינֵינוּ מִנְּעוּרֵינוּ עַד הַיּוֹם הַזֶּה.

Then whoever has experienced the quality of the holy Land of Israel will feel its holiness when he meets us. He will recognize us, knowing and realizing that we have been in the company of the true Tzaddikim on Rosh HaShanah.

Master of the world, You Who are filled with compassion, have compassion on the outcry of Your Presence in this world—which, because of our evil deeds, calls out with a bitter outcry, "My head is heavy, My arm is heavy!"

Who can bear the sound of her bitter outcry? You alone know the anguish of this terrible and bitter outcry.

Have compassion! Have compassion! From this moment onward, guard me and rescue me from engaging in evil deeds and indulging in evil thoughts. In the merit and power of the true Tzaddikim, help me truly return to You.

May Your Presence take pride in us from this point onward, receiving great delight and much pride from every one of us at every moment.

Help us. Enable us to repent completely and to swiftly rectify all that we have blemished before You with our eyes, from our youth until this day.

אֲשֶׁר הִרְבִּינוּ לִפְשֹׁעַ בָּזֶה, שֶׁהִסְתַּכַּלְנוּ בְּעֵינֵינוּ חוּץ מִגְּבוּל הַקְּדֻשָּׁה, וּבָאנוּ עַל יְדֵי זֶה לַחֲטָאִים וַעֲוֹונוֹת וּפְגָמִים גְּדוֹלִים הַרְבֵּה מְאֹד, וְהָרַע בְּעֵינֶיךָ עָשִׂינוּ.

אוֹי לָנוּ כִּי חָטָאנוּ, שֶׁפָּגַמְנוּ בְּעֵינַיִם קְדוֹשִׁים כָּאֵלּוּ, הַנִּמְשָׁכִין מֵעֵינֵי יְהוָה, שֶׁיְּכוֹלִים לִזְכּוֹת לְהִסְתַּכֵּל בָּהֶם עַל הַהִתְפָּאֲרוּת שֶׁל הַשֵּׁם יִתְבָּרַךְ וְהַצַּדִּיקִים, וּלְהַמְשִׁיךְ עַל יְדֵי זֶה קְדֻשַּׁת אֶרֶץ יִשְׂרָאֵל בְּכָל מָקוֹם שֶׁמַּבִּיטִים שָׁם.

וּבְרֹב אִוַּלְתֵּנוּ לָקַחְנוּ עֵינַיִם קְדוֹשִׁים וְנוֹרָאִים כָּאֵלּוּ, וְהִסְתַּכַּלְנוּ בָּהֶם בַּמֶּה שֶׁהִסְתַּכַּלְנוּ עַד אֲשֶׁר בָּאנוּ לְמַה שֶּׁבָּאנוּ בַּעֲוֹנוֹתֵינוּ הָרַבִּים.

מָלֵא רַחֲמִים לַמְּדֵנוּ הַדֶּרֶךְ לְתַקֵּן כָּל זֶה, וְעָזְרֵנוּ וְהוֹשִׁיעֵנוּ שֶׁנִּזְכֶּה לְבַקֵּשׁ וּלְחַפֵּשׂ וְלִמְצֹא צַדִּיקִים אֲמִתִּיִּים הַשַּׁיָּכִים לְשֹׁרֶשׁ נִשְׁמוֹתֵינוּ, וְלֵילֵךְ וְלִנְסֹעַ אֲלֵיהֶם תָּמִיד.

וּבִפְרָט עַל רֹאשׁ הַשָּׁנָה הַקָּדוֹשׁ שֶׁהוּא עִקַּר זְמַן הַקִּבּוּץ הַקָּדוֹשׁ, זַכֵּנוּ שֶׁנִּהְיֶה נִמְנִין גַּם כֵּן בִּכְלַל עַמְּךָ יִשְׂרָאֵל

We have willfully sinned in this regard a great deal, gazing with our eyes beyond the boundary of holiness. As a result, we have committed many terrible transgressions and sins, and we have incurred many blemishes. We have done that which is evil in Your eyes.

Woe to us, for we transgressed. We caused blemishes with our holy eyes that come from Your eyes, HaShem, with which people can look at Your pride, HaShem, and at the Tzaddikim, and draw the holiness of the Land of Israel onto every place they look at.

In our great foolishness, we took our holy and awesome eyes and used them to look at what we looked at, until we came to what we came to, for our many sins.

You Who are filled with compassion, teach us how to rectify all of this. Help us and save us so that we will beseech You, so that we will search for and find true Tzaddikim who are connected to the root of our souls, and always travel to them.

In particular, on the holy Rosh HaShanah, which is the principal time of the holy gathering, may we be counted among the totality of Your worthy nation of Israel who gather with the

הַכְּשֵׁרִים הַמִּתְאַסְּפִים אֲלֵיהֶם. וְנִזְכֶּה עַל יְדֵי זֶה לָשׁוּב בִּתְשׁוּבָה שְׁלֵמָה לְפָנֶיךָ בֶּאֱמֶת.

וְנִזְכֶּה לְהִסְתַּכֵּל עַל פְּנֵיהֶם הַקְּדוֹשִׁים, וּלְתַקֵּן עַל יְדֵי זֶה כָּל הַפְּגָמִים שֶׁפָּגַמְנוּ בְּעֵינֵינוּ מִנְּעוּרֵינוּ עַד הַיּוֹם הַזֶּה, וְתַמְשִׁיךְ עָלֵינוּ אוֹר קְדֻשַּׁת הַהִתְפָּאֲרוּת הַכָּלוּל בִּפְנֵיהֶם הַקְּדוֹשִׁים.

וְעַל יְדֵי זֶה נִזְכֶּה לְהַמְשִׁיךְ קְדֻשַּׁת אֶרֶץ יִשְׂרָאֵל בְּכָל מָקוֹם שֶׁנִּסְתַּכֵּל שָׁם, עַד אֲשֶׁר יִתְקַדְּשׁוּ כָּל מְקוֹמוֹת יִשְׂרָאֵל בִּקְדֻשַּׁת אֶרֶץ יִשְׂרָאֵל.

מָלֵא רַחֲמִים רַחֵם עָלֵינוּ לְמַעַן שְׁמֶךָ, חוּסָה עָלֵינוּ כְּרֹב רַחֲמֶיךָ.

זַכֵּנוּ שֶׁיִּתְעוֹרֵר לִבֵּנוּ אֵלֶיךָ בֶּאֱמֶת, וְנִזְכֶּה לְהַרְגִּישׁ וְלֵידַע הֵיטֵב נוֹרָאוֹת מְתִיקוּת הַטַּעַם הַקָּדוֹשׁ וְהַנִּפְלָא שֶׁל אֶרֶץ יִשְׂרָאֵל.

וְנִזְכֶּה מֵעַתָּה לִכְסֹף וּלְהִשְׁתּוֹקֵק וְלִבְעֹר וּלְהִתְלַהֵב לְאֶרֶץ יִשְׂרָאֵל, וּלְאַפּוּשֵׁי בְּרַחֲמֵי טוּבָא, לְהַרְבּוֹת בְּרַחֲמִים וְתַחֲנוּנִים לְפָנֶיךָ.

עַד שֶׁנִּזְכֶּה לִפְעֹל בַּקָּשָׁתֵנוּ בְּרַחֲמִים אֶצְלְךָ, שֶׁנִּזְכֶּה לָבֹא מְהֵרָה לְאֶרֶץ יִשְׂרָאֵל בְּשָׁלוֹם בְּלִי פֶּגַע.

Tzaddikim. As a result, may we truly return to You in complete repentance.

May we look at their holy faces and, as a result, rectify all of the blemishes that we incurred with our eyes from our youth until this day. Draw onto us the light of the holy pride that is incorporated into their holy faces.

As a result, may we draw the holiness of the Land of Israel onto every place that we look at, until all of the places where Jews live will be sanctified with the holiness of the Land of Israel.

You Who are filled with compassion, have compassion on us for the sake of Your Name. In Your great compassion, have pity on us.

May our hearts truly be aroused to turn to You. May we clearly feel and know the awesome sweetness of the holy and wondrous taste of the Land of Israel.

From now on may we yearn, long, be fervent and passionate about the Land of Israel. May we engage in a great deal of prayer, and intensify our search for Your compassion.

As a result of our impassioned pleas to You, may we come quickly to the Land of Israel in peace and without harm.

עָזְרֵנוּ אֱלֹהֵי יִשְׁעֵנוּ לְמַעַן שְׁמֶךָ כִּי לְךָ לְבַד עֵינֵינוּ תְלוּיוֹת, מַלֵּא מִשְׁאֲלוֹתֵינוּ לְטוֹבָה בְּרַחֲמִים, וְזַכֵּנוּ לָבוֹא מְהֵרָה לְכָל מַה שֶּׁבִּקַּשְׁנוּ מִלְּפָנֶיךָ.

חָנֵּנוּ וַעֲנֵנוּ וּשְׁמַע תְּפִלָּתֵנוּ כִּי אַתָּה שׁוֹמֵעַ תְּפִלַּת כָּל פֶּה עַמְּךָ יִשְׂרָאֵל בְּרַחֲמִים.

"יִהְיוּ לְרָצוֹן אִמְרֵי פִי וְהֶגְיוֹן לִבִּי לְפָנֶיךָ יְהוָה צוּרִי וְגוֹאֲלִי":

God of our salvation, help us for the sake of Your Name, because our eyes are raised to You alone. Compassionately fulfill our requests for the good. Help us quickly attain all that we have requested of You.

Be gracious to us and answer us. Hear our prayer, because You compassionately hear the prayer of every mouth of Your nation, the Jewish people.

"May the words of my mouth and the meditation of my heart be pleasing before You, HaShem, my Rock and my Redeemer."